W9-CHR-695

KSZTAŁT
RUIN

Książka, którą nabyłeś, jest dziełem twórcy i wydawcy. Prosimy, abyś przestrzegał praw, jakie im przysługują. Jej zawartość możesz udostępnić nieodpłatnie osobom bliskim lub osobiście znanym. Ale nie publikuj jej w internecie. Jeśli cytujesz jej fragmenty, nie zmieniaj ich treści i koniecznie zaznacz, czyje to dzieło. A kopiując jej część, rób to jedynie na użytek osobisty.

Szanujmy cudzą własność i prawo.
Więcej na www.legalnakultura.pl
Polska Izba Książki

KSZTAŁT RUIN

Juan Gabriel Vásquez

Przełożyła Katarzyna Okrasko

ECHA

Tytuł oryginału: *La forma de las ruinas*

Redakcja: Maria Lipowska
Korekta: Beata Wójcik, Maria Lipowska
Projekt okładki: Mónica Reyes Álvarez
Adaptacja okładki: Magda Kuc
DTP: Dariusz Ziach

Zdjęcie na stronie 44: © Sady González / Biblioteca Luis Ángel Arango del Banco de la República
Zdjęcie na stronach 73 i 81: © Leonardo Garavito.
Pozostałe fotografie pochodzą z prywatnego archiwum autora.

© 2015, Juan Gabriel Vàsquez
c/o Casanovas & Lynch Agencja Literaria, S. L.
Published by agreement with Casanovas & Lynch Literary Agency,
Spain & Book/lab Literary Agency, Poland.

Copyright © for the Polish translation by Katarzyna Okrasko, 2020
Copyright © for the Polish edition by Echa an imprint of Wydawnictwa Czarna Owca,
Warszawa 2020

Wydanie I

Druk i oprawa: CPI Moravia

ISBN 978-83-8143-317-4

WYDAWNICTWO
CZARNA OWCA

ul. Wspólna 35/5 | **DZIAŁ HANDLOWY** tel.: +48 22 616 29 36, e-mail: handel@czarnaowca.pl
00-519 Warszawa | **REDAKCJA** tel.: +48 22 616 29 20, e-mail: redakcja@czarnaowca.pl
www.czarnaowca.pl | **SKLEP INTERNETOWY** tel.: +48 22 77 55 705, www.inverso.pl

Dla Leonarda Garavita,
który włożył mi ruiny w ręce

Dla Maríi Lynch i Pilar Reyes,
które pokazały mi, jak nadać im kształt

Jesteś ruiną największego z ludzi...
Szekspir *Juliusz Cezar**

* Wszystkie cytaty z Szekspira pochodzą z tłumaczeń Stanisława Barańczaka. Wiersz Leona de Greiffa na stronie 50 przełożył Carlos Marrodan Casas, Paula Éluarda na stronie 177 – Jan Kott. Cytat z Gabriela Garcíi Marqueza na stronie 61 został przytoczony za Joanną Karasek i Agnieszką Rurarz.

I

MĘŻCZYZNA, KTÓRY OPOWIADAŁ O NIESZCZĘŚLIWYCH DATACH

K iedy widziałem go po raz ostatni, Carlos Carballo gramolił się do policyjnej furgonetki. Ręce miał skute kajdankami na plecach, głowę zatopioną w ramionach, a napis na dole ekranu informował o powodach jego aresztowania; próbował ukraść garnitur sukienny zamordowanego polityka. Był to ulotny obraz wyłowiony przypadkiem z wieczornego wydania wiadomości, pomiędzy nachalnym gadulstwem reklam a niedługo przed wiadomościami sportowymi, i pamiętam, że pomyślałem wówczas o milionach telewidzów, którzy oglądają ze mną tę scenę, ale spośród nich wszystkich tylko ja mogłem, nie kłamiąc, powiedzieć, że nie jestem zaskoczony. Wszystko rozegrało się w starym domu Jorge Eliecera Gaitana, zamienionym obecnie w muzeum, do którego co roku pielgrzymują tłumy odwiedzających, żeby chociaż przez krótką chwilę zetknąć się pośrednio z najsłynniejszą zbrodnią polityczną w kolumbijskiej historii. Ten garnitur z sukna Gaitán miał na sobie 9 kwietnia 1948 roku, gdy Juan Roa Sierra, sympatyzujący z nazizmem młody mężczyzna, który flirtował niegdyś z sektami różokrzyżowców i miał w zwyczaju rozmawiać z Dziewicą Maryją, czekał na niego przy wyjściu z kancelarii i z odległości kilku metrów oddał cztery strzały na środku uczęszczanej ulicy, w pełnym słońcu bogotańskiego południa. Kule przeszyły marynarkę i kamizelkę, a ludzie, którzy o tym wiedzą, odwiedzają muzeum tylko po to, żeby zobaczyć ciemne dziury pustki. Carlos Carballo, można by pomyśleć, był jednym z tych odwiedzających.

Wydarzyło się to w drugą środę kwietnia 2014 roku. Ponoć Carballo wszedł do muzeum około jedenastej rano, przez wiele godzin snuł się po nim jak pogrążony w religijnym transie albo przystawał przed tomami kodeksu karnego z przechyloną głową, albo oglądał film dokumentalny ukazujący płonące tramwaje i wzburzonych ludzi z maczetami, puszczany wciąż od nowa w godzinach otwarcia dla zwiedzających. Zaczekał na odejście ostatnich uczniów w mundurkach, żeby wejść na drugie piętro, gdzie w wystawionej na publiczny widok witrynie przechowywano garnitur, który miał na sobie Gaitán w dniu śmierci, i zaczął walić w grube szkło ręką uzbrojoną w kastet. Udało mu się położyć dłoń na ramieniu marynarki granatowej jak noc, ale nie miał czasu na nic więcej, bo strażnik pilnujący porządku na drugim piętrze, zaalarmowany hałasem, już celował do niego z pistoletu. Carballo zauważył wówczas, że pokaleczył się odłamkami szkła z witryny, i zaczął oblizywać sobie knykcie jak bezpański pies. Ale nie wydawał się szczególnie zmartwiony. W telewizji młoda spikerka w białej bluzce i spódniczce w szkocką kratę podsumowała to tak:

„Jakby przyłapano go na malowaniu po murach".

Wszystkie gazety następnego dnia informowały o niedoszłej kradzieży. Ludzie dziwili się, pełni hipokryzji, że mit Gaitana budzi podobne emocje siedemdziesiąt sześć lat po jego śmierci, niektórzy nawet po raz n-ty porównali to zabójstwo z zabójstwem Kennedy'ego sprzed ponad pięćdziesięciu lat, które wciąż nie przestawało fascynować.

Przypominali, jakby była potrzeba, nieprzewidziane konsekwencje morderstwa: miasto płonące od ludowych protestów, snajperzy rozmieszczeni na dachach, strzelający do wszystkich jak leci, kraj pogrążony w wojnie przez kilka kolejnych lat. Te same informacje powtarzały się wszędzie, mniej lub bardziej szczegółowo, mniej lub bardziej melodramatycznie, mniej lub bardziej okraszone obrazami, na przykład zdjęciami tłumu, który właśnie zlinczował mordercę i ciągnie jego półnagie ciało Siódmą Aleją w kierunku Pałacu Prezydenckiego, ale żadne medium nie odważyło się na spekulację, choćby nawet całkowicie pozbawioną podstaw, na temat prawdziwych powodów, które przywiodły mężczyznę niebędącego szaleńcem do próby kradzieży podziurawionego ubrania słynnej ofiary zabójstwa. Nikt nie zadał sobie tego trudu, a potem dziennikarze zaczęli powoli zapominać o Carlosie Carballu. Kolumbijczycy przytłoczeni codzienną przemocą, nad którą nie mają nawet czasu się zafrasować, pozwolili, żeby ten niegroźny w gruncie rzeczy człowiek rozpłynął się jak cień w wieczornym mroku. Nikt więcej o nim nie myślał.

To między innymi jego historię chcę opowiedzieć. Nie twierdzę, że dobrze go znałem, ale osiągnęliśmy pewien poziom zażyłości, jaki osiągają jedynie ci, którzy pragną się nawzajem oszukać. Aby zacząć swoją opowieść (jak przeczuwam, i przegadaną, i niekompletną), muszę wspomnieć o człowieku, który nas sobie przedstawił, gdyż to, co spotkało mnie później, nabierze sensu dopiero, kiedy zrelacjonuję, w jakich okolicznościach pojawił się w moim życiu Francisco Benavides. Wczoraj spacerując po centrum Bogoty – tu rozegrała się część opisywanych przeze mnie wydarzeń – i próbując upewnić się raz jeszcze, że nic mi nie umknęło podczas bolesnej rekonstrukcji, nagle zdałem sobie sprawę, że zapytuję na głos, w jaki sposób dowiedziałem się

13

tych rzeczy, bez których być może byłoby mi lepiej; jak to się stało, że spędziłem tyle czasu, myśląc o tamtych umarłych, z nimi dzieląc życie, rozmawiając, słuchając ich lamentów i samemu lamentując, że nie mogę zrobić nic, żeby ulżyć im w cierpieniu. I ku swojemu zdumieniu stwierdziłem, że wszystko zaczęło się od pewnych słów, rzuconych lekko przez doktora Benavidesa, kiedy zapraszał mnie do swojego domu. W tamtej chwili sądziłem, że godzę się dlatego, bo nie wypada skąpić czasu osobie, która swój poświęciła mi w trudnym momencie; spodziewałem się, że wizyta będzie czystko kurtuazyjna, okaże się jedną z tak wielu życiowych błahostek. Nie mogłem wiedzieć, jak bardzo się mylę, tej nocy bowiem została wprawiona w ruch machina przerażenia, a zatrzymać ją miała dopiero ta książka; książka napisana jako próba oczyszczenia się ze zbrodni, których wprawdzie nie popełniłem, ale które odziedziczyłem.

Francisco Benavides należał do grona cieszących się najlepszą reputacją chirurgów w naszym kraju, był miłośnikiem whisky single malt i zapalonym czytelnikiem, aczkolwiek nigdy nie omieszkał zaznaczać, że bardziej interesuje go historia niż fikcja, i jeśli przeczytał którąś z moich powieści, to tylko ze względu na sentyment, jaki żywi dla swoich pacjentów. Ja, ściśle rzecz ujmując, nie byłem jego pacjentem, ale skontaktowaliśmy się po raz pierwszy właśnie z powodu moich problemów zdrowotnych. Pewnej nocy w 1996 roku, kilka tygodni po przeprowadzce do Paryża, próbowałem rozszyfrować esej Georges'a Pereca, kiedy poczułem jakieś dziwne zgrubienie pod prawą kością szczękową. Przypominała kulkę pod skórą. Przez następnych kilka dni kulka urosła, ale ja byłem tak skupiony na zmianie w moim życiu, na zgłębianiu reguł nowego miasta i próbach znalezienia w nim swojego miejsca, że nie zwracałem na to uwagi. Minęło kilka kolejnych dni, a ja miałem tak spuchniętą śliniankę, że zniekształcała mi twarz; ludzie na ulicy patrzyli na mnie współczująco, a jedna koleżanka z roku przestała odpowiadać mi na dzień dobry z obawy przed zarażeniem się jakąś nieznaną chorobą. Zaczęły się badania, cały legion paryskich lekarzy nie zdołał postawić trafnej diagnozy, jeden z nich, którego nazwiska nie chcę sobie przypomnieć, odważył się nawet zasugerować chłoniaka. Wtedy moja rodzina zwróciła się do Benavidesa, żeby zapytać, czy to możliwe. Nie był on wprawdzie specjalistą od onkologii, ale przez ostatnie lata zajmował się chorymi w stadium terminalnym, robił to po godzinach i za darmo. I chociaż niezbyt odpowiedzialne było diagnozować kogoś, kto znalazł się po drugiej stronie oceanu, szczególnie w epoce, kiedy telefony nie przesyłały zdjęć, a komputery nie miały wbudowanych kamer, to jednak Benavides nie pożałował swego czasu, wiedzy i intuicji, a jego transoceaniczne wsparcie pomogło mi tak bardzo jak ostateczna diagnoza. „Gdyby miał pan to, czego szukają", powiedział mi przez telefon, „już dawno by to znaleźli". Pokrętna logika tego zdania była dla mnie jak koło ratunkowe rzucone tonącemu; ten, kto się go chwyta, nie zastanawia się, czy aby nie jest dziurawe.

Po kilku tygodniach (spędziłem je zawieszony w jakimś bezczasie, rozmyślając ciągle o bardzo konkretnej możliwości, że moje życie dobiegnie końca po zaledwie dwudziestu trzech latach, a jednocześnie tak ogłuszony tym ciosem, że nie zdołałem poczuć prawdziwego strachu ani prawdziwego smutku) pewien internista – przypadkiem poznałem go w Belgii – członek Lekarzy bez Granic, świeżo po powrocie z ogarniętego koszmarem Afganistanu, rzucił okiem i rozpoznał u mnie postać gruźlicy atakującej węzły chłonne, niewystępującą już w Europie, ale wciąż spotykaną (jak mi powiedziano bez cudzysłowu, którego użyję teraz) w „trzecim świecie". Przyjęto mnie do szpitala w Liege, zamknięto w ciemnej sali, zrobiono badanie, od którego paliła mnie krew, znieczulono mnie, otworzono prawą stronę twarzy pod kością szczękową, żeby pobrać próbkę węzła chłonnego i zostawić do hodowli; po tygodniu laboratorium potwierdziło diagnozę, którą przybyły z Afganistanu lekarz postawił bez tak kosztownych badań.

Przez dziewięć miesięcy przyjmowałem trzy antybiotyki, które barwiły mój mocz na kolor jaskrawopomarańczowy; opuchnięty węzeł powoli się zmniejszał, aż pewnego ranka poczułem wilgoć na poduszce i uświadomiłem sobie, że guz pękł. Potem rysy mojej twarzy powróciły do normalności (z wyjątkiem dwóch blizn, jednej dyskretnej i tej po zabiegu chirurgicznym, bardziej rzucającej się w oczy) i w końcu mogłem zostawić ten epizod za sobą, chociaż przez wszystkie minione lata nie zdołałem zapomnieć o nim całkowicie, gdyż blizny nieustannie każą mi wracać do niego pamięcią. Poczucie wdzięczności dla doktora Benavidesa towarzyszyło mi od tamtej pory. A kiedy dziewięć lat później spotkaliśmy się po raz pierwszy, od razu przyszło mi do głowy, że nie podziękowałem mu tak, jak powinienem. Być może z tego powodu tak szybko zaakceptowałem jego pojawienie się w moim życiu.

Spotkaliśmy się przypadkiem w kawiarni kliniki Santa Fe. Moja żona leżała tu od piętnastu dni, staraliśmy się stawić czoło okolicznościom, które zmusiły nas do przedłużenia pobytu w Bogocie. Wylądowaliśmy w stolicy na początku lipca, dzień po Święcie Niepodległości, z zamiarem spędzenia europejskich letnich wakacji z rodzinami i powrotu do Barcelony odpowiednio wcześnie przed przewidzianą datą porodu. Ciąża do dwudziestego czwartego tygodnia przebiegała podręcznikowo, za co byliśmy wdzięczni każdego dnia; wiedzieliśmy bowiem, że ciąża bliźniacza z definicji przypisywana jest do kategorii wysokiego ryzyka. Ta normalność skończyła się pewnej niedzieli, kiedy po nocy dziwnych dolegliwości i bólów odwiedziliśmy doktora Ricarda Ruedę, specjalistę od leczenia niepłodności, który pomagał nam od początku. Po dokładnym badaniu USG przekazał nam wiadomość.

„Niech pan pojedzie do domu po rzeczy", powiedział. „Pańska żona na razie tu zostaje".

Wyjaśnił nam, co się dzieje, tonem i słowami osoby, która ogłasza wiadomość o pożarze w sali kinowej; nie może zlekceważyć powagi sytuacji, ale musi zachować umiar, żeby ludzie nie pozabijali się, uciekając w popłochu. Opowiedział szczegółowo, na czym polega niewydolność szyjki macicy, zapytał M, czy miała skurcze, a na koniec oznajmił, że konieczny będzie pilny zabieg, żeby opóźnić nieodwracalny proces, który bez naszej wiedzy już się rozpoczął. Potem dodał – lokalizując ogień, starając się zapobiec wybuchowi paniki – że musimy się pogodzić z perspektywą przedwczesnego porodu; teraz chodziło o to, żeby w tej niekorzystnej sytuacji opóźnić go jak najbardziej, od tego, ile czasu uda się zyskać, zależą szanse na przeżycie naszych córek. Jednym słowem zaczęliśmy wyścig z kalendarzem, wiedzieliśmy, że nie możemy go przegrać, bo porażki tego kalibru rujnują życie. Od tej chwili wszystkie działania miały na celu opóźnić poród. Kiedy nadszedł wrzesień, M spędziła już dwa miesiące w sali na pierwszym piętrze kliniki, miała zakaz wstawania z łóżka i codziennie poddawana była badaniom, które wystawiały na próbę naszą wytrzymałość, odwagę i nasze nerwy.

Codziennym rytuałem stały się zastrzyki z kortyzonu, mające przyspieszyć dojrzewanie płuc naszych nienarodzonych córek, pobrania krwi tak częste, że żona miała pokłute całe ręce, niekończące się USG, niekiedy nawet dwugodzinne, mające ustalić stan mózgów, kręgosłupów, dwóch serc bijących szybciutko, ale nigdy w jednym rytmie. Noce nie były spokojniejsze. Pielęgniarki wchodziły co chwilę, notowały coś na karcie pacjenta, zadawały pytania, a ciągłe niewyspanie i napięcie, w którym żyliśmy, sprawiały, że czuliśmy się nieustannie zirytowani. M zaczęła mieć skurcze, których jeszcze nie czuła; żeby je zmniejszyć (nigdy nie dowiedziałem się, czy chodziło o ich częstotliwość czy o siłę), podawano jej lek o nazwie Adalat, którego działanie uboczne polegało na uderzeniach gorąca, zmuszających mnie do otwierania na oścież okna sali i spania w lodowatym zimnie bogotańskich nocy. Czasami kiedy chłód albo ciągłe wizyty pielęgniarek skutecznie przepłaszały sen, szedłem przespacerować się po wyludnionej klinice; jeśli znajdowałem jakiś oświetlony kącik, czytałem kilka stron *Lolity* w wydaniu, z którego okładki patrzył na mnie Jeremy Irons, albo snułem się korytarzami pogrążonymi w półmroku – o tej porze gaszono połowę neonowych lamp – szedłem z naszej sali na oddział neonatologii, a potem do poczekalni na oddziale chirurgii jednego dnia. Podczas tych nocnych przechadzek białymi korytarzami próbowałem sobie przypomnieć ostatnie wyjaśnienia lekarzy i ustalić ryzyko, na jakie narażone byłyby dziewczynki, gdyby urodziły się w tej chwili; potem próbowałem policzyć, jak dużo przybrały na wadze w ciągu ostatnich dni i czas, w jakim osiągną minimalną wagę konieczną do przeżycia, i dziwiłem się, że mój stan ducha zależy wyłącznie od tych, pracowicie zliczanych, przybywających gramów. Nigdy jednak nie oddalałem się zbytnio od sali żony i przez cały czas miałem telefon w ręku, nie w kieszeni, żeby być pewnym, że go usłyszę. I patrzyłem na niego często: żeby sprawdzić, czy mam zasięg, że sygnał jest dobry, że córki nie urodzą się pod moją nieobecność przez brak czterech kreseczek na małym szarym firmamencie ciekłokrystalicznego wyświetlacza.

Podczas jednej z tych nocnych wycieczek natknąłem się na doktora Benavidesa, choć właściwie to on mnie rozpoznał. Mieszałem znużony moją drugą kawę z mlekiem, siedząc w głębi otwartego non stop baru, z daleka od grupy studentów robiących sobie chyba przerwę w trakcie nocnego dyżuru (na którym w moim mieście, pełnym drobniejszych i poważniejszych aktów przemocy, zawsze jest duży ruch), w czytanej książce Lolita i Humbert Humbert zaczynali swoją podróż po Stanach Zjednoczonych, z motelu do motelu, znacząc kolejne parkingi łzami i zakazaną miłością, wprawiając w ruch geografię. To on do mnie podszedł, przedstawił się skromnie i zapytał o dwie rzeczy: czy go pamiętam i jak skończyła się historia moich węzłów chłonnych. Zanim zdążyłem mu odpowiedzieć, przysiadł się z własnym kubkiem kawy, trzymał go mocno, jakby się bał, że ktoś mu go nagle wyrwie. Nie był to jeden z tych plastikowych kubków z obozu dla uchodźców, jakie dawali nam, ale solidny ceramiczny kubek pomalowany w ciemnoniebieskie wzory: logo uniwersytetu wyłaniało się nieco rozpaczliwie spod małych dłoni, spod rozczapierzonych palców.

„I co pan tu robi o tej porze?", zapytał.

Zdałem mu lakoniczną relację: zagrożenie przedwczesnym porodem, tydzień ciąży, rokowania. Ale szybko zorientowałem się, że nie ma ochoty rozmawiać na ten temat, więc odpowiedziałem pytaniem na pytanie: „A pan?".

„Odwiedzałem pacjenta", odparł.

„A co dolega pańskiemu pacjentowi?"

„Trudny do zniesienia ból", odpowiedział bez owijania w bawełnę. „Przyszedłem zobaczyć, czy mogę coś dla niego zrobić". A potem zmienił temat, ale nie miałem wrażenia, że unika odpowiedzi. Benavides nie był osobą unikającą rozmów o bólu. „Czytałem pana książkę, tę o Niemcach" powiedział. „Kto by pomyślał, że mój pacjent wyrośnie na pisarza".

„Kto by pomyślał".

„A w dodatku pisze rzeczy dla staruszków".

„Rzeczy dla staruszków?"

„O latach czterdziestych. O drugiej wojnie światowej. O dziewiątym kwietnia, o tym wszystkim".

Mówił o książce, którą wydałem rok wcześniej. Pomysł na nią powstał w 1999 roku, kiedy poznałem Ruth de Frank, niemiecką Żydówkę, która uciekła przed piekłem nadciągającym nad Europę i znalazła się w Kolumbii w 1938 roku; była świadkiem tego, jak kolumbijski rząd, aliant aliantów, zerwał stosunki dyplomatyczne z państwami Osi i zaczął zamykać obywateli wrogich państw – propagandzistów albo sympatyków europejskich faszyzmów – w luksusowych wiejskich hotelikach zmienionych w obozy odosobnienia. Podczas trzech dni intensywnych wywiadów miałem przyjemność i przywilej wysłuchania tej kobiety obdarzonej niepospolitą pamięcią, która opowiedziała mi prawie całe swoje życie, a ja zanotowałem to na zbyt małych kartkach notesu, jedynego, jaki mogłem dostać w prowincjonalnym hoteliku, gdzie się poznaliśmy. W całym pasjonującym chaosie życia Ruth, płynącego przez siedemdziesiąt lat na dwóch kontynentach, najbardziej szokująca okazała się dla mnie jedna anegdota, chwila, kiedy jej żydowska rodzina uciekinierów – jeden z tych ironicznych zakrętów historii – stała się ofiarą prześladowań także w Kolumbii, tylko dlatego że miała n i e m i e c k i e   o b y w a t e l s t w o. To nieporozumienie (tak, wiem, „nieporozumienie" jest słowem nieodpowiednim i nazbyt frywolnym) stało się pierwszym impulsem do napisania powieści, którą zatytułowałem *Los informantes*, a życie i wspomnienia Ruth de Frank zmieniły się, zniekształcone, jak to zwykle w fikcji bywa, w najważniejszą postać tej powieści, coś w rodzaju moralnego kompasu tego fikcyjnego świata – Sarę Guterman.

Ale owa powieść poruszała również wiele innych kwestii. Rozgrywała się zasadniczo w latach czterdziestych i nieuniknione było, że historia albo jej bohaterowie natkną się na wydarzenia z 9 kwietnia 1948 roku. Postacie *Los informantes* rozmawiają o tym tragicznym dniu; ojciec narratora, wykładowca retoryki, wspomina z podziwem cudowne przemówienia Gaitana, jest również opis na dwóch krótkich stroniczkach, jak narrator udaje się do centrum Bogoty, żeby odwiedzić miejsce zbrodni, jak sam czyniłem to wielokrotnie, a Sara Guterman, towarzysząca mu tego dnia, schyla się, żeby dotknąć szyn, po których w latach czterdziestych jeździły jeszcze tramwaje. W białej ciszy nocy w szpitalnym barze, nad kubkiem kawy, doktor wyznał mi, że właśnie ta scena – starsza kobieta wychodząca na ulicę, na której Gaitán upadł postrzelony, i dotykająca torów, po których już od dawna nie jeżdżą tramwaje, jakby sprawdzała puls zranionego zwierzęcia – sprawiła, że postanowił mnie odszukać.

„Bo ja też to zrobiłem", powiedział.

„Co takiego?"

„Pojechałem do centrum. Zatrzymałem się przed tablicami. A nawet dotknąłem torów". Zawiesił głos. Po chwili zapytał: „A pan od kiedy się tym interesuje?"

„Nie wiem", przyznałem. „Chyba od zawsze. Jedno z moich pierwszych opowiadań było o dziewiątym kwietnia. Na szczęście nigdy go nie opublikowano. Pamiętam tylko, że pod koniec padał śnieg".

„W Bogocie?"

„Tak, w Bogocie. Na ciało Gaitana. I na tory".

„Rozumiem", powiedział. „To dlatego nie lubię czytać zmyślonych historii".

Tak zaczęliśmy rozmawiać o 9 kwietnia. Zwróciło moją uwagę, że w odniesieniu do tamtych wydarzeń Benavides nie używał słowa B o g o t a z o, górnolotnego przezwiska, jakim ochrzciliśmy tak dawno temu ów legendarny dzień. Nie, Benavides zawsze podawał datę, czasem nawet kompletną, wraz z rokiem, jakby chodziło o podanie imienia i nazwiska osoby, która zasługuje na szacunek, albo jakby używanie przydomka było niegrzecznym spoufalaniem się; w końcu trudno kumplować się z fascynującymi nas wydarzeniami z przeszłości. Zaczął sypać anegdotami, ja starałem się odpłacić mu tym samym.

Opowiedział mi o inspektorach Scotland Yardu wynajętych przez rząd do nadzorowania śledztwa i o swojej krótkiej wymianie korespondencji z jednym z nich: bardzo uprzejmym mężczyzną, który z całkiem świeżym oburzeniem wspominał dni swojego pobytu w Kolumbii, kiedy to rząd domagał się codziennych raportów z postępów w śledztwie, rzucając mu jednocześnie kłody pod nogi. Ja z kolei opowiedziałem mu o swojej rozmowie z Leticią González, ciotką mojej żony, której męża Juana Roę Cervantesa goniła grupka liberałów z maczetami, gdyż pomylili go z zabójcą o tym samym imieniu i nazwisku; kiedy poznałem Roę Cervantesa osobiście, sam opowiedział mi o tych dniach zamętu, ale tym, co pamiętał najwyraźniej (i wspominając wydarzenie, z trudem powstrzymywał łzy), była kara wymierzona mu przez zwolenników Gaitana – spalili jego bibliotekę.

„No tak, niezła historia, mieć takie imię i nazwisko", przyznał Benavides i się uśmiechnął.

Wówczas opowiedział mi o relacji Hernanda de la Esprielli, pacjenta z wybrzeża, który znalazł się w Bogocie podczas zamieszek i spędził pierwszą noc pod stosem trupów, unikając w ten sposób śmierci; ja z kolei opisałem mu swoją wizytę w domu Gaitana po tym, jak urządzono tam muzeum i wystawiono na manekinie bez głowy, w szklanej witrynie, jego granatowy jak noc garnitur z dziurami po kulach w sukně (nie pamiętałem dwiema czy trzema), żeby mogli to zobaczyć wszyscy zwiedzający. Dyżurujący studenci już sobie poszli, a my jeszcze przez piętnaście, może dwadzieścia minut siedzieliśmy w barze, wymieniając się anegdotami z zapałem chłopców zdobywających nowe karty do albumów z piłkarzami. Ale doktor Benavides musiał w pewnym momencie pomyśleć, że zakłóca mi chwilę ciszy. Takie przynajmniej miałem wrażenie; jak wszyscy lekarze przyzwyczajeni do cudzego bólu i troski wiedział, że pacjenci i ich bliscy potrzebują chwil samotności, kiedy nikt ich nie zagaduje i nie muszą z nikim rozmawiać. I wtedy się ze mną pożegnał. „Mieszkam niedaleko", powiedział, ściskając mi dłoń. „Kiedy będzie pan miał ochotę pogawędzić o dziewiątym kwietnia, niech pan do mnie zajrzy. Napijemy się whisky, opowiem panu kilka rzeczy. Na ten temat mogę rozmawiać bez końca".

Przez chwilę myślałem o tym, że są w Kolumbii ludzie, dla których rozmawianie o 9 kwietnia jest jak gra w szachy czy w karty, jak dzierganie na szydełku albo zbieranie znaczków. Nie ma ich już, prawdę mówiąc, zbyt wielu; odchodzili, nie pozostawiając spadkobierców ani nie tworząc szkoły, zwyciężeni przez bezwzględną amnezję gnębiącą nieustannie ten biedny kraj. A jednak wciąż istnieją, bo zamordowanie Gaitana – adwokata wywodzącego się z klas ludowych, który dotarł na szczyty kariery politycznej, powołanego, by uwolnić Kolumbię od jej bezlitosnych elit; błyskotliwego mówcy potrafiącego przemieszać w swoich przemówieniach na pozór niemożliwe do pogodzenia wpływy Marksa i Mussoliniego – jest częścią naszej narodowej mitologii, podobnie jak zabójstwo Kennedy'ego dla mieszkańca Stanów Zjednoczonych, a dla Hiszpana zamach stanu 23 lutego. Jak wszyscy Kolumbijczycy dorastałem, słysząc a to, że Gaitana zabili konserwatyści, a to, że liberałowie, że zabili go komuniści, że zagraniczni szpiedzy, że zabiła go klasa robotnicza, bo poczuła się zdradzona, że zabiła go oligarchia, bo poczuła się zagrożona, i szybko przyjąłem do wiadomości, jak wszyscy zrozumieliśmy to z czasem, że Juan Roa Sierra był tylko zbrojnym ramieniem spisku z powodzeniem utrzymanego w tajemnicy. Może to właśnie jest przyczyną mojej obsesji na punkcie tego dnia; nigdy nie darzyłem postaci Gaitana bezkrytycznym podziwem, jaki zauważam w stosunku do niego u innych, wydaje mi się, że ma ona więcej cieni, niż jesteśmy skłonni przyznać, wiem jednak, że mój kraj byłby lepszym miejscem, gdyby nie zamordowano tego polityka, a przede wszystkim mógłbym spoglądać spokojniej w lustro, gdyby to zabójstwo tyle lat później wciąż nie pozostawało bezkarne. Dziewiąty kwietnia jest w kolumbijskiej historii przepaścią. Ale jest też czymś więcej: samotnym czynem, który pogrążył cały kraj w krwawej wojnie, zbiorową neurozą, która sprawiła, że na ponad pół wieku przestaliśmy sobie ufać. Przez cały ten czas od chwili zbrodni, my, Kolumbijczycy, staraliśmy się – bezskutecznie – zrozumieć, co wydarzyło się w ów piątek 1948 roku. Dla wielu stało się to mniej lub bardziej poważnym hobby, pochłaniającym naszą energię. Wiem, że istnieją obywatele Stanów Zjednoczonych – sam znam takich kilku – rozmawiający przez całe życie o zabójstwie Kennedy'ego, o najdrobniejszych szczegółach, najtrudniejszych do ustalenia detalach; wiedzą oni, jakiej firmy buty miała na sobie tego dnia Jackie Kennedy, cytują z pamięci akapity raportu komisji Warrena. I są również Hiszpanie – nie znam wprawdzie wielu, ale jednego owszem i to mi wystarczy – ciągle dyskutujący nad nieudanym zamachem stanu 23 lutego 1981 roku w madryckim Kongresie Deputowanych, potrafiący z zamkniętymi oczami znaleźć ślady po strzałach na suficie sali obrad. Są tacy ludzie na całym świecie, tak sobie przynajmniej wyobrażam, odpowiadający w ten sposób na spiskowe teorie dziejów swoich krajów: zmieniają je w opowieść powtarzaną wciąż od nowa, jak powtarza się dzieciom baśnie, a także w miejsce pamięci i wyobraźni, wirtualne miejsce turystycznych wycieczek, podczas których ożywiamy na nowo nasze nostalgie albo próbujemy znaleźć coś, co nam zaginęło. Doktor, jak wydało mi się wówczas, należał do takich osób. Czy ja również się do nich zaliczałem? Benavides zapytał mnie, od kiedy się tym interesuję, ja zaś napomknąłem mu o opowiadaniu napisanym w czasach studenckich. Ale nie zdradziłem jego genezy ani nie wspomniałem o chwili, w której powstało. Nie sięgałem do tego pamięcią już od dawna i zaskoczyło mnie, że właśnie wtedy, pośród groźnej teraźniejszości, wspomnienia postanowiły powrócić.

Były to gorące dni 1991 roku. Od kwietnia 1984, kiedy to boss narkotykowy Pablo Escobar kazał zabić ministra sprawiedliwości Rodriga Larę Bonillę, wojna między kartelem z Medellín a państwem kolumbijskim zdążyła wziąć szturmem moje miasto czy też zmienić je w teren swoich manewrów. Bomby wybuchały w miejscach starannie wybieranych przez *narcos* tak, żeby zabić anonimowych obywateli niebędących w tej wojnie stroną (chociaż wszyscy byliśmy w tej wojnie stroną, a wiara, że jest inaczej, równała się niewinności, a może wręcz naiwności). W dwóch zamachach – żeby podać przykład – zorganizowanych przed Dniem Matki w centrach handlowych zginęło dwadzieścia jeden osób; kiedy indziej bomba podłożona na arenie walki z bykami w Medellín zabiła dwadzieścia dwie osoby. Kolejne eksplozje, kolejne krzyżyki w kalendarzu. Z upływem miesięcy zaczynaliśmy rozumieć, że nie jesteśmy wolni od zagrożenia – nikt z nas nie jest – bo każdego w każdym miejscu i o każdej porze może zaskoczyć bomba. Miejsca zamachów z jakichś atawistycznych powodów, które nie bardzo potrafiliśmy zrozumieć, odgradzano taśmami i nie było tam wstępu. Fragmenty miasta zostały nam odebrane, zamienione, każde z osobna, w *memento mori* z kamienia i cegieł, a jednocześnie docierało do nas nieśmiałe jeszcze poczucie, że oto nowy rodzaj losu (losu oddzielającego nas od śmierci, który wraz z losem decydującym o miłości są najważniejsze i najbardziej aroganckie) pojawił się w naszym życiu niewidoczny i przede wszystkim nieprzewidywalny jak fala uderzeniowa.

Tymczasem zacząłem studia na wydziale prawa mieszczącym się w centrum Bogoty, w starym, służącym niegdyś za więzienie dla bojowników o niepodległość, siedemnastowiecznym klasztorze, po którego schodach niejeden zszedł wprost na szubienicę; aule o grubych murach wydały zaś na świat wielu prezydentów, niemało poetów, a w niektórych niefortunnych przypadkach także poetów prezydentów. W salach wykładowych nie rozmawiano wcale o tym, co działo się poza nimi: debatowaliśmy raczej nad tym, czy grupa speleologów uwięziona w jaskini ma prawo pozjadać się nawzajem; debatowaliśmy nad tym, czy Shylock w *Kupcu weneckim* miał prawo żądać od Antonia funta jego ciała i czy tani kruczek prawny Porcji był rzeczywiście legalny. Na innych zajęciach (znakomitej ich części) nudziłem się w sposób niemal fizyczny, odczuwałem coś w rodzaju dygotu w klatce piersiowej, przypominającego lekki atak paniki. Podczas śmiertelnie nudnych wykładów z prawa formalnego i prawa majątkowego siadywałem w ostatnich ławkach i tam, osłaniany przez wielokolorowy mur pleców kolegów, wyjmowałem na pulpit książki Borgesa albo Vargasa Llosy, albo Flauberta, o którym czytałem u Vargasa Llosy, albo Stevensona i Kafki, wspominanych przez Borgesa. Szybko doszedłem do wniosku, że nie ma sensu chodzić na zajęcia tylko po to, żeby inscenizować tę akademicką uzurpację; zacząłem wagarować, tracić czas na grę w bilard i dyskusje o literaturze, słuchać w sali skórzanych sof Casa Silva nagrań Leona de Greiffa albo Pabla Nerudy czytających swoje wiersze albo włóczyłem się po okolicach uniwersytetu, bez żadnej ustalonej trasy ani zwyczajowych ścieżek, z placu, na którym przesiadywali pucybuci, szedłem do kawiarni na placyku z fontanną Queveda, z uczęszczanych ławek w parku Santander na ustronne i spokojniejsze w parku Palomar del Príncipe, z księgarni Centro Cultural del Libro, z ich lokalami o powierzchni metra kwadratowego i zaangażowanymi księgarzami, którzy potrafili zdobyć każdą powieść latynoamerykańskiego boomu, do Świątyni Idei, trzypiętrowej willi mieszczącej księgarnię i warsztat introligatorski; można tu było usiąść na schodach i pośród jazgotu maszyn, wdychając odurzający zapach kleju, poczytać cudze książki. Zacząłem pisać abstrakcyjne opowiadania, jak *Sto lat samotności* pełne poetyckich ekscesów, i inne, w których naśladowałem interpunkcję saksofonisty podpatrzoną u Cortazara w *Bestiariuszu* czy dajmy na to w *Circe*. Pod koniec drugiego roku studiów zrozumiałem coś, co wykluwało się we mnie od kilku miesięcy: że prawo mnie nie interesuje i nie jest mi do niczego potrzebne, bo moją jedyną obsesją jest czytanie fikcji, z czasem chciałem się też nauczyć ją tworzyć.

Pewnego dnia coś się wydarzyło.

Podczas zajęć z historii idei politycznych rozmawialiśmy o Hobbesie albo o Locke'u, albo o Monteskiuszu, kiedy z ulicy doszły nas echa wystrzałów. Nasza sala znajdowała się na ósmym piętrze gmachu przy Siódmej Alei, z okien mieliśmy doskonały widok na jezdnię i zachodni chodnik. Siedziałem w ostatnim rzędzie oparty plecami o ścianę i jako pierwszy podniosłem się, żeby wyjrzeć przez okno: i tam, na chodniku przed witrynami sklepu papierniczego Panamericana leżała postrzelona osoba, która wykrwawiała się na oczach gapiów. Poszukałem wzrokiem strzelca, bezskutecznie: nikt nie miał w ręku pistoletu, nikt nie biegł, żeby zniknąć za zbawiennym rogiem ulicy, nie zauważyłem też żadnych głów odwracających się w kierunku uciekającego ani ciekawskich spojrzeń, wyciągniętych w jego kierunku palców – bogotanie bowiem nauczyli się już nie wtrącać w nie swoje sprawy. Ranny był w garniturze, niczym urzędnik, nie miał jednak krawata, spod rozpiętej dzianinowej marynarki widziałem białą koszulę poplamioną krwią. Nie ruszał się. Pomyślałem: nie żyje. Wówczas przechodnie unieśli ciało na rękach, ktoś zatrzymał biały samochód dostawczy z otwartą przyczepą. Ułożyli ciało na przyczepie i jeden z tych, którzy go przenieśli, wskoczył do niej. Zastanawiałem się, czy go znał, a może rozpoznał w tamtej chwili, czy był obok, kiedy padły strzały (może to jego wspólnik mający rozeznanie w nie do końca bezpiecznych interesach), czy też powodowały nim po prostu solidarność i zaraźliwe współczucie. Nie czekając, aż światło w alei Jimeneza zmieni się na zielone, biały wóz dostawczy uciekł z korka, skręcając gwałtownie w lewo (domyśliłem się, że wiozą go do szpitala San José) i zniknął mi z oczu.

Gdy zajęcia dobiegły końca, zszedłem z ósmego piętra na dziedziniec uniwersytecki, udałem się na placyk Rosario, gdzie wznosił się pomnik założyciela miasta don Gonzala Jimeneza de Quesady, którego zbroja i miecz zachowały się na zawsze w mojej pamięci skąpane w gównie gołębi. Przespacerowałem się wąską Czternastą Ulicą, zawsze chłodną, gdyż promienie słońca docierają tu tylko wczesnym rankiem, nigdy po dziewiątej, i przeszedłem przez Siódmą Aleję na wysokości sklepu papierniczego Panamericana. Plama krwi lśniła na chodniku jak jakiś zgubiony przedmiot; przechodnie obchodzili ją, wymijali i można było nawet uwierzyć, że to krew zranionego w wypadku człowieka i że okoliczni mieszkańcy, oglądając ją od niepamiętnych czasów, przyzwyczaili się do niej, nauczyli, jak w nią nie wdepnąć. Plama była wielkości otwartej dłoni. Podszedłem tak blisko, że miałem ją między stopami, jakbym chciał ją uchronić przed rozdeptaniem, i wówczas sam właśnie to zrobiłem: wdepnąłem w nią.

Zrobiłem to ostrożnie, zaledwie czubkiem mojego buta, jak wkłada się palce do wody, żeby sprawdzić jej temperaturę. Zepsułem czysty, dobrze zaznaczony obrys plamy. Musiałem wtedy poczuć nagły przypływ wstydu, gdyż uniosłem głowę, żeby zobaczyć, czy nikt mnie nie obserwuje i po cichu nie potępia mojego zachowania (które miało w sobie coś z braku szacunku, a nawet profanacji), i oddaliłem się stamtąd, próbując nie wykonywać ruchów zwracających czyjąkolwiek uwagę. Kilka kroków dalej znajdowały się marmurowe płyty upamiętniające Jorge Eliecera Gaitana. Przystanąłem, żeby je przeczytać, a raczej udawałem, że je czytam, potem przeciąłem Siódmą Aleję, idąc chodnikiem alei Jimeneza, skręciłem za róg, wszedłem do Café Pasaje, zamówiłem kieliszek czerwonego wina i użyłem serwetki, żeby oczyścić czubek buta. Mógłbym zostawić tam serwetkę, na stoliku kawiarni, pod porcelanowym spodeczkiem, ale wolałem zabrać ją ze sobą, uważając, żeby nie dotknąć gołą ręką krwi tego człowieka. Wyrzuciłem serwetkę do pierwszego napotkanego kosza na śmieci. Nikomu o tym nie opowiedziałem, ani tego dnia, ani później.

Następnego ranka wróciłem na ten sam chodnik. Plamy już nie było, został po niej zaledwie słabo widoczny ślad na szarym betonie. Zastanawiałem się, co mogło się stać z rannym mężczyzną, czy przeżył wypadek, czy wraca do zdrowia w towarzystwie żony i dzieci, czy też umarł i teraz w jakimś zakątku tego rozjuszonego miasta dobiega właśnie końca czuwanie przy nim. Podobnie jak poprzedniego dnia, poszedłem kilka kroków w stronę alei Jimeneza, zatrzymałem się przy marmurowych tablicach, ale tym razem przeczytałem od początku do końca wszystkie napisy na każdej z nich i uświadomiłem sobie, że nigdy wcześniej tego nie zrobiłem. Gaitán, człowiek, o którym w mojej rodzinie rozmawiało się, odkąd sięgam pamięcią, wciąż był niemal obcą mi osobą, niewyraźną postacią przechadzającą się po moich mglistych wyobrażeniach o historii Kolumbii. Tego samego dnia zaczekałem na profesora Francisca Herrerę, aż skończy swoje lekcje retoryki, i zapytałem, czy mogę zaprosić go na piwo, żeby opowiedział mi o 9 kwietnia.

„Lepiej na kawę z mlekiem", odparł. „Wracam potem do domu, nie chcę śmierdzieć piwem".

Francisco Herrera – dla przyjaciół Pacho – był szczupłym mężczyzną w dużych okularach w czarnych plastikowych oprawkach, otoczonym sławą ekscentryka. Mówił barytonem, co nie przeszkadzało mu imitować któregokolwiek z naszych polityków. Podstawowym wykładanym przez niego przedmiotem była filozofia prawa, ale jego znajomość retoryki i talent do naśladownictwa pozwoliły mu zorganizować popołudniowe zajęcia, na których można było posłuchać wielkich przemówień z historii polityki, od mowy Antoniusza w *Juliuszu Cezarze* do przemówienia Martina Luthera Kinga, i rozebrać je na czynniki pierwsze. Nierzadko zajęcia były tylko prologiem; chodziliśmy z Herrerą potem do pobliskiej knajpy, gdzie zapraszaliśmy go na kieliszeczek likieru, a on w zamian prezentował nam swoje najlepsze imitacje słynnych mów, wzbudzając ciekawość, rozbawienie, a czasem prowokując sarkastyczne komentarze przy sąsiednich stolikach. Naśladowanie wystąpień Gaitana szło mu szczególnie dobrze, orli nos i zaczesane na brylantynę włosy tworzyły iluzję podobieństwa, ale najważniejsze były znajomość jego życia i dzieła, dzięki którym opublikował krótką biografię polityka w wydawnictwie uniwersyteckim; to wszystko przepełniało każde z wypowiadanych przez niego zdań takim autentyzmem, że przypominał wręcz medium podczas seansu spirytystycznego, a w jego wystąpieniach Gaitán powracał do żywych. Kiedyś mu o tym powiedziałem; gdy wygłaszał jego mowy, miało się wrażenie, że Gaitán go opętał. Uśmiechnął się jak ktoś, kto poświęcił całe życie jakiejś ekstrawagancji i nagle z niemałym zdumieniem zdał sobie sprawę, że nie stracił czasu.

W drzwiach Café Pasaje – zatrzymaliśmy się, żeby wypuścić pucybuta z drewnianą skrzynką pod pachą – zapytał mnie, o czym konkretnie chcę porozmawiać.

„Chciałbym wiedzieć, jak to dokładnie było", odrzekłem. „Jak wyglądało zabójstwo Gaitana".

„A, to w takim razie nawet nie będziemy siadać. Niech pan pójdzie ze mną, za róg ulicy".

Tak też zrobiliśmy, ruszyliśmy tam bez słowa, milczeliśmy, schodząc po schodach na placyk od alei Jimeneza, dotarliśmy na róg i zaczekali chwilę, żeby móc przeciąć Siódmą Aleję. Pacho poruszał się jakby z pośpiechem, a ja starałem się dotrzymać mu kroku. Zachowywał się jak starszy brat, który wyjechał z domu, a teraz młodszego oprowadza po swoim nowym mieście. Minęliśmy marmurowe tablice, zaskoczyło mnie trochę, że Pacho nie zatrzymał się, żeby na nie spojrzeć, nawet nie pokazał mi ich wyciągniętą ręką ani skinieniem głowy. Doszliśmy do miejsca, gdzie w 1948 roku stał budynek Agustína Nieta (uświadomiłem sobie, że znaleźliśmy się tylko kilka kroków od miejsca, gdzie jeszcze wczoraj była plama krwi, dziś zostały po niej tylko niewyraźny cień i wspomnienie), i Pacho zaprowadził mnie do przeszklonych drzwi lokalu komercyjnego.

„Proszę ich dotknąć", powiedział.

31

Przez chwilę nie rozumiałem, o co mu chodzi. „Mam dotknąć drzwi?" „Tak, niech pan ich dotknie", nalegał, a ja posłuchałem. „Bo przez te właśnie drzwi wyszedł Gaitán dziewiątego kwietnia", ciągnął. „Oczywiście nie są to dokładnie te same drzwi, bo budynek też nie jest ten sam, niedawno wyburzono gmach Agustína Nieta i postawiono ten na jego miejscu. Ale umówmy się, że w tej chwili, dla nas, to są właśnie drzwi, przez które wyszedł Gaitán, a pan ich dotyka. Była mniej więcej pierwsza po południu i Gaitán szedł na obiad z dwoma przyjaciółmi. Był w dobrym humorze. A wie pan, dlaczego był w dobrym humorze?" „Nie, Pacho", odpowiedziałem. Z budynku wyszła jakaś para, przez chwilę patrzyli na nas dziwnie. „Niech mi pan wyjaśni dlaczego". „Bo poprzedniego popołudnia wygrał sprawę w sądzie. Dlatego się cieszył".

Obronę porucznika Cortesa oskarżonego o zastrzelenie dziennikarza Eudora Galarzy Ossy należałoby potraktować nie w kategorii wygranego procesu, ale uznać za cud. Gaitán wygłosił poruszającą mowę obrończą, przyznając, że porucznik zabił wprawdzie dziennikarza, ale uczynił to w sprawiedliwej obronie własnego honoru. Zbrodnia miała miejsce przed dziesięciu laty. Dziennikarz, redaktor naczelny gazety codziennej z Manizales, pozwolił na opublikowanie artykułu krytykującego znęcanie się porucznika nad swoimi żołnierzami; kiedy redaktor Galarza stanął w obronie swojego reportera, który nie zrobił nic innego, jak tylko powiedział prawdę, porucznik wyjął pistolet i oddał dwa strzały. Tak wyglądało zdarzenie. Ale Gaitán sięgnął po swój najwspanialszy retoryczny arsenał, żeby poruszyć kwestię ludzkich namiętności, honoru wojskowego, poczucia obowiązku, obronny wartości patriotycznych, proporcjonalności między zniewagą a obroną, pewnych okoliczności będących ujmą na honorze wojskowego, w przeciwieństwie do cywila, i tego, jak żołnierz, broniąc swojego honoru, broni zarazem całego społeczeństwa. Nie zaskoczyło mnie wcale, że Pacho zna na pamięć finał tej mowy. Zobaczyłem, jak niespiesznie przemienia się w Gaitana, co zdarzyło mi się obserwować wcześniej wiele razy, usłyszałem jego zmieniony głos, niebędący już niskim aksamitnym głosem Francisca Herrery, ale wyższym Gaitana, naśladował nie tylko jego barwę, lecz także głęboki oddech metronomu, starannie zaznaczone spółgłoski i podniosłe rytmy:

„Poruczniku Cortés, nie wiem, co zadecyduje ława przysięgłych, ale tłumy czekają niecierpliwie na tę decyzję! Poruczniku Cortés, nie potrzebuje pan mojej obrony. Pańskie szlachetne życie, pańskie pełne bólu życie może wyciągnąć do mnie rękę, a uścisnę ją, wiedząc, że ściskam dłoń człowieka honoru, pełnego szlachetności i dobroci!"

„Szlachetności i dobroci", powtórzyłem.

„Paradne, prawda?" – zapytał Pacho. „Bałamutna manipulacja, ale przy tym majstersztyk. Majstersztyk w ł a ś n i e d l a t e g o, że jest bałamutną manipulacją".

„Bałamutna, ale skuteczna", powiedziałem.

„No właśnie".

„Jeśli o to chodzi, Gaitán był prawdziwym czarodziejem".

„Zgadzam się, był czarodziejem", potwierdził Pacho. „Był obrońcą wolności, ale ocalił od więzienia zabójcę dziennikarza. I nikt nawet nie widział w tym sprzeczności. Morał: nigdy nie należy ufać wielkim mówcom".

Tłum zgotował mu owację, a potem wyniósł Gaitana na ramionach niczym toreadora. Była pierwsza dziesięć w nocy. Gaitán, zmęczony ale zadowolony, zgodził się na obowiązkowe świętowanie, wznosił toasty ze znajomymi i obcymi i dotarł do domu o czwartej nad ranem. Pięć godzin później był już z powrotem w swojej kancelarii, uczesany i nieskazitelnie ubrany w trzyczęściowy garnitur, ciemnogranatowy, prawie czarny w cieniutkie białe prążki. Przyjął jakiegoś klienta, odebrał kilka telefonów od dziennikarzy. Około pierwszej w gabinecie zjawiło się kilku przyjaciół, chcieli mu tylko pogratulować – byli tam między innymi Pedro Eliseo Cruz, Alejandro Vallejo, Jorge Padilla. Jeden z nich, Plinio Mendoza Neira, zaprosił wszystkich obecnych na obiad, gdyż sukces poprzedniej nocy należało odpowiednio uczcić. „Zgoda", powiedział Gaitán, śmiejąc się głośno. „Ale ostrzegam, Pliniu, że nie jestem tani".

„Zjechali windą, która znajdowała się mniej więcej tutaj", wyjaśnił Pacho, wskazując na wejście do budynku (tego nowego). „Winda nie zawsze tam działała, bo czasem brakowało prądu. Tego dnia był. Tędy wyszli, niech pan spojrzy". Spojrzałem. „Znaleźli się na ulicy. Plinio Mendoza wziął Gaitana pod ramię, o tak". Pacho ujął mnie pod ramię i prowadził od drzwi na chodnik Siódmej Alei. Teraz musiał podnieść głos, gdyż nie osłaniała nas już ściana gmachu i przeszkadzał mu szum samochodów i gwar przechodniów. „Tam, po drugiej stronie ulicy, na kinie Faenza wisiał afisz. Wyświetlali *Rzym, miasto otwarte* Rosselliniego. Gaitán studiował w Rzymie i niewykluczone, że plakat przykuł jego uwagę przez proste skojarzenie faktów. Ale nigdy się tego nie dowiemy, zawsze pozostanie tajemnicą, co dzieje się w umyśle człowieka na chwilę przed śmiercią, jakie wspomnienia wracają z odmętów pamięci, jakie skojarzenia. Tak czy owak, myśląc o Rzymie czy nie, myśląc o Rossellinim czy nie, poczuł, że Plinio Mendoza odciąga go parę kroków na bok. Jakby chciał z nim przedyskutować coś poufnego. I wie pan co? Być może chciał.

«Mam dla ciebie pewną wiadomość, bardzo krótką», powiedział Mendoza.

Wtedy zobaczył, jak Gaitan staje jak wryty, potem zaczyna się cofać w kierunku budynku, zasłaniając sobie twarz dłońmi, jakby chciał się ochronić. Rozległy się – jeden po drugim – trzy strzały; po upływie sekundy padł czwarty. Gaitán runął na plecy. «Co się stało, Jorge?», zapytał Mendoza. Co za głupie pytanie", stwierdził Pacho. „Ale ciekawe, czy komuś w takiej chwili przyszłoby do głowy coś oryginalniejszego". „Nikomu", przyznałem. „Mendoza dostrzegł zabójcę", ciągnął Pacho, „i chciał się na niego rzucić. Ale ten wycelował do niego z pistoletu, więc musiał się cofnąć. Bał się, że też zostanie postrzelony, i próbował wrócić do budynku, do drzwi, żeby się schronić". Pacho znów wziął mnie pod ramię. Wróciliśmy pod nieistniejące drzwi gmachu Agustína Nieta. Odwróciliśmy się, spoglądając na ruch na Siódmej Alei, i Pacho podniósł rękę, żeby pokazać mi miejsce na chodniku, gdzie leżał Gaitán. Z jego głowy ciekła strużka krwi. „Tu stał Juan Rôa Sierra, zabójca. Czekał na Gaitana przy wejściu do gmachu Agustína Nieta. To oczywiście tylko przypuszczenia. Po zbrodni świadkowie twierdzili, że widzieli, jak wszedł do budynku, jak jeździł windą w górę i na dół, co było zachowaniem dość podejrzanym. Zwrócili na niego uwagę. Ale nie można brać ich zeznań za pewnik, po tak ważnym wydarzeniu ludziom zaczyna się wydawać, że widzieli rzeczy podejrzane. Niektórzy twierdzili potem, że Roa miał na sobie szary garnitur w prążki, bardzo stary i zniszczony. Inni, że garnitur był w prążki, ale koloru kawy. Jeszcze inni, że nie było żadnych prążków. Trzeba wyobrazić sobie zamieszanie, krzyki świadków, ludzi biegających w kółko. Tak czy owak, Mendoza widział mordercę z miejsca, gdzie teraz stoimy. Zobaczył, jak unosi broń i znów celuje do Gaitana, jakby zamierzał go dobić. Ale według Mendozy Roa nie oddał kolejnego strzału. Inny świadek stwierdził, że owszem, strzelił, kula odbiła się rykoszetem od bruku i o mało co nie zabiła Mendozy. Tam na rogu – Pacho wskazał w kierunku alei Jimeneza – stał policjant. Mendoza zobaczył, że waha się przez chwilę, a potem wyjmuje pistolet i strzela do Roy Sierry. Roa zaczął uciekać na północ, o tam, proszę spojrzeć". „Patrzę".

„Potem odwrócił się, jakby chciał przestraszyć tych, co towarzyszyli Gaitanowi, nie wiem, czy pan mnie rozumie, jakby próbował asekurować się podczas ucieczki. I wtedy rzucili się na niego przechodnie. Jedni mówią, że pobiegł za nim też policjant, ten, który miał strzelać, a może inny. Niektórzy, że policjant zaszedł go od tyłu, wówczas Roa uniósł ręce do góry i wtedy ludzie się na niego rzucili. Jeszcze inni twierdzą, że próbował przebiec na drugą stronę Siódmej Alei, kierując się na wschód. Dopadli go tutaj, na krawędzi chodnika, zanim zdążył to zrobić. Kiedy przyjaciele Gaitana zobaczyli, że zabójca został schwytany, wrócili do rannego, żeby sprawdzić, czy mogą mu jakoś pomóc. Kapelusz spadł mu z głowy i znalazł się o krok od ciała, które leżało w tej pozycji", wyjaśnił Pacho, kreśląc w powietrzu poziome linie. „Równolegle do jezdni. Ale zamieszanie było tak wielkie, że każdy z przyjaciół opowiedział potem swoją wersję wydarzeń. Jedni, że głowa Gaitana wskazywała południe, a stopy północ, inni, że było odwrotnie. Zgadzali się co do jednego: miał otwarte, przerażająco spokojne oczy. Ktoś, chyba Vallejo, zauważył, że z ust płynie mu krew. Ktoś inny krzyknął, żeby przynieść wody. Na parterze budynku znajdował się bar El Gato Negro, wyszła z niego kelnerka ze szklanką wody. Podobno krzyczała: «Zabili nam Gaitancita». Ludzie pochylali się nad nim, chcieli go dotknąć jak świętego: jego ubrania, włosów. Wtedy

36

nadszedł Pedro Eliseo Cruz, lekarz, przykucnął i spróbował zmierzyć mu puls.

«Żyje?», zapytał Alejandro Vallejo.

«Ty po prostu zatrzymaj taksówkę», odparł Cruz.

Ale taksówka, czarna taksówka podjechała sama, zanim ktokolwiek zdążył ją zawołać", ciągnął Pacho. „Ludzie przepychali się, żeby móc podnieść Gaitana i włożyć go do samochodu. Zanim to się stało, Cruz podszedł i zauważył ranę w tyle głowy. Próbował jej się przyjrzeć, ale kiedy obrócił lekko głowę Gaitana, ten zwymiotował krwią. Ktoś zapytał, jak to widzi.

«Jest zgubiony», odparł Cruz.

Gaitán wydusił z siebie kilka skarg", powiedział Pacho. „A właściwie jęków skargi".

„Więc jeszcze żył", zauważyłem.

„Wtedy jeszcze tak", potwierdził Pacho. „Kelnerka z innej, znajdującej się nieopodal kawiarni El Moilino albo El Inca, przysięgała później, że słyszała, jak mówi: «Nie dajcie mi umrzeć». Ale ja w to nie wierzę. Wierzę raczej w to, co mówił Cruz, że nie było już dla Gaitana ratunku. Wtedy zjawił się człowiek z aparatem i zaczął robić mu zdjęcia".

„Jak to, Pacho?", zapytałem. „Więc są zdjęcia postrzelonego Gaitana?"

„Tak słyszałem, owszem. Sam ich nie widziałem, ale podobno są. Inna rzecz, czy przetrwały do dziś. Trudno sobie teraz wyobrazić, że coś tak ważnego mogłoby się zagubić, przepaść, dajmy na to, na jakimś strychu. Ale bardzo prawdopodobne, że tak właśnie się stało. Bo jeśli było inaczej, dlaczego ich nie znamy? Oczywiście możliwe również, że ktoś je zniszczył. Te dni owiane są tak wielką tajemnicą… No więc mniej więcej tak to się wszystko odbyło. Fotograf przecisnął się przez tłum, torując sobie drogę łokciami, i zaczął robić zdjęcia Gaitanowi.

Jeden ze świadków zdarzenia się oburzył: «Po co fotografować zabitego», powiedział. «Niech pan lepiej zrobi zdjęcie mordercy».

Ale fotograf tego nie zrobił", ciągnął Pacho. „Ludzie nieśli już Gaitana do taksówki. Cruz wsiadł razem z nim, a do innej taksówki, która nadjechała zaraz po niej, wsiadła cała reszta. I ruszyli na południe, do kliniki Central. Podobno w tamtej chwili wiele osób wyjęło swoje chusteczki, pochyliło się nad miejscem, gdzie wcześniej leżało ciało, i zaczęło ścierać krew Gaitana. Ponoć później nadbiegł ktoś z kolumbijską flagą i zrobił to samo".

„A Roa Sierra?", – zapytałem.

„Roę Sierrę złapał policjant, pamięta pan?"

„Tak, tutaj, niedaleko budynku".

„Prawie na rogu. Roa Sierra cofał się w kierunku alei Jimeneza, kiedy policjant zaszedł go od tyłu i przystawił mu lufę do pleców.

«Niech pan mnie nie zabija, sierżancie», poprosił Roa.

Tym sierżantem okazał się podoficer wracający ze służby (wyjął mu z ręki niklowany pistolet i wsunął go sobie do kieszeni spodni). Potem złapał go za ramię.

Nazywał się Jiménez", powiedział Pacho. „Sierżant Jiménez patrolujący aleję Jimeneza; niekiedy wydaje mi się, że historii czasem brakuje wyobraźni. No więc sierżant prowadził Roę Sierrę, ale jakiś facet go dopadł i pobił, nie wiem, czy pięścią, czy jakąś skrzynką. Popchnął go tak, że Roa Sierra uderzył o witrynę sklepu, który znajdował się tutaj".

Pacho pokazał drzwi budynku przylegającego niegdyś do gmachu Agustína Nieta. „Nazywał się Faux, o ile dobrze pamiętam, i tu była witryna, która się rozbiła, chyba mieścił się tu sklep Kodaka, ale nie jestem tego pewien. Nie wiadomo, czy z powodu pobicia, czy zderzenia z witryną Roa zaczął krwawić z nosa.

Widząc napierających na nich ludzi, sierżant Jiménez zaczął się rozglądać za kryjówką. Szedł na południe, przy fasadzie budynku. «To on», krzyczał tłum, «to zabójca mecenasa Gaitana». Sierżant, ciągnąc za ramię Roę, skierował się ku wejściu do apteki Granada, ale podczas tej krótkiej drogi pucybuci dopadli mordercę ze swoimi ciężkimi drewnianymi skrzynkami.

Roa umierał ze strachu", opowiadał Pacho. „Ludzie, którzy widzieli, jak strzelał, Vallejo i Mendoza, mówili później, że dostrzegli na jego twarzy przeraźliwy grymas nienawiści, nienawiści, jaką żywią fanatycy. Wszyscy twierdzili również, że w chwili, kiedy oddawał strzały, Roa zachowywał się, jakby całkowicie nad sobą panował. Ale później, kiedy otoczyli go wściekli pucybuci, kiedy sypały się na niego ciosy i myślał – tak przynajmniej sobie wyobrażam – że tłum chce go zlinczować, wtedy cały fanatyzm i panowanie nad sobą wyparowały. Został tylko strach. Zmiana była tak zaskakująca, że niektórzy świadkowie myśleli, że było dwóch zabójców: fanatyk i tchórz.

Morderca Gaitana był blady. Miał oliwkową skórę i wyraziste rysy twarzy, długie włosy, dawno nieobcinane, kilkudniowy zarost pokrywający jego twarz cienistymi plamami. Wszystko to upodabniało go do bezpańskiego psa. Inni świadkowie twierdzili, że wyglądał jak mechanik albo rzemieślnik, jeden z nich upierał się nawet, że widział plamę oleju na rękawie garnituru. «Zlinczować zabójcę!», krzyknął ktoś. Z nosem złamanym od jednego z ciosów Roa dał się wepchnąć do apteki Granada. Pascal del Vecchio, przyjaciel Gaitana, poprosił, żeby ukryć zabójcę, bo inaczej tłum go zlinczuje. Wepchnęli tam Roę, który wydawał się pogodzony z losem i nie stawiał oporu, zobaczyli, jak przycupnął w kącie, żeby nie być widzianym z ulicy. Ktoś opuścił metalowe żaluzje. Jeden z pracowników apteki podszedł do niego.

«Czemu zabiłeś doktora Gaitana?», zapytał.

«Ach, proszę pana», odparł Roa, «to potężne sprawy, nie mogę mówić».

Próbowali rozwalić żaluzję", ciągnął Pacho. „Właściciel przestraszył się, że zdemolują mu lokal, i sam otworzył.

«Ludzie pana zabiją», nalegał pracownik. «Niech pan mi powie, kto panu kazał».

«Nie mogę», odparł Roa.

Roa próbował schować się za kontuarem, ale złapali go, zanim zdołał przez niego przeskoczyć", tłumaczył Pacho. „Dopadli go pucybuci i wywlekli na ulicę. Ale jeszcze zanim to się stało, ktoś znalazł wózek transportowy, wie pan, taki do przewożenia towarów. Więc ktoś chwycił ten wózek i rzucił go na Roę. Ja zawsze sądziłem, że już w tym momencie Roa stracił przytomność. Na chodniku bili go nadal: pięściami, skrzynkami, kopali go w krocze. Podobno nawet ktoś kilka razy wbił w niego pióro. Zaczęli go ciągnąć na południe, do Pałacu Prezydenckiego. Jest zdjęcie, to słynne zdjęcie, które zrobił ktoś z górnego piętra, kiedy ciżba była trochę dalej, mniej więcej na placu Bolivara. Widać na nim ludzi wlokących Roę, i widać Roę, a raczej jego martwe ciało. Kiedy go wlekli, spadły z niego ubrania i został prawie nagi. To jedna z najbardziej makabrycznych fotografii z tego makabrycznego dnia. Roa już na niej nie żyje, co oznacza, że zmarł w jakimś punkcie trasy prowadzącej od apteki Granada. Czasem myślę o tym, że Roa skonał w tym samym momencie co Gaitán. Wie pan, o której dokładnie godzinie zmarł Gaitán? O pierwszej pięćdziesiąt pięć. Za pięć druga. To niewykluczone, że umarł w tej samej chwili, co jego zabójca, prawda? Nie wiem, dlaczego to ważne, a raczej wiem, że to nieważne, ale czasami o tym myślę. Stąd powlekli Roę Sierrę. Tu znajdowała się apteka Granada i stąd go zabrali. Być może, kiedy znajdował się w miejscu, gdzie teraz stoimy, już nie żył. Może umarł później. Nie wiemy i nigdy się tego nie dowiemy". Pacho zamilkł. Otworzył dłoń, spojrzał w niebo. „Cholera, zaczyna kropić", powiedział. „Chce pan wiedzieć coś jeszcze?"

Znaleźliśmy się kilka kroków od miejsca, gdzie postrzelono nie tak dawno anonimowego mężczyznę. Zastanawiałem się, czy Pacho wiedział o strzelaninie, ale potem wydało mi się to informacją nieznaczącą, pustą, a pytanie o to wręcz brakiem szacunku dla człowieka, który tak hojnie podzielił się ze mną swoją wiedzą. Pomyślałem, że to byli bardzo różni zmarli, Gaitán i ten anonimowy mężczyzna, w dodatku ich śmierć dzieliło wiele lat, a jednak ich dwie plamy krwi, ta, którą zebrali ludzie swoimi chusteczkami w 1948 roku, i ta, która poplamiła czubek mojego buta w roku 1991, w gruncie rzeczy nie różniły się tak bardzo. Nie łączyło ich nic poza moją chorobliwą fascynacją, ale to wystarczyło, gdyż ta chorobliwa fascynacja była równie silna jak płynąca mi prosto z serca niezgoda na to miasto tamtych lat, miasto mordercę, miasto cmentarz, miasto, w którym każdy róg ma swoich poległych. To właśnie odkryłem w sobie, nie bez przerażenia; owo mroczne zaciekawienie umarłymi krążącymi po ulicach Bogoty, tymi zabitymi teraz i tymi zabitymi kiedyś. Mieszkałem w rozjuszonym mieście, odwiedzałem miejsca pewnych zbrodni właśnie dlatego, że mnie przerażały, śledziłem duchy zmarłych gwałtowną śmiercią właśnie dlatego, że bałem się, iż sam padnę jej ofiarą. Niełatwo było to wyjaśnić, nawet takiemu człowiekowi jak Pacho Herrera. „Nie, to już wszystko", powiedziałem. „Bardzo panu dziękuję". I patrzyłem za nim, póki nie zniknął w tłumie.

Tej nocy wróciłem do domu i ciurkiem napisałem siedem stron opowiadania, w którym relacjonowałem, a może starałem się zrelacjonować to, co usłyszałem od Pacha Herrery, gdy spacerowaliśmy Siódmą Aleją, tym samym chodnikiem, na którym historia mojego kraju doznała potężnego wstrząsu. Nie sądzę, żebym wtedy był świadom, jak bardzo opowieść Pacha zawładnęła moją wyobraźnią, nie zdawałem sobie również sprawy, że w ciągu ostatnich trzydziestu czterech lat to samo przydarzyło się tysiącom Kolumbijczyków. Opowiadanie nie było dobre, ale było moje; nie zostało napisane głosem zapożyczonym od Garcíi Marqueza ani Cortazara, ani Borgesa, jak wiele innych tekstów, które popełniłem lub miałem popełnić w tym czasie, lecz zachowywało w swoim tonie i spojrzeniu coś, co po raz pierwszy wydało mi się moje własne. Pokazałem je Pachowi – jak młodzieniec, który szuka aprobaty kogoś bardziej doświadczonego – i od tamtej pory zacząłem z nim nową relację, zupełnie inną, bardziej poufałą, opartą na koleżeństwie, a nie na autorytecie. Kilka dni później zapytał, czy chcę odwiedzić z nim dom Gaitana.

„Dom Gaitana?"

„Dom, w którym mieszkał, kiedy go zabito", wyjaśnił Pacho. „Teraz oczywiście mieści się w nim muzeum".

Zjawiliśmy się więc pewnego słonecznego popołudnia w tym dużym dwupiętrowym gmachu, do którego od tamtej pory nie wróciłem, otoczonym zielenią (pamiętam niewielki trawnik i drzewo), zamieszkanym nieustannie przez ducha Gaitana. Na dole znajdował się stary telewizor, na którym wyświetlano w kółko dokument poświęcony jego życiu, dalej były głośniki wypluwające nagrania z jego przemówień, na górze zaś, u szczytu szerokich schodów, witryna, w której wystawiano garnitur granatowy jak noc. Obszedłem witrynę, szukając w tkaninie śladów po kulach, a kiedy je odnalazłem, ciarki przeszły mi po plecach. Później udało się do ogrodu na grób polityka i stałem tam przez chwilę, przypominając sobie wszystko, co opowiedział mi Pacho, unosiłem głowę i patrzyłem na poruszane przez wiatr liście, i czułem na włosach ciepło bogotańskiego popołudnia. Wtedy Pacho wyszedł, nie dając mi czasu na pożegnanie, i zatrzymał taksówkę. Widziałem, jak zamyka drzwi, jak porusza ustami, podając adres, i zdejmuje okulary, jak czynimy to, żeby wyjąć paproszek, który wpadł nam do oka, uwierającą rzęsę, łzę, która mgli nam wzrok.

Wizyta u doktora Benavidesa miała miejsce kilka dni po naszej rozmowie w klinice. W sobotę spędziłem dwie godziny na piętrze z restauracjami i barami pobliskiego centrum handlowego, żeby odmienić choć trochę rutynę posiłków w szpitalnej stołówce, potem przedłużyłem sobie nieco wychodne i udałem się do księgarni Librería Nacional, gdzie znalazłem książkę José Avellanosa, uznałem bowiem, że może okazać się przydatna do powieści, którą właśnie pisałem. Była to pikarejska i kapryśna historia o możliwej wizycie Josepha Conrada w Panamie, z każdym kolejnym zdaniem rozumiałem coraz lepiej, że pisanie jej miało tylko jeden cel – odwrócić moją uwagę od zdrowotnych lęków, sprawić, żebym chociaż chwilami o nich zapomniał. Kiedy wróciłem do sali, M właśnie poddawano badaniu częstotliwości jej niewyczuwalnych skurczów; do brzucha przyczepiono elektrody, z ustawionej przy łóżku maszyny sączył się elektryczny szum, a w tym szumie słychać było delikatny a zarazem frenetyczny taniec rysika po papierze milimetrowym. Z każdym skurczem zapis zmieniał się, linie podskakiwały jak obudzone nagle zwierzę. „Właśnie miała pani skurcz", oznajmiła jedna z pielęgniarek. „Poczuła go pani?"

A M musiała przyznać, że nie, że i tym razem go nie poczuła; była tym zmartwiona, jakby w jakiś absurdalny sposób ją to irytowało. Dla mnie natomiast ten pokreślony papier był jednym z pierwszych śladów, jakie zostawiały na świecie moje córki, i zastanawiałem się nawet, czy nie poprosić pielęgniarek, żeby pozwoliły mi zrobić kopię. Ale wtedy pomyślałem: a jeśli wszystko pójdzie nie tak? Jeśli poród się nie uda, dziewczynki nie przeżyją albo przeżyją, ale nie będą zdrowe i w przyszłości nie będzie czego upamiętniać, a przede wszystkim czego świętować? Ta możliwość ciągle jeszcze nie straciła aktualności; ani lekarze, ani badania nie wykluczyły jej ostatecznie. Pielęgniarki odeszły, a ja o nic ich nie poprosiłem.

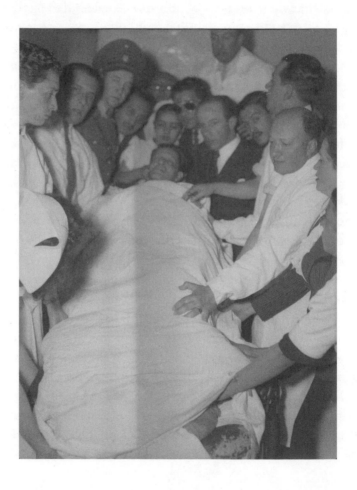

„Jak wyszło badanie?", zapytałem.

„Jak zwykle", odparła M, uśmiechając się smutno. „Uparły się, że chcą już wyjść, jakby umówiły się na randkę". Po chwili dodała: „Ktoś coś dla ciebie zostawił. Tam, na stoliku".

Była to pocztówka, którą rozpoznałem natychmiast, a właściwie fotografia rozmiaru pocztówkowego z napisaną na odwrocie wiadomością. Autorem zdjęcia był Sady González, nie tylko jeden z wielkich fotografów XX wieku, ale również par excellence świadek el Bogotazo. To było jedno z jego najbardziej znanych zdjęć. González zrobił je w klinice Central, gdzie przewieziono Gaitana, by ratować mu życie. Kiedy je robił, było już wiadomo, że wysiłki lekarzy poszły na marne, stwierdzono zgon rannego, trochę podszykowano zwłoki i wpuszczono do środka obcych, dlatego Gaitán spowity jest prześcieradłem – nieskazitelnie, niepokojąco białym – i otoczony ludźmi. Niektórzy z nich to lekarze: jeden położył na prześcieradle lewą dłoń z wielkim pierścieniem na palcu, jakby chciał nie dopuścić, żeby ciało spadło, inny, być może Pedro Eliseo Cruz, patrzy w głąb, chyba na policjanta, który usiłuje znaleźć się w kadrze (widać przeczuwał ważkość chwili). Na lewo od krawędzi stoi doktor Antonio Arias, z profilu, patrzy w pustkę i na jego twarzy maluje się szczególne przygnębienie, a może tylko mnie się wydaje szczególne, bo doktor Arias jest jedynym, który nie spogląda na fotografa, autentyczny smutek nie pozwala mu dostrzec tego, co dzieje się w sali. Między nimi leży Gaitán, ktoś unosi mu delikatnie głowę – jego pozycja nie jest naturalna – żeby był dobrze widoczny na zdjęciu, które zrobiono właśnie po to, żeby zaświadczyć o śmierci caudilla, ja jednak sądzę, że udało się na nim osiągnąć znacznie więcej, gdyż na twarzy Gaitana można dostrzec, jak mówi wiersz, który lubię, pospolitą anonimowość bólu. Nie wiem, ile razy oglądałem to zdjęcie wcześniej, ale tam, w sali kliniki, obok mojej żony leżącej w łóżku, pomyślałem, że nigdy wcześniej nie zwróciłem uwagi na dziewczynkę stojącą za Gaitanem, teraz wydawało mi się, że to ona podtrzymuje głowę zmarłego. Pokazałem M zdjęcie, a ona uznała, że nie mam racji, że robi to mężczyzna w okularach, bo dziewczynka ma zaciśnięte palce, a rękę trzyma pod takim kątem, że nie mogłaby niczego podtrzymać. Chciałem wierzyć, że M się nie myli, ale nie mogłem; patrzyłem na dłoń dziewczynki i widziałem, jak podpiera głowę Gaitana, która zdawała się unosić nad białym prześcieradłem, i bardzo mnie to niepokoiło.

Na odwrocie fotografii doktor Benavides napisał długopisem żelowym (żeby litery nie rozmazały się na pokrytej folią powierzchni):

Szanowny Pacjencie!
Jutro, w niedzielę, urządzam kolację. Petit comité, *jak to mówią; piszę po francusku, żeby sprawić wrażenie bardziej uczonego. Czekam na Pana o 8, z wielką ochotą porozmawiam z Panem o rzeczach, które dziś już nikogo nie obchodzą. Wiem, że jest Pan zajęty ważniejszymi sprawami, ale obiecuję, postaram się, żeby nie żałował Pan tej decyzji. Choćby ze względu na whisky.*
Z serdecznością
FB

I tak oto następnego dnia, a był to 11 września, wyruszyłem na północ Bogoty, tam gdzie miasto zaczyna się pruć, ustępując miejsca chaotycznej naprzemiennej sekwencji grodzonych osiedli i centrów handlowych, a potem, bez uprzedzenia, wielkim pustym połaciom, gdzieniegdzie wykwitają na nich pojedyncze budowle, na które raczej nikt nie wydał pozwolenia. W radiu mówiono o Nowym Jorku i zamachach terrorystycznych z 2001 roku, a dziennikarze i ich rozmówcy robili to, co miało stać się zwyczajem podczas kolejnych rocznic – wspominali, gdzie byli tego dnia. A ja, gdzie byłem cztery lata wcześniej? W Barcelonie, kończyłem właśnie jeść obiad. Nie miałem wtedy telewizora, więc nie wiedziałem o niczym, dopóki nie zadzwonił Enrique de Hériz: „Przyjdź do mnie, pospiesz się", powiedział. „Świat się wali". Teraz jechałem Dziewiątą Aleją na północ, a rozgłośnia powtarzała audycje z tamtego dnia; transmitowane na żywo opowieści o tym, co się dzieje, pełne zdumienia i wściekłości deklaracje tuż po zawaleniu się pierwszej wieży, reakcje polityków niezdolnych wyrazić prawdziwego oburzenia nawet w tak dramatycznej sytuacji. Jeden z komentatorów stwierdził, że sobie na to zasłużyli. „Kto?", zapytał inny, równie zaskoczony jak ja. „Stany Zjednoczone", odpowiedział pierwszy. „Za dekady imperializmu i poniżania innych. Wreszcie ktoś odpłacił im pięknym za nadobne". W tej chwili dojeżdżałem na miejsce, ale nie myślałem już o adresie, który podał mi Benavides, lecz o mojej wizycie w Nowym Jorku osiem miesięcy po zamachu, o rozmowach z ludźmi, którzy stracili wtedy kogoś bliskiego, o tym, jak doświadczyłem bólu miasta, które odpowiedziało na ataki dzielnie i solidarnie. Mówca ciągnął dalej swoją tyradę, a mnie cisnęła się na usta masa chaotycznych odpowiedzi, ale zdołałem powiedzieć tylko – na głos i do nikogo – „Biedny skurwysyn".

Doktor już czekał, jego sylwetka wypełniała drzwi. Chociaż był wyższy ode mnie zaledwie o pół głowy, miałem wrażenie, że należy do ludzi, którzy się garbią, żeby nie uderzyć głową o nadproże. Miał okulary w aluminiowych oprawkach, chyba z tych, których szkła zmieniają odcień w zależności od tego, jak intensywne jest światło, wtedy w progu, pod chmurami, które przemykały szybko nad naszymi głowami, przypominał mi szpiega z jakiejś powieści, kogoś w rodzaju Smileya, tylko nieco bardziej korpulentnego, a przede wszystkim bardziej melancholijnego. Mimo że miał niewiele ponad pięćdziesiąt lat, Benavides, w rozpiętym swetrze, który nie chronił go zbyt dobrze przed chłodem bogotańskich wieczorów, wywarł na mnie wrażenie człowieka zmęczonego. Cudzy ból wycieńcza nas w mniej lub bardziej subtelny sposób; Benavides przez wiele lat swojego życia musiał z nim obcować, dzielić z pacjentami ich cierpienia i lęki, to współczucie wypompowało z niego energię. Często wydaje się nam, że ludzie starzeją się szybciej, kiedy rezygnują z pracy, czasem przypisujemy winę za to pierwszej rzeczy, jaka akurat przyjdzie nam do głowy; temu, co wiemy o ich życiu, obserwowanemu z daleka nieszczęściu, chorobie, o której ktoś nam opowiedział. Albo, jak w przypadku Benavidesa, specyfice jego zawodu, którą znałem na tyle dobrze, żeby go podziwiać, a raczej podziwiać jego oddanie innym, i ubolewać nad tym, że nie jestem taki jak on.

„Wcześnie pan przyjechał" powiedział doktor. Zaprowadził mnie na wewnętrzne patio, przez którego świetlik sączyło się jeszcze ukośnie wieczorne światło; po kilku minutach ożywionej rozmowy znów powrócił do mojej powieści, zapytał o żonę, jak się czuje, jakie imiona chcemy nadać naszym córkom, powiedział, że on sam ma dwoje dwudziestoletnich już dzieci, córkę i syna; następnie wyjaśnił, że ławeczka, na której siedzę, była kiedyś podkładem kolejowym i on sam dorobił jej nogi, potem pokazał kołki w ścianie i powiedział, że służyły kiedyś za śruby (nie znam ich technicznej nazwy), którymi przymocowano ten podkład. On zaś, ciągnął, siedział na krześle pochodzącym z hotelu w Popayán, który zawalił się podczas trzęsienia ziemi w 1983 roku, a jedyna ozdoba na stojącym na środku stoliku służyła kiedyś za śrubę okrętową statku towarowego. „Wciąż nie rozumiem, dlaczego wybaczają mi te dziwactwa, no ale wybaczają", wyjaśnił. Dopiero później pomyślałem, że doktor wystawiał mnie na próbę: sprawdzał, czy podzielam jego irracjonalne zainteresowanie przedmiotami z przeszłości, owymi milczącymi duchami.

„No dobrze, chodźmy do środka, straszna tu wilgoć", rzekł, a jego rysy twarzy to rozmywały się, to chwilami całkiem nikły w półmroku. „Chyba goście wreszcie zaczęli się schodzić".

Rzeczony *petit comité* nie okazał się wcale taki mały. Niewielki dom pełen był gości, większość z nich mniej więcej w wieku gospodarza; pomyślałem, nie mając ku temu żadnych przesłanek, że to jego koledzy. Ludzie tłoczyli się przy stole w jadalni, każdy z talerzem w ręku, próbowali utrzymać chwiejną równowagę, nakładając sobie mięsa na zimno czy sałatkę ziemniaczaną, albo starali się przyszpilić niesforne szparagi, uparcie ześlizgujące się z widelców. Z niewidocznych głośników sączył się głos Billy Holiday, a może była to Aretha Franklin. Benavides przedstawił mnie swojej żonie: Estela była niewysoką kościstą kobietą o arabskim nosie, a jej szczery uśmiech łagodził nieco ironię nieustannie obecną w jej spojrzeniu. Potem obeszliśmy pokój (powietrze przesiąkło już zapachem dymu), Benavides chciał bowiem przedstawić mi parę osób. Zaczął od mężczyzny w okularach z grubymi szkłami bardzo podobnego, przemknęło mi przez myśl, do tego, który podtrzymywał głowę Gaitana na fotografii, i drugiego, niskiego łysego wąsacza, który z trudem wyrwał rękę z ręki swojej żony o pofarbowanych włosach, żeby się ze mną przywitać. „Mój pacjent", mówił Benavides, przedstawiając mnie, i miałem wrażenie, że bawi go powtarzanie tego niewinnego kłamstewka. Ja tymczasem poczułem się nieswojo, ogarnął mnie niepokój i bez trudu odkryłem jego przyczynę: jakaś część mojej świadomości pochłonięta była tym, co też dzieje się u mojej – wciąż jeszcze przyszłej – rodziny, u dziewczynek, które, na przekór niebezpieczeństwu, rosły w brzuchu żony. I tak, przechadzając się po domu Benavidesa, doznałem zupełnie nowego lęku; rozmyślałem, czy na tym właśnie – na takiej niespodziewanej samotności, na zabobonnym przekonaniu, że najgorsze dzieje się pod naszą nieobecność – polega ojcostwo, pożałowałem, że prowadzę tu banalne rozmowy, zamiast posiedzieć przy M i pomóc jej w czymkolwiek, czego by potrzebowała. Za moimi plecami ktoś recytował wiersz:

> *Ta róża zaświadczyć może*
> *miłość nie miłość, a przecież*
> *Inną nie będzie miłością.*
> *Ta róża zaświadczyć może,*
> *o chwili, gdy stałaś się moją.*

To był najgorszy wiersz Leona de Greiffa, w każdym razie mnie wydawał się najbardziej niegodny jego fantastycznego dorobku, ale znają go na pamięć wszyscy Kolumbijczycy i nieuchronnie wykwita – nomen omen – na pewnego rodzaju spotkaniach towarzyskich. To w domu Benavidesa było właśnie jednym z nich. I znów pożałowałem, że przyjąłem zaproszenie. Pod wiszącą paprotką obok przesuwanych drzwi do ogrodu, teraz już ciemnego, stały dwie przeszklone szafki, na które natychmiast zwróciłem uwagę, gdyż przedmioty w nich przypominały eksponaty muzealne. Zatrzymałem się przed nimi, patrzyłem nieobecnym wzrokiem; z początku powodowała mną chęć ucieczki od towarzyskich obowiązków, potem jednak zawartość tych szafek wzbudziła moją ciekawość. Co to było?

„To miedziany kalejdoskop", wyjaśnił Benavides. Podszedł do mnie bezszelestnie i chyba czytał mi w myślach, a może po prostu przywykł do tego, że goście odwiedzający go po raz pierwszy stają przed szafkami i zadają pytania. „A to jest prawdziwy kolec skorpiona z Amazonii. To rewolwer Le-Mat z tysiąc osiemset pięćdziesiątego szóstego roku. Szkielet grzechotnika. Był wprawdzie mały, ale wie pan przecież, że to nie rozmiar się liczy".

„Ma pan prywatne muzeum", powiedziałem.

Spojrzał na mnie z wyraźnym zadowoleniem.„Mniej więcej", przyznał. „Zbieram te rzeczy od dawna".

„Nie, mówię o całym domu. Cały ten dom jest pańskim muzeum".

Benavides uśmiechnął się szeroko i wskazał na ścianę: zdobiły ją dwie ramki (chociaż nie wiem, czy w tym wypadku powinienem mówić o ozdobach, bo nie wywieszono ich tam, żeby pełniły funkcję estetyczną). „To okładka płyty Sydneya Becheta", powiedział. Bechet złożył na niej podpis pod datą 2 maja 1959 roku. „A to", wskazał na niewielki mebel przysunięty do szafki i niemal niewidoczny, „jest waga, którą kiedyś przywieziono mi z Chin".

„Oryginalna?", zapytałem głupio.

„Co do najmniejszej części", odparł Benavides. Urządzenie było przepiękne: na podstawie z rzeźbionego drewna, w kształcie litery T, z której ramion zwisały dwie szalki. „Widzi pan to zalakowane pudełko? Są w nim ołowiane odważniki, najładniejsze na świecie. Poza tym chciałbym pana z kimś poznać".

Dopiero wtedy dotarło do mnie, że nie jest sam. Za moim gospodarzem stał – jakby ukrywając się nieśmiało – mężczyzna o bladej cerze, w lewej ręce trzymał szklankę wody gazowanej. Miał sińce pod oczami, ale nie wydawał się starszy od Benavidesa. A jeśli o jego dziwny strój chodzi – brązowa marynarka, koszula z wysokim krochmalonym kołnierzykiem – uwagę zwracał czerwony fular, intensywnie czerwony, prawie lśniący, w odcieniu płachty toreadora.

Mężczyzna w czerwonym fularze wyciągnął miękką wilgotną dłoń i przedstawił się cichutko, może niepewnie, może w sposób nieco zniewieściały, tym tonem głosu, który zmusza rozmówcę do nachylenia się nad mówiącym, żeby cokolwiek zrozumieć.

„Carlos Carballo", powiedział, wyraźnie wymawiając pierwsze litery imienia i nazwiska. „Do usług".

„Carlos to przyjaciel rodziny", oświadczył Benavides. „Stary, bardzo stary. Nie pamiętam czasów, kiedy go nie było".

„Bo najpierw byłem przyjacielem twojego taty", odparł mężczyzna.

„Najpierw studentem, potem przyjacielem", uściślił Benavides. „Odziedziczyłem cię w spadku. Jak parę butów".

„Studentem? Studentem czego?"

„Mój ojciec wykładał na Uniwersytecie Narodowym", wyjaśnił Benavides. „Uczył przyszłych prawników medycyny sądowej. Kiedyś panu opowiem, Vásquez. Zapamiętałem kilka świetnych anegdot".

„O tak", potwierdził Carballo. „Był najlepszym wykładowcą na świecie. Wielu z nas odmienił życie". Mówił to z poważną miną, miałem nawet wrażenie, że się wyprostował. „Wspaniały umysł".

„Kiedy umarł?", zapytałem.

„W osiemdziesiątym siódmym", odpowiedział Benavides.

„Dwadzieścia lat temu", westchnął Carballo. „Jak ten czas leci".

Zdziwiło mnie, że ktoś, kto wkłada tego typu fular – prowokację z wykwintnego jedwabiu – przemawia jednocześnie utartymi zwrotami pełnymi frazesów. Ale Carballo był w sposób oczywisty typem nieprzewidywalnym, dlatego chyba zainteresował mnie bardziej niż pozostali goście, nie unikałem więc jego towarzystwa, nie wymyślałem wymówek, żeby się wymknąć. Wyjąłem z kieszeni telefon, potwierdziłem, że dwie czarne kreseczki są odpowiednio długie, że nie mam nieodebranych połączeń, a potem schowałem go z powrotem. Ktoś zawołał Benavidesa. Spojrzałem w tym samym kierunku co on i dostrzegłem Estelę machającą rękami (rękawy jej luźnej bluzki opadły i ukazywały ramiona blade jak brzuch żaby). „Zaraz wracam", powiedział Benavides. „Jedno z dwojga: albo moja małżonka się dusi, albo trzeba przynieść więcej lodu".

Carballo opowiadał o tym, jak bardzo brakuje mu mistrza – tak teraz o nim mówił, per mistrz, być może w jego głowie słowo to zapisane zostało wielką literą – zwłaszcza w chwilach, kiedy człowiek potrzebuje, żeby ktoś nauczył go czytać prawdę zawartą w rzeczywistości. To zdanie wydało mi się klejnotem znalezionym w błocie, czymś, co wreszcie pasowało do fularu.

„Czytać prawdę zawartą w rzeczywistości?", zapytałem.

„Co właściwie ma pan na myśli?"

„Oj, ciągle mam z tym problem", powiedział Carballo.

„A pan nie?"

„Ale z czym?"

„Nie wiem, co myśleć. Potrzebuję kogoś, kto mnie ukierunkuje. Na przykład dziś. W samochodzie słuchałem radia, wie pan, popołudniowe audycje. Mówili o jedenastym września".

„Tak, też tego słuchałem po drodze".

„A ja myślałem: jak bardzo przydałby się nam mistrz Benavides. Żeby pokazać nam prawdę ukrytą pod politycznymi manipulacjami, za kryminalną współodpowiedzialnością mediów. On nie przełknąłby tych bajeczek. Umiałby odkryć oszustwo".

„Jakie oszustwo?".

„Wszystko jest oszustwem, niech mi pan nie wmawia, że pan tego nie widzi. Te bajeczki o Al-Kaidzie. O bin Ladenie. To zwykłe gówno, za przeproszeniem. Takie rzeczy nie dzieją się w ten sposób. Czy ktoś naprawdę sądzi, że taki budynek jak bliźniacze wieże może się zawalić, bo uderzy w nie samolot? Nie, to była robota zrobiona od środka, kontrolowane wyburzenie. Mistrz Benavides od razu by to zauważył". „Jak to?", nie wiem, czy kierowała mną ciekawość, czy chorobliwa fascynacja takimi teoriami. „Niech pan mi wyjaśni, o co chodzi z tym wyburzeniem".

„To bardzo łatwe. Takie budynki jak te, zupełnie proste, zawalają się tak, jak zawaliły się wieże World Trade Center, tylko wtedy, jeśli ktoś podłoży na dole ładunek wybuchowy. Trzeba zaatakować w nogi, nie w głowę. Prawa fizyki to prawa fizyki. Widział pan kiedyś, żeby drzewo upadło, kiedy utnie mu się koronę?"

„Ale budynek to nie to samo, co drzewo. Samoloty się rozbiły, wybuchł pożar, naruszył strukturę budynku, który spłonął. Nie było tak?"

„No cóż", westchnął Carballo. „Jeśli pan naprawdę chce w to wierzyć". Upił łyk wody. „Ale to niemożliwe, żeby budynek tego typu zapadł się cały. To było jak scena z filmu, nie zaprzeczy pan".

„To jeszcze o niczym nie świadczy".

„Jasne. O niczym nie świadczy, jeśli ktoś się uprze, żeby niczego nie dostrzec. Rzeczywiście najgorszym ślepcem jest ten, kto nie chce zobaczyć".

„Niech mi pan tu nie przytacza głupich przysłów", obruszyłem się. Nie wiem, dlaczego potraktowałem go tak niegrzecznie. Irytuje mnie irracjonalność z wyboru, nie cierpię ludzi zasłaniających się słowami, zwłaszcza uciekających się do jednej z miliona sztuczek językowych, wymyślonych po to, żeby uzasadnić wiarę niepopartą dowodami. Staram się jednak panować nad swoimi najgorszymi impulsami, tak zrobiłem i wówczas. „Dam się przekonać, jeśli przedstawi mi pan argumenty, bo na razie nie przekonał mnie pan do niczego".

„A panu to wszystko nie wydaje się dziwne?"

„Dlaczego miałoby wydawać mi się dziwne? Dlatego że wieże runęły tak, a nie inaczej? Nie jestem inżynierem, nie umiałbym..."

„Nie tylko o to chodzi. Dlaczego akurat właśnie tego poranka siły powietrzne nie były gotowe? Że dokładnie tego dnia system obrony powietrznej został wyłączony? Że ataki doprowadziły bezpośrednio do wojny tak wówczas potrzebnej, żeby zachować status quo?"

„Ale to zupełnie różne rzeczy, panie Carlosie, chyba nie muszę tego wyjaśniać", powiedziałem. – „Oczywiście, że Bush posłużył się zamachem jako pretekstem do rozpoczęcia wojny, którą planował już od jakiegoś czasu. Ale stąd do wniosku, że mógłby poświęcić życie trzech tysięcy cywilów, jeszcze daleka droga".

„Tak się tylko wydaje. Że to dwie różne sprawy. To wielki tryumf tych ludzi. Zdołali nas przekonać, że rzeczy powiązane nie mają ze sobą nic wspólnego. Dziś tylko naiwni sądzą, że księżna Diana zginęła w wypadku".

„Księżna Diana? A co ona ma do tego..."

„Tylko naiwniak może sądzić, że nie ma podobieństw między jej śmiercią a śmiercią Marylin. Niektórzy z nas je dostrzegają".

„Aj, niech pan nie gada bzdur", żachnąłem się. „To gorsze niż jasnowidztwo, to mi zakrawa na paranoję".

W tym momencie podszedł do nas Benavides, który usłyszał ostatnie zdanie. Zrobiło mi się wstyd, ale nie znalazłem słów, żeby przeprosić. Oczywiście zdenerwowałem się za bardzo i nie było dla mnie jasne dlaczego; to, że nigdy nie miałem cierpliwości do ludzi czytających cały świat przez pryzmat teorii spiskowych, nie usprawiedliwiało niegrzeczności. Przypomniałem sobie powieść Ricarda Piglii, w której pisze on, że nawet paranoicy mają nieprzyjaciół. Kontakt z urojeniami innych, które mogą przybierać różne kształty i kryją się pod fasadą najspokojniejszych osobowości, ma na nas wpływ, chociaż nie zawsze zdajemy sobie z tego sprawę i jeśli stracimy czujność, możemy ugrzęznąć w głupich dyskusjach z ludźmi, którzy poświęcają swoje życie na szerzenie nieodpowiedzialnych hipotez. A może potraktowałem Carballa niesprawiedliwie: może był tylko wprawnym recytatorem informacji wyłowionych z internetowych kloak, nieświadomie uzależnionym od mniej lub bardziej subtelnych prowokacji, skandalizowania ludzi skłonnych im ulec. A może to wszystko jeszcze prostsze: Carballo był człowiekiem złamanym, a jego teorie stanowiły mechanizm zabezpieczający przed tym, co nieprzewidywalne w życiu, które w jakiś niewiadomy dla mnie sposób wyrządziło mu krzywdę.

Benavides od razu się zorientował, że atmosfera zrobiła się napięta, a moja chamska odpowiedź mogła jeszcze pogorszyć sytuację. Podał mi szklankę whisky. „Tyle czasu zabrało mi przejście przez cały dom, że serwetka już jest mokra", powiedział przepraszającym tonem. Wziąłem szklankę w milczeniu i natychmiast poczułem w dłoni jej ciężar i twarde żłobienia w szkle. Carballo też się nie odzywał, wbił wzrok w podłogę. Po chwili bardzo krępującej ciszy Benavides powiedział: „Carlosie, nie zgadniesz, czyim wnukiem jest Vásquez".

Carballo z wyraźną niechęcią dał się wciągnąć w tę zabawę. „Czyim?", zapytał.

„José Maríi Villarreala", odparł Benavides.

Wydawało mi się, że oczy Carballa na chwilę rozbłysły. Nie mogę powiedzieć, że otworzyły się szeroko, co uznajemy powszechnie za oznakę zaskoczenia albo podziwu, ale było w nich coś, co mnie zaintrygowało, nie przez to, co pokazywały, czuję się w obowiązku wyjaśnić, ale ze względu na to, co ewidentnie starały się ukryć.

„José María Villarreal był pańskim dziadkiem?", powtórzył Carballo. Znów zrobił się niespokojny, jak wtedy, gdy mówił o bliźniaczych wieżach, ja tymczasem zastanawiałem się, skąd Benavides wiedział o tym, że jesteśmy spokrewnieni. Nie dziwiło mnie to zbytnio, gdyż mój dziadek José María Villarreal był ważnym członkiem Partii Konserwatywnej, w kolumbijskiej polityce wszyscy wszystkich znają. W każdym razie mogłem, a nawet powinienem napomknąć o tym podczas naszej pierwszej rozmowy w szpitalnej stołówce. Czemu Benavides wcześniej o tym nie wspomniał? Dlaczego tak bardzo zainteresowało to Carballa? Wtedy nie mogłem tego wiedzieć. Oczywiste było jednak, że Benavides wspomniał o nim, żeby zneutralizować wrogość, jaką wyczuł między nami. I również oczywiste wydało mi się, że osiągnął to natychmiast.

„I znaliście się?", zapytał Carballo. „Pan i dziadek. Znał go pan dobrze?"

„Gorzej, niżbym chciał", odparłem. „Miałem dwadzieścia jeden lat, kiedy umarł".

„Na co umarł?"

„Nie wiem. Śmiercią naturalną". Spojrzałem na Benavidesa. „A jak to się stało, że panowie go znają?"

„Jak moglibyśmy go nie znać", odrzekł Carballo. Już się nie garbił, jego głos odzyskał poprzednią żywiołowość, jakby nasza kłótnia nigdy nie miała miejsca. „Francisco, przynieś książkę, pokażemy mu".

„No nie, nie teraz. Jesteśmy na przyjęciu".

„Przynieś ją, proszę. Zrób to dla mnie".

„Jaką książkę?", zapytałem.

„Przynieś, pokażemy mu fragment".

Benavides zrobił zabawną minę, jak dziecko, które musi wykonać polecenie rodziców, będące w rzeczywistości kaprysem. Zniknął w sąsiednim pokoju i wrócił po chwili, szybko znalazł rzeczoną książkę, może czytał ją właśnie, a może w jego bibliotece panował nienaganny porządek pozwalający mu zlokalizować tom bez przebiegania wzrokiem kolejnych półek, przeciągania niepewnymi palcami po niecierpliwych grzbietach. Rozpoznałem okładkę z czerwonego kartonu, zanim doktor wręczył książkę Carballowi, *Życie jest opowieścią*, tom wspomnień, które Gabriel García Márquez opublikował trzy lata wcześniej; egzemplarze książki zalały wszystkie kolumbijskie biblioteki i wiele bibliotek w innych krajach. Carballo wziął ją do ręki i zaczął szukać interesującej go strony, zanim ją znalazł, moja pamięć (instynkt) podpowiedziała mi, czego szuka. Powinienem się domyślić wcześniej; mieliśmy rozmawiać o 9 kwietnia.

„O, tutaj jest", powiedział Carballo.

Podał mi tom i palcem pokazał akapit na stronie 352 tamtego wydania, tego samego, które miałem w domu w Barcelonie. We wspomnianym rozdziale García Márquez wspomina zabójstwo Gaitana, które zaskoczyło go w Bogocie – studiował tu bez większego przekonania prawo, żył chaotycznie i mieszkał w pensjonacie przy Ósmej Alei, w centrum miasta, nie dalej niż dwieście kroków od miejsca, gdzie Roa Sierra oddał swoje cztery śmiercionośne strzały. Opowiadając o zamieszkach, walkach ulicznych oraz gwałtownym i ogólnym chaosie (a także o wysiłkach rządu centralnego, by zachować kontrolę), García Márquez pisał: *W sąsiednim departamencie Boyacá, słynącym ze swego historycznego liberalizmu i surowego konserwatyzmu, gubernator José María Villarreal – zatwardziała konserwa – nie tylko stłumił w pierwszych godzinach lokalne zamieszki, ale w dodatku wysłał najlepiej uzbrojone oddziały na odsiecz stolicy.* Zatwardziała konserwa, słowa Garcíi Marqueza o moim dziadku były w gruncie rzeczy miłe, biorąc pod uwagę, że chodziło o człowieka, który na rozkaz prezydenta Ospiny sformował oddział policji, wybierając jego członków według jednego tylko kryterium – konserwatywnych poglądów. Niedługo przed 9 kwietnia ten zbyt upolityczniony oddział wymknął się spod kontroli i szybko zmienił się w narzędzie represji, co przyniosło fatalne konsekwencje.

„Wiedział pan o tym, panie Vasquezie?", zapytał mnie Benavides. „Wiedział pan, że w książce jest mowa o pańskim dziadku?"

„Tak, wiedziałem".

„Zatwardziała konserwa", rzekł Carballo.

„Nigdy nie rozmawialiśmy o polityce", powiedziałem.

„Nie? Nigdy nie rozmawialiście o dziewiątym kwietnia?"

„O ile mnie pamięć nie myli, nie. Opowiadał czasem anegdoty, to prawda".

„Ach, bardzo ciekawe", powiedział Carballo. „Bardzo nas to interesuje, prawda, Francisco?"

„Prawda", przytaknął Benavides.

„No, niechże pan coś opowie", zachęcał mnie Carballo.

„Sam nie wiem, co mam opowiedzieć. Było kilka rzeczy. Na przykład odwiedził go kiedyś przyjaciel liberał, mniej więcej w porze obiadu. «Mój drogi Chepe», powiedział, «chciałbym, żebyś nie nocował dziś w domu». «Dlaczego?», zapytał wuj. A przyjaciel liberał odparł: «Bo tej nocy przyjdziemy cię zabić». Opowiadał mi o takich rzeczach, o planowanych zamachach na niego".

„A o dziewiątym kwietnia?", zapytał Carballo. „Nigdy nie mówił o dziewiątym kwietnia?"

„Nie", odrzekłem. „Udzielił o tym kilku wywiadów, nic więcej. Ja z nim o tym nie rozmawiałem".

„Bo on na pewno wiedział bardzo wiele rzeczy, prawda?"

„Jakich rzeczy?"

„Był wówczas gubernatorem Boyacá. Wszyscy o tym wiedzą. Otrzymywał aktualne wiadomości, dlatego wysłał do

Bogoty policję. Mogę sobie wyobrazić, że potem nadal był dobrze poinformowany o tym, co się dzieje. Zadawał pytania, porozumiewał się z przedstawicielami rządu, prawda? I przez całe swoje długie życie rozmawiał o tym na pewno z wieloma osobami, tak to sobie przynajmniej wyobrażam, miał wiedzę o wielu tych zdarzeniach, które, że tak powiem, nie są ujawniane opinii publicznej".

„Nie wiem", przyznałem. „Nigdy mi o tym nie mówił".

„Rozumiem", powiedział Carballo. „A czy pański dziadek wspomniał kiedyś o eleganckim mężczyźnie?"

Nie patrzył na mnie, kiedy zadawał mi to pytanie. Dobrze to pamiętam, bo ja z kolei szukałem w tej chwili wzroku Benavidesa, ale go nie napotkałem, wydawał mi się nieobecny, a może myślał o czymś innym, jakby chciał uciec od tej rozmowy, która nagle przestała go interesować. Później zrozumiałem, że interesowała go w tym momencie bardziej niż kiedykolwiek, ale nie miałem podstaw, żeby dopatrywać się ukrytych intencji w tej na pozór przypadkowej pogawędce.

„Jakim eleganckim mężczyźnie?", zapytałem.

Palce Carballa znów zaczęły przebiegać po stronach autobiografii Marqueza. Wkrótce znalazły to, czego szukały.

„Niech pan przeczyta", powiedział, wskazując opuszką palca słowo. „Proszę zacząć tutaj".

Po zabiciu Gaitana, opowiadał García Márquez, Roę zaczął gonić rozjuszony tłum i nie miał innego wyjścia jak schronić się w aptece Granada, żeby uniknąć linczu. W środku znalazło się z nimi kilku policjantów i właściciel, więc Roa Sierra uwierzył chyba, że jest bezpieczny. I wówczas wydarzyło się coś zupełnie niespodziewanego. Człowiek w trzyczęściowym szarym garniturze, o manierach brytyjskiego lorda zaczął podżegać tłum; jego słowa okazały się na tyle skuteczne, a jego osoba spotkała się z tak wielkim autorytetem, że właściciel apteki odsłonił żelazną żaluzję, pucybuci zaś, torując sobie drogę swoimi skrzynkami, porwali przerażonego zabójcę. I tam, na środku Siódmej Alei, na oczach policjantów, zagrzewani przez eleganckiego mężczyznę, zabili go. Elegancki mężczyzna – o manierach brytyjskiego lorda, w swoim trzyczęściowym garniturze – zaczął krzyczeć: *Do pałacu.* García Márquez pisze następnie:

Po pięćdziesięciu latach w mojej pamięci tkwi nadal obraz człowieka, który zdawał się podjudzać tłuszczę przed apteką, ale nie odnalazłem go w żadnej z niezliczonych relacji, jakie czytałem na temat tamtych dni. Widziałem go z bardzo bliskiej odległości: pierwszorzędnie skrojony garnitur, alabastrowa cera i precyzyjna kontrola nad każdym gestem i słowem. Tak bardzo przykuł moją uwagę, że wpatrywałem się w niego, póki nie wsadzono go do zbyt nowego auta, równie szybko jak zabrano zwłoki mordercy, i odtąd obraz jego zniknął w pamięci historii. Nawet z mojej, aż wiele lat później, już jako dziennikarz, uświadomiłem sobie, że człowiek ten zdołał zapewne doprowadzić do zabójstwa fałszywego mordercy, osłaniając tym samym tożsamość prawdziwego.

„Osłaniając tożsamość prawdziwego", powtórzył Carballo jednocześnie ze mną i nagle zabrzmieliśmy jak jakiś amatorski chór na tym przyjęciu. „Bardzo dziwne, nie sądzi pan?"

„Dziwne", przytaknąłem.

„Pisze o tym sam García Márquez, a nie jakiś pierwszy z brzegu palant. I pisze to w swoich wspomnieniach. Musi pan przyznać, że to naprawdę podejrzane. Niech pan nie próbuje zaprzeczać, że ta postać jest podejrzana. I to, że pogrążyła się w zapomnieniu".

„Oczywiście, że coś w tym jest", powiedziałem. „Zabójstwo, którego wciąż nie wyjaśniono. Zabójstwo otoczone spiskowymi teoriami. Nie dziwię się, że tak to pana interesuje, panie Carlosie, już zdążyłem się przekonać, że to pański świat. Ale nie jestem pewien, czy należy przyjmować pojedynczy akapit powieściopisarza jak prawdę objawioną. Choćby nawet był to sam García Márquez".

Carballo wydawał się bardziej dotknięty niż rozczarowany. Cofnął się o krok (zdarzają się nieporozumienia tak potężne, że odczuwamy je jak fizyczną agresję i niewiele brakuje nam, żeby unieść pięści jak bokser), zamknął książkę, ale nie oddał jej ani nie włożył z powrotem do czerwonego kartonu, skrzyżował ręce za plecami. „Rozumiem", powiedział sarkastycznym tonem. „Może ty, Francisco, podpowiesz mi, jak się wydostać z tego świata, w którym wszyscy jesteśmy szaleni".

„Carlosie, niech pan nie traktuje tego tak osobiście. Chciałem tylko powiedzieć..."

„Wiem, co chciał pan powiedzieć, bo zrobił to pan już wcześniej. Że jestem paranoikiem".

„Nie, nie. Proszę mi to wybaczyć", odrzekłem. „Nie to..."

„Ale są tacy, co myślą zupełnie odwrotnie, prawda, Francisco? Są tacy, którzy widzą jasno to, na co inni okazali się ślepi. To nie jest pański świat, Vásquez. W pańskim świecie istnieją tylko zbiegi okoliczności. To przypadek, że wieże zawaliły się, chociaż nie powinny się zawalić. To przypadek, że przed apteką Granada znalazł się mężczyzna, który z taką łatwością sprawił, że otwarto mu żaluzję. To przypadek, że nazwisko pańskiego dziadka pojawia się w powieści czternaście stron po tym incydencie".

„Teraz ja nie rozumiem", powiedziałem. „Co ma wspólnego mój dziadek z tym facetem?"

„Nie wiem", przyznał Carballo. „I pan też nie, bo nigdy go o to nie zapytał. Bo nigdy nie rozmawiał pan ze swoim dziadkiem o dziewiątym kwietnia. Nie wie pan, czy dziadek poznał kiedyś tego mężczyznę, który sprawił, że tłum wdarł się do apteki Granada. Nie interesuje to pana, Vásquez? Nie interesuje pana, kim był człowiek, który doprowadził do zabójstwa Roy Sierry na oczach tłumu, a potem wsiadł do luksusowego samochodu i zniknął na zawsze? Mówimy o najpoważniejszym wydarzeniu, jakie zdarzyło się w naszym kraju, a pana wydaje się to guzik obchodzić. Pański krewny uczestniczył w tym historycznym momencie i na pewno wiedział, kim był ten facet, w tamtych czasach wszyscy się znali. Wszyscy jesteście tacy sami, wyjeżdżacie za granicę i natychmiast zapominacie o kraju. A może jest zupełnie inaczej, teraz przyszło mi to do głowy. Może pan po prostu chce chronić dziadka. Doskonale pan wie, że zmobilizował policję z Boyacá, która zmieniła się potem w oddziały zabójców. Co pan czuje, kiedy pan o tym myśli? Martwi się pan o to, czy jest dostatecznie poinformowany? Martwił się o to wcześniej? A może guzik to pana obchodzi, myśli pan, że nie ma z tym nic wspólnego, że to wszystko wydarzyło się ćwierć wieku przed pańskimi urodzinami. Tak, z pewnością tak pan myśli, że te historie to bajeczki dla innych, że to nie pańskie problemy. Wie pan co? Cieszę się, że los kazał państwu zostać tutaj na czas porodu. A raczej zmusił pańską żonę, żeby urodziła tutaj. Żeby pański kraj dał panu nauczkę za egoizm. Żeby wkrótce pańskie córki nauczyły pana, co to znaczy być Kolumbijczykiem. Oczywiście jeśli wszystko pójdzie dobrze, prawda? Jeśli nie umrą jak dwa słabowite kotki. To też byłaby dobra nauczka, kiedy teraz o tym myślę".

To, co się wówczas stało, pamiętam jak przez mgłę. Pamiętam, że w następnej sekundzie zorientowałem się, że nie mam już szklanki whisky w dłoni; w jeszcze następnej, że rzuciłem ją Carballowi w twarz, pamiętam brzęk szkła rozbijającego się o podłogę, pamiętam też Carballa na kolanach, zakrywającego twarz dłońmi, krwawiącego ze złamanego nosa, krew plamiła fulard, czerwień na czerwieni, ciemna

63

czerwień (czarna krew, jak mawiali Grecy) na fosforyzującej czerwieni płachty toreadora; pamiętam także strużkę spływającą po lewej dłoni, plamiącą mankiet koszuli i pasek od zegarka, pamiętam, że był z białej tkaniny i przez to bardziej podatny na plamy niż pasek skórzany. Pamiętam wydawane przez Carballa okrzyki bólu, a może krzyczał ze strachu, na niektórych widok krwi wywiera właśnie taki efekt. Pamiętam też, że Benavides złapał mnie za ramię silną ręką zdradzającą autorytet i zdecydowanie (minęło prawie dziesięć lat, a ucisk tej dłoni na moim ramieniu wciąż jest żywy w pamięci, wciąż mogę go poczuć) poprowadził mnie przez salon, goście rozstępowali się przed nami, posyłając zdumione, czasem nawet otwarcie potępiające spojrzenia, kątem oka zdołałem dostrzec Estelę, naszą gospodynię, która biegła w kierunku rannego z torebką lodu, i inną kobietę, być może gosposię, która niosła szczotkę i śmietniczkę, a na jej twarzy malował się wyraz irytacji i zniecierpliwienia. Zdążyło przejść mi przez myśl, że Benavides wyrzuci mnie z domu. Zdążyłem tego pożałować, pożałować końca znajomości, która nie była jeszcze przyjaźnią, ale mogła się w nią przerodzić, i w przypływie poczucia winy wyobraziłem sobie otwierane drzwi i rękę wypychającą mnie za próg. Czułem się zmęczony, być może wypiłem trochę za dużo, chociaż sam w to wątpię, ale w uśpionej świadomości byłem skłonny zaakceptować konsekwencje swoich czynów, więc pospiesznie układałem w głowie zdania, którymi chciałem przeprosić i się usprawiedliwić, chyba już zacząłem wypowiadać je na głos, kiedy zdałem sobie sprawę, że Benavides nie prowadzi mnie do drzwi wejściowych, ale na schody. „Niech pan wejdzie na górę, pierwsze drzwi po lewej, niech się pan tam zamknie i na mnie poczeka", powiedział i podał mi breloczek. „Niech pan nie otwiera nikomu. Przyjdę, jak tylko będę mógł. Chyba mamy wiele do obgadania".

II

RELIKWIE SŁAWNYCH ZMARŁYCH

Nie wiem, jak długo czekałem w chaotycznie urządzonym pokoju, do którego właściwie nie dopływało świeże powietrze. Był to gabinet bez okien, ewidentnie zaprojektowany jako osobiste terytorium Benavidesa. Stał w nim fotel do czytania pod kloszem wielkiej lampy, bardziej przypominającej starą suszarkę z salonu fryzjerskiego, na nim usiadłem, po tym jak obszedłem pokój kilkakrotnie i nie znalazłem miejsca przeznaczonego dla gości; gabinet doktora nie był pomyślany po to, żeby kogokolwiek przyjmować. Obok fotela, na niewielkim stoliku piętrzył się tuzin książek, patrzyłem na nie, ale nie odważyłem się wziąć żadnej do ręki ze strachu, że zaburzę jakiś ukryty porządek. Była tam biografia Juana Juaresa i *Żywoty równoległe* Plutarcha, i książka Artura Alape dotycząca Bogotazo, i tom oprawny w skórę, cieńszy niż poprzedni, nazwisko autora okazało się nieczytelne, a tytuł wydał mi się jak z ulotki propagandowej: *O tym, dlaczego liberalizm w kolumbijskiej polityce nie jest grzechem.* Na środku, przy dłuższej ścianie, stało prostokątne biurko z blatem obitym zieloną skórą. Panował na nim nienaganny porządek, leżały tam, nie dotykając się nawzajem, dwa stosy papierów; jeden z zamkniętymi kopertami, a drugi z rozłożonymi rachunkami (nietypowe ustępstwo na rzecz praktycznego życia w tym miejscu poświęconym kontemplacji) dociśniętymi wykonanym ręcznie pojemnikiem na ołówki. Dwa urządzenia dominowały na biurku: skaner i monitor komputera, biały kolos najnowszej generacji, podobny do posągu bóstwa. Nie, pomyślałem natychmiast, nie jak posąg bóstwa, ale jak wielkie oko, oko, które wszystko widzi i wszystko wie. Ogarnął mnie absurdalny lęk, że jestem śledzony, i upewniłem się, że komputer, a przynajmniej jego kamera, są wyłączone.

Co tak naprawdę zaszło tam na dole? Wciąż nie potrafiłem tego zrozumieć. Zaskoczyła mnie własna tak gwałtowna reakcja, mimo że podobnie jak wiele osób z mojego pokolenia mam w sobie pokłady stłumionej agresji, co jest konsekwencją dorastania w czasie, kiedy miasto, moje miasto, zmieniło się w pole minowe i potężna przemoc eksplozji i strzelanin rozprzestrzeniała się między nami, stosując swoje podstępne mechanizmy; każdy z nas pamięta, jak wyskakiwaliśmy z samochodów, żeby prać się po gębach z powodu jakiegoś drobnego incydentu na drodze i jestem pewien, że nie ja jeden widziałem nieraz czarną lufę pistoletu celującą mi w twarz; nie jestem chyba też odosobniony w zafascynowaniu przemocą, meczami piłkarskimi, w których rozgrywka zmienia się nagle w pole regularnej bitwy, scenami zarejestrowanymi z ukrytej kamery, ukazującymi bójkę na pięści w madryckim metrze albo na stacji benzynowej w Buenos Aires, szukam tych scen w internecie, żeby poczuć zastrzyk adrenaliny. Ale to wszystko nie usprawiedliwiało mojego zachowania na dole, z kolei stan moich nerwów, będący konsekwencją ekstremalnego stresu i braku snu, mógł mi pomóc przynajmniej próbować się wytłumaczyć. Tego się uczepiłem, że to nie byłem ja, że doktor Benavides i jego żona muszą to zrozumieć; trzydzieści przecznic stąd moje nienarodzone córki narażone były codziennie na ryzyko śmierci, codziennie przeżywaliśmy stres niebezpiecznego porodu, od którego powodzenia zależało szczęście moje i mojej żony. Tak trudno było zrozumieć, że uwaga Carballa sprawiła, że na chwilę straciłem panowanie nad sobą? Z drugiej strony ciekawiło mnie, jak dużo wiedział Carballo o moich relacjach z Josem Maríą Villarrealem? Oczywiście nie znał żadnych konkretnych szczegółów, ale jasne było, że rozmawiali o mnie z Benavidesem dość szczegółowo. Od jak dawna? Czy Benavides zaprosił mnie do domu z sekretnym zamiarem, żebym poznał Carballa albo żeby przedstawić mnie swojemu przyjacielowi? Dlaczego? Dlatego że jestem wnukiem kogoś, kto znał z pierwszej ręki wydarzenia z 9 kwietnia i odegrał ważną rolę w tym, co wydarzyło się po śmierci Gaitana? Tak, to przynajmniej było jasne. Fakty znane opinii publicznej i będące częścią oficjalnej historii: gubernator lojalny wobec reżimu wysyła tysiąc ludzi, żeby stłumić zamieszki. Przeczytałem oczywiście, jak wszyscy, wspomnienia Garcíi Marqueza, i jak wszyscy poczułem się zaniepokojony, może wręcz zaalarmowany pewnością, z jaką nasz największy powieściopisarz, na dodatek nasz najbardziej wpływowy intelektualista, sugeruje bez makijażu i eufemizmów istnienie ukrytej prawdy. Bo właśnie to robił na rzeczonej stronie: pisząc o eleganckim mężczyźnie i sugerując jego udział w zabójstwie zabójcy, García Márquez czarno na białym wykłada nam swoje głębokie przekonanie, że Juan Roa Sierra nie był jedynym mordercą Gaitana, ale że za tą zbrodnią kryła się skomplikowana polityczna konspiracja: *Człowiek ten zdołał doprowadzić do zabójstwa fałszywego mordercy, osłaniając tym samym tożsamość prawdziwego:* te słowa nabrały teraz dla mnie nowej jasności. Wcześniej nigdy nie przyszło mi do głowy, że mój dziadek mógł wiedzieć, kim był ów elegancki mężczyzna. Hipoteza była trudna do potwierdzenia, chociaż rzeczywiście członkowie elity politycznej w tamtych czasach znali się wszyscy. Trudna do potwierdzenia? Tak. Ale czy na pewno? Każde słowo Carballa zdradzało niemal pewność: José María mógł mieć wiedzę, która rzuciłaby światło, choćby delikatne, na tożsamość człowieka, który *zdołał doprowadzić do zabójstwa fałszywego mordercy, osłaniając tym samym tożsamość prawdziwego.*

W tych właśnie rozmyślaniach byłem pogrążony, kiedy ktoś zastukał do drzwi.

Gdy je otworzyłem, zobaczyłem za nimi przygarbioną wersję doktora Benavidesa, miał sińce pod oczami, jakby ostatni incydent wycieńczył go jeszcze bardziej. Niósł w ręku tacę z dwiema filiżankami i termosem w kolorze fuksji, podobnym do tych, jakich używają sportowcy, kiedy idą pobiegać, tyle że w termosie doktora Benavidesa nie było wody ani napoju energetycznego, tylko mocna czarna kawa. „Ja nie będę pił, dziękuję". „Będzie pan pił, proszę". I podał mi filiżankę. „Aj, Vásquez. W niezłą kabałę mnie pan wpakował".

„Wiem", odparłem. „Przepraszam, panie Francisco. Nie wiem, co się ze mną stało".

„Nie wie pan? Ja wiem. Zareagował pan tak, ja zareagowałby każdy na pana miejscu. Carballo przesadził, jestem tego świadom. Ale to nie znaczy, że nie wpakował mnie pan w kłopoty".Wstał, podszedł do rogu pokoju i nacisnął guzik w jakimś urządzeniu z kratką, po chwili temperatura spadła o kilka stopni i miałem wrażenie, że powietrze przestało pachnieć dymem.

„Popsuł mi pan przyjęcie, mój drogi przyjacielu", powiedział Benavides. „Popsuł nam pan imprezę, mnie i mojej żonie".

„Mogę zejść", zaproponowałem. „Wszystkich przeprosić".

„Nie ma po co. Już wszyscy poszli".

„Carballo też?"

„Carballo też. Pojechał do kliniki. Mam nadzieję, że naprawią mu nos".

Usiadł przy biurku i włączył komputer. „Carballo to bardzo szczególny typ", powiedział, „i może uchodzić za wariata, nie przeczę. Ale w gruncie rzeczy to wartościowy facet, tylko jego fascynacje sprawiają, że czasem przesadza. Lubię ludzi, którzy mają swoje pasje. To moja słabość, nic na to nie poradzę. Lubię ludzi, którzy wierzą w to, w co wierzą, z taką zapalczywością. I Bóg mi świadkiem, że to właśnie przypadek Carballa". Mówiąc te słowa, Benavides poruszał myszką na zielonej skórze biurka i obrazy na ekranie się zmieniały, otwierały się nowe okienka, jedne na drugich, a w głębi majaczyła fotografia, którą Benavides ustawił sobie jako tło ekranu. Nie zdziwiłem się na widok kolejnego słynnego zdjęcia Sady'ego Gonzaleza, tego, na którym płonie tramwaj podczas zamieszek 9 kwietnia. Był to obraz przesycony przemocą, i zastanawiałem się, co mówi mi to o człowieku, który wybiera je, żeby patrzeć na nie za każdym razem, kiedy włącza komputer; starałem się jednak zbytnio o tym nie myśleć, w gruncie rzeczy zamiast dostrzegać w tym zdjęciu oskarżenie przemocy i zniszczenia, które rozszalały się w mieście tego fatalnego dnia, można było wziąć je jedynie za ukłucie pamięci, za świadectwo historyczne. „Wypił pan już kawkę?", zapytał.

Pokazałem mu pustą filiżankę, na jej dnie pozostały już tylko brązowe pierścienie, niektórzy (nie ja) potrafią z nich czytać i wróżyć. „Do ostatniej kropli", odpowiedziałem.

„Dobrze. I czuje się pan przytomny, czy nalać panu jeszcze jedną?"

„Jestem przytomny, doktorze. Tam, na dole, chodziło o co innego..."

„Niech pan nie mówi do mnie doktorze, błagam. Po pierwsze to słowo zdewaluowało się w naszym kraju. Wszystkich, n a p r a w d ę w s z y s t k i c h, tytułuje się w ten sposób.

Poza tym nie jestem pańskim lekarzem. Po trzecie pan i ja jesteśmy przyjaciółmi. Czy nie?"

„Tak, doktorze Francisco. Przepraszam, panie Francisco".

„A przyjaciele nie używają takich formuł, zwracając się do siebie. Prawda?"

„Tak, panie Francisco".

„Też mógłbym nazywać pana doktorem, Vásquez. Pan jest pisarzem, ale najpierw skończył pan studia prawnicze. I adwokatów w tym kraju też nazywa się doktorami, czyż nie?"

„To prawda".

„A pan wie, dlaczego nie zwracam się do pana per doktorze?"

„Bo jesteśmy przyjaciółmi".

„Właśnie. Bo jesteśmy przyjaciółmi. A skoro tak jest, mam do pana zaufanie. I pan również ma do mnie zaufanie, jak sądzę".

„Tak, panie Francisco. Mam do pana zaufanie".

„Wspaniale. Dlatego chciałbym pokazać panu coś, co pokazuję tylko ludziom, do których mam zaufanie. Ale robię to również dlatego, że jestem panu winien wyjaśnienie. Pan jest mi winien szklaneczkę do whisky i przyjęcie z przyjaciółmi, ale ja jestem winien wyjaśnienie. A nawet gdybym nie czuł się zmuszony, i tak chciałbym panu coś wytłumaczyć. Sądzę, że może pan zrozumieć to, co chcę panu pokazać. Zrozumieć i docenić. Nie znam wielu takich osób. Ale myślę, że pan może. Mam wielką nadzieję, że się nie mylę. Proszę tu podejść", powiedział władczym tonem i palcem pokazał mi puste miejsce obok swojego fotela, naprzeciwko biurka z papierami. „Niech pan tu stanie".

Kiedy to zrobiłem, zobaczyłem, że obraz na monitorze się zmienia. Cały ekran, z wyjątkiem dolnego paska, gdzie jak zwykle królowały kolorowe ikonki, wypełniało, co natychmiast rozpoznałem, zdjęcie rentgenowskie klatki piersiowej.

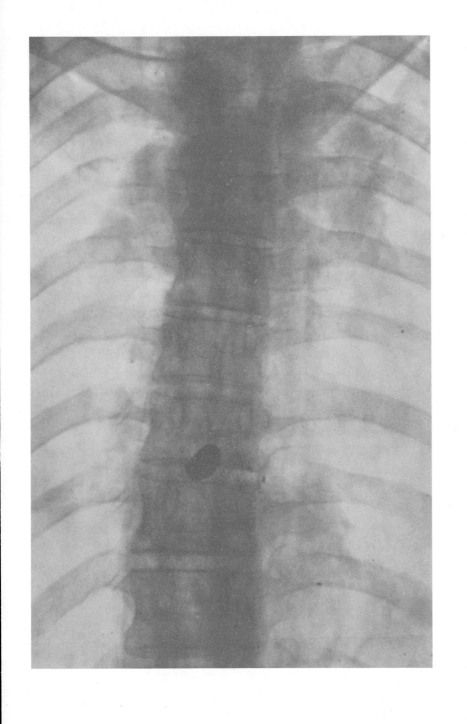

Na środku, w objęciach cieni żeber, spoczywała w kręgosłupie czarna plama w kształcie ziarnka fasoli. Tak właśnie powiedziałem: „fasoli", a może zapytałem: „Co to za fasola?", Benavides zaś odparł, że to nie żadna fasola, tylko kula zniekształcona przez uderzenie w kręgi: jedna z czterech, które zabiły 9 kwietnia 1948 roku Jorge Eliecera Gaitana.

Kości Gaitana. Kula, która zabiła Gaitana. Widziałem je: miałem przed sobą. Poczułem, że dostąpiłem przywileju, rzadkiego przywileju znalezienia się w tym miejscu. Pomyślałem o Gaitanie, o słynnym zdjęciu jego twarzy już bez życia i o wizycie w jego domu w moich studenckich czasach, kiedy zacząłem się interesować jego biografią i śmiercią, i tym, co ta śmierć i ta biografia mówią o nas samych, o Kolumbijczykach. Przypomniałem sobie szklaną witrynę i trzyczęściowy garnitur, który Gaitán miał na sobie, gdy został zabity; przypomniałem sobie otwory w ciemnej tkaninie, od kul wystrzelonych przez mordercę Juana Roę Sierrę. Teraz widziałem jedną z tych kul tkwiącą w jego ciele, w tamtej chwili już martwym. Benavides tłumaczył mi i komentował jak dobry nauczyciel, liczył kręgi, pokazywał niewidoczne na zdjęciu narządy i recytował, jak recytuje się poemat, całe frazy z raportu z sekcji zwłok Gaitana. Jedna z nich „serce nieuszkodzone, bez drastycznych oznak zawału" wydała mi się godna lepszego przeznaczenia (zafascynowały mnie chyba te „drastyczne oznaki"), ale nie był to czas, żeby bawić się w literaturę. Mogłem tylko się zastanawiać, w jaki sposób zdjęcie wpadło mu w ręce. W końcu przestałem to roztrząsać i zapytałem na głos:

„Jak to możliwe? Jak to możliwe, że pan to ma?"

„Oryginał jest w mojej szufladzie", powiedział Benavides, odpowiadając na inne pytanie, którego nie zadałem. „Po prostu. Chociaż nikt nie wie, że tam jest".

„Ale skąd się tam wziął?"

Na twarzy Benavidesa pojawiło się coś na kształt uśmiechu. „Przyniósł go mój ojciec", odparł. Nie powiedział „tata", jak zwykle mówią Kolumbijczycy, nawet kiedy są dorośli i zwracają się też do dorosłych, choćby nieznajomych. W innych krajach hiszpańskojęzycznych to, że dorosły rozmawia z dorosłym o swoim t a c i e, jest oznaką zdziecinnienia albo czułostkowości. Nie w Kolumbii. Mimo wszystko Benavides zawsze mówił o swoim ojcu. Nie wiem dokładnie czemu, ale to mi się spodobało.

„Przyniósł? Ale skąd go przyniósł? Skąd go miał?"

„Cieszę się, że pan o to pyta", odrzekł Benavides. „Teraz proszę o cierpliwość, a opowiem panu historię jak się patrzy".

Przesunął fotel, na którym siedział – na kółkach, czarny i nowoczesny, z oparciem z elastycznej siatki, pełen wajch i pokręteł o nieznanym mi przeznaczeniu – i zbliżył go do fotela do czytania. Suszarka z zakładu fryzjerskiego zapaliła się i Benavides gestem pokazał mi „pan usiądzie tutaj", sam zaś zajął miejsce w fotelu. Skrzyżował ręce na guzikach swetra i zaczął opowiadać.

Don Luís Ángel Benavides studiował bakteriologię na Uniwersytecie Narodowym. Nie wybrał tych studiów z zamiłowania, co nie przeszkodziło mu uzyskać najwyższej średniej na swoim wydziale. I podczas ostatniego roku studiów złożono mu wizytę, która miała odmienić jego życie: z rekomendacji jego profesora, legendarnego doktora Guillerma Uribe Cualli, władze uniwersyteckie zaproponowały mu, by założył laboratorium medycyny sądowej. Już nigdy więcej nie otworzył książki z dziedziny bakteriologii. Wyjechał do Stanów Zjednoczonych, zrobił specjalizację z balistyki i medycyny sądowej i wrócił do Kolumbii gotowy, żeby zostać sławą w swojej specjalności i wielką osobistością swojej epoki. „Wykładał w Katedrze Medycyny Sądowej na Wydziale Prawa i Administracji", wyjaśnił mi Benavides. „Dużo wielkich liter jak na tak maleńką katedrę, nie sądzi pan? Tak czy owak, dwadzieścia roczników kolumbijskich sędziów wie o medycynie sądowej tylko tyle, ile nauczył ich mój ojciec". Podczas swojej długiej kariery pierwszy doktor Benavides kolekcjonował przedmioty – przedmioty, których używał podczas wykładów, ale także i takie, które dostawał w prezencie od niezliczonych studentów czy kolegów: broń palną, stare szpady, kamień księżycowy, czaszkę *homo habilis* – i pewnego dnia, znalazłszy się w swoim gabinecie, popadł w melancholię. „Cholera", powiedział. „Czuję się, jakbym mieszkał w muzeum". I w tamtej chwili postanowił, jakby była to rzecz najzwyklejsza na świecie, ufundował i utworzył na terenie Uniwersytetu Narodowego Muzeum Kryminalistyki imienia Luisa Angela Benavidesa Carrasco.

„W latach siedemdziesiątych, kiedy studenci Uniwersytetu Narodowego strajkowali co miesiąc, ojciec przynosił najbardziej wartościowe eksponaty do domu", opowiadał doktor Benavides. „Żeby je chronić, rozumie pan. Bo nigdy nie było wiadomo, co się wydarzy podczas takiego strajku; czy ktoś będzie rzucał kamieniami, bił się z policją. Jednak muzeum nigdy nie doznało żadnego uszczerbku. Studenci rzucali kamieniami jak szaleni, ale nigdy nie dotknęli nawet cegiełki z muzeum. Dbali o nie, kochali je. Widziałem to i dobrze pamiętam. Więc to była jedna z tych rzeczy, które od czasu do czasu przynosił do domu. Swoje laboratorium miał w głębi, za kuchnią, i owo laboratorium zaczęło powoli zmieniać się w kolejne muzeum rzeczy, które go interesowały. Tam też przechowywał eksponaty podczas strajków. Na przykład zdjęcie rentgenowskie było dla niego bardzo ważne. Niejeden raz spoglądał na nie pod światło, sam nie wiem, czego szukał, a ja czułem się tak, jakbym obserwował muzyka czytającego partyturę. To jedno z najwyraźniejszych wspomnień mojego ojca, jak stoi przy oknie w godzinach największego nasłonecznienia, próbując dopatrzyć się w kliszy ukrytej prawdy". Luis Ángel Benavides umarł w 1987 roku. „I pewnego pięknego dnia przychodzi jeden z moich braci i mówi, że ojciec miał polisę ubezpieczeniową, że musimy ją zrealizować, szkoda, żeby przepadła, że musimy działać szybko, żeby nas nie wykiwali... A żeby ją zrealizować, nie pamiętam już z jakiego powodu, musieliśmy zinwentaryzować eksponaty muzealne. A w tamtym czasie w muzeum mojego ojca było już ich całkiem sporo: tysiąc pięćset, dwa tysiące. Kto miał się z tym zmierzyć? To praca dla Herkulesa, nie wspominam o niezbędnych formalnościach urzędowych, ani moi bracia, ani ja nie mieliśmy wówczas na to czasu. Skontaktowaliśmy się więc z dawną studentką ojca, która pracowała w Departamencie Administracji Bezpieczeństwa, DAS. Zgodziła się nam pomóc i zaczęła sporządzać inwentarz, ale wtedy wybuchła bomba".

Bomba z DAS. Miałem szesnaście lat (byłem w przedostatniej klasie liceum), kiedy *narcos* Pablo Escobar i Gonzalo Rodríguez Gacha umówili się, że zaparkują autobus nafaszerowany pięciuset kilogramami dynamitu obok gmachu, w którym mieścił się DAS. Celem tego ataku nie była, w ścisłym znaczeniu tego słowa, siedziba państwowego wywiadu, ale generał stojący na jego czele; w tamtym konkretnym momencie to on symbolizował nieprzyjaciela, któremu kartel z Medellín wypowiedział wojnę. Był 6 grudnia 1989 roku, o 7:30 ogromny wybuch wstrząsnął całą dzielnicą Paloquemao. Ja siedziałem w swojej klasie, po drugiej stronie miasta, pamiętam dokładnie strach malujący się na twarzy nauczyciela przekazującego nam wiadomość, pamiętam odwołane lekcje i powrót do domu, a także poczucie zdumienia i bycia nie na miejscu, niezrozumienia i niepokoju, które ogarniało mnie w chwilach, gdy terroryzm zaburzał rytm naszego życia, mimo że mieliśmy szczęście znaleźć się wówczas w innej części miasta. Bomba z DAS zabiła niewiele mniej niż osiemdziesiąt osób i zraniła ponad sześćset. Wśród zabitych byli urzędnicy, agenci bezpieczeństwa, bezbronni przechodnie, na których posypały się bloki betonu. I zapewne studentka doktora Luisa Angela Benavidesa. „Czy rzeczywiście była wśród nich?", zapytałem. „Owszem", przyznał doktor, „była wśród nich".

„Inwentaryzacji nigdy nie ukończono", powiedział Benavides. „Ja poszedłem do muzeum, chciałem rzucić okiem na eksponaty, przekonać się, czy mógłbym kontynuować spis, ale okazało się, że je zamknięto. Był początek 1990 roku, ale zajęcia jeszcze się nie zaczęły. W środku zastałem dwóch facetów, obaj w garniturach i pod krawatem. Nie byli wykładowcami, zrozumiałem to, kiedy tylko ich zobaczyłem. Jeden miał obrzydliwy wąsik, à la Rudolf Valentino, wie pan, kim był Rudolf Valentino? No więc właśnie, miał taki wąsik, a ludzie z takim wąsikiem zawsze budzili moją niechęć. Typ przechadzał się po sali, o tak, z rękami skrzyżowanymi na plecach, i mówił, że to się do niczego nie nadaje i trzeba będzie zamknąć muzeum. I wtedy ogarnął mnie strach, bo w sekundę wyobraziłem sobie wszystko, co tam było, wszystkie te cuda, które tak wiele znaczyły dla ojca, wyobraziłem je sobie popakowane w pudła i gnijące, kurzące się na jakimś strychu, gdzie nikt nigdy nie zagląda, w jakiejś graciarni, jakich wiele w tym kraju pozbawionym wrażliwości. Bez chwili wahania i cienia winy złapałem jakąś torbę i schowałem trzy rzeczy, pierwsze, które wpadły mi w ręce. I odszedłem powoli, opieszałym krokiem, żeby nie zaalarmować nikogo ani nie budzić podejrzeń. Uważam, że postąpiłem dobrze, bo wkrótce zamknęli muzeum, tak jak planowali. Zamknęli je naprawdę, zamurowali wejście. Tak, zamurowali, z eksponatami w środku. Gdyby mógł pan tylko zobaczyć wszystkie skarby, które tam zostały.

„To zdjęcie rentgenowskie jest jedną z tych rzeczy", powiedziałem.

„Tak, jedną z tych, które zdołałem uratować".

„Ale nie jedyną".

Benavides wstał i podszedł do ściany znajdującej się po lewej stronie. Wziął w ręce jedyną zdobiącą ją ramkę: był to plakat stworzony w hołdzie Juliowi Garavitowi, przodkowi Benavidesa, który ponad sto lat wcześniej wyliczył, na jakiej szerokości geograficznej leży Bogota, i wynalazł sposób na obliczenie orbity Księżyca; patrzyłem na człowieka z bujnym wąsem przedstawionego na tle Księżyca, na którym widać było Morze Spokoju. Benavides zdjął plakat ze ściany, z drugiej strony ramki, przyklejona papierową taśmą, znajdowała się jedna z tych kopert z nadrukowanym symbolem poczty lotniczej i niebiesko-czerwonymi paskami na krawędziach. Benavides wsunął rękę do koperty i wyjął z niej ostrożnie błyszczący przedmiot. Klucz.

„Nie, nie jedyną", powiedział Benavides. „A nawet nie najważniejszą. Zresztą trudno określić, jak ważna jest każda z nich. Ale na pewno się pan ze mną zgodzi. Ciekawe, co sądzi pan o tym".

Użył klucza, żeby otworzyć szufladę biurka, a ona, uwolniona z blokady, wysunęła się sama, jakby tchnięto w nią życie. Benavides wyjął słoik z grubego szkła ze szczelnie zamykanym wieczkiem. Wyglądał na zupełnie pospolity, można by w nim przechowywać brzoskwinie w likierze, suszone pomidory albo bakłażany z bazylią. W słoiku jakiś przedmiot niemożliwy do zidentyfikowania – z pewnością nie były to bakłażany ani pomidory, ani też brzoskwinie – wydawał się dryfować w przezroczystym płynie. Kiedy wreszcie pogodziłem się z tym, że to fragment kręgosłupa, zrozumiałem, że pokrywające go strzępki są resztkami ciała, ciała człowieka. Kiedy coś robi tak wielkie wrażenie, tylko cisza wydaje się właściwym rozwiązaniem; każde pytanie, ma się takie wrażenie, byłoby zbędne, a może nawet obraźliwe. (Nie należy obrażać obiektów z przeszłości). Benavides nawet nie czekał, aż ubiorę w słowa wszystko, co buzowało mi w głowie. Ze środka kręgu Gaitana spoglądała na mnie dziura, czarna jak oko galaktyki.

„Mój ojciec wierzył, że strzelały dwie osoby", powiedział Benavides. „Przynajmniej przez jakiś czas".

Odnosił się do jednej ze spiskowych teorii na temat zabójstwa Gaitana. Według niej Juan Roa Sierra 9 kwietnia nie działał sam; strzelał także inny mężczyzna i to z jego broni pochodziła jedna ze śmiercionośnych kul. W latach pięćdziesiątych teoria drugiego zabójcy zyskała na popularności, w znacznej mierze za sprawą tego, że podczas sekcji zwłok nie znaleziono jednej z kul, które zabiły Gaitana. „A ludzka wyobraźnia pracuje", powiedział Benavides. „Przybywało świadków twierdzących, że widzieli drugiego zabójcę. Niektórzy nawet go opisywali. Byli nawet tacy, co uważali, że to właśnie ta brakująca kula spowodowała śmierć Gaitana, że została wystrzelona z innej broni, wobec czego Roy Sierry nawet nie można nazywać mordercą". Ci świadkowie byli poważnymi ludźmi, a widma 9 kwietnia wciąż zbierały swoje żniwo, dlatego pewien sędzia śledczy dostał w 1960 roku polecenie, by zmierzyć się z teorią drugiego zabójcy, potwierdzić ją albo ostatecznie zdementować; zamknąć usta paranoikom. Sędzia nazywał się Teobaldo Avendaño i miał tę niezwykłą cechę, że nie znienawidzili go ani liberałowie, ani konserwatyści. A w naszym kraju to największa z cnót. „I pierwszą rzeczą, jaką zarządził sędzia", ciągnął Benavides, „była ekshumacja zwłok".

„Żeby znaleźć kulę?", zapytałem.

„Pierwszą autopsję przeprowadzono po łebkach. Proszę sobie wyobrazić, jak mogli czuć się lekarze robiący sekcję w czterdziestym ósmym roku. Proszę sobie wyobrazić, jak to jest stanąć przed martwym ciałem liberalnego caudilla Jorge Eliecera Gaitana, bohatera ludu i niedoszłego prezydenta Republiki Kolumbii. Musieli być onieśmieleni. Kiedy już ustalili przyczynę śmierci, postanowili nie maltretować zwłok, chociaż nie udało im się znaleźć kuli. Nie otworzyli na przykład pleców, chociaż wiedzieli, że jedna z kul weszła właśnie tamtędy. To działo się wieczorem, po szóstej, i w tamtej chwili prawda była tylko jedna; facet, który nazywał się Juan Roa Sierra, zabił Gaitana, a potem sam został zabity przez rozsierdzony tłum. I to było wszystko; kogo mogło obchodzić, ile kul wystrzelił morderca? To stało się ważne dopiero później, kiedy pojawiły się nowe wersje wydarzenia, pytania bez odpowiedzi, problemy; spekulacje, które czepiają się byle czego. Teorie spiskowe są jak bluszcz, Vásquez, czepiają się czegokolwiek, by móc się rozrastać, i rozrastają się dopóki, dopóty nie usunie się tego, co je podtrzymuje. Dlatego należało otworzyć grób Gaitana, rozciąć mu plecy i znaleźć brakującą kulę. I do kogo zwrócił się Avedaño, żeby zlecić mu to zadanie? Wie pan, komu przypadła w udziale tak poważna rzecz? Tak, mojemu ojcu. Doktorowi Luisowi Angelowi Benavidesowi Carrasco".

„Specjaliście", dodałem, „od balistyki i medycyny sądowej".

„Owszem. Data i godzina autopsji utrzymywane były w ścisłej tajemnicy. Gaitán został pogrzebany w pobliżu swojego domu, w ogrodach przedszkola Santa Teresita. Był pan w tej dzielnicy, gdzie znajduje się dom Gaitana? No właśnie, tam go pochowano. Wykopano trumnę i postawiono ją na patio naszego domu. Nie wiem dokładnie, na którym, podejrzewam, że na tym w głębi na parterze. Ojciec już tam czekał. Ileż to razy opowiadał mi tę historię, Vásquez, trzydzieści, czterdzieści, pięćdziesiąt; przez całe moje życie, odkąd byłem dzieckiem. «Tato, opowiedz mi o tym, jak wyciągnęli z grobu Gaitana», prosiłem, a on natychmiast spełniał moją prośbę. W każdym razie czekał na trumnę i poprosił, żeby otwarto ją w jego obecności, i zdziwił się, że ciało Gaitana jest w tak dobrym stanie. Są ciała, które rozkładają się wolniej, i takie, które rozkładają się szybciej. Dwanaście lat po śmierci ciało Gaitana wyglądało tak, jakby jego zwłoki zabalsamowano... Ale gdy tylko dotknął ich pierwszy podmuch powietrza, zaczęły się rozkładać. Dom wypełnił się zapachem trupa. Ojciec twierdził, że c a ł a   d z i e l n i c a wypełniła się tym zapachem. Podobno był nie do zniesienia. Świadkowie zaczęli wychodzić, jeden po drugim. Bladzi jak ściana, z trudem powstrzymując mdłości, zakrywali nosy rękawami płaszczy. A po chwili wracali jak gdyby nigdy nic, świeżutcy jak szczypiorek. Mój ojciec dowiedział się później, że Felipe González Toledo, jedyny obecny na miejscu dziennikarz, zaprowadził ich do znajdującego się nieopodal sklepu i poradził im, żeby posmarowali sobie nozdrza *aguardiente*. González Toledo znał takie sztuczki. Nie bez przyczyny był najlepszym dziennikarzem śledczym w naszym kraju".

„I opisał ten dzień?"

„Oczywiście. Może pan sięgnąć po artykuł z jego kronik kryminalnych, poszukać go i przeczytać, z imieniem i nazwiskiem mojego ojca, czarno na białym. Kronika opowiada o chwili, kiedy mój ojciec i anatomopatolog wyjęli kulę. Ale nie wdaje się w szczegóły, ja za to je znam; wiem, że znaleźli kręg, w którym utkwiła kula, że wyjęli go, i znów pochowali Gaitana. Bali się, że jakiemuś wariatowi przyjdzie do głowy zabrać ciało".

„A kręg?"

„Zanieśli go do instytutu".

„Instytutu Medycyny Sądowej", powiedziałem.

„I tam potwierdzili, a dokładnie potwierdził to mój ojciec, który znał się na rzeczy, że kula została wystrzelona z tego samego pistoletu".

„Pistoletu Roy Sierry?"

„Tak", powiedział Benavides. „Z tego samego pistoletu, co pozostałe kule. Pan pewnie wie, jak to się sprawdza, co dzień można o tym usłyszeć w telewizji, nie będę panu tłumaczył, co to jest przewód lufy ani w jaki sposób lufa pozostawia na kuli ślad praktycznie nie do pomylenia. Wystarczy panu wiedzieć, że mój ojciec zrobił analizy i niezbędne rysunki i stwierdził, że kule wystrzelono z jednego pistoletu. Nie było więc drugiego zabójcy. Przynajmniej nie wskazywała na to zaginiona kula. W każdym razie, jak już pewnie zdążył się pan domyślić, kręg z kulą nie wrócił do ciała Gaitana. Strzeżono go pilnie. A dokładnie, strzegł go mój ojciec, który przez lata używał eksponatu podczas swoich wykładów. To kolejne wspomnienie związane z ojcem, jazda trolejbusem. On nigdy nie lubił prowadzić samochodu, z domu na uniwersytet jeździł tym właśnie środkiem transportu. Pamięta pan bogotańskie trolejbusy? Niech więc wyobrazi sobie pan taką scenę, zwykły człowiek, bo mój ojciec uważał się za najzwyklejszego człowieka na świecie, wsiadający do trolejbusu z walizeczką w ręku. Nikt nie miał pojęcia, że w tej walizeczce są kości Jorge Eliecera Gaitana. Czasem jechałem z nim, proszę sobie wyobrazić scenę: chłopiec trzymający za rękę ojca, ojciec mając wówczas w jednej ręce dłoń swojego syna, a w drugiej walizeczkę z martwymi kośćmi. Kośćmi, za które każdy zabiłby go na miejscu. A on miał je przy sobie, woził wte i wewte trolejbusem dobrze schowane w swojej skórzanej walizeczce".

„I tak kości skończyły w tym domu".

„Z uniwersytetu do muzeum, z muzeum do domu, z domu w pańskie ręce. Dzięki mojej uprzejmości".

„A ta ciecz?"

„To pięcioprocentowy roztwór formaliny".

„Nie, nie, pytałem, czy to ciągle ta sama".

„Zmieniam ją od czasu do czasu. Żeby nie zmętniała, wie pan? Żeby można było wszystko zobaczyć". S ą   t a c y,   k t ó r z y   w i d z ą   j a s n o, przypomniałem sobie. Podniosłem słoik i spojrzałem pod światło. Ciało, kości, pięcioprocentowy roztwór formaliny: szczątki ludzkie, owszem, ale przede wszystkim obiekty z przeszłości. Zawsze miałem do nich słabość, może wręcz byłem nadwrażliwy i przyznaję, że w moim stosunku do nich jest coś z fascynacji ocierającej się o fetyszyzm, a także coś (nie sposób zaprzeczyć) z dawnych przesądów, wiem, że jakaś część mnie postrzega je i zawsze postrzegała jako relikwie, dlatego nigdy nie wydawał mi się niezrozumiały ani tym bardziej egzotyczny kult, jakim wierni otaczają drzazgę z krzyża swojego Pana, albo ów słynny całun, na którym odcisnął się za sprawą magicznej sztuczki wizerunek pewnego mężczyzny. Doskonale rozumiem zapał, z jakim pierwsi chrześcijanie – prześladowani i zabijani – zaczęli zachowywać i czcić szczątki swoich męczenników, łańcuchy, którymi ich skuto, miecze, które ich śmiertelnie zraniły, narzędzia tortur, którymi przez długie godziny zadawano im męczarnie. Ci pierwsi chrześcijanie widzieli swoich bliskich umierających na arenie, z daleka obserwowali skazańców wykrwawiających się po ataku dzikich bestii albo zabijanych lancami, rzucali się na ich ciała, narażając własne życie na poważne niebezpieczeństwo, żeby zamoczyć swoje szaty w świeżej jeszcze krwi; tamtej nocy, w gabinecie doktora Benavidesa, mając przed oczyma krąg Gaitana, nie mogłem nie pomyśleć o tym, że to samo zrobili bogatyńscy świadkowie zbrodni popełnionej 9 kwietnia – upadli na kolana na bruku Siódmej Alei, przed budynkiem Agustína Nieta, kilka kroków od szyn tramwajowych, a więc narażając własne życie na niebezpieczeństwo – żeby zebrać czarną krew swojego martwego caudilla, długie strużki krwi przelanej po czterech wystrzałach Juana Roy Sierry. Jakiś atawistyczny instynkt popycha nas do tych rozpaczliwych czynów, pomyślałem, mając w rękach kawałeczek kręgosłupa Gaitana. Tak, tym właśnie był ów kręg: relikwią. Przez formalinę i ścianki słoika poczułem jej energię, tę samą, którą (jak mogę się domyślać) czuli chrześcijanie, dajmy na to Święty Augustyn, mając w rękach szczątki umęczonego ciała, dajmy na to Świętego Szczepana. Augustyn wspomina gdzieś nawet – niestety nie pamiętam, gdzie to czytałem – o jednym z kamieni, którymi zabito Szczepana; nawet ta relikwia zachowała się do jego czasów, nawet ten śmiercionośny kamień urósł do miana relikwii. A kula, która zabiła Gaitana, co się z nią stało? Gdzie podziała się kula, którą przed chwilą widziałem na zdjęciu rentgenowskim, zniekształcona po wbiciu się w kość? Co stało się z kulą, która przeszyła plecy Gaitana, wyciągniętą potem przez doktora Luisa Angela Benavidesa i przez niego przeanalizowaną? Gdzie się podziała, znów według doktora, skoro już jej nie było w tym kręgu? Benavides patrzył, jak oglądam kręg przez ścianki słoika i formalinę. Światła gabinetu igrały z gęstą cieczą; na szkle słoika tańczyły ulotne błyski kolorów, które nie emanowały z kręgu, kolorów światła załamanego w pryzmacie: kolorów widma. Ja zaś myślałem o kamieniu, który zabił Świętego Szczepana, i o kuli, która zabiła Gaitana. „Gdzie jest kula?", zapytałem w końcu.

„Ach tak, kula", powiedział Benavides. „Nie wiadomo".

„Nie zachowała się?"

„Być może tak, może ktoś o tym pomyślał. Może gdzieś leży i pokrywa się kurzem. Ale nie sądzę, żeby mój ojciec to zrobił".

„Ale przecież przydałaby mu się", powiedziałem. „Do zajęć, na przykład".

„To prawda. Do zajęć. Cóż mam panu powiedzieć, Vásquez, to logiczne, że ojciec powinien był ją zachować. Ale ja nigdy jej nie widziałem. Być może miał ją i pokazywał podczas wykładów, kiedy byłem jeszcze mały i nie wiedziałem o tym. Ale z tego, co wiem, nigdy nie przyniósł jej do domu". Zawiesił głos. „Chociaż człowiek mógłby zapełnić całe księgi wszystkim tym, czego nie wie".

„Kto jeszcze widział te rzeczy?"

„Odkąd są w moim posiadaniu, tylko pan. Poza moją rodziną oczywiście. Żona i dzieci wiedzą, że te rzeczy istnieją, że trzymam je tutaj, w swoim sejfie. Dla dzieci jakby nie istniały. Dla żony to tylko hobby wariata".

„A Carballo?"

„Carballo wie, że istnieją. Co więcej, wiedział o tym o wiele wcześniej niż ja. Ojciec opowiadał mu o nich. Opowiadał mu o autopsji z sześćdziesiątego roku i o tych sprawach. Możliwe, choć tego nie jestem pewien, że Carballo widział je na zajęciach. Ale nie ma pojęcia, że je mam".

„Jak to?"

„Nie wie, że są tutaj".

„A czemu mu pan o tym nie powiedział? Patrzyłem na twarz Carballa, kiedy zaczęliśmy rozmawiać o Gaitanie. Kiedy wspomniał mu pan o moim dziadku. Jego twarz pojaśniała, oczy otworzyły się szerzej, wyglądał jak dziecko, które właśnie dostało prezent. Jasne, że ten temat interesuje go tak samo jak pana, a nawet – o ile to możliwe – jeszcze bardziej. Czemu pan się z nim tym nie podzielił?"

„Nie wiem", odparł Benavides. „Chciałem zostawić coś tylko dla siebie".

„Nie rozumiem".

„Dla mojego ojca Carballo nie był zwykłym uczniem", wyjaśnił Benavides. „Był jego ukochanym uczniem. Jego dziedzicem, wychowankiem. Wykładowcy nie są obojętni

87

na oznaki podziwu swoich studentów, Vásquez. Co więcej, wielu z nich wykłada tylko po to, żeby ten podziw poczuć. To, co czuł Carballo do mojego ojca, było czymś więcej niż podziwem, było uwielbieniem, kultem, ocierało się o fanatyzm. Tak mi się przynajmniej wydawało. W dodatku był błyskotliwym studentem, ten cały Carballo. Kiedy go poznałem, kiedy ojciec zaczął przyprowadzać go do domu na obiad, był najlepszy w całej grupie, ojciec uważał, że bił innych na głowę; że to najlepszy student, jakiego miał w całej swojej karierze. «Jaka szkoda, że wybrał prawo», mawiał ojciec. «Carlitos powinien zostać specjalistą od medycyny sądowej». Miał do niego prawdziwą słabość. Czasem nawet byłem o niego zazdrosny".

„Zazdrosny o Carballa, panie Francisco?", zacząłem się śmiać. Doktor uśmiechnął się z przekąsem, ale równocześnie porozumiewawczo i z zawstydzeniem. „Zazdrosny o tego, za przeproszeniem, pajaca? Tego się po panu nie spodziewałem".

„Czemu nie? Po pierwsze wcale nie jest takim pajacem, jak pan sądzi. To błyskotliwy facet, może pan wierzyć lub nie, Carballo w tych swoich idiotycznych fularach to jedna z osób obdarzonych najbardziej błyskotliwą inteligencją, jakie w życiu spotkałem. Szkoda, że nigdy nie pracował w zawodzie, byłby doskonałym adwokatem. Ale chyba prawo go znudziło. Lubił zajęcia mojego ojca, należał do najlepszych studentów ze swojego rocznika, ale prawo już go zmęczyło, skończył je pod przymusem. No ale nie o to chodzi. Że o takich rzeczach powinno się zapomnieć, kiedy jest się dorosłym? W żadnym wypadku. Zazdrość i zawiść rządzą tym światem. Połowę decyzji podejmuje się pod wpływem tych prostych uczuć, zazdrości i zawiści. Poniżenie, resentyment, brak seksualnego spełnienia, kompleks niższości to jedne z najpotężniejszych motorów historii, mój drogi pacjencie. W tej chwili ktoś podejmuje decyzję, która będzie miała wpływ na nasze życie, i podejmuje ją z takich właśnie powodów: żeby udupić swojego wroga, pomścić afront, zrobić wrażenie na jakiejś kobiecie i pójść z nią do łóżka. Tak kręci się ten świat".

„No tak, ale to nie ma nic wspólnego z pańskim przypadkiem. Czemu był pan zazdrosny? Pański ojciec poświęcał więcej uwagi Carballowi niż panu? Przecież nie był pan nawet studentem z tej samej grupy".

„Nie byłem nawet studentem tego samego w y d z i a ł u", powiedział Benavides. „Nic mówiąc o tym, że nie byłem też studentem tego samego uniwersytetu, uczyłem się na Uniwersytecie Javeriana, bo nigdy nie chciałem wykorzystywać prestiżu ojca, żeby dostać się na Uniwersytet Narodowy. Poza tym Carballo jest ode mnie starszy, jakieś siedem czy osiem lat, zależy, kogo zapytamy. Nieważne. Przychodziłem do domu na obiad, a on już siedział przy stole – na moim miejscu – i rozmawiał z ojcem".

„Zaraz, zaraz", przerwałem mu. „Niech mi pan to wyjaśni, panie Francisco".

„Po prostu, czasem przychodziłem na obiad, a Carballo siedział przy stole w jadalni, na którym piętrzyły się otwarte książki, notatniki, rysunki, zwoje papieru".

„Nie, nie. Niech mi pan wyjaśni tę różnicę wieku".

„Co takiego?"

„Powiedział pan przed chwilą, że Carballo jest od pana starszy o siedem albo osiem lat", powtórzyłem. „Zależy, kogo zapytamy. Nie rozumiem".

Benavides się uśmiechnął. „Tak, to prawda. Już tak przywykłem do tej kwestii, że zapominam, jakie to dziwne. Chodzi o to, że jeśli zapyta pan Carballa, kiedy się urodził, odpowie, że w tysiąc dziewięćset czterdziestym ósmym. Jeśli zapyta pan w urzędzie stanu cywilnego, dowie się pan, że to kłamstwo: urodził się w czterdziestym siódmym. Niech pan zgadnie, skąd ta różnica? Podpowiem panu: dlaczego Carballo mówi, że urodził się w czterdziestym ósmym?"

„Żeby data urodzenia przypadała na ten sam rok, co wydarzenia z dziewiątego kwietnia".

„Doskonale, Vásquez. Carballo nie ma już przed panem żadnych tajemnic". Znów się uśmiechnął, chwilę zajęło mi zorientowanie się, co było w tym uśmiechu: czysty sarkazm? Trochę serdeczności? Dziwna mieszanka sarkazmu, zrozumienia i tolerancji, tego rodzaju tolerancji, którą okazuje się dzieciom albo wariatom? Ja tymczasem przypomniałem sobie, że García Márquez zrobił coś podobnego – przez wiele lat utrzymywał, że urodził się w 1928, podczas gdy w rzeczywistości urodził się rok wcześniej. Z jakiego powodu? Chciał, żeby data jego urodzin zbiegła się z datą słynnej masakry bananowej, która stała się jedną z jego obsesji opowiedzianej później albo wymyślonej na nowo w najlepszym rozdziale *Stu lat samotności*. Nie wspomniałem o tym Benavidesowi, żeby nie przerywać mu jego opowieści.

„Niech pan mówi dalej o jadalni", poprosiłem.

„Tak. Przychodziłem do domu i Carballo już tam był, rozmawiał z moim ojcem, a na stole piętrzyły się papiery z najnowszego dochodzenia. I cała rodzina musiała czekać, aż ojciec skończy tłumaczyć to, co tłumaczył swojemu studentowi. Swojemu pupilowi. Zawiść, proszę pana, to nic innego jak przekonanie, że ktoś zajął należne nam miejsce. A ja czułem, że tak jest z Carballem, że mnie zastępuje, odsuwa na bok, kradnie mi miejsce przy stole w jadalni. Nie miałem nic przeciwko temu, by mój ojciec zostawał na uniwersytecie, żeby opowiadać o wszystkich swoich teoriach ukochanemu studentowi. Nie miałem nic przeciwko temu, żeby opowiadał mu o rzeczach, o których nie rozmawiał ze mną. Ale to, że przychodziłem do domu i zastawałem go tam, tego już było za wiele. Że mój ojciec wolał przebywać z nim niż ze mną, to mi przeszkadzało. Jeśli działo się coś na uniwersytecie, dyskutował o tym z Carballem. I tak, Vásquez, zatruwało mi to życie. Byłem dorosłym chłopem, jak to dawniej mawiano, ale to zatruwało mi życie i nie wiedziałem, co mam z tym począć. No cóż, byłem wtedy jeszcze bardzo młody. Ożeniłem się w wieku dwudziestu czterech lat, zostałem chirurgiem i przeszła mi ta głupia obsesja. Miałem co innego na głowie… A opowiadam panu to wszystko, żeby wytłumaczyć, dlaczego Carballo nie wie, że mam ten kręg. I wolałbym, żeby tak pozostało. Wolałbym, żeby się nie dowiedział. Nie wiem, czy rozumie pan dlaczego".

„Rozumiem o wiele lepiej, niż pan sądzi", zapewniłem go. „Mogę pana o coś zapytać?"

„Słucham".

„Czy relacja między pańskim ojcem a Carballem wyglądała tak do końca?"

„Tak, do samego końca", potwierdził Benavides. „Mistrz i uczeń, mentor i protegowany. Jakby mój ojciec znalazł w nim dziedzica. Albo jak gdyby Carballo znalazł ojca, tak też można by to ująć".

„Kim jest ojciec Carballa?"

„Nie mam pojęcia", odparł Benavides. „Chyba zginął podczas rozruchów. Był liberałem, zabili go konserwatyści. Carballo pochodzi z ubogiej rodziny, był pierwszym, który zdał na studia. Jednym słowem: nie wiem nic o jego ojcu. Carballo nigdy nie lubił o nim mówić".

„Oczywiście. Czyli to dlatego. Dlatego uczepił się doktora Benavidesa i nie chciał puścić. Znalazł zastępczego ojca".

„Nie lubię tego określenia, ale powiedzmy, że częściowo to wyjaśnia. Często się widywali, rozmawiali przez telefon… Pożyczali sobie książki, właściwie to mój ojciec pożyczał książki jemu. Nocami naprawiali kraj, zastanawiając się, w którym momencie Kolumbia tak się skurwiła. I tak upłynęło ostatnie pięć lat życia mojego ojca. Pięć albo sześć, mniej więcej. Tak właśnie upłynęły".

„O jakie teorie chodzi?"

„Nie rozumiem".

„Wspomniał pan, że pański ojciec dzielił się z Carballem wszystkimi teoriami. Co to za teorie?"

Benavides nalał sobie drugą filiżankę kawy, upił łyk i przemierzył kilka kroków, jakie dzieliło go od biurka. Otworzył szufladę pełną purpurowych teczek opatrzonych etykietami wypisanymi na maszynie; byłem zbyt daleko, by móc je przeczytać. Wyjął jedną z tych teczek, wrócił na fotel, położył ją sobie na kolanach i zaczął gładzić ręką, jakby ją głaskał, a może uspokajał, jakby on sam był czarnym charakterem z filmu o Jamesie Bondzie, a teczka była jego białym kotem. „Mój ojciec nie miał zbyt wielu hobby", powiedział w końcu. „Należał do tych szczęśliwców, którzy robią to, co sprawia im największą w życiu przyjemność i czerpią przyjemność tylko i wyłącznie z tego, co robią. Praca stanowiła dla niego rozrywkę. Ale było w jego życiu coś, co można by nazwać hobby albo rozrywką: odtwarzanie słynnych zbrodni z perspektywy medycyny sądowej. Mój dziadek słynął w rodzinie z tego, że potrafił układać puzzle z dwóch, trzech tysięcy elementów. To było jego hobby, wielkie puzzle. Układał je na stole w jadalni, a w tym czasie rodzina musiała jeść gdzie indziej. No więc analizy zbrodni z punktu widzenia lekarza sądowego były układankami mojego ojca. W soboty i w niedziele wstawał bardzo wcześnie i zaczynał je studiować jak najnowsze dochodzenia. Zabójstwo Jeana Jaurèsa. Zamach na arcyksięcia Ferdynanda. Proszę sobie wyobrazić, że był nawet czas, że fascynował się zamachem na Juliusza Cezara. Analizował go przez kilka miesięcy i napisał szczegółowy raport demaskujący konspirację, opierając się – między innymi – na dziele Szekspira. Miał też taki okres, kiedy bawił się, zmieniając śmierci, które nie były zabójstwami, w zbrodnie: pamiętam na przykład miesiące, kiedy próbował udowodnić, że Bolivara wcale nie zabiła gruźlica, otruli go kolumbijscy przyjaciele... Ale to była dla niego zabawa. Zabawa na poważnie, jak układanka dla tego, kto ją układa, ale jednak zabawa. Uff, gdyby pan widział, jak wkurzał się mój dziadek, kiedy ktoś przesunął mu jakiś element, czekała nas za to surowa kara".

„A ta teczka to jedna z tych układanek?", zapytałem.

„Tak", potwierdził Benavides. „Układanka pod tytułem John Fitzgerald Kennedy. Nie pamiętam, kiedy to się zaczęło, ale była to jedna z zabaw, proszę mi wybaczyć lekki ton, które towarzyszyły mu przez całe życie. Co pięć, dziesięć lat wyciągał ponownie teczkę ze swojego archiwum, ponownie układał układankę, a przynajmniej próbował ją ułożyć. Niech pan spojrzy na te papiery na przykład: wycinki z kolumbijskich gazet dotyczące zabójstwa Kennedy'ego. Proszę spojrzeć na daty: czwarty lutego siedemdziesiątego piątego roku. Ten drugi z «El Espacio» jest z tysiąc dziewięćset osiemdziesiątego trzeciego. Datę widać w rogu, w dodatku artykuł ukazał się w rocznicę: *Mija dwadzieścia lat od śmierci Kennedy'ego,* tak jest tu napisane. Niech pan sobie wyobrazi mojego ojca czytającego kroniki kryminalne w takim piśmidle. Ale wszystko, co dotyczyło Kennedy'ego, lądowało w teczce. Mam tu ze dwadzieścia, może trzydzieści wycinków, jedne ważniejsze, inne mniej istotne. Każdy z nich świadczy o hobby mojego ojca. Dlatego je przechowuję, dlatego są dla mnie ważne. Nie sądzę, żeby miały jakąkolwiek wartość dla kogoś innego".

„Mogę je zobaczyć?"

„Po to je wyjąłem. Chcę, żeby pan rzucił na nie okiem". Wstał i się zgarbił, jak to robią ludzie mający problemy z kręgosłupem. „Może je pan sobie obejrzeć, ja tymczasem sprawdzę, co dzieje się w domu. Chce pan może coś z kuchni?"

„Nie, dziękuję", odparłem. „Mogę zadać panu jedno pytanie, Francisco?"

„Tak".

„Czemu właśnie ta teczka, a nie jakaś inna? Ma pan ich w szufladzie pełno. Czy jest jakiś powód, dla którego wybrał pan właśnie tę?"

„Oczywiście, że tak, Vásquez. Ta teczka ma wiele wspólnego z Carballem. A przecież to właśnie o nim rozmawiamy, o Carlosie, przez cały czas rozmawialiśmy o nim, chociaż pan nie zdawał sobie z tego sprawy. Jednym słowem, niech pan sobie pogląda. Ja wracam za minutkę i opowiem jeszcze więcej".

Otworzyłem teczkę, siedząc przy biurku w fotelu na kółkach. Ale papiery wyślizgiwały mi się, spadały na podłogę, zmuszały mnie, bym łapał je w locie lewą ręką, podczas gdy prawą próbowałem kartkować pozostałe, więc po chwili usadowiłem się na podłodze, a właściwie na dywanie w kolorze surowej wełny, żeby rozłożyć je jeden obok drugiego. *L.H. Oswald nie zabił J.F. Kennedy'ego*, krzyczał do mnie z dywanu najstarszy z wycinków. Doktor Benavides zanotował datę, nie zaznaczywszy jednak, z jakiego periodyku pochodzi, wydawało mi się, ze typografia wskazuje na „El Tiempo". Wiadomość dotyczyła filmu pokazanego w Chicago, który prowadził do nieuchronnego wniosku, że Kennedy'ego zabiły strzały oddane przez „cztery albo pięć osób". Film, jak czytałem w wiadomości, został zrealizowany przez Roberta Grodena, nowojorskiego fotografa i optyka; pewien aktywista polityczny o nazwisku Dick Gregory utrzymywał, że nagranie zmieni „przeznaczenie i losy świata". To były dla mnie dwa nowe nazwiska, ale reszta wiadomości pozwalała się domyślać, że chodzi o materiał Abrahama Zaprudera,

Filw 4/757

L. H. Oswald no matò a J. F. Kennedy

J. F. KENNEDY   L. H. OSWALD

CHICAGO, 3 (UPI). Lee Harvey Oswald "no tuvo nada qué ver con el asesinato" del Presidente John F. Kennedy, según prueba una película hecha por un fotógrafo y experto óptico de Nueva York, que fue exhibida en Chicago en rueda de prensa.

Según Robert Groden, "4 ó tal vez 5 personas", dispararon contra Kennedy, y se hicieron 6 disparos y no 3, como estableció la Comisión Warren, que investigó el asesinato del Presidente, ocurrido en Dallas, el 22 de noviembre de 1963.

Oswald fue arrestado y, a su vez, fue asesinado en el cuartel general de la Policía de Dallas por Jack Ruby, dueño de un bar nudista.

Dick Gregory, un activista político, dijo que la película "cambiará el destino y la suerte del mundo". Agregó que ella "salvará la vida del senador Edward Kennedy".

La semana pasada, Gregory y un profesor adjunto de filosofía, Ralph Schoenman, dijeron que tenían pruebas de que la Agencia Central de Inteligencia (CIA) había intervenido en el asesinato de Kennedy.

Groden exhibió el filme en una conferencia de prensa realizada en Chicago y dijo que se trataba de una ampliación de la película original sobre el asesinato. El filme original es de propiedad de la empresa periodista "Time Inc.".

La película, ampliada a gran tamaño y utilizando la cámara lenta, muestra el momento en que el Presidente Kennedy es alcanzado por una bala en la cabeza. Según Groden, la fuerza del proyectil lanzó a Kennedy hacia atrás y a la izquierda, lo que indica que fue disparada de frente y no de espaldas al Presidente, como se ha pensado hasta ahora.

En la película también se ven dos hombres que, según Groden, estaban disparando a Kennedy. Uno desde detrás de un pedestal, en un prado, frente a la comitiva. El otro está semioculto bajo un arbusto y también de frente a la comitiva, empuñando un fusil, según Groden.

Gregory dijo que él, Groden y Schoenman viajarán el sábado a Washington para mostrar el filme ante la comisión que investiga las actividades de la CIA, que preside el vicepresidente Nelson Rockefeller.

słynny filmik w formacie super osiem nakręcony przez amatora w dniu zabójstwa, te dwadzieścia siedem sekund będących najbardziej bezpośrednim świadectwem zdarzenia, jakim będziemy kiedykolwiek dysponowali, a zarazem źródłem wszystkich teorii spiskowych, jakie zrodziły się od tego czasu. Nagranie Zaprudera jest częścią dwudziestowiecznej świadomości zbiorowej (jego klatki żyją na naszych siatkówkach, natychmiast je rozpoznajemy), ale w dniu opublikowania wiadomości jeszcze tak nie było: film był wciąż owiany tajemnicą, znali go tylko nieliczni, dlatego też redaktor nie nazywał go tak, jak my go dziś nazywamy; z treści artykułu wnoszę, że redaktor mógł przypisywać jego autorstwo Grodenowi, chociaż prawda jest taka, że Groden – fotograf i doświadczony optyk – odpowiadał tylko za powiększenie filmu, zbadał go i bez ogródek powiedział, co zobaczył; jednym słowem to on doszedł do mrożących krew w żyłach wniosków, które miały zmienić „przeznaczenie i losy świata".

Na filmie, czytałem, *widzimy chwilę, kiedy prezydent Kennedy zostaje postrzelony w głowę. Według Grodena siła wystrzału odrzuciła Kennedy'ego do tyłu i w lewo, co wskazuje na to, że pocisk wystrzelono z przodu, a nie, jak dotąd myślano, zza pleców prezydenta.* To było fascynujące, w świecie, w którym pisano ten artykuł, 4 lutego 1975 roku, te rewelacje wciąż były rewelacjami. Teraz są oczywistością, wszyscy wiemy, że ruch głowy Kennedy'ego zaprzecza w sposób oczywisty oficjalnej wersji i jest solą w oku upierającym się przy tym, że Oswald działał sam. Autor artykułu pisał dalej: *Nagranie ukazuje również dwóch mężczyzn, którzy według Grodena, strzelali do Kennedy'ego. Jednego widzimy z tyłu – stoi na trawniku na podwyższeniu przed kolumną. Drugi ukrywa się za krzakiem, też stoi przed szpalerem samochodów i, według Grodena, ma w ręku broń.* Powtarzane jak mantra słowa: „według Grodena", skupiały jak soczewka postawę dziennikarza; uważną i lękliwą, jakby chciał on podkreślić (być może w imieniu gazety), że te wichrzycielskie rewelacje to poglądy bohatera wiadomości. Jakże zmieniło się to „według" przez trzydzieści lat, które upłynęły od tamtego momentu, jak bardzo wypełniło się nowymi znaczeniami; wahania zmieniły się w pewność. I pomyślałem, że próba spojrzenia na dokument z innych czasów oczyma tych, którzy czytali go w chwili, gdy się ukazał, nigdy nie jest łatwa. Są tacy, którym nigdy się to nie udaje, pomyślałem, i dlatego nigdy nie porozumiewają się z przeszłością; pozostaną na zawsze głusi na jej szepty, na opowiadane przez nią sekrety, na zrozumienie jej tajemniczych mechanizmów. Wycinek z innej gazety ukazywał sześć klatek z filmu Zaprudera. Redakcja, nawiązując do pochodzenia fotogramów, zamieściła po brzegach perforacje imitujące wygląd taśmy filmowej, a doktor Luis Ángel Benavides wpisał w te białe pola numery, nie zdołałem się jednak domyślić, jaką logiką się przy tym kierował.

Doktor nie zatroszczył się o podpisanie wycinka, nie sposób więc było zgadnąć, skąd pochodził ani kiedy go opublikowano, ale wyobraziłem sobie, że musiało upłynąć wiele czasu od wiadomości o Robercie Grodenie, gdyż minęło ładnych parę lat od słynnego pokazu filmu Zaprudera w Chicago, zanim światowe media uzyskały zgodę na jego powielanie. Tych klatek. Tego filmu. A ja, siedząc wtedy na dywanie w gabinecie Benavidesa, pomyślałem: nigdy się do nich nie przyzwyczaję. Pomyślałem: nigdy nie przestaną mnie zadziwiać. Jaki splot przypadków zadecydował o tym, że mężczyzna wyposażony w kamerę dobrej jakości znalazł się w idealnym miejscu i zdołał z niego sfilmować jedno z najważniejszych wydarzeń naszych czasów? W dzisiejszej epoce tabletów i smartfonów wszyscy mamy przez cały czas pod ręką kamerę i trudno o skandal czy publiczne wydarzenie – choćby nie wiem jak niewinne – które umknęłoby tym zawodowym świadkom, wszystkowidzącym, wszechobecnym cyfrowym plotkarzom, którzy wszystko filmują i natychmiast udostępniają w portalach społecznościowych, błyskawiczni, ale pozbawieni skrupułów, oburzeni, ale niedyskretni. I tak właśnie było w przypadku Zaprudera, anonimowego mężczyzny, człowieka z tłumu, z natury, ale także z wyboru. Człowieka, który nie musiał wcale znaleźć się tam, gdzie się znalazł 22 listopada w południe, z kamerą w ręku.

Zaprudera mogło równie dobrze tam nie być. Gdyby jego ukraińska rodzina nie wyemigrowała w 1920 roku, wygnana

przez brutalność wojny domowej, gdyby zginęła podczas rewolucji albo wybrała inny kraj jako cel swojej emigracji, Zaprudera by tam nie było. Gdyby on sam nie nauczył się kro-
ju i szycia w sklepach na Manhattanie, nie zatrudniłaby go
firma Nardis (fabryka ubrań sportowych z siedzibą w Dallas) i nie znalazłby się w tym miejscu. Gdyby nie podobało
mu się filmowanie i nie kupiłby kamery Bell&Howell, naj-
lepszego modelu z ubiegłego roku, nie sfilmowałby tego, co
sfilmował. Mało brakowało, a jego film by nie istniał; dziś
o tym wiemy. Wiemy, że Abraham Zapruder od początku
zamicrzał sfilmować prezydencką kolumnę, ale rano, kiedy
zauważył, że pada deszcz, zostawił kamerę w domu i poszedł
bez niej do pracy; wiemy, że jego asystentka pokazała mu, że
się rozchmurzyło i zasugerowała, żeby wrócił do domu po
kamerę i nie tracił okazji na uwiecznienie tak ważnego wydarzenia. Ale chociaż wydarzenie rzeczywiście było ważne,
Zapruder mógł z łatwością odmówić, z lenistwa albo braku
czasu, nie chcąc opuszczać stanowiska pracy albo dlatego,
że miał inne sprawy na głowie… Dlaczego tego nie zrobił?
Dlaczego pospiesznie wrócił z pracy do domu po swoją kamerę marki Bell&Howell?

Zaprudera wyobrażam sobie jako nieśmiałego i łysego
pięćdziesięciolatka w wielkich okularach w czarnych oprawkach, mówiącego z lekkim rosyjskim akcentem, człowieka, który chce tylko w spokoju pracować w swoim sklepie
z ubraniami i czuć się Amerykaninem. Można się domyślać,
że w owym czasie, po zainstalowaniu rosyjskich rakiet na
Kubie i konfrontacji z Chruszczowem, ani jego pochodze-
nie, ani akcent mu w tym nie pomagały. Czy jego podziw
dla prezydenta Kennedy'ego był sposobem na znalezienie się
w otaczającej go rzeczywistości, ostentacyjną deklaracją lojalności wobec Stanów Zjednoczonych w tamtych trudnych
czasach zimnej wojny? Czy kiedy posłuchał rady asystentki

i wrócił do domu po kamerę, chciał pokazać, że dla niego wizyta Kennedy'ego też jest ważna, że czuje się demokratą pełną gębą, że on również uczestniczy w tym patriotycznym święcie, którym miała być prezydencka wizyta? Jaką rolę odegrała jego dawna i głęboka niepewność imigranta – chociaż emigrantem był już od czterech dekad – kiedy postanowił zejść na Dealey Plaza, wziąć swoją kamerę Bell&Howell model 414 PD i zacząć filmować? Ach, i to mogło potoczyć się zupełnie inaczej, wiemy przecież, że Abraham Zapruder miał z początku zamiar kręcić z okna swojego biura, w ostatniej chwili zdecydował jednak, że poszuka lepszego ujęcia na ulicy Elm, i dopiero kiedy się tam znalazł, zastanawiając się nad trasą przejazdu kolumny, doszedł do wniosku, że idealnym punktem dla kamerzysty jest betonowy cokół po północnej stronie ulicy, w pobliżu wiaduktu, na pagórku porośniętym dobrze utrzymanym trawnikiem. Dotarł tam, wspiął się na cokół z pomocą swojej asystentki Marilyn Sitzman, a że od młodzieńczych lat cierpiał na lęk wysokości, poprosił ją, żeby trzymała go za kraniec płaszcza. Gdy kolumna prezydencka wyjechała z ulicy Houston, Zapruder zapomniał o lęku wysokości, zapomniał o ręce trzymającej go z tyłu za płaszcz, zapomniał o wszystkim z wyjątkiem kamery Bell&Howell i zaczął kręcić swoje 27 sekund, swoje 486 klatek, które utrwaliły na zawsze – jedyny raz w historii ludzkości – chwilę, kiedy kule rozsadzają głowę szefa państwa. „Jak petarda", miał powiedzieć później. „Jego głowa wybuchła jak petarda".

Potem rozpętało się piekło. Histeryczne krzyki, ludzie rzucający się na ziemię, żeby ochronić dzieci własnymi ciałami, niekontrolowane szlochy, omdlenia. Pośród tego zamieszania Zapruder, nie do końca jeszcze rozumiejąc, co się stało, wracał ze swoją asystentką do biura, kiedy podszedł do niego reporter „Dallas Morning News". Nazywał się Harry

McCormick, widział, jak Zapruder kręci film, i zaproponował, że przedstawi go agentowi służb specjalnych Forrestowi Sorrelsowi, który bez wątpienia będzie wiedział, co zrobić z tak niezwykłym dokumentem. Zapruder zgodził się pokazać film agentowi Sorrelsowi, pod warunkiem że zostanie on wykorzystany tylko do śledztwa w sprawie morderstwa. Doszedłszy do porozumienia, mężczyźni udali się do studiów WFAA, żeby wywołać film; niestety technicy telewizyjni nie mieli odpowiednich urządzeń. Zapruder zaniósł go ostatecznie do laboratorium Kodaka, zaczekał na wywołanie do wpół do siódmej wieczorem, a następnie skierował się do Jamieson Film Company, żeby zrobić dwie kopie wywołanego filmu. Potem wrócił do domu, po najbardziej wyczerpującym dniu w swoim życiu. Tej samej nocy przyśniło mu się, że znów znalazł się na Manhattanie, gdzie przeżył swoje pierwsze dwadzieścia lat w Stanach Zjednoczonych, a dotarłszy na Times Square, natknął się na kiosk, w którym pokazywano niecodzienny spektakl. „Zobacz, jak wybucha głowa prezydenta!", zachęcał afisz.

Ja widziałem, jak wybucha. Miliony osób widziały, jak wybucha (niczym petarda) i widzieliśmy też to, co stało się później, owe kilkanaście nieprawdopodobnych sekund, kiedy to Jackie Kennedy rzuca się, żeby pozbierać kawałki głowy swojego męża, która przed chwilą rażona pociskami eksplodowała na kawałki; a teraz pośród wycinków doktora Luisa Angela Benavidesa znalazłem kadry pokazujące Jackie, elegancką i atrakcyjną kobietę, szukającą na karoserii limuzyny Lincoln (granatowej jak noc, podobnie jak garnitur Gaitana) fragmentów czaszki albo tkanki mózgowej. Co kierowało Jackie? Jaki instynkt kazał jej zbierać kawałki ciała, które kochała, chociaż to ciało było już martwe? Możemy tylko spekulować; niewykluczone, że chodziło o instynkt, który z braku lepszego słowa nazywam jednoczącym, pragnienie, by nie rozpadało się to, co kiedyś było całością. Ciało Johna Fitzgeralda Kennedy'ego, kiedy było całe, żyło i działało, było ciałem ojca i męża (a także prezydenta, przyjaciela, niewiernego kochanka); rozpadłszy się na kawałki ześlizgujące się po granatowej jak noc karoserii samochodu, żywe niegdyś ciało przestało istnieć. Być może właśnie tego pragnęła Jackie – choć niekoniecznie zdawała sobie z tego sprawę – składając z powrotem to pokawałkowane ciało, chciała przywrócić je do stanu wyjściowego, do stanu sprzed zaledwie kilku sekund, mając złudną nadzieję, że jeśli to zrobi, jeśli odda okaleczonemu ciału brakujące fragmenty, ono znów ożyje. Czy wykładowca medycyny sądowej myślał to samo, czytając te strony gazety i wycinając ilustracje z kadrami filmu Zaprudera? Być może Luis Ángel Benavides interpretował owe obrazy zupełnie inaczej; być może miał powody, by sądzić, że Jackie myślała wówczas kategoriami medycyny sądowej, zbierała dowody, żeby pomóc prokuratorom w późniejszym śledztwie, w znalezieniu winnego i ostatecznie w ukaraniu go. Niewykluczone, że tak właśnie uważał, wycinając te kawałki z gazety i dodając do swoich akt, do swojej układanki; napisałem niewykluczone, bo wszyscy oglądamy chłodnym okiem obrazy uchwycone kamerą Zaprudera i wydaje mi się, że podobnie patrzył na nie Benavides ojciec w momencie, kiedy je wycinał; jednak sądzić, że podobne myśli mogły przyjść do głowy Jackie Kennedy 22 listopada 1963 roku, sądzić, że racjonalność kierowała nią w chwili, gdy kompletnie straciła panowanie nad sobą i wczołgała się na kufer lincolna, mając na szytym na miarę kostiumie wciąż świeżą krew męża wsiąkającą w tkaninę i plamiącą ją na zawsze, to przyznać się do niewiedzy o tym, jaką władzę mają nad nami nasze atawizmy. Kostium Jackie Kennedy: oto kolejna relikwia. Jeśli wokół JFK powstałby jakiś kult (pomysł nie jest wcale aż tak absurdalny), każde z włókien tej tkaniny stałoby się relikwią. Oddawalibyśmy im cześć, tak, oddawalibyśmy im cześć, budowali im ołtarze i muzea, przechowywali je przez wieki jak najcenniejszy skarb.

Byłem zatopiony w tych rozmyślaniach, kiedy wrócił Benavides. „Wszyscy już śpią", powiedział i opadł bez sił na swój fotel do czytania. Dotarło do mnie wtedy – za sprawą jego gestów i ciężkiego westchnienia, które mu się wyrwało – że ja też jestem zmęczony; trochę bolała mnie głowa, oczy zaczęły szczypać, a klaustrofobia, która towarzyszyła mi od dzieciństwa (tak jak lęk wysokości towarzyszył Abrahamowi Zapruderowi), zaczynała dawać o sobie znać; potrzebowałem otwartej przestrzeni, chciałem wyjść na zimno bogotańskiej nocy, opuścić ten pokój bez okien pachnący starymi papierami i resztkami kawy, wrócić do kliniki, zobaczyć M i dowiedzieć się, co u moich córek, które wciąż żyły w odległym świecie zupełnie dla mnie niezrozumiałym. Wyjąłem telefon: nie było żadnych połączeń, a wszystkie kreseczki pokazujące zasięg stały wyprężone na baczność w rogu ekranu, ustawione według wzrostu jak dziecięcy chórek. Benavides pokazał na pełen wycinków dywan i powiedział: „Widzę, że się pan wciągnął".

„Pański ojciec był niesamowicie wytrwały", powiedziałem. „Jestem pełen podziwu".

„Tak, taki był. Ale dopiero na starość to go zupełnie opętało. W osiemdziesiątym trzecim, kiedy upłynęło dwadzieścia lat od zabójstwa, jego dawne hobby zmieniło się w coś więcej. Kiedyś powiedział mi: «Nie umrę, póki nie rozwiążę zagadki śmierci Kennedy'ego». Oczywiście umarł, nie rozwiązawszy jej, zostały po nim papiery. Tu chyba nie ma tej kartki?..." Schylił się, przemieszał wycinki dłonią i podniósł jeden z nich. „O, tutaj jest. To właśnie z tego okresu, niech pan spojrzy, analiza poszczególnych hipotez dotyczących morderstwa pisana jego własną ręką. Niech pan je przeczyta, proszę".

„Mam je przeczytać?"

„Tak, bardzo proszę".

Odchrząknąłem. „Hipoteza numer jeden", zacząłem. „Dwóch zabójców, strona dziewięćdziesiąt pięć. Strona dziewięćdziesiąt pięć czego?"

„Nie wiem. Jakiejś książki, w której sprawdzał różne rzeczy. Niech pan czyta dalej".

„Dwóch strzelców", kontynuowałem, „jeden w oknie szóstego piętra, drugi na drugim piętrze. Przypis: o dwunastej dwadzieścia na jednym z filmów widać sylwetki dwóch osób w oknie na szóstym piętrze. W nawiasie: o dwunastej trzydzieści jeden padają strzały. Szef biura Roy S. Truly, wbiegając w towarzystwie policjanta tuż po oddaniu strzałów, zastaje Oswalda pijącego coca-colę na korytarzu drugiego piętra. O ile mogę odczytać, pański ojciec ma niewyraźny charakter pisma".

„Nie musi pan mi mówić. Proszę czytać dalej".

„Hipoteza numer dwa. Strona dziewięćdziesiąta siódma. Oswald strzelał z okna na drugim piętrze, a inny zamachowiec, będący lepszym strzelcem, strzelał z karabinu Oswalda z szóstego piętra. Hipoteza numer trzy..."

„Nie, ta jest do niczego".

„Mówi o tym, że być może Oswald chciał zabić gubernatora".

„No właśnie. Jest do niczego. Najważniejsze są dwie pozostałe, tak właśnie uważał mój ojciec".

„Doszedł do takich wniosków?"

„Wnioski to za duże słowo. Ale doszedł do przekonania tak ostatecznego, jak tylko się da, że Oswald nie działał

Hipótesis ①

2 Tiradores ? pag 95

uno en la ventana del
6º piso

otro en el 2º piso

Nota: a las 12,20 una
película muestra dos
siluetas de personas
en la ventana del
6º piso (A las 12,31 dis-
param[os] entre el Presidente
El Jefe de las oficinas
Rof Struly al salir la
[en] Policia inmediata-
mente de los dispar[os]

encistramos Oswald
tomandose una Coca Cola
en el pasillo del 2º
piso.

Hipótesis ② pag 97 - 106
oswald disparó desde la
ventana del 2º piso y
el otro tirador que se le más
experto en tiro disparó la
la cerebro de oswald
desde el [la] ventana del
6º piso

Hipótesis ③ pag 72 - 71
oswald queria matar era al
[Go]bernador de quien era
enemigo ?

w pojedynkę. Że teoria *lone woolf*, jak to mówią *gringos*, jest kompletnie fałszywa. Samotny wilk, tak się to nazywa, prawda? Nawet sama nazwa jest absurdalna, nikt nie porywa się na coś takiego w pojedynkę, to dla mnie oczywiste. Jasne jak słońce. Trzeba być ślepym, żeby tego nie widzieć. A raczej trzeba bardzo się uprzeć, żeby nie chcieć zobaczyć".

„Mówi pan jak Carballo", zauważyłem.

Benavides roześmiał się. „Możliwe, całkiem możliwe". A po chwili: „Domyślam się, że widział pan film Zaprudera".

„Tak, wiele razy".

„Więc pamięta pan dobrze".

„Co takiego?"

„Jak to co? Głowę, Vásquez".

Może dlatego, że nie odpowiedziałem natychmiast albo za sprawą króciutkiej chwili ciszy, która zapadła po jego wypowiedzi, Benavides doskoczył jednym susem do biurka i na stojąco, przed zbyt wielkim ekranem swojego komputera (wciąż siedziałem na jego fotelu, a on nie poprosił, żebym ustąpił mu miejsca), nachylając się z trudem, jakby się komuś kłaniał, poruszył myszką i zaczął stukać w klawiaturę. Natychmiast otworzyła się strona YouTube'a: *The Zapruder film*, przeczytałem i już limuzyna Lincoln jechała z tą przerażającą powolnością w eskorcie dwóch motocyklistów w białych kaskach. W limuzynie siedzi Kennedy. Siedzi w niej prezydent, tak blisko drzwiczek, że może oprzeć o nie prawe ramię, machając rozluźnioną ręką na prawo i lewo, przekonując do siebie cały świat swoim uśmiechem jak z ulotki reklamowej i doskonałą fryzurą, która nie psuje się nawet na wietrze, pewny swojego życia i swoich dokonań, a przynajmniej udający pozbawioną rysów wiarę we własne siły. Kolumna prezydencka znika na chwilę za jakimś obiektem, który może być afiszem albo reklamą, a kiedy znów się zza niego wyłania i ukazuje się naszym oczom, dzieje się coś, czego nikt jeszcze nie rozumie; Kennedy robi dziwny ruch rękoma, gest, który w żadnym wypadku nie wygląda naturalnie, zwłaszcza u prezydenta skupiającego na sobie wzrok całego świata. Chwyta się dłońmi za gardło – powiedzmy za węzeł krawata – i symetrycznie unosi łokcie jak marionetka. Pierwszy wystrzał go zranił. Kula przeszyła go od tyłu i możliwe, że już w tej chwili Kennedy traci przytomność, bo wtedy zamyka oczy, jakby zasypiał i zaczyna pochylać się w kierunku Jackie. Przerażająca jest powolność, brak pośpiechu, z jakim śmierć zaczyna się rozgaszczać w limuzynie Lincoln: na oczach wszystkich, nie czając się, jak zwykła to czynić, nie nadchodząc ukradkiem, ale wkraczając na scenę w pełnym świetle dnia. Żona prezydenta nie wie jeszcze, co się stało; wie, że dzieje się coś dziwnego, bo jej mąż nachyla się ku niej, jakby nagle źle się poczuł, więc zbliża do niego głowę (swój elegancki kapelusz, fryzurę, którą naśladowało całe pokolenie) i coś mówi, tak się przynajmniej wydaje. Możemy sobie wyobrazić jej słowa, słowa troskliwe i nieświadome tego, że ich adresat już nie może ich usłyszeć. „Coś ci dolega?", mogłaby zapytać Jackie Kennedy? Albo: „Co się stało? Wszystko w porządku?". I w tej chwil głowa jej męża eksploduje, tak, zupełnie jak petarda. To druga kula, która przeszyła potylicę i rozrzuciła wokół fragmenty kości czaszki, jego relikwie. Potem ekran staje się czarny. Dłuższą chwilę zajęło mi wyjście z transu, w jaki wprawił mnie film. Benavides wrócił na swój fotel do czytania i zapraszał mnie gestem dłoni (niemal niezauważalnym gestem otwartej dłoni), żebym i ja przesunął się na swoje miejsce.

„Widział to pan, prawda?", zapytał. „Pierwszy strzał pada z tyłu i przeszywa Kennedy'ego. Mój ojciec był zdania, że już po nim prezydent nie żył. Drugi strzał oddano z przodu. Proszę spojrzeć na głowę, zostaje odrzucona do tyłu i w lewo, bo kula nadleciała z przodu i z prawej. Zgadza się?"

„Tak jest".

„No, dobrze. Proszę mi w takim razie powiedzieć, jak to możliwe, że Oswald był z tyłu prezydenta w chwili pierwszego wystrzału, a sekundę później znalazł się z przodu? Gdyby drugą kulę wystrzelił ten sam zabójca, siła pocisku odrzuciłaby głowę do przodu. A Jackie nie rzuciłaby się zbierać fragmentów czaszki na kufer samochodu, bo te fragmenty poleciałyby do przodu, na miejsce, gdzie siedział gubernator albo szofer. Nie, Vásquez, to niemożliwe, żeby oba wystrzały padły z tego samego miejsca. To nie mój wymysł ani żadna teoria spiskowa, to wynika z praw fizyki. Tak powtarzał mój ojciec «to wynika z praw fizyki». I wiemy o tym już od dłuższego czasu, mimo że oficjalna wersja historii nie chce tego zaakceptować. Mój ojciec również o tym wiedział. Wiedział, że strzelców było co najmniej dwóch".

„W magazynie książek owszem. Jeden na szóstym piętrze, a drugi na drugim".

„Tak. Ale to również nie wyjaśnia, skąd padł strzał, po którym głowa Kennedy'ego eksplodowała. Mój ojciec uważał, że nie padł on wcale ze składu książek, ale z jakiegoś miejsca z przodu kolumny".

„Jest o tym mowa w artykule z siedemdziesiątego piątego. O teorii tego całego Grodena".

„Tak. Jeden albo dwóch snajperów strzelało z przodu. Groden twierdzi, że jeden strzelał z podwyższenia, a drugi ukrywał się za krzakiem. I że ten ukrywający się za krzakiem miał strzelbę. A wie pan, co powiedział Zapruder po zabójstwie? Agent specjalny spisał jego zeznania i Zapruder zapewniał, że morderca znajdował się za nim. Potem, przed komisją Warrena, zmienił wersję: powiedział, że na placu Dealey było zbyt wiele pogłosów i nie może być niczego pewien. Ale podczas pierwszego przesłuchania, które miało miejsce jeszcze w dniu zabójstwa, był zupełnie pewny. Nie wahał się, nie powiedział: «wydaje mi się», «może». Nie, był pewien. I mój ojciec też".

„Ale w swoich notatkach nie wspomina o tym".

„Notatki, które panu pokazałem, są tylko częścią jego dociekań. Miał całe strony zapisków, o wiele większe od tych fiszek, ale nie ma ich tu. Wie pan, kto je ma?"

„Niech mi pan nie mówi, że Carballo?"

„A jednak. Są u Carballa. Dlaczego? Najzwyczajniej w świecie to on je miał, kiedy zmarł mój ojciec. Carballo ma wiele z jego papierów, bo ojciec mu je pożyczył. A właściwie powinienem powiedzieć, że mu je dał, nie oczekiwał zwrotu. I chociaż nie jest to dla mnie łatwe, rozumiem jednak, dlaczego tak się stało – nikt w ostatnich latach jego życia nie spędzał z nim tyle czasu co Carballo. On go odwiedzał, poświęcał mu swoje wolne chwile, słuchał jego opowieści i teorii, a takie towarzystwo dla starszej osoby, którą wtedy był mój ojciec, jest na wagę złota. Ja się pomyliłem, Vásquez, pomyliłem się i nigdy sobie tego nie wybaczę. To ja zaniedbałem własnego ojca w ostatnich latach jego życia. Byłem zajęty swoimi sprawami, proszę mnie zrozumieć. Zajmowałem się swoją karierą i rodziną, zafascynowany nowym dorosłym życiem. I moim pierwszym dzieckiem, które urodziło się rok po ślubie, może trochę więcej niż rok. Zaraz po tym, jak upłynęło dwadzieścia lat od śmierci Kennedy'ego, urodziło się moje drugie dziecko. Tym razem córeczka. W osiemdziesiątym trzecim roku byłem więc ojcem dwojga dzieci, mężem, chirurgiem, który torował sobie drogę do kariery, a do tego musiał zajmować się ojcem. I oczywiście bardzo na rękę było mi to, że Carballo u niego przesiaduje".

„Żeby pański ojciec się nie nudził", powiedziałem.

„Nie ja jeden tak postąpiłem, prawda?", zauważył Benavides. „Wszystkie dzieci owdowiałych ojców są wdzięczne, kiedy ktoś dotrzymuje tym samotnym staruszkom towarzystwa,

Carballo wypełniał za mnie tę rolę, był doskonałym towarzyszem dla mojego ojca, sprawiał, że on się czuł żywy, czuł, że ma wciąż przytomny umysł; w dodatku Carballo robił to wszystko, nie uważając, że wyświadcza komuś przysługę. Co więcej, czuł się uprzywilejowany, uważał to za zaszczyt, że mój ojciec zaprasza go do domu, poświęca mu czas, dzieli się swoimi ideami. Najlepsze, że chyba miał rację. «Bardzo ci zazdroszczę», powtarzał Carballo. «Tak bym chciał być synem takiego człowieka jak doktor», mawiał. Układ doskonały. Nawet gdybym komuś zapłacił, nie znalazłbym dla ojca lepszego towarzystwa. A jednak mu zapłaciłem, zapłaciłem w naturze. Pisanymi odręcznie notatkami mojego ojca. Książkami i dokumentami. Wieloma rzeczami, które mają dla mnie wartość, niestety uświadomiłem to sobie zbyt późno".

„I pośród tych papierów są takie, które powinny znaleźć się w tej teczce?", zapytałem.

„Tak. Dla Carballa są czymś jeszcze: wskazówkami".

„Wskazówkami w sprawie Kennedy'ego", powiedziałem to, co oczywiste. Okazało się jednak, że się mylę.

„Nie", zaprzeczył Benavides. „Wskazówkami w sprawie Gaitana. Nie wiem, czy dobrze mnie pan rozumie, Carballa interesuje wyłącznie Gaitán. Dziewiąty kwietnia to jego jedyna obsesja, nie ma innej. Zamach na Kennedy'ego interesuje go tylko na tyle, na ile rzuca światło na zabójstwo Gaitana. Carballo uważa, że w sprawie Kennedy'ego istnieją tropy, które pozwalają rozwikłać zagadkę morderstwa Gaitana, dowiedzieć się, kto go zabił, kto zatroszczył się o ukrycie spisku. Sprawa Kennedy'ego dostarcza kluczy do sprawy zabójstwa Gaitana".

„Ale przecież zamach na Kennedy'ego był późniejszy", zaprotestowałem.

„Sądzi pan, że nie mówiłem mu tego? Mówiłem mu tysiące razy, we wszystkich możliwych tonach. Ale jemu się wydaje, że we wszystkim widzi tropy. Znajduje je wszędzie. A kiedy je dostrzega, rzuca się na nie".

Benavides schylił się, żeby podnieść purpurową teczkę, i z krzesła, wyciągając długie ramiona tak bardzo, że aż spinki do mankietów zaczęły wrzynać mu się w skórę, pozbierał wycinki. Robił to uważnie, podnosząc każdy prostokąt papieru kciukiem i palcem wskazującym ułożonymi w pęsetkę. „Ależ pożółkły, biedactwa", powiedział z rozczuleniem, jakby to były nowo narodzone szczenięta. Ja też się schyliłem, żeby mu pomóc, w całej tej scenie było coś dziwnie intymnego. Benavides odłożył jeden z wycinków na stolik do czytania; kiedy wszystkie pozostałe spoczęły w teczce w należytym porządku, zapytał, czy widziałem już to zdjęcie.

„Oczywiście, że tak", odparłem. „Chwila, kiedy Jack Ruby zabija Oswalda. Wszyscy widzieli to zdjęcie, Francisco. Podobnie jak film Zaprudera".

„Nie pytałem o to, czy widział pan tę scenę", wyjaśnił. „Pytałem, czy widział pan ten wycinek z «El Tiempo» z tysiąc dziewięćset osiemdziesiątego trzeciego roku, podkreślony przez mojego ojca". Benavides pokazał mi palcem podkreślone zdanie, drugie pod zdjęciem, i wyrecytował je z pamięci: „*W tej chwili zaczęły się wątpliwości*", powiedział, „*co do prawdziwego sprawcy zabójstwa w Dallas*".

„Tak, widziałem podkreślone zdanie", odparłem. „O co dokładnie chodzi?"

„Dobrze to pamiętam, Vásquez, jakby zdarzyło się wczoraj", ciągnął Benavides. „Pamiętam dzień, kiedy Carballo zjawił się w poczekalni mojego gabinetu ze wspomnieniami Garcíi Marqueza pod pachą. Dwa lata temu, trochę ponad dwa lata. W styczniu dwa tysiące trzeciego, data utkwiła mi w pamięci, bo było to tuż po Nowym Roku. Poszedłem do pracy po przerwie świątecznej i okazało się, że na kanapie w poczekalni siedzi Carballo, jakby był jednym z pacjentów.

Kiedy mnie zobaczył, dosłownie się na mnie rzucił. «Czytałeś już je?», krzyknął. «Czytałeś już wspomnienia? Twój ojciec miał rację», powtarzał. Przez następne dni, co ja mówię, przez następne tygodnie i miesiące coraz bardziej obsesyjnie wynajdował podobieństwa między tymi zabójstwami, rzeczy, które wychodzą na jaw, kiedy je porównamy. I robił ich listę. Zaglądał do mojego gabinetu albo do domu i niezmordowanie je wyliczał. Co łączy Juana Roę Sierrę i Lee Harveya Oswalda? Uważano, że obaj działali sami, byli *lone wolves*. Juana Roę Sierrę oskarżono potem o sympatie pronazistowskie, nie wiem, czy pan pamięta, że Roa pracował w ambasadzie niemieckiej i przynosił do domu nazistowskie ulotki, wszyscy o tym wiedzą. Oswald był oczywiście komunistą. «Dlatego ich wybrano», przekonywał mnie Carballo, «bo tacy ludzie nigdy nie budzą litości. Byli symbolem, ucieleśnieniem wroga publicznego tamtej epoki. Gdyby wszystko działo się dziś, byliby członkami Al-Kaidy. W ten sposób o wiele łatwiej sprawić, że ludzie przełkną te bajeczki». I trzecia sprawa: obaj zabójcy zostali prawie natychmiast zamordowani. «Żeby nie puścili pary z gęby», perorował Carballo. «Czy to nie oczywiste?»

I wyjmował wtedy wspomnienia Garcíi Marqueza, i czytał akapit o eleganckim mężczyźnie, któremu udaje się sprawić, że tłum zabija *fałszywego mordercę, osłaniając tym samym tożsamość prawdziwego*. Napawał się tym zdaniem, Vásquez, powtarzał je ciągle, patrzyłem na to jak na przedstawienie, coraz bardziej niepokojące, ale jednak przedstawienie. Z czasem zaczął też powtarzać je na zmianę z podpisem pod zdjęciem Jacka Ruby'ego. *W tej chwili zaczęły się wątpliwości…* Potem zaczął się nimi bawić. Na przykład zamieniając je miejscami. «Czy nie jest prawdą, że Jack Ruby zabił fałszywego zabójcę, żeby chronić tożsamość prawdziwego? Czy nie jest to prawdą, Francisco? Czy nie jest prawdą, że elegancki

El 25 de noviembre de 1963, Jack Ruby dispara mortalmente sobre Lee Harvey Oswald, quien había sido detenido acusado de ser el asesino del Presidente John F. Kennedy tres días antes. En ese momento comenzaron las dudas sobre la verdadera autoría del magnicidio de Dallas que conmocionó al mundo. (Foto archivo de EL TIEMPO).

mężczyzna, który podżega tłum do zabójstwa przed apteką Granada, *to chwila, kiedy pojawiły się wątpliwości co do prawdziwego sprawcy zabójstwa?* No czy to nie prawda, Francisco? Doktor wiedział o tym», powtarzał. «W przeciwnym wypadku po co miałby podkreślać to zdanie? Skąd wzięłaby się ta obsesja na punkcie drugiego zabójcy Kennedy'ego u osoby, która szukała kuli drugiego mordercy w ciele Gaitana? Może, nie wiedząc o tym, zbliżał się do wielkiego odkrycia? Jest zbyt wiele zbieżności, to na pewno nie przypadek». Ja naśmiewałem się z niego: «Co ty opowiadasz, Carlos? Że Kennedy'ego zabili ci sami ludzie, co zabili Gaitana?» On zarzekał się, że nie, to wykluczone, jeszcze nie upadłem na głowę… ale upierał się, że podobieństw jest zbyt wiele. «W tym jest metoda. Może zabójcy Kennedy'ego nauczyli się jej od morderców Gaitana? Czy dziewiątego kwietnia nie było w Bogocie *gringos*? Nie było agentów CIA? A ludzie, którzy zabili Gaitana, musieli się tego od kogoś nauczyć, prawda? Tak doskonały spisek nie może być dziełem amatora». Ja przekonywałem go, że powinien przestać zajmować się głupotami, że to zwykłe zbiegi okoliczności. On odpowiadał: «Zbiegi okoliczności nie istnieją». Szeroko otwierał oczy, kiedy mówił, że zbiegi okoliczności nie istnieją. Nigdy nie widziałem, żeby ktoś tak szeroko otwierał oczy i tak wysoko unosił brwi".

„Ale w przypadku Gaitana nie było drugiego zabójcy", powiedziałem. „Przecież pański ojciec robił autopsję".

„Też mu o tym przypominałem. Powtarzałem, że ojciec przeprowadził próby balistyczne. Że potwierdził to, co ustalono od początku w śledztwie w czterdziestym ósmym roku: wszystkie kule, które zabiły Gaitana, wystrzelono z pistoletu Roy Sierry. Ale Carballo odwracał wtedy wzrok, a na jego twarzy pojawiał się grymas niedowierzania. Nie ma co się dziwić, dla niego wszystko, co zostało ustalone w śledztwie z czterdziestego ósmego, było kłamstwem. «Chodzi tylko o to, że dziewiątego kwietnia zabrakło nam Zaprudera», powtarzał. «Gdybyśmy mieli Zaprudera, ten kraj wyglądałby inaczej». Tak, to prawda, trudno się z nim rozmawia. Zresztą sam pan dziś to zauważył. W każdym razie to, co zdarzyło się tego wieczoru, ma związek z jego obsesją. Carballo chce się dowiedzieć, kim był ów elegancki mężczyzna z apteki Granada. Chce się dowiedzieć, kim był facet, który podżegał do zabójstwa Juana Roy Sierry. Po co? Żeby porównać go z Jackiem Rubym, tak podejrzewam, i sprawdzić, czy mają ze sobą coś wspólnego. Bo w gruncie rzeczy chce się dowiedzieć, co zaszło dziewiątego kwietnia, chce zgłębić ten temat do końca. I proszę tylko pomyśleć, Vásquez, czy my wszyscy nie chcemy tego samego?"

„No tak", rzekłem, „ale w granicach rozsądku, nie wiem, jak to powiedzieć".

„Ludzi podobnych do Carballa możemy nazwać szaleńcami, paranoikami, próżniakami, wszystko jedno. Ale tacy ludzie poświęcają swoje życie na poszukiwanie prawdy o czymś, co wydaje im się ważne. Być może dążą do tego za pomocą niewłaściwych środków. Możliwe, że ich pasja sprawia, że są skłonni do przesady i potrafią uwierzyć w rzeczy absurdalne. Ale robią to, czego ani pan, ani ja nie jesteśmy zdolni zrobić. Tak, bywają uciążliwi, mogą popsuć każde spotkanie towarzyskie, wyskakując ze swoimi teoriami i niepoprawnymi politycznie poglądami. Nie radzą sobie dobrze w kontaktach społecznych, zaliczają coraz to nowe wpadki, bywają impertynenccy, potrafią obrazić innych. Ale wyświadczają nam przysługę, tak mi się przynajmniej wydaje, bo są ciągle czujni, bo nie łykają tego, co uważają za absurdalne. I problem z tą teorią, problem z myśleniem, że zabójstwa Kennedy'ego i Gaitana mają wiele wspólnego, jest właśnie taki: nic w niej, jeśli się jej dobrze przyjrzeć, nie wydaje się absurdalne".

„Nic nie wydaje się absurdalne, bo wszystko jest absurdalne", powiedziałem. „To jak rozmowa z Szalonym Kapelusznikiem".

„To pańska opinia. Każdy może mieć własną".

„Ale pan, Francisco, chyba nie bierze tego poważnie?"

„To nie ma nic do rzeczy. Niech pan spojrzy szerzej, Vásquez. Nauczy się patrzeć ponad tym, co oczywiste. Dla Carballa to jest misja życia. Nie chodzi tylko o czas i energię, ale też o pieniądze. Wydał więcej na te poszukiwania, niż powinien, gdyż wierzy, że to jego wizja. Tak mi powiedział: «Mam wizję». Innym razem: «Moja misja to moja wizja». Albo na odwrót, już nie pamiętam. Wszystko jedno. Dla niego, jeśli w tych morderstwach kryje się jakaś prawda, to taka, że nie powiedziano nam prawdy. I czy możemy być pewni, że nie ma racji? Nie, Vásquez, nie możemy, wszyscy wiedzą, że nie powiedziano nam prawdy. Tylko naiwniak albo ktoś, kto zupełnie nie zna historii, mógłby uznać, że Juan Roa Sierra zrobił to bez niczyjej pomocy, bez niczyjej zachęty. W dzisiejszych czasach tylko naiwniak mógłby sądzić, że Lee Harvey Oswald sam oddał strzały godne doświadczonego snajpera i zabił Kennedy'ego. I co w takim razie robimy z tą świadomością? Zostawiamy wszystko tak, jak jest, czy próbujemy coś zmienić? Wiem, że dla pana Carballo to tylko świr, nieodpowiedzialny świr. Ale niech pan się dobrze zastanowi, niech pan popatrzy w lustro i zastanowi się poważnie, czy nie lubi Carballa dlatego, że jest szalony, czy dlatego, że jest niebezpieczny? Irytuje pana czy raczej przeraża? Niech pan się nad tym zastanowi, niech pan się przyjrzy własnym odczuciom. Być może nigdy nie powinienem był was poznawać, zdaję sobie z tego sprawę, być może się pomyliłem. Jeśli tak jest, proszę mi wybaczyć. Muszę się panu do czegoś przyznać: on poprosił mnie o tę przysługę. To on chciał pana poznać i poprosił, żebym go panu przedstawił. Był przekonany, jak sądzę, że dowie się od pana czegoś pożytecznego. Już taki jest, jeśli chodzi o dziewiąty kwietnia, kiedy znajduje nowy niezbadany jeszcze trop, rzuca się na niego jak pies gończy. Być może to, co zaszło tej nocy, to trochę moja wina, źle oceniłem sytuację. W każdym razie niech się pan nie martwi, nie sądzę, żeby jeszcze kiedykolwiek pan go spotkał. Dziś widzieliście się po raz pierwszy. Drugiego razu pewnie nie będzie. Co się stało, to się nie odstanie, doszło do przykrego incydentu. Ale może być pan spokojny, Vásquez. Niewielkie prawdopodobieństwo, że los jeszcze kiedyś splecie wasze drogi".

Mam nadzieję, że ma rację, myślałem, wychodząc stamtąd. Mam nadzieję, że już nigdy go nie zobaczę.

Myślałem tak i tamtej nocy, i wciąż następnego dnia, jednak ku mojemu zaskoczeniu zmieniły się tego przyczyny; wcześniej nic nie wskazywało bowiem na to, że z taką sprzeczną mieszanką obrzydzenia i fascynacji, zauroczenia i potępienia będę wspominać to, co zobaczyłem i usłyszałem w domu Benavidesa; wspominać Carlosa Carballa i Jorge Eliecera Gaitana, i Lee Harveya Oswalda, i Juana Roę Sierrę, i Johna Fitzgeralda Kennedy'ego. Odkąd wyszedłem z domu Benavidesa, nie było godziny, żebym nie pomyślał o tych ludziach, o ich smutnym losie, nie uczyniłem też żadnego wysiłku, by odsunąć od siebie te obrazy i zapomnieć o tych informacjach, wręcz przeciwnie, flirtowałem z nimi, wzbogacałem o własne wyobrażenia, budowałem w głowie historie, żeby znaleźć odpowiedni początek opowieści. We wtorek rano wybrałem się do znajdującej się w centrum Bogoty dzielnicy Candelaria, moim jedynym celem było przystanąć w miejscu, gdzie zginął Gaitán, i przypomnieć sobie opowieść, którą podarował mi Pacho Herrera pewnego popołudnia 1991 roku. Następnie poszedłem na spacer ścieżkami, którymi chadzałem, gdy studiowałem prawo, od fontanny Queveda do Palomar del Príncipe, od ławek w parku Santander do schodów Bazyliki Prymasowskiej; wówczas moje spacery były chaotyczne i nieprzewidywalne, z rozmysłem poddawałem się przypadkowi i kaprysowi dni (które nigdy nie są takie same), ale od pewnego momentu zaczął nimi rządzić pewien porządek, który utrwalił się podczas moich kolejnych pobytów w Kolumbii, a teraz stał się utartym zwyczajem. Naszkicowana na planie dzielnicy, moja trasa układała się w równoległobok, którego wierzchołki, jak w *Śmierci i busoli*, wyznaczały akty przemocy, z tą jednak różnicą, że w opowiadaniu Borgesa są one świadomym i przemyślanym wytworem wyobraźni literackiego rozbójnika, moje zaś odpowiadały bezlitosnym wypadkom historii.

Zwykle zaczynałem spacer od Café Pasaje, gdzie piłem kieliszeczek likieru, a potem przechodziłem przez plac Rosario i kierowałem się na wschód Czternastą Ulicą, przechodząc obok budynku na wysokiej podmurówce, gdzie poeta José Asunción Silva zabił się, strzeliwszy sobie w serce, w 1896 roku; potem skręcałem na wschód w Dziesiątą Ulicę, ostrożnie stąpając po kocich łbach przypominających martwe żółwie, zwalniałem obok okna, przez które wyskoczył Simón Bolívar owej przeklętej wrześniowej nocy 1828 roku, kiedy to banda spiskowców wdarła się do jego domu, wymachując szpadami, i próbowała go zabić w jego własnej sypialni; wychodziłem na Siódmą Aleję na wysokości Kapitolu i po dwudziestu krokach znajdowałem się nagle w 1914 roku, przed dwiema marmurowymi tablicami pełnymi nużących powtórzeń, które ubolewały nad śmiercią generała Rafaela Uribe Uribe; następnie ruszałem na północ, przecinałem cztery kolejne przecznice i stawałem tam, gdzie dawniej mieścił się budynek Agustína Nieta, a dokładnie na chodniku, na który padł śmiertelnie ranny Jorge Eliécer Gaitán. Czasami (ale nie zawsze) kończyłem przechadzkę kilka metrów dalej, w miejscu, gdzie w 1931 roku znajdowały się delikatesy, w których karykaturzysta Ricardo Rendón – jego rysunki podziwiałem od dzieciństwa, jeszcze wtedy ich nie rozumiejąc – zrobił szkic głowy przeszytej kulą, wypił ostatnie piwo i palnął sobie w skroń z powodów nigdy przez nikogo niewyjaśnionych. Wszystkie te miejsca obszedłem owego 13 września, ale tym razem myślałem o odziedziczonych przez nas zmarłych od lat ginących na tej niewielkiej przestrzeni i będących częścią naszego krajobrazu, czy tego chcemy, czy nie, i zszokowało mnie, że ludzie mijają płyty upamiętniające tych zmarłych, nigdy się nie zatrzymując i najprawdopodobniej nie poświęcając im nawet króciutkiej myśli, im, którzy tylko tym się żywią. My, żyjący, jesteśmy okrutni.

Odbyłem tę przechadzkę wczesnym rankiem, jak w czasach kiedy borykałem się ze studiami prawniczymi i codziennie zaczynałem zajęcia o siódmej rano. Ale odwiedziłem też miejsce, którego nie odwiedzałem – ani nawet o nim nie pomyślałem – przez dwanaście poprzednich lat. Pewnego dnia na początku 1993 roku poszedłem przespacerować się po centrum, jak robiłem często, żeby uciec od śmiertelnie nudnych wykładów. Wtedy ruszyłem na poszukiwanie dwutomowej *Ostatniej rundy* Cortazara, owej słynnej i tak trudnej do zdobycia edycji wydawnictwa Siglo XXI. Najpierw zajrzałem – bez powodzenia – do księgarni Lerner, potem postanowiłem udać się do Centro Cultural del Libro, niezwykłego antykwariatu przypominającego trochę halę fabryczną – trzy piętra o ceglanych ścianach i ogromnej powierzchni, gdzie można było dostać prawie wszystkie używane książki. Ale zanim zapuściłem się w te labirynty, przypomniałem sobie o pewnej księgarence w tym samym kwartale ulic, dzielącej lokal ze sklepem papierniczym, i postanowiłem najpierw spróbować szczęścia tam. Nie pamiętałem o tym, że właśnie zaczyna się rok szkolny i kiedy dotarłem na miejsce, z przerażeniem zauważyłem przed witryną chmarę dzieciaków biegających pomiędzy spódnicami stojących w kolejce matek i drących się na całe gardło. Nie, zdecydowanie wrócę tu innego dnia. Ruszyłem więc dalej, skręciłem za róg, kierując się na wschód, i zbliżałem się właśnie do kolejnego skrzyżowania, gdzie miałem skręcić na południe, żeby dotrzeć do pierwszego wejścia do antykwariatu-hali, kiedy ogłuszający dźwięk, rozpoznany przeze mnie natychmiast, chociaż nigdy wcześniej podobnego nie słyszałem, zatrząsł ścianami hali. Bardzo się zdziwiłem, że się nie zawaliła, bo był taki huk, że zastanawialiśmy się, czy w niej właśnie wybuchła bomba. Wybiegłem w aleję Jimeneza, mając w głowie tylko jedną myśl: przecisnąć się między ludźmi uciekającymi w różnych kierunkach, dotrzeć na uniwersytet, upewnić się, że mojej siostrze nic się nie stało, i natychmiast opuścić dzielnicę. Dopiero później, oglądając wieczorne wiadomości, dowiedziałem się, że wybuch zabił i zranił kilkadziesiąt osób (i pozostawił po sobie krater w chodniku), a wiele ofiar to matki z dziećmi, które kupowały przybory szkolne w pobliskim sklepie papierniczym.

I teraz, znalazłszy się tam, gdzie według mojej zawodnej pamięci wybuchła kiedyś bomba, szukając sklepu papierniczego, do którego chciałem kiedyś wejść (przekonałem się, że zniknął jak wiele innych miejsc w moim niestałym mieście), przypomniałem sobie tamten dzień, ból bębenków usznych i myśl, z którą pogodziłem się bez krzty patosu i romantyzmu, że mogłem być jednym z zabitych. I przeżyłem jeszcze raz wszystkie wydarzenia z początku 1993 roku: bombę na skrzyżowaniu Siódmej Alei z 72 Ulicą, tę u zbiegu ulic 100 z 33, dwie inne, które wybuchły w centrum: jedna na przecięciu Trzynastej z Piętnastą, druga na skrzyżowaniu Dwudziestej Piątej z Dziewiątą Aleją i tę, która wybuchła w galerii handlowej w północnej części miasta przy 93 Ulicy. Teraz, co oczywiste, nie było śladu ani po bombie, ani po dwudziestu trzech zabitych przez nią osobach. Nie chodzi mi o ruiny czy fizyczne pozostałości po zniszczeniu, ale jakąś tablicę podobną do tych upamiętniających zamachy na dygnitarzy i sławy, osoby publiczne, których śmierć wpłynęła na życie innych. Ale nie, i to chyba jeden z największych sukcesów terroryzmu w moim kraju; śmierci grupowych (cóż za potworne określenie), śmierci zbiorowych (nie, to brzmi jeszcze gorzej) nigdy się nie wspomina, nie wydają się zasługiwać na najdrobniejszy hołd na murach budynków, być może dlatego, że tablice upamiętniające musiałyby być olbrzymie (dwadzieścia trzy nazwiska, proszę sobie wyobrazić, albo trzy razy więcej w przypadku bomby z DAS), a być może dlatego, że za sprawą niepisanej, lecz powszechnie uznawanej umowy marmurowe tablice są wyłącznym przywilejem tych, którzy ginąc, pociągają za sobą innych, tych, których upadek może powalić całe społeczeństwa – i często tak właśnie się dzieje – z tego powodu ich chronimy, z tego powodu boimy się, że zginą. Dawniej nikt nie wahał się umierać za swojego księcia albo króla, albo królową, wszyscy wiedzieli bowiem, że ich upadek, czy to ze względu na ich szaleństwo, spisek przeciwko nim czy też samobójstwo, może pociągnąć w przepaść całe królestwo. To był przypadek Jorge Eliecera Gaitana, pomyślałem, którego śmierci być może dałoby się uniknąć, i nie ma chyba Kolumbijczyka, który by się nie zastanawiał, co by się stało, gdybyśmy zdołali jej uniknąć, ile anonimowych ofiar mogliśmy sobie zaoszczędzić, jakim krajem moglibyśmy dzisiaj być. A że pamięć zachowuje się w sposób nieprzewidywalny, zawsze robiąc to, na co ma ochotę, przyszło mi wtedy do głowy zdanie przypisywane Napoleonowi: *Żeby zrozumieć człowieka, trzeba zrozumieć, w jakim świecie żył, mając dwadzieścia lat.* Ja urodziłem się w 1973, a dwadzieścia lat skończyłem właśnie w tamtym roku; roku bomb wybuchających od stycznia do kwietnia; roku śmierci Pabla Escobara, który padł od kul na dachu w Medellín. Nie wiedziałem jednak, jakie miało to znaczenie dla mojego życia.

Ruszyłem w stronę następnego skrzyżowania i wszedłem do ceglanego budynku, ale zdążyłem tylko zanurkować między półkami, kiedy zadzwoniła do mnie M (w końcu telefon, którego od kilku dni tak się obawiałem). Pewnym głosem – bez wątpienia chciała zarazić mnie spokojem, którego ona sama oczywiście nie czuła – powiedziała, że odeszły jej wody. Lekarze wyjaśnili, że za godzinę zrobią jej cesarskie cięcie. Zapytałem, czy zdążę ją wcześniej zobaczyć.

„Chyba tak", odpowiedziała. „Ale, proszę, pospiesz się".

Kiedy dotarłem na miejsce, zobaczyłem, że w klinice panuje niezwykłe zamieszanie. Przed wszystkimi wejściami były kolejki: kolejka samochodów przed wjazdem na parking, kolejka ludzi przed szklanymi drzwiami do budynku. Uzbrojony ochroniarz sprawdzał zawartość kobiecych torebek, męskich walizeczek i wszystkiego, co wyglądało jak torba; kiedy przeszedłem przez tę kontrolę, zatrzymał mnie inny strażnik, kazał unieść ramiona i zaczął mnie obmacywać. „Co się dzieje?", zapytałem. „Środki ostrożności", odpowiedział. „Właśnie umarł prezydent Turbay". Ale przez te środki ostrożności spóźniłem się kilka minut i przemierzając szybkim krokiem korytarze kliniki, mijając wlokących się ludzi (z pewnością nie naglił ich pośpiech, który mnie przygniatał), pomyślałem, że przybędę za późno, że nie zdążę zobaczyć żony przed zabiegiem, że ona nie dowie się, iż jestem przy niej i czuwam, i wtedy – człowiek pod presją zachowuje się dziwnie, a napięcie uchodzi z niego czasem w zupełnie nieoczekiwanych kierunkach – znienawidziłem Turbaya, poczułem do niego dziecięcy i gwałtowny żal, którego teraz się wstydzę, prywatną i ulotną wściekłość, która zaraz minęła, pozostawiając po sobie niesmak, gdyż nie była nawet usprawiedliwiona; pomimo kolejek, pomimo przeszukania i obmacywania dotarłem w końcu na czas. M leżała na łóżku z kółkami na środku źle oświetlonego korytarza i odpowiadała na pytania anestezjologa, czekając, aż ktoś zawiezie ją na salę operacyjną, i chociaż była blada i pociły jej się dłonie, na twarzy malował się wyraz osoby panującej nad sytuacją, a ja poczułem dla niej niezwykły podziw.

Dziewczynki urodziły się: o 12:00 pierwsza i 12:04 druga. Lekarze nie pozwolili mi zobaczyć ich od razu: łóżeczko, którym je wieziono, wyjechało z sali operacyjnej tak szybko, że poczułem przez chwilę wiatr zwiastujący nieszczęście. Zdążyłem tylko dostrzec kłębowisko białych pieluszek, zawiniątka i pompy powietrza, owalne i przezroczyste, które przyciskali pielęgniarze, żeby pomóc moim córkom złapać pierwszy oddech w płuca dojrzałe za sprawą sterydu.

M wciąż była znieczulona i miała obudzić się za kilka minut, ale poprosiłem o pozwolenie, żeby być wtedy przy niej i przez te minuty myślałem o rozczarowaniu, jakie już zawsze będzie jej towarzyszyć, bo nie widziała swoich córek tuż po narodzinach. Obudzi się, ja przekażę jej wiadomość, że cesarka się udała, że dziewczynki są już w inkubatorach i dochodzą do siebie, ale nic nie mogło zmienić tego, że ich nie widziała. Zasmuciłem się, pomyślałem jednak, że mój smutek jest nieporównywalny z tym, który poczuje ona. Ale nie to było najważniejsze, teraz, kiedy przedwczesny poród już się odbył, musieliśmy stawić czoło zadaniu utrzymania przy życiu trzydziestotygodniowych noworodków, których ciała nie były na to życie gotowe.

Upłynęło kilka godzin, zanim pozwolono mi je zobaczyć. Byłem sam, kiedy to się stało: po dwudziestu siedmiu dniach leżenia w łóżku M cierpiała na lekką atrofię mięśni nóg i nie mogła nawet wstać z łóżka, więc kiedy tylko uzyskałem zgodę na odwiedziny u córek, odszukałem aparat, który przynieśliśmy specjalnie, żeby uwiecznić ten moment (chociaż wyobrażaliśmy sobie, że będzie wyglądał zupełnie inaczej). i udałem się na oddział neonatologii. Tam, obok sześciu albo siedmiu nowo narodzonych dzieci, które nigdy nie były dla mnie niczym więcej niż plamami w pejzażu, leżały nasze córki, każdą z nich identyfikowała biała karteczka przyklejona taśmą klejącą do plastikowej ściany inkubatora. Były skąpane w strumieniu jasnego światła i bardzo starannie otulone: wełniane czapeczki na głowach, oczy zawiązane bandażami, żeby światło nie zrobiło im krzywdy, na twarzach maseczki tlenowe. Miały całkiem zasłonięte twarze, nie mogłem poznać ich rysów, nauczyć się ich i zacząć zapamiętywać, jak czynimy w wypadku nowych osób pojawiających się w naszym życiu. Tysiąc czterdzieści i tysiąc dwieście sześćdziesiąt gramów, tyle dokładnie ważyły według karteczki; tyle samo, co opakowanie makaronu, który gotujemy na kolację z przyjaciółmi. Patrząc na nie (patrząc na ich ramiona grubości moich palców, skórę w odcieniach fioletu wciąż pokrytą lanugo, elektrody, które z trudem mieściły się na maleńkiej powierzchni klatki piersiowej), uświadomiłem sobie z przerażeniem, że przetrwanie moich córek nie zależy ode mnie, że nie ochronię ich przed czyhającymi na nie niebezpieczeństwami, bo te nieszczęścia były wewnątrz, tkwiły w ich niedojrzałych ciałach jak bomba zegarowa, która mogła wybuchnąć lub nie, a ja zrozumiałem to, chociaż nie znałem jeszcze kompletnej listy zagrożeń. Miałem ją poznać później, z upływem godzin i dni lekarze opowiedzą mi o przetrwałym przewodzie tętniczym, który trzeba będzie zoperować, o ile sam się nie zamknie za jakiś bliżej nieokreślony czas, i o tym, co oznacza sinica, o wskaźnikach saturacji, o wrażliwych siatkówkach i ryzyku ślepoty, na którą wciąż były narażone. Zrobiłem kilka zdjęć fatalnej jakości (plastik inkubatorów odbijał błyski flesza i częściowo ukrywał to, co było w środku) i zaniosłem je M.

„Twoje córeczki", powiedziałem, siląc się na uśmiech.

„Moje córeczki", odpowiedziała.

I po raz pierwszy, odkąd wszystko się zaczęło, wybuchnęła płaczem.

Byłem tak zajęty opieką nad dziewczynkami, że nie opowiedziałem nigdy M, co zaszło w domu Benavidesa. Musiało wydarzyć się coś jeszcze, żebym o tym opowiedział. Stało się to tuż przed jej wypisem, wtedy robiła już sobie krótkie spacery po klinice i zaczęliśmy odwiedzać małe, kiedy tylko pozwalał na to regulamin oddziału neonatologii. Były to krótkie wizyty, nie dłuższe niż dwadzieścia minut, podczas których mogliśmy wyjmować je z inkubatorów, nosić przez chwilę, poczuć je i pozwolić, żeby i one nas poczuły. W tych momentach pielęgniarki zdejmowały im elektrody i antypatyczny dźwięk maszyn – to przypomnienie o śmierci – cichł. Nie było możliwości odłączenia ich od rurek z tlenem, które zastąpiły używane w pierwszych dniach maseczki: dziewczynki miały je przyczepione do twarzy (dwa kawałki plastra po obu stronach maleńkich nosków), a my, odwiedzając je, musieliśmy siadać blisko inkubatorów, żeby rurki nie naciągały się ani nie odklejały. I tak, podłączeni do zbiorników z tlenem, odchyleni do tyłu w niewygodnych pozycjach, z tymi słabowitymi ciałkami śpiącymi nam na piersi, spędzaliśmy minuty wypełnione jednoczesnie nieśmiałym szczęściem i podskórnym lękiem, gdyż wtedy właśnie wyczuwało się najbardziej ich kruchość. Ja trzymałem rękę mojej córki z pełną świadomością, że gdybym chciał, mógłbym ją złamać; bacznie obserwowałem wielkie drzwi do sali, gdyż wmówiłem sobie, że przeciąg mógłby uszkodzić ich płuca, dezynfekowałem ręce dłużej niż to konieczne przezroczystym żelem, którego alkoholowy zapach szczypał w oczy, bo układ odpornościowy wcześniaka nie jest zdolny poradzić sobie nawet z najniewinniejszymi bakteriami. Obecność jakichś niecodziennych przedmiotów i bliskość innych osób sprawiały, że się denerwowałem, robiłem agresywny, choćby były to osoby znajome, na przykład pracujący w klinice lekarze, i tym właśnie niepokojom przypisuję swoje zachowanie, kiedy poszedłem odwiedzić nasze córki – M pakowała swoje rzeczy i czekała na wypis – i zobaczyłem doktora Benavidesa pochylonego nad inkubatorem jednej z nich i poprawiającego rurkę ręką bez rękawiczek. Nawet się z nim nie przywitałem, zapytałem tylko, co robi.

„Odkleiła się jej rurka", powiedział z uśmiechem, nawet na mnie nie spojrzawszy. „Przyklejam ją z powrotem".

„Proszę nie wkładać tam rąk".

Benavides poprawił plaster serdecznym palcem, wyjął ręce z inkubatora i odwrócił się do mnie. „Spokojnie, to była bardzo prosta rzecz", powiedział. „Po prostu rurka…"

„Wolałbym", przerwałem mu, „żeby nie wsadzał pan rąk do inkubatorów córek pod moją nieobecność. Żeby pan ich nie dotykał, nie wiem, czy wyrażam się jasno".

„Poprawiałem im tylko rurkę".

„Nieważne, co pan robił, panie Francisco. Nie chcę, żeby ich pan dotykał. Nawet jeśli jest pan lekarzem".

Doktor był szczerze zaskoczony. Podszedł do ściany, nacisnął dwa albo trzy razy dozownik płynu do dezynfekcji. „Przyszedłem tylko się z panem przywitać", wyjaśnił „i zapytać o zdrowie córek. I zaoferować pomoc".

„Dziękuję, mamy się dobrze. Poza tym to nie pańska specjalność, doktorze".

„Przepraszam, tatuśku", przerwała mi pielęgniarka, która podeszła.

„O co chodzi?"

„Musi pan włożyć fartuch. Regulamin to regulamin".

Dostałem jasnoniebieski fartuch, który wydzielał ciepłą woń świeżo wyprasowanych ubrań. Kiedy włożyłem go i sterylny czepek, Benavidesa już nie było. Potraktowałem go nieuprzejmie, pomyślałem, obraziłem; a potem pomyślałem I, kurwa, trudno. Nie spotkał po drodze M, która przyszła chwilę później i usiadła obok mnie, też w fartuchu i czepku, gotowa na to, żeby przytulić drugą dziewczynkę. Musiała coś wyczytać z mojej twarzy, bo zapytała, czy wszystko w porządku. I w tamtej chwili prawie opowiedziałbym jej o wszystkim – o Benavidesie i jego ojcu, o Carballu, o kręgu Gaitana – ale nie mogłem tego zrobić. „Nic, nic się nie stało", odparłem. „Nie wierzę ci", powiedziała, zawsze miała niezawodny instynkt, „coś się stało". Przyznałem jej wówczas, że owszem, że coś się stało, ale pogadamy o tym później, po wyjściu: trudno mi było rozmawiać z małą na piersi, a mój głos i oddech mogły być dla niej nieprzyjemne, zakłócić jej sen, najspokojniejszy i najcichszy, jaki dotychczas widziałem. To oczywiście nie była prawda, ale wtedy nie mogłem znaleźć powodów, dla których nie chciałem rozmawiać o tym w tamtej sali. Te nieliczne fragmenty samoświadomości, na jakie możemy liczyć, nigdy nie zjawiają się na czas, ja przynajmniej musiałem czekać wiele dni, żeby zrozumieć, że M miała absolutną rację, kiedy powiedziała, wysłuchawszy mojej szczegółowej i nieco zawstydzonej opowieści o historii z doktorem Benavidesem, tych kilka prostych słów o naszych córkach. „Chodzi o to, że nie chcesz, żeby dotykali ich ludzie brudni".

Miałem odpowiedzieć, że ten przymiotnik nie pasuje do doktora Benavidesa, który od początku wydał mi się jedną z najuczciwszych, kryształowych wręcz osób – tak, najczystszych – jakie kiedykolwiek poznałem, ale zrozumiałem, że ma na myśli co innego; nie chodziło jej o postawę moralną Francisca Benavidesa, ale o to, że Benavides nosił w sobie, jak ślimak nosi swoją muszlę, dziedzictwo swojego ojca. Mówiąc inaczej, istniało aż nazbyt oczywiste prawdopodobieństwo, że ta sama dłoń poprawiająca plaster na lewym policzku mojej córki trzymała kiedyś, w jakimś momencie przeszłości, kręg należący do człowieka zabitego od kul, i to nie byle kogo: do człowieka zabitego w zamachu jeszcze żywym wśród nas, Kolumbijczyków, i na różne mroczne sposoby podsycającym rozmaite wojny, w których pięćdziesiąt siedem lat później wciąż zabijaliśmy siebie nawzajem. Zastanawiałem się, czy to możliwe, że w moim życiu otworzyły się drzwi, przez które wdzierały się potwory przemocy, zdolne wynaleźć strategie i fortele pozwalające im przeniknąć do naszego życia, naszych domów, pokoi, łóżeczek naszych dzieci.

Nikt nigdy nie jest bezpieczny, pamiętam, że tak myślałem, a potem przysiągłem sobie – z tym sekretnym niepokojem, z jakim składa się obietnice bez świadków – że moje córki będą bezpieczne. Powtarzałem to sobie codziennie, czy to wtedy, gdy odwiedzałem dziewczynki, wyjmowałem je na zmianę z inkubatora i pozwalałem spać na mojej piersi, czy to w domu teściów – tym zimnym mieszkaniu, którego tarasik wychodził na szpaler eukaliptusów – czy to kiedy dopisywałem kolejną stronę w pliku z książką o Josephie Conradzie. (Tę na przykład, kiedy córka narratora przychodzi na świat po sześciu i pół miesiącach ciąży i jest taka mała, że można przykryć ją dłońmi, tak chudziutka, że pod jej skórą widać kości, a jej mięśnie są tak słabe, że nie może ssać piersi swojej matki). I pewnego wieczoru, kiedy M próbowała stymulować u dziewczynek odruch ssania, zdałem sobie sprawę z tego, że nie myślę o córkach, ale o Franciscu Benavidesie, nie o mleku matki, które powinniśmy zostawić im na noc w szpitalu, ale o zdjęciu rentgenowskim klatki piersiowej z kulą w środku, nie o wkłuciach w maleńką piętę ani o badaniach krwi, ale o świetlistych tonach kręgu zakonserwowanego w formalinie. „To staje się twoją obsesją", zarzuciła mi M pewnej nocy. „Widzę to po twojej twarzy".

„Co widzisz?"

„Nie wiem. Ale nie chcę, żeby działo się to teraz. To wszystko jest wycieńczające, ty jesteś wycieńczony. A ja wolałabym nie zostać z tym sama. Z dziewczynkami. Nie wiem, co się z tobą dzieje, ale wolałabym, żebyś był przy mnie, żebyśmy przechodzili przez to razem".

„Przechodzimy przez to razem".

„Ale coś się z tobą dzieje".

„Nic się nie dzieje", zapewniłem. „Absolutnie nic".

III

RANNE ZWIERZĘ

arballo zjawił się ponownie w moim życiu pod koniec listopada. Córki opuściły już inkubatory i spędzały noce z nami, w pokoju należącym do M w czasach, gdy mieszkała z rodzicami; przygotowaliśmy dla nich łóżeczko z opuszczanym bokiem, w którym mieściły się obie, każda z jednej strony, każda podłączona do własnego zbiornika z tlenem, spoglądającego na nią jak jakiś milczący krewny, każda z plastikową rurką na górnej wardze. Dwudziestego pierwszego, mniej więcej o szóstej, zmieniając pieluchę, odebrałem telefon od przyjaciółki, która przekazała mi wiadomość: Rafael Alberto Moreno-Durán, jeden z najważniejszych pisarzy swojego pokolenia, z którym przez ostatnie lata się przyjaźniłem, umarł tego dnia rano. „Już umarł", powiedziała, akcentując mocno pełen rezygnacji przysłówek, a potem zapisałem godzinę pogrzebu, nazwę kościoła i dokładny adres. I stawiłem się tam następnego dnia rano, dzieląc z rodziną i przyjaciółmi R.H. (bo tak go wszyscy nazywaliśmy) smutek, ale też ulgę, bo choroba była trudna, raczej intensywna niż długa, w każdym razie bardzo bolesna, chociaż on znosił ją z humorem i czymś, co mogę nazwać tylko brawurową odwagą.

Poznaliśmy się, kiedy ja byłem studentem prawa, który pragnął tylko jednego – nauczyć się pisać powieści, to samo przytrafiło się jemu mniej więcej trzy dekady wcześniej, stopniowo, sam nie wiem dokładnie jak, zostaliśmy przyjaciółmi; on odwiedzał mnie w Barcelonie, gdzie spędziłem dwanaście lat, które zaczęły się szczęśliwie, a ja, kiedy miałem okazję, odwiedzałem go w Bogocie, czasem zapraszał mnie na obiad do domu, czasem towarzyszyłem mu, kiedy wyjmował korespondencję ze skrytki pocztowej. Traktował to jak rytuał: spacer do budynku Avianki, wejście do korytarza pełnego skrytek i opuszczanie go z naręczem listów i czasopism. Podczas jednej z takich wycieczek wyznał mi, że jest chory. Opowiedział, jak któregoś popołudnia, kiedy wchodził po schodach do domu, nagle zrobiło mu się duszno, przestał widzieć wyraźnie – świat zmienił się w czarną przestrzeń – i prawie zemdlał na twardych stopniach w kolorze cegły. Lekarze dość szybko zdiagnozowali u niego anemię i jej przyczynę: raka, który jakiś czas temu zagnieździł się ukradkiem w jego przełyku. Kiedy się z nim spotkałem, był już w trakcie leczenia i narzekał na brak apetytu. Nazywał go o b c y m. „Mam o b c e g o", odpowiadał każdemu, kto dopytywał, czemu tak nagle schudł. A gdy czuł się gorzej albo był poirytowany, często przepraszał: „Dziś mój o b c y jest nieznośny". Teraz, kiedy upłynął już ponad rok od diagnozy, przegrał bitwę z tą gównianą chorobą, która nie szanuje godności ani nie przestrzega zawieszenia broni.

My, jego znajomi i przyjaciele, wchodziliśmy do przestronnej nawy kościoła, szukaliśmy miejsca na drewnianych ławkach, poruszaliśmy się wśród czterech białych ścian, witając się cichym głosem, jakim mówi się przy smutnych okazjach, ale przede wszystkim umieraliśmy z zimna, gdyż wokół kościoła wznosiły się biura i gęste eukaliptusy, które jakby się sprzysięgły, żeby nie przepuścić nawet smutnego promyczka słońca. Zjawiliśmy się wszyscy: ci, którzy kochali R.H., ci, którzy go szanowali, a także ci, którzy ani go nie lubili, ani nie szanowali, ale przyznawali się do podziwiania jego książek, ci, którzy podziwiali jego książki, ale z zawiści się do tego nie przyznawali, i ci, którzy kiedyś byli celem jego drwin albo bezpośrednich ataków, a teraz ze swojego cichego kącika zgorzknienia cieszyli się, że R.H. już nie ma i już nigdy nie wypomni im przeciętności. Przy niewielu okazjach stężenie hipokryzji bywa tak wysokie jak na pogrzebie pisarza: tu, w kościele, wokół trumny, w której spoczywało ciało R.H., była co najmniej jedna osoba, która w tym właśnie momencie oddawała się starej sztuce udawania, udawania smutku, rozpaczy, przygnębienia, podczas gdy w rzeczywistości myślała, że ani R.H., ani jego książki nie będą już dłużej jej przyćmiewać.

Zajmując miejsce na brzegu jednej ze środkowych ławek (na tyle daleko od trumny, żeby nie poczuć się intruzem, na tyle blisko, żeby nie wyglądać na zwykłego ciekawskiego), starałem sobie przypomnieć, kiedy ostatnio uczestniczyłem w religijnym nabożeństwie żałobnym za kogoś, kto nie wierzył. Czy R.H. pod koniec życia zbliżył się do Boga, jak to często bywa w wypadku agnostyków? Te duchowe przemiany zachodzą w obszarach, do których nawet przyjaciele nie mają dostępu, więc trudno na ten temat spekulować, ale kiedyś należałoby zbadać liczbę nawróceń dokonanych za sprawą raka (oczywiście odwrotne zjawisko się nie zdarza; nie słyszałem nigdy o żadnej chorobie, która prowadziłaby do apostazji). Kiedy ksiądz zaczął mówić, zwróciłem uwagę na mężczyznę siedzącego w jednej z przednich ławek, od strony środkowego przejścia, potakującego każdemu płynącemu z głośników zdaniu, jakby był szefem kampanii wyborczej, który aprobuje przemówienie swojego kandydata. Nagle w kościele zrobiło się małe zamieszanie, zaczęto szeptać i odwracać głowy, bo Mónica Sarmiento, żona R.H., na znak księdza wstała i podeszła do ambony. Ustawiła mikrofon na odpowiedniej wysokości, zdjęła ciemne okulary, przesunęła dłonią po zmęczonych oczach i oznajmiła, ze stanowczością i siłą, która wyłoniła się z niezbadanych głębin jej smutku, że przeczyta list, który R.H. zostawił dla Alejandra.

„Kto to jest Alejandro?", zapytał ktoś obok mnie.

„Nie wiem", odparł ktoś inny. „Pewnie syn".

„Kochany Alejandro", zaczęła Mónica. Zapadła głucha cisza. „Bardzo prawdopodobne, że teraz, niedługo przed swoimi jedenastymi urodzinami, nie zrozumiesz, dlaczego zdecydowałem się napisać ten list. A robię to, bo się martwię. Zaraz wyjaśnię – prędzej czy później każdy syn przeżywa syndrom Kafki, czuje potrzebę napisania listu do ojca, żeby wszystko mu wygarnąć, jego egoizm i arbitralność, brak zrozumienia i tolerancji. Bo syn w pewnym wieku czuje się koroną stworzenia i prosi o poświęcenie i uwagę, a jeśli ojciec mu ich nie daje, decyduje się na zemstę, czyli na osobistą awersję, nieposłuszeństwo, wrogość albo, jak w przypadku Kafki, pisanie, straszliwe, będące zemstą. Ja wolę dmuchać na zimne i stąd ten list. Wiele lat temu przeczytałem coś, co dopiero teraz nabrało dla mnie sensu. Nigdy nie zapomnę pierwszej linijki jednego z esejów lorda kanclerza Francisa Bacona – moralisty na tyle mądrego, żeby postępować dokładnie wbrew własnym nakazom – która brzmi: *Kto ma żonę i dzieci, ten dał zakładników losowi.* I myślę sobie, kochany Alejandro, że dziś to ja jestem zakładnikiem losu, czyli fortuny, przypadku, który wiąże mnie z tobą; moja wolna wola nie jest już taka sama jak wtedy, gdy błąkałem się po świecie i nikt (ani nic) nie ograniczał mojej wolności, a wszystko wydawało mi się rozległą mapą otwartych dróg. Wierzyłem, że będę wiecznie młody i zbuntowany, byłem też przekonany – przysięgam – że życie zaczyna się w wieku osiemnastu lat, a wszystko, co wydarzyło się przed pełnoletniością, należy do królestwa pierwotniaków. Dzieci były dla mnie jedenastą plagą egipską do tego stopnia, że moje inicjały zmieniły się w dzieciobójcze hasło: R.H., nie od Rafaela Humberta, byłem jak Rey Herodes, król Herod. Do dnia kiedy zjawiłeś się na świecie; wtedy zrozumiałem, że zdanie lorda Francisa Bacona kryje w sobie zaskakujące niespodzianki – gdy się urodziłeś, ja zostałem zakładnikiem twojego losu". Ludzie w kościele uśmiechali się, a ja pomyślałem: cały R.H. Tylko on potrafił zmienić smutną żałobną uroczystość w okazję do śmiechu, zabawy słowem, inwencji rozsadzającej ponury nastrój. Myślałem też o swoich córkach; czy ja stałem się zakładnikiem ich losu? Ustami Móniki R.H. opowiadał teraz o narodzinach ich syna i przyznawał się do nieuniknionej ckliwości, z jaką każdy ojciec mówi o własnych dzieciach, i opowiadał zabawne anegdotki, jakie zwykle rodzice o nich opowiadają, chociaż wiedzą, że dla innych wcale nie są śmieszne. W jednej z nich wspominał, jak meksykański przyjaciel R.H podarował jego synowi pluszowego pegaza. Chłopiec zapytał, czemu koń ma skrzydła, a R.H. wyjaśnił, że Pegaz narodził się z krwi Meduzy po tym, jak Perseusz zabił ją, ścinając jej głowę, na której zamiast włosów miała węże paraliżujące ofiary. „Nie rozśmieszaj mnie, tato", odparł Alejandro. „Zbłaźniłem się wprawdzie, ale pozostała mi jedna pociecha", ciągnął R.H. głosem Móniki, „od tej pory wiedziałem już, że przyszedłeś na świat zupełnie odporny na realizm magiczny".

W nawie rozległy się śmiechy.

„Odporny na co?", zapytał ktoś.

„Proszę nie przeszkadzać", odpowiedziano mu.

„Czemu przywołuję te anegdoty?", zapytała Mónica. „Bo w pewien sposób dojrzały ojciec chce być pamięcią syna, któremu w młodym wieku wszystko wydaje się efemeryczne i nieistotne, jakby domyślał się, że to, co dotychczas przeżył, jest niewiele warte, a ważne jest jedynie to, co czeka go w przyszłości. Dla dzieci dzieciństwo nie istnieje, dla dorosłych natomiast jest pradawną krainą, którą pewnego dnia utraciliśmy i którą bezskutecznie próbujemy odzyskać, zasiedlając ją wspomnieniami, niewyraźnymi bądź zmyślonymi, będącymi zazwyczaj cieniami innych snów. Z tego właśnie powodu chcemy stać się notariuszami pamięci naszych dzieci, czegoś, co choć szybko odejdzie w zapomnienie, dla rodzica jest najlepszym dowodem, że spłodził przyszłość. Jak zapomnieć cały ten repertuar dziecięcej filozofii, kiedy dziecko, wcale o tym nie myśląc, stara się podkreślić własnymi pomysłami świat, który zaczyna do niego należeć. Pewnego wieczoru, czekając na wiadomości, oglądaliśmy razem telewizję. Transmitowano na żywo ostatnie – i najgorętsze – godziny karnawału z Rio. Siedząc wygodnie na kanapie, obserwowałeś z żywym zainteresowaniem rozbudzające apetyt ciała parujące po Sambodromie. Miałeś wtedy pięć lat, ale nie mogłem się powstrzymać i powiedziałem, jakbyśmy oboje byli zaślinionymi starcami: «Alejandro, bez wątpienia kobiety są niesamowite». A ty, nawet na mnie nie spojrzawszy, jakbyś był ekspertem w temacie, odrzekłeś: «Tak, tato. Poza tym dają mleko»".

Tym razem gromkie wybuchy śmiechu rozbrzmiały w całym kościele. Ludzie się śmiali, ale czuli się przy tym nieswojo, zastanawiali się z pewnością, czy to jest dozwolone. R.H. będący już przeszłością, a może nieobecnością, chyba nie miał nam tego za złe, może nawet cieszył się z tego, że sprowokował tak nieszkodliwy dysonans.

„Kochany Alejandro, jeśli czegoś żałuję, to tego, że nigdy nie powiedziałem ojcu, jak bardzo go podziwiam i kocham. Zdołałem się zdobyć jedynie na pocałunek w czoło kilka dni przed jego śmiercią. Pocałunek smakował cukrem i poczułem się jak złodziej, który niepostrzeżenie kradnie coś, co już nie należy do nikogo. Dlaczego ukrywamy nasze uczucia? Ze strachu? Z egoizmu? Z matką jest inaczej: obsypujemy ją pocałunkami, kupujemy kwiaty, nie skąpimy słodkich słów. Co właściwie nie pozwala nam stanąć przed ojcem i powiedzieć mu, że go kochamy lub podziwiamy? A potem przeklinamy pod nosem, kiedy sami znajdziemy się na jego miejscu. Czemu reagujemy złością, a nie czułością, kiedy jeszcze mamy na to szansę? Czemu jesteśmy odważni wobec obelgi, a tchórzliwi wobec uczucia? Czemu nigdy nie powiedziałem tego ojcu, a mówię tobie, chociaż pewnie jeszcze tego nie rozumiesz? Pewnej nocy chciałem porozmawiać z ojcem w jego sypialni, ale okazało się, że on śpi. Już miałem po cichu wycofać się z pokoju, gdy usłyszałem, że mówi przez sen zrozpaczonym głosem: «Nie, tato, nie». Jaki dziwny niepokojący sen śnił mój ojciec o swoim ojcu? Zastanowiło mnie to nie tyle ze względu na tajemniczą mechanikę snów, ile na to, że mój ojciec miał siedemdziesiąt osiem lat, a jego ojciec nie żył przynajmniej od ćwierć wieku. Czy trzeba umrzeć, żeby móc porozmawiać z własnym ojcem?"

Wtedy zaczął padać słaby deszczyk. A raczej nie słaby, co rzadki: deszcz o dużych, ciężkich, ale rzadko spadających kroplach. Z zewnątrz docierało do nas delikatne postukiwanie o metalowe dachy zaparkowanych przed kościołem samochodów, od tej chwili trudniej było zrozumieć, co czyta Mónica. Moja uwaga rozproszyła się, jak często mi się to zdarza; znów zacząłem się zastanawiać, czy teraz, kiedy urodziły się moje córki, jestem zakładnikiem ich losu, i nie wiedziałem, jak brzmi odpowiedź ani gdzie jej szukać. Jak będą mnie traktować w przyszłości? Jak wygląda relacja ojca z córkami? Z pewnością różniła się od tej, jaka łączy dwóch mężczyzn, ojca i syna, szczególnie dwóch mężczyzn z różnych pokoleń. Ale gdybym ja miał synów, a nie córki, pomyślałem, borykałbym się pewnie z podobnymi problemami.

Czy moi synowie ukrywaliby swoje uczucia wobec mnie? Reagowaliby złością, ale nie okazywali czułości? Czemu nie miałem podejrzewać, że moje relacje z córkami okażą się napięte i trudne? Przez całe życie lepiej dogadywałem się z kobietami niż z mężczyznami, być może dlatego, że męska solidarność i poufałość zawsze wydawały mi się żałosne. Jak będzie w przypadku moich córek? Wówczas zobaczyłem, że Mónica kończy przemowę, składa kartki i wchodzi w tłum osób, które ją obejmują i przytulają. Nie stało się to wśród burzy oklasków, ale wśród powstrzymywanej burzy oklasków. List R.H. przełamał konwencjonalne wyobrażenia o tym, jak powinna wyglądać msza za zmarłego, uczestnicy zaś czuli się zdezorientowani, pięknie zdezorientowani, a z ich twarzy wyczytałem, że byli zadowoleni z tego, że nie bardzo wiedzieli, jak się zachować, że nie przyszli tu, żeby pożegnać kogoś wedle powszechnie znanego rytuału, ale wkroczyli na nieznany teren, śmiejąc się i tłumiąc śmiech, nie bijąc brawa, ale mając ochotę to zrobić, być może wszyscy myśleli o swoich synach i córkach, tak jak ja myślałem o swoich.

Nie wiem, co jeszcze wydarzyło się na tej mszy. Nie pamiętam komunii, bo jej nie przyjąłem, ani znaku pokoju, którego powściągliwie nie przekazałem nikomu. Trumna z ciałem R.H. minęła mnie, czekałem, aż mnie minie, a potem dałem się porwać strumieniowi żałobników, skandalicznej ciszy, w jakiej się przesuwali. Nie mogłem oderwać wzroku od trumny, ona zaś przemieszczała się uparcie w kierunku prostokąta światła za głównym wejściem, unosząc się i opadając, w rytm kroków tych, co ją nieśli. Z tyłu patrzyłem, jak wyłania się na południowe światło i – zniesiona po schodach – zbliża się do karawanu, którego bagażnik był otwarty jak usta. Czekałem, obserwując w ciszy z ostatniego stopnia, aż szofer go zamknie, i zobaczyłem wówczas napisane złotymi literami na purpurowej wstędze inicjały, które widywałem wcześniej na oprawach i grzbietach książek, w nagłówkach wywiadów, pod recenzjami w gazetach. Kiedy Rafael Humberto zdecydował, że będzie podpisywał się R.H.? Pierwsze wydanie jego debiutanckiej powieści *Juego de damas* ukazało się w 1977 roku, mając na okładce i grzbiecie całe imię i nazwisko, a w dedykacji, którą napisał dla mnie dwadzieścia lat później, kiedy jedliśmy makaron zbyt obficie polany sosem w restauracji La Romana, widnieje wciąż jego pełne, złożone imię. Kiedy postanowiło przyjąć formę inicjałów, jakby przygotowując się, żeby bez problemu zmieścić się na purpurowej wstędze? Kościół powoli pustoszał, uczestnicy nabożeństwa schodzili na parking, wsiadali do samochodów, które wyjeżdżały jeden za drugim, a ci stojący jeszcze na najwyższym stopniu patrzyli na karawan oddalający się z przerażającą dyscypliną. Na miejscu pozostało niewiele osób – o ile pamiętam sześć albo siedem – kiedy deszcz zaczął zacinać mocniej. Już miałem zejść po schodach, przeciąć park i zanim lunie na dobre, złapać taksówkę na Jedenastej Alei, kiedy poczułem na ramieniu ciężką dłoń. Odwróciłem się i ujrzałem przed sobą Carballa.

To był on. Mężczyzna, na którego zwróciłem uwagę przed odczytaniem listu R.H. do syna. Czemu go wówczas nie rozpoznałem? Co się zmieniło w jego wyglądzie? Nie mogłem się zorientować, jednocześnie miałem nieodparte wrażenie, że on rozpoznał mnie natychmiast. Co więcej, wiedziałem albo sądziłem, że wiem, iż on był świadom mojej obecności przez całą mszę i obserwował mnie z daleka, ukradkiem jak szpieg, podsłuchiwał strzępki moich rozmów, czekając na dogodny moment, żeby sfingować przypadkowe spotkanie. I jego niezawodny instynkt, instynkt drapieżcy, podpowiedział mu najlepszy moment, żeby dopaść ofiarę. *Jest jak pies gończy*, powiedział Benavides.

A także: *Pan jest dla niego tropem.*

I teraz pomyślałem: Jestem dla niego tropem. On jest psem gończym. Ja jestem jego zdobyczą.

„To prawdziwy cud", zaczął Carballo. „W życiu bym się nie spodziewał".

Nie miałem cienia wątpliwości, że kłamie jak z nut. Ale w jakim celu? Trudno powiedzieć, a mnie nie przyszło do głowy żadne pytanie mogące rozwiać moje wątpliwości. Najlepszym więc wyjściem z sytuacji było także uciec się do kłamstwa. (Prawie nigdy nie ma lepszego wyjścia, kłamstwo bywa pożyteczne w tysiącach sytuacji, jest plastyczne, posłuszne jak dziecko; robi to, o co je prosimy, zawsze gotowe przyjść nam z pomocą, nie jest pretensjonalne ani egoistyczne, nie żąda niczego w zamian. Bez niego nie przetrwalibyśmy ani sekundy w dżungli życia społecznego). „Pan też był na mszy?", zapytałem. „Nie zauważyłem pana, gdzie pan się schował?"

„Przyszedłem wcześniej", pokiwał ręką w powietrzu. „Siedziałem na początku, z tamtej strony".

„Nie wiedziałem, że znaliście się z R.H.".

„Byliśmy przyjaciółmi", powiedział Carballo.

„Niemożliwe".

„Możliwe, możliwe. Jedna z tych krótkich, ale owocnych przyjaźni. Proszę posłuchać, może usiądziemy w środku? Zaczyna się prawdziwa ulewa".

I to była prawda. Zrobiło się pochmurno, deszcz zacinał o kościół, grube krople biczowały kamienne schody i tworzyły pierwsze kałuże, a potem w nie uderzały i ochlapywały nam buty, skarpetki, nogawki spodni. Jeśli postoimy tu jeszcze chwilę, przemokniemy do nitki, pomyślałem. Postanowiliśmy więc znów przekroczyć próg, usiedliśmy w ostatnim rzędzie, sami w nawie głównej kościoła, z którego zniknęli już wszyscy wierni, tak daleko od ołtarza, że nie sposób było dostrzec rysów twarzy ukrzyżowanego

Chrystusa. Chwila skojarzyła mi się z jakąś znaną z kina sceną, na przykład sekretnym spotkaniem włoskich mafiosów. Carballo usiadł na środku długiej ławki, ja zaś trzymałem się jak najbliżej przejścia. Nasze głosy rozbrzmiewały zniekształcone przez echo, jak również przez szum deszczu padającego na zewnątrz, i po chwili zorientowaliśmy się, że w jakimś niesprecyzowanym momencie zbliżyliśmy się do siebie, żeby móc rozmawiać, nie podnosząc głosu. Zauważyłem plaster na jego nosie. Policzyłem dni, które upłynęły od incydentu w domu Benavidesa, i pomyślałem, że żadna przegroda nosowa nie goi się dłużej niż dwa miesiące. „A jak pański nos?", zapytałem.

Uniósł palec do twarzy, ale jej nie dotknął. „Nie mam do pana żalu", zapewnił.

„Ale wciąż potrzebuje pan opatrunku?"

„Dlatego się z panem przywitałem", ciągnął, jak gdyby nie usłyszał pytania. „Żeby pokazać panu czarno na białym, że nie mam do pana żalu. Chociaż na leki przeciwbólowe wydałem majątek. I byłem na zwolnieniu".

„Ach, niech pan mi prześle rachunki, ja…"

„Nie, w żadnym wypadku", uciął. „Proszę mnie nie obrażać".

„Przepraszam, myślałem, że…"

„W żadnym wypadku. Przyszedłem pożegnać przyjaciela, a nie zainkasować od pana pieniądze za kilka opakowań nurofenu".

Uraziłem go, miałem wrażenie, że tego nie udaje. Kim był ten facet? Z każdym wypowiadanym słowem budził we mnie coraz większą niechęć, a jednocześnie coraz bardziej mnie intrygował. Pomyślałem, nie bez szczypty niezamierzonego cynizmu, że plaster jest częścią jego dopracowanego przebrania, a może raczej przebrania wyrafinowanego, pomyślałem, że pomaga mu osiągnąć cel. Jaki cel? Tego nie potrafiłem zgadnąć. Carballo zaczął mówić o R.H., bolał nad jego śmiercią, chociaż nie była dla niego niespodzianką, bo to gówniana choroba, za przeproszeniem, gówniana właśnie dlatego, że wcześniej o sobie ostrzega, choćby nie wiem, jak błyskawicznie się rozwijała, zawsze daje nam kilka miesięcy, anonsując swoją obecność, przypominając o sobie. Dlatego jest tak okrutna. Dla R.H. była szczególnie bezlitosna, należało to podkreślić: zawsze znęcała się najbardziej nad najlepszymi. Tak, z pewnością jesteśmy tylko prochem, a kiedy na kogoś padnie, nic się na to nie poradzi… Znów to samo, pomyślałem, tylko on jest zdolny mieszać tak chaotycznie komunały i niecodzienne obserwacje, zauważyłem to już przy naszym pierwszym spotkaniu. „Odejście R.H. jest stratą dla naszej literatury", powiedział. I dodał: „Morenowie-Duranowie nie rodzą się codziennie".

„To prawda", przyznałem.

„Cieszę się, że się pan ze mną zgadza. Trzeba to ciągle powtarzać. *Los felinos del canciller*, co za powieść! *Mambrú*, co za powieść! Recenzował ją pan, prawda?"

„Słucham?"

„Dla czasopisma «Boletín Cultural y Bibliográfico del Banco de la República»", odparł Carballo. „Bardzo dobra recenzja. To znaczy bardzo pozytywna. Chociaż mogła być jeszcze bardziej entuzjastyczna".

Moja recenzja *Mambrú* ukazała się w 1997 roku. Byłem młody i w tamtym czasie recenzowanie książek dla „Boletín Cultural y Bibliográfico" – kwartalnika, w którym pozwalano mi zamieszczać nawet cztery recenzje w numerze – stanowiło moje główne źródło dochodów. O „Boletinie" wiele dobrego można by powiedzieć, ale nie to, że miał duży nakład; czytano go w kręgach akademickich, wśród użytkowników bibliotek i fanatyków zarażonych bakcylem literatury. Czy Carballo mnie śledził? Ile o mnie wiedział i dlaczego? Czy chodziło tylko, jak twierdził Benavides, o zainteresowanie moim pokrewieństwem z José Marią Villarrealem, ważnym świadkiem wydarzeń z 9 kwietnia? Możliwe jednak, że był po prostu osobą, na którą wyglądał: inteligentnym facetem mającym zbyt wiele wolnego czasu, nękanym irracjonalną obsesją... i mającą podobne do moich upodobania literackie: bo powieści, które wymienił spośród bogatej twórczości R.H. Moreno-Durana były właśnie tymi, które sam bym wybrał. W tym momencie Carballo zaczął wygłaszać peany na cześć R.H. „A co pan powie na pierwsze zdania? Ach, te pierwsze zdania! *Pot narzeczonej to nazwa, jaką Arabowie nadali pudrowi.* To z *El caballero de La Invicta. Kiedy ty i ja kochaliśmy się, śmierć wygrywała partię szachów z Rycerzem z Siódmej Pieczęci.* To z *El toque de Diana. Jak łosoś wyskakujący z nocy, tak wygląda świt na Manhattanie...*" Tak, pierwsze zdania, Vásquez, nie ma to jak pierwsze zdanie. Człowiek bierze do rąk taką książkę i już jej nie wypuści do samego końca. Przynajmniej ja, bo czytam tylko po to, żeby ktoś opowiedział mi ciekawą historię. Jestem czytelnikiem, jak to się mówi, h e d o n i s t y c z n y m. I tak perorował, przeplatając utarte frazy ze sprytnymi konceptami zapewne od kogoś pożyczonymi, kiedy powiedział coś, co rozbłysło wśród tego gadulstwa jak nocny pożar w górach.

„Słucham?", przerwałem mu. „Mógłby pan powtórzyć?"

„Był pisarzem, który potrafił znaleźć klucze do życia swojej ojczyzny. Potrafił mówić między wierszami o rzeczach najtrudniejszych. Był mistrzem aluzji".

„Nie, nie o to pytałem", odparłem. „Chciałem usłyszeć to, co mówił pan o książce, której nie zdążył napisać".

„A, tak", pokiwał głową. „Ja o tym coś wiem, wydaje mi się, że pan też, chociaż pan wie mniej niż ja. A to, co wiem, zawdzięczam panu. Oddajmy cesarzowi co cesarskie. Gdyby nie tamta rozmowa, R.H. nigdy nie wzbogaciłby mojego życia. Chociaż teraz nic z tego nie zostało".

„Jaka rozmowa?"

„Naprawdę pan nie wie?", zapytał, wyolbrzymiając swoje zdumienie. (Pomyślałem: to aktor, to histrion. Pomyślałem: nie należy wierzyć ani jednemu jego słowu). „Będę musiał wszystko panu wytłumaczyć. Rozmowa z nowego czasopisma, panie Vásquez. *Powieść współczesna i inne choroby*, nie taki tytuł nosiła?"

Tak, właśnie taki. Carballo był naprawdę zaskakujący. W sierpniu minionego roku Moisés Melo, naczelny nowo utworzonego czasopisma „Piedepágina", zaprosił nas do siebie do domu, żeby porozmawiać o tym, przez co przechodził R.H., odkąd zdiagnozowano u niego raka; o jego chorobie i jego bólu widzianym z perspektywy literatury. Była to dwugodzinna rozmowa, od innych naszych rozmów odróżniał ją tylko brak whisky, włączony dyktafon i proces redakcyjnej obróbki porządkujący nasze słowa, by nadać im spójność i sens, który nie zawsze mają. Czasopismo ukazało się w grudniu, między świętami Bożego Narodzenia a sylwestrem, Carballo zaś, który przeglądał jakieś dokumenty w bibliotece imienia Luisa Ángela Aranga, znalazł je przypadkiem na stole w barze. „Prawie spadłem z krzesła", powiedział. „W tym czasopiśmie znalazłem wszystko, czego szukałem".

„A czego pan szukał?"

„Faceta z otwartą głową", odpowiedział Carballo. „Faceta, który będzie gotów posłuchać. Nieulegającego stereotypom, zdolnego zdjąć kaftan bezpieczeństwa oficjalnej wersji".

„Nie pamiętam, żebyśmy rozmawiali o kaftanach bezpieczeństwa", odrzekłem.

„Ach, nie? Jaka szkoda. Ale wyobrażam sobie, że pamięta pan rozmowę o Orsonie Wellesie".

Owszem, pamiętałem, ale dość mgliście. Teraz za to, kiedy spisuję te wspomnienia dekadę później, mam przed sobą ów pierwszy numer „Piedepágina" i mogę odszukać rozmowę nate mediático representado y destruido en *Ciudadano Kane...*

RH: Sospecho que Welles vino, en el fondo, huyéndole a Rita Hayworth, que era bastante "intensa". En realidad, vino a hacer el documental y permaneció en el Brasil, ininterrumpidamente, por siete meses. Luego fue a Buenos Aires, habló con Borges, para el estreno de *El Ciudadano*, que así se llamó su película en Argentina. De ahí surgió la bellísima nota que Borges escribió en *Sur*. Luego fue a Chile, y ya de despedida llegó a Lima, y el 12 de agosto las agencias de prensa le hicieron la última entrevista y le preguntaron: *¿Y qué va a hacer a partir de ahora, viaja a Los Ángeles?* Dijo: *No, mañana viajo a Bogotá, Colombia.* Le preguntaron por qué, y contestó: *Tengo grandes amigos en Colombia, me encantan los toros, Colombia es un país de toros y soltó todo un rosario de tópicos sobre nuestro país.* Al día siguiente, agosto 13, en la primera página de *El Tiempo* se lee: OR-SON WELLES LLEGA A BOGOTÁ, y los mismos titulares reproducen *El Espectador* y *El Siglo*. Pero Orson Welles no llegó nunca a Bogotá. Ese capítulo forma parte de una novela que se llama *El hombre que soñaba películas en blanco y negro*, que cuenta lo que le ocurrió a Welles en Bogotá los días 13, 14 y 15 de agosto, ocho días exactos después que Eduardo Santos entregara el poder y lo asumiera por segunda vez Alfonso López Pumarejo. Esto tiene una importancia política que nadie recuerda, y es que Laureano Gómez, en una entrevista que tuvo con el embajador norteamericano, le dijo que si Alfonso López se posesionaba, él daría un golpe de estado con la ayuda de sus amigos del Eje. La cuestión es que Orson Welles llega a Bogotá, una ciudad convertida en un nido de espías, corresponsales de guerra, y con el agravante de que en ese momento el país estaba completamente conmovido, dolido y rencoroso por el hundimiento de varias fragatas colombianas en el Caribe. En ese ambiente Orson Welles sufre una serie de peripecias impresionantes. Es una novela larga, de unas cuatrocientas y pico de páginas, donde reconstruyo un determinado momento histórico colombiano. De alguna forma constituye un díptico con *Los felinos del Canciller.*

z Moreno-Duranem (opublikowaną pomiędzy artykułem o Grahamie Greenie a artykułem o frankfurckich targach książki), sprawdzić dokładnie, o czym mówiliśmy, i pieczołowicie przytoczyć to tutaj, w narracji, która upodabnia się coraz bardziej do akt śledztwa. R.H. ubrany w czarny garnitur i koszulę w odcieniach fioletu mówił o powieści, którą właśnie ukończył. Historia wzięła się z opowiadania *Primera persona del singular*, o podróży Orsona Wellesa do Kolumbii w sierpniu 1942 roku, podróży o tyle szczególnej, że nigdy nie wydarzyła się w rzeczywistości. „Po sukcesie *Obywatela Kane'a*", tłumaczy R.H. w naszej konwersacji, „Welles staje się reżyserem światowej sławy. Stany Zjednoczone, a dokładnie Departament Stanu i wytwórnia RKO Pictures, postanawiają wysłać go do Ameryki Łacińskiej, ma nakręcić film dokumentalny, a przy okazji wykorzystać swój prestiż, żeby przekonać tamtejsze kraje do sojuszu ze Stanami Zjednoczonymi przeciwko państwom Osi. Potem w wywiadzie czytamy:

JG: Prawdopodobnie chcieli też pozbyć się go na jakiś czas. Z powodu nacisków ze strony Williama Randolpha Hearsta, magnata prasowego przedstawionego w Obywatelu Kanie.

RH: Podejrzewam, że Welles przyjechał tak naprawdę, żeby uciec przed Ritą Hayworth, która była dość zaborcza. Przyjechał tu nakręcić dokument i przebywał w Brazylii przez siedem miesięcy bez przerwy. Potem pojechał do Buenos Aires na premierę Obywatela: *taki tytuł nosił jego film w Argentynie. Rozmawiał z Borgesem. Stąd przepiękna notka, opublikowana przez Borgesa w „Sur". Potem udał się do Chile, na pożegnanie zajrzał do Limy i 12 sierpnia agencje prasowe zrobiły z nim ostatni wywiad. Zapytano go: Jakie są pańskie dalsze plany? Jedzie pan do Los Angeles? Powiedział: Nie, jutro lecę do Bogoty, do Kolumbii. Zapytano go, dlaczego, a on odparł: Mam w Kolumbii dobrych przyjaciół, uwielbiam korridę, Kolumbia jest krajem korridy. I cały wianuszek stereotypów na temat naszego kraju. Następnego dnia, 13 sierpnia, na pierwszej stronie „El Tiempo" jest nagłówek:* Orson Welles w Bogocie, *te same nagłówki powiela „El Espectador" i „El Siglo". Ale Orson Welles nigdy do Bogoty nie dotarł.*

W opublikowanej rozmowie wycięto pytanie, które zadałem: „Dlaczego, R.H.? Dlaczego Orson Welles nie przyjechał do Bogoty?" Nie ma też śladu po psotnym błysku w jego oczach, tej sekundzie, kiedy jego twarz przestała być twarzą człowieka umierającego na raka, a zmieniła się w twarz dziecka. „Nie powiem ci, nie ma mowy", odparł. „Będziesz musiał przeczytać całą powieść". W gazecie ukazały się natomiast następne zdania:

RH: Powieść nosi tytuł El hombre que soñaba películas en blanco i negro *i opowiada o tym, co przytrafiło się Wellesowi w Bogocie 13, 14 i 15 sierpnia, dokładnie osiem dni po dymisji Eduarda Santosa i ponownym przejęciu władzy przez Alfonsa Lopeza Pumajero. To ma polityczne znaczenie, o którym mało kto pamięta, Laureano Gómez podczas spotkania z prezydentem Stanów Zjednoczonych powiedział, że jeśli Alfonso López przejmie władzę, on zrobi zamach stanu, korzystając z pomocy swoich przyjaciół z państw Osi. Orson Welles przyjeżdża zatem do Bogoty, miasta zmienionego w gniazdo szpiegów i korespondentów wojennych, a w dodatku cały kraj jest poruszony, przybity i wściekły z powodu zatopienia kolumbijskich fregat na Karaibach. W tej atmosferze Orson Welles przeżywa niewiarygodne perypetie.*

JG: To kolejny krok, jeśli chodzi o relacje między historią a powieścią. Powieść staje się potężnym instrumentem historycznej spekulacji.

RH: Nie sądzę, że powieść próbuje skolonizować nowe terytoria, potwierdza się w niej jedynie, że wszystkie obszary są terytoriami powieści. Wspomnę może o ciekawym fakcie. Orson Welles poznał, podczas karnawału w Rio w 1942 roku, Stefana Zweiga, a on opowiedział mu, jak cudowny jest kraj, w którym zamieszka dzięki temu, że zaprosił go przyjaciel. W mojej powieści, kiedy Orson Welles przyjeżdża do Kolumbii, zostaje zaproszony na spotkanie, na którym ma poznać słynne osobistości, i poznaje tam bardzo milczącego mężczyznę, wysokiego na prawie dwa metry, wszyscy mówią na niego Viator, a Welles czuje do niego natychmiastową sympatię. Viator to nikt inny jak João Guimarães Rosa, który wówczas mieszkał w Bogocie. Był sekretarzem ambasady, wcześniej konsulem w Hamburgu, gdzie naziści zamknęli go w obozie koncentracyjnym. Został uwolniony i po powrocie wysłany na placówkę do Bogoty. Informacje o Guimarãesu Rosie są prawdziwe co do joty. Korzystam z tych wszystkich wspaniałości, chociaż wiem, że pewnie jakiś krytyk napisze: Ten facet ma zbyt bujną wyobraźnię. Welles i Guimarães Rosa zaprzyjaźnili się właśnie tu, w Bogocie.

To wszystko powiedział R.H. podczas naszej rozmowy, a potem przeczytał Carlos Carballo. Ale w kościele, kiedy siedzieliśmy w ostatnim rzędzie na drewnianej ławce, nie pamiętałem tych szczegółów, nie pamiętałem, że R.H. wspomniał o liberalnych prezydentach, Santosie i Lopezie, ani o Laureanie Gomezie, konserwatywnym liderze zapatrzonym we Franco i modlącym się o zwycięstwo Osi, ani o kolumbijskich fregatach zatopionych przez nazistowskie łodzie podwodne na Karaibach, co posłużyło rządowi za pretekst, żeby zerwać relacje dyplomatyczne z Trzecią Rzeszą. Nie pamiętałem, że rozmawialiśmy o Stefanie Zweigu, którego smutny finał pobytu w Brazylii został uwieczniony na makabrycznym zdjęciu po samobójczej śmierci z przedawkowania barbituranów (towarzyszyła mu żona Lotte, ubrana w kimono, pod którym nie miała bielizny), ani wzmianki o Guimarãesu Rosie, który umarł na zawał serca w 1967 roku (jedenaście lat po opisaniu swojej własnej śmierci, swojego własnego zawału, w słynnej powieści). Szczegóły rozmowy zamazały się w mojej pamięci; nie stało się tak najwyraźniej w przypadku Carballa, który z lubością ją parafrazował. Na zewnątrz deszcz bębnił o dachy bezpańskich samochodów, a wiatr zaczynał kołysać koronami eukaliptusów. Coś poruszyło się w głębi kościoła, obok ambony zobaczyłem cień albo postać, która się chowała, pomyślałem, że ktoś na nas patrzy (obserwuje) z daleka. Wtedy z ciemności wyłonił się ubrany na czarno chłopiec, spojrzał na nas, a potem znowu zniknął. Trzask drzwi usłyszeliśmy z opóźnieniem, jak grzmot.

„Przeczytałem tę rozmowę, i wie pan, co się ze mną stało?", pytał mnie teraz Carlos Carballo. „Wie pan, co się stało, kiedy ją przeczytałem? To było tak, jakby ziemia zadrżała mi pod nogami. D o s ł o w n i e. Nie mogłem dalej pracować".

Spędził cały dzień zamknięty w Bibliotece imienia Luisa Ángela Aranga, szukając informacji na temat nieznanego mi autora Marca Tulia Anzoli. Kiedy znalazł czasopismo „Piedepágina", wyszedł zaczerpnąć świeżego powietrza, potem zamierzał wrócić do oglądania mikrofilmów, ale odkrycie uniemożliwiło mu to; jak miał nadal śledzić stare periodyki, fotografie nieistniejącego już miasta? Nie, to nie było możliwe, bo oto na stronach literackiego pisma znalazł to, czego szukał od dawna. „To było jak porażenie prądem", powiedział, „nie mogłem siedzieć spokojnie przy stole w bibliotece, kiedy moje ciało chciało krzyczeć, wybiec na ulicę i krzyczeć dalej".

Od razu zrozumiał, co powinien zrobić. Zaczął poszukiwania popołudniem, a przed końcem dnia wiedział już, że R.H. Moreno-Durán (Tunja, 1946), autor trylogii *Femina Suite*, będzie na spotkaniu promocyjnym swojej ostatniej książki *Mujeres de Babel*. Spotkanie miało się odbyć na Uniwersytecie Centralnym o 18:30. Wstęp wolny. „To była moja szansa", powiedział Carballo. „Nie zastanawiałem się dwa razy". Cztery dni później wziął walizeczkę z metalowymi okuciami, włożył do niej swoje papiery i egzemplarz czasopisma, udał się do audytorium, kupił książkę na stoisku przed wejściem, poszedł napić się herbaty owocowej w kawiarni obok, czekając na koniec spotkania z autorem. Potem zobaczył ludzi stojących w kolejce przed nakrytym obrusem stołem i zamiast stanąć w kolejce, Carballo zaczekał, aż wszyscy sobie pójdą, zobaczył, jak Moreno-Durán żegna się z organizatorami i wychodzi w kierunku Siódmej Alei. I dopiero wtedy go dopadł.

„Mistrzu", wypalił prosto z mostu, „przynoszę panu książkę życia".

R.H. mógłby spojrzeć na niego, jak spogląda się na wariata, ale tego nie zrobił. Zauważył swoją własną książkę, egzemplarz *Mujeres de Babel*, który Carballo wciąż trzymał w ręku, i powiedział:

„No cóż, nie powiedziałbym, że to książka życia, ale dobrze, dam panu autograf".

„Nie, nie", odparł Carballo, „chodziło mi o to…"

Carballo nie wiedział, jak wyjaśnić nieporozumienie, wymamrotał parę niedorzecznych zdań, jego nerwowe dłonie gestykulowały żywo, ale Moreno-Durán miał już książkę otwartą na stronie tytułowej. „Komu mam zadedykować?" Carballo musiał wyrwać mu książkę z rąk. „Nie, mistrzu, źle mnie pan zrozumiał. Przyszedłem, żeby dać panu temat, temat najlepszej książki, jaką napisze pan w życiu. To książka, której w Kolumbii nikt jeszcze nie napisał. Bo żeby ją napisać, potrzeba dwóch rzeczy: informacji i odwagi. I dlatego przyszedłem zaproponować ją panu. Bo tylko pan może napisać tę książkę. Ja i pan, dokładnie rzecz biorąc, ja dostarczam informacji, pan odwagi.

„Ach", powiedział R.H. A później: „To nie. Bardzo dziękuję, ale nie jestem zainteresowany".

„Dlaczego nie?"

„Bo nie", uciął R.H. „Ale dziękuję".

I ruszył w stronę Siódmej Alei. Carballo poszedł za nim. Uświadomił sobie, że jego walizeczka jest podobna do walizeczki R.H., obie z czarnej skóry, obie z okuciami. W tym szczególe dostrzegł potwierdzenie swojej intuicji, zachętę; według Carballa zbiegi okoliczności nie istniały. Kiedy przeciskał się pomiędzy przechodniami, uważając na dziury w chodniku i starając się jednocześnie, żeby Moreno-Durán mu nie uciekł, Carballo prosił go, żeby wysłuchał, co ma do powiedzenia, proszę, choćby tylko dlatego, żeby nie spędził pan reszty życia, zastanawiając się, o czym miała być ta fantastyczna książka, którą panu zaproponowano, i nie umierał, myśląc, że nie wsiadł do właściwego pociągu i pozwolił mu odjechać.

„Nie wiedziałem, do czego zdolny jest rak", przyznał. „R.H. nie widziałem wcześniej na oczy i nie miałem porównania. Nie mogłem pomyśleć: Oj, jak strasznie schudł. Nie mogłem pomyśleć: Na pewno jest bardzo chory".

Ale zauważył, że po tych słowach R.H. spojrzał na niego inaczej. Co było w jego spojrzeniu? Zaintrygowanie, pogarda, przykre wrażenie, że coś najbardziej prywatnego na świecie – śmiertelna choroba – zostało naruszone? R.H. szedł dalej. Skręcił w Siódmą Aleję i skierował się na północ, Carballo skręcił za nim. Ale już nic nie mówił, dlatego że był zmęczony, a może zrezygnowany, szedł jednak w milczeniu, omijając ludzi i próbując nie deptać koców sprzedawców ulicznych. Carballo nigdy nie dowiedział się, czy R.H. zrobił to tylko po to, żeby przerwać ciszę, ale zapytał go: „Dlaczego ja?". Było to proste pytanie, ale wystarczyło, żeby Carballo, olśniony jakimś nagłym przebłyskiem, powiedział: „Z tego powodu, dla którego nie mogę napisać tego ja", odparł. „Jasne, mógłbym zapełnić trzysta stron. Ale to byłaby klęska, jakbym wyrzucił do śmieci wszystko, co udało mi się osiągnąć. Nie, tej książki nie może napisać byle kto. Musi ją napisać ta sama osoba, która napisała *El hombre que soñaba películas en blanco y negro*".

Wyglądało to tak, jakby jakaś dłoń na piersi zatrzymała R.H. Carballo pomyślał: D o a t a k u.

„Orson Welles w Bogocie", powiedział. „Któż inny odważyłby się o tym pisać? Oficjalna historia nie uznaje tej wizyty, mistrzu, oficjalna wersja zaprzecza, że to się wydarzyło. Ale pan się odważył, pan o niej opowiedział. A teraz, dzięki panu, Orson Welles pozostanie na zawsze człowiekiem, który odwiedził Bogotę. Był w Brazylii ze Stefanem Zweigiem. W Argentynie z Borgesem. Na koniec był w Bogocie z Guimarãesem Rosą. Pańska powieść ocaliła zdarzenia, które inaczej zostałyby zapomniane na zawsze. Gdyby nie pan, te ukryte prawdy nigdy nie ujrzałyby światła dziennego. A ja znam jeszcze jedną ukrytą prawdę i chcę, żeby pan ją poznał. Od ponad dziesięciu lat, co ja mówię, od ponad dwudziestu rozmyślam, jak ogłosić to światu. Ale właśnie odkryłem: pan mi w tym pomoże. Pisząc książkę. Historia, którą chcę panu podarować, przemilczana prawda, którą chcę panu podarować, żeby pan zmienił ją w książkę, postawi wszystko na głowie".

„Ach tak?", usta R.H. skrzywiły się w wyrazie skrajnego sceptycyzmu, a Carballo poczuł ciężar jego autorytetu. „A cóż to za prawda?"

„Niech pan poświęci mi dwie godziny, mistrzu, nie proszę o nic więcej", powiedział Carballo. „Nie potrzebuję nawet dwóch godzin. Jedna w zupełności wystarczy. W godzinę wyjaśnię panu wszystko, pokażę dokumenty, a potem zdecyduje pan, czy gra jest warta świeczki, czy nie".

Dotarli do Dwudziestej Szóstej Ulicy, gdzie Siódma Aleja zmienia się w wiadukt, a przechodnie mogą spojrzeć w dół i na chwilę uwierzyć, że za sprawą magicznej sztuczki samochody znikają pod podeszwami ich butów. Lęk wysokości sprawił, że Carballowi zakręciło się w głowie, podczas gdy R.H. mówił: „Proszę posłuchać, przyjacielu, nie mam na to ochoty. A pan jeszcze do niczego mnie nie przekonał. Albo wyjaśni mi pan wszystko od razu, albo kończymy rozmowę". Szybko jadący autobus przemknął tak blisko chodnika, że asfalt zadrżał, a podmuch powietrza prawie wyrwał Carballowi z rąk zaklejoną kopertę, którą właśnie wyjął z walizeczki.

„A co to jest?", zapytał R.H.

„To list, mistrzu. Skierowany do pana. Napisałem go, żeby go panu wręczyć, jeśli nie zdołalibyśmy dziś porozmawiać. To nie list, to raport. Tylko pięć stron, ale tłumaczę na nich wszystko, co odkryłem w czasie swoich badań przez czterdzieści lat. Niech pan go tylko przeczyta, a sam się przekona. To, co mamy w rękach, postawi na głowie cały kraj, kiedy wyjdzie na jaw. Wszystko się zmieni, kiedy prawda ujrzy światło dzienne. Zmieni się przeszłość tego kraju, to jasne, ale zmieni się też jego przyszłość. Zmieni się sposób, w jaki odnosimy się do siebie. Jestem o tym przekonany, kiedy napisze pan tę książkę, życie w naszym kraju już nigdy nie będzie takie samo".

„I zgodził się?", zapytałem.

„Ja też z początku w to nie wierzyłem", przyznał Carballo. „Ale R.H. potrafił uwierzyć, wie pan? On uwierzył. Wielcy pisarze tacy są, mają dobry węch, mają wiarę, która temu węchowi towarzyszy. Umieją rozpoznać prawdę, kiedy na nią natrafią. I walczą, walczą na śmierć i życie, żeby ją ujawnić. Nie, R.H. mnie nie zawiódł". Zawiesił głos i powiedział: „Inna sprawa, że śmierć zabrała go, zanim skończył swoje dzieło".

Czy rzeczywiście mówił prawdę? Wszystko, dosłownie wszystko w nim budziło nieufność, każde jego słowo wydawało się oszustwem, ale nie zdołałem zrobić tego, co powinienem: wstać i otwarcie oskarżyć go o kłamstwo. Ale czy to było kłamstwo? Wyjąwszy całą tę mistyczną retorykę o tych, co potrafią uwierzyć, o prawdzie, o śmierci, która zabiera ludzi, zanim ukończą swoje dzieło, czy Carballo mnie okłamywał? W jakim celu? Znów przez głowę przemknęła mi myśl, że jeśli to wszystko kłamstwo, Carballo jest najlepszym kłamcą na świecie. Jeśli to wszystko zaś teatr, Carballo był najlepszym aktorem. To histrion, pomyślałem raz jeszcze, odgrywa samego siebie, i wtedy po raz pierwszy przyszło mi do głowy, że ten człowiek jest chory. Przypomniałem sobie fragment *Wyjechali*, gdzie Sebald opisuje zespół Korsakowa, przypadłość pamięci polegającą na wymyślaniu fikcyjnych wspomnień, aby zastąpić te prawdziwe, które zostały utracone, i zacząłem się zastanawiać, czy to możliwe, że Carballo cierpi na coś podobnego. Czy nie było to bardziej prawdopodobne niż ta szalona historia o nagabywaniu znanego pisarza i pościgu za nim, wręczeniu listu na ulicy i tajnej umowie na kompletnie deliryczną powieść? Czy to nie było bliższe prawdy niż wyobrażanie sobie R.H., poważnego i oddanego swojej pracy literata, jako ochotniczego najemnika faceta pasjonującego się spiskowymi teoriami dziejów?

„Ach, czyli umarł, zanim ukończył książę", powiedziałem. „Ale ją zaczął?"

„Oczywiście, że zaczął", odparł Carballo. „Dziękował mi za pomysł za każdym razem, kiedy się spotykaliśmy. «To będzie moja złota klamra», powtarzał, «I pomyśleć tylko, że miałem pana posłać do diabła, Carlitos». Tak o mnie mówił: Carlitos. Pracował nad książką do samego końca. Chciałbym wiedzieć więcej o jego chorobie. Żeby docenić to, jak bardzo się starał".

„Gdzie się widywaliście?"

„Czasem w La Romana. Restauracji przy alei Jimeneza, nie wiem, czy ją pan zna".

„Tak, znam. I gdzie jeszcze?"

„Czasem chodziłem z nim odbierać korespondencję. Miał skrytkę pocztową".

„Tak, tak, wiem. I gdzie jeszcze?"

„O co chodzi? Sprawdza mnie pan?"

„Gdzie jeszcze się widywaliście?"

„Raz zaprosił mnie do domu, na obiad z przyjaciółmi".

„Ach, tak? Z jakimi przyjaciółmi?"

Spojrzał na mnie smutno. „Pan mi nie wierzy", powiedział. „Rozumiem. Panu się wydaje, że ja to wszystko zmyślam".

Jakbym zajrzał do środka przez poruszoną wiatrem żaluzję; zdołałem w nim dostrzec, przez króciutką chwilę, jakąś kruchość, której nie dostrzegłem wcześniej, niebędącą w każdym razie kruchością oszusta. Doznałem swego rodzaju objawienia, że aby pozbyć się Carballa raz na zawsze, wystarczyłoby powiedzieć: „Tak, panie Carlosie, sądzę, że pan to wszystko zmyśla. Tak, sądzę, że pan kłamie, oszukuje, sądzę, że pan majaczy albo jest chory". Ale nie zrobiłem tego. Odwiodły mnie restauracja La Romana i spacery do skrytki pocztowej, szczegóły, których Carballo nie mógł znać, gdyby nie miał bliskiego kontaktu z R.H., odwiodła mnie od tego również – a może przede wszystkim – ciekawość, ta sama chorobliwa ciekawość, przez którą tyle razy pakowałem się w kłopoty i niczego się na własnych błędach nie nauczyłem, ciekawość, jaką budziło we mnie zawsze cudze życie w ogóle, a życie ludzi zaburzonych w szczególności, wszystko to, co dzieje się w sekrecie ich samotności, wszystko to, co dzieje się – z braku lepszego określenia – za żaluzją. Każdy z nas ma swoje sekretne życie, ale czasami żaluzja uchyla się, widzimy przelotnie jakiś ruch albo gest i zaczynamy podejrzewać, że coś się za nim kryje, i nigdy nie dowiemy się, czy to, co ukryte, interesuje nas dlatego, że nie możemy tego zobaczyć, czy też dlatego, że ktoś musiał włożyć nadludzki wysiłek, żebyśmy tego nie zobaczyli. Nie ma znaczenia, o jaki sekret chodzi (nie ma znaczenia, czy to sekret banalny, czy też zadecydował o czyimś życiu), ukrywanie go zawsze jest trudne, wymaga taktyki i strategii, dobrej pamięci i sztuki narracyjnej, pewności siebie i odrobiny szczęścia. Dlatego kłamstwo czyni ludzi interesującymi; żadne kłamstwo nie jest doskonałe ani spójne, wystarczy bowiem obserwować dostatecznie długo, żeby żaluzja się poruszyła i żebyśmy przez krótką chwilę zobaczyli to, czego ktoś inny nie chce nam pokazać. To właśnie stało się na ławce w kościele, kiedy Carlos Carballo uświadomił sobie, że mu nie wierzę. A ja wtedy pojąłem, podpowiedział mi to instynkt, który mają dzikie bestie, że jedno moje słowo wystarczyłoby, żeby go zniszczyć (albo zniszczyć naszą znajomość) i sprawić, że już się więcej nie zobaczymy. I postanowiłem, że tego nie zrobię. Nie kierowało mną współczucie, tylko ciekawość. Ciekawość, która – ściśle rzecz ujmując – zmienia lepsze emocje, takie jak współczucie, solidarność, altruizm, w narzędzia do osiągnięcia swoich pokrętnych celów.

„Nie, panie Carlosie, nie sądzę, żeby pan cokolwiek zmyślał", powiedziałem. „Ale proszę mnie zrozumieć. Znam R.H. od prawie dziesięciu lat. A właściwie znałem go. I pisarz, którego znałem, nie pasuje do postaci, którą pan mi opisuje".

„Niech pan nie będzie naiwny. Chyba nie sądzi pan, że znał R.H. tak dogłębnie? Czy w ogóle można kogoś poznać dogłębnie?"

„Można poznać kogoś w stopniu r o z s ą d n y m".

„Jakby ludzie nie mieli więcej niż jednej twarzy", odrzekł Carballo. „Jakby każdy z nas nie był bardziej skomplikowany, niż się wydaje".

„Możliwe", powiedziałem, „ale nie do tego stopnia. Nie na tyle, żeby przyjąć zlecenie od kogoś obcego na chodniku Siódmej Alei. Nie na tyle, żeby poświęcić ostatnie miesiące swojego życia urojeniom".

„A jeśli to nie urojenia? A jeśli proponujący nie byłby nieznajomym?"

„Nie rozumiem", przyznałem. „Pan nie znał R.H., kiedy złożył mu pan propozycję. Sam mi pan to powiedział przed chwilą".

„Nie chodzi o R.H.", odrzekł Carballo. Wbił wzrok w podłogę, a potem spojrzał na witraże. „R.H. już nie ma. Ale materiały nadal są, moje odkrycia nie zniknęły, prawda czeka. Prawda jest cierpliwa. Książka wciąż tu jest, żyje i ma się dobrze, czeka tylko, aż ktoś ją napisze".

Nie wiem, jak mogłem się nie domyślić. Teraz, kiedy przywołuję w pamięci tę scenę, żeby opisać ją po tylu latach, czuję to samo zaskoczenie co wówczas i zadaję sobie pytanie: jak mogłem być taki naiwny? Jak mogłem przegapić znaki? Pamiętam, że spojrzałem w stronę drzwi i, jakby moje ciało wyczuło, czego się od niego oczekuje, zrobiło mi się trochę cieplej. Oczywiście, myślałem, oczywiście, że spotkanie nie było przypadkowe, oczywiście Carlos Carballo wiedział, że mnie tu spotka, na mszy za duszę przyjaciela. A nawet jeśli nie miał pewności, prawdopodobieństwo było spore i szczęście się do niego uśmiechnęło.

„Aha, rozumiem", powiedziałem. „Teraz pan chce, żebym to ja ją napisał".

„Panie Vásquez, proszę posłuchać, pan, za przeproszeniem, nie jest R.H.", powiedział. „Czytałem pańskie opowiadania, te, co dzieją się w Belgii. Nie rozumiem, po co traci pan czas na takie pierdoły? Kogo obchodzą europejscy bohaterowie, którzy chodzą do lasu na polowanie albo rozstają się z żoną? Ma pan wojnę domową tu, u siebie w domu, dwadzieścia tysięcy zabitych rocznie, doświadczenie terroryzmu, jakiego dotąd w Ameryce Łacińskiej nie widziano, historię od początku naznaczoną zabójstwami naszych mężów stanu, a pan pisze o jakichś parach, które rozstają się w Ardenach. Powieść, ta o Niemcach, jest o wiele lepsza, przyznaję. Mogę powiedzieć, że widzę w niej coś wartościowego. Ale będę szczery, ostateczny rezultat uważam za porażkę. W powieści jest zbyt wiele słów, za to brakuje jej pokory. Ale to nie najważniejsze. Najważniejszą rzeczą, która psuje tę powieść, jest jej tchórzostwo".

„Tchórzostwo?"

„Jak pan słyszy. Powieść przemyka ponad ważnymi tematami, jakby deptała po jajkach. Wspomina się o narkobiznesie, o zabójstwie tego piłkarza, ale czy się temu przygląda? Wspomina się Gaitana, ale czy zagłębia się w tę sprawę? Wspomina pan swojego dziadka, Josego Maríę, ale czy zagłębia się pan w temat? Nie, Vásquez, brakuje panu zaangażowania, zaangażowania w ważne sprawy tego kraju".

„Być może wybrałem inne trudne sprawy", powiedziałem.

„Ale zagraniczne", odparł. „Nie nasze".

„No dobrze", powiedziałem, śmiejąc się albo udając, że się śmieję. „To najbardziej idiotyczny argument, jaki słyszałem w życiu".

„R.H. zostawił dla pana list", uciął Carballo. „A ja mam go panu przekazać".

Podał mi kartkę. Moje skrzywienie zawodowe pozwoliło mi ocenić, że był to papier osiemdziesięciogramowy w rozmiarze listowym, taki sam, jakiego używał Moreno-Durán do pisania swoich pełnych skreśleń i poprawek brudnopisów. (Dopiero w ostatnich latach korzystał z komputera, i dlatego wystarczyło mi spojrzeć na kartkę, żeby wiedzieć, że list został napisany niedawno. Widniało na nim sześć zdań.

Kochany Juanie Gabrielu!
  Niedawno nadarzyła mi się wspaniała okazja. A raczej
powinienem powiedzieć, że podarował mi ją pewien nie-
zwykły człowiek, który wręczy Ci list. Mnie życie nie dało
czasu, żeby zmienić ten dar w książkę, ale zważając na
okoliczności, nie czuję, żebym zawiódł czyjeś zaufanie.
Teraz kolej na Ciebie, żebyś odziedziczył ten wspaniały
materiał i doprowadził zadanie do końca. Masz teraz
w rękach coś wielkiego i bez wahania powiem, że wyda-
jesz mi się godnym depozytariuszem tych sekretów.
  Ściskam serdecznie

Przeczytałem notkę dwa razy, poruszyła mnie tak głęboko, jak potrafią poruszyć tylko słowa zmarłych, wyobra-
żamy sobie ich palce, skórę prześlizgującą się po papierze,
którego właśnie dotykamy, każdy zawijas i każda kropka
są śladem ich bytności na świecie. Widniało tu moje imię,
słowa napisane z czułością, i pomyślałem wówczas, że nie
będę mógł odpowiedzieć na ten list, jak czyniłem to dotychczas; tak właśnie zmarli zaczynają się oddalać, za sprawą wszystkich tych rzeczy, których nie możemy już z nimi
zrobić.
  Zapytałem Carballa, kiedy dostał ten list.
  „Trzy dni temu", powiedział. „Kiedy R.H. przyjęto do kliniki. Zadzwonił po mnie, oddał mi wszystkie papiery i położył na nich notkę. «Juan Gabriel to odpowiednia osoba»,
powiedział".
  „Żeby napisać książkę".
  „Ja się z tym właściwie nie zgadzam. Ale R.H. ma pewnie swoje powody. Żeby panu zaufać, zostawić po sobie ten
spadek". Popatrzył do przodu, na Chrystusa, i powiedział:
„No i co, panie Vásquez? Odważy się pan na napisanie książki swojego życia?"

Znów przeczytałem notkę, spojrzałem na podpis. „Muszę to przemyśleć", odpowiedziałem.

„Aj, pieprzone myślenie", prychnął. „Muszę przemyśleć, muszę przemyśleć. Myślicie za dużo".

„To nie takie proste, panie Carlosie. Tak, pan znalazł dwa, trzy banalne zbiegi okoliczności na temat morderstw. Nie wiem, co w tym dziwnego, skoro działo się to na oczach wszystkich. Dwa zabójstwa mężów stanu są do siebie podobne. Wspaniale. Ale stąd do przekonania, że naprawdę mają ze sobą coś wspólnego, jeszcze daleka droga, nieprawdaż? Na ile różnych sposobów można zabić polityka?"

Carballo obruszył się. „Kto panu o tym powiedział?"

„Doktor Benavides, któżby inny. Ale o co chodzi, przecież to pańska teoria, prawda? Że zamach na Gaitana i na Kennedy'ego są do siebie zbyt podobne?"

„Oczywiście, że nie", powiedział z urażoną miną niezrozumiałego artysty. „To prostackie spłycenie czegoś, co jest o wiele bardziej skomplikowane. Widać, że mój drogi przyjaciel nie zrozumiał nic, nie odziedziczył nic po ojcu. Cóż za rozczarowanie. I co jeszcze opowiedział panu nasz doktorek?"

„Rozmawialiśmy o drugim strzelcu", powiedziałem. „Tym z zamachu na Kennedy'ego, ale też tym z zamachu na Gaitana. Rozmawialiśmy o pańskim mentorze, doktorze Luisie Ángelu Benavidesie. Wielkim Luisie Ángelu Benavidesie, ekspercie od balistyki, który odkrył obecność drugiego zabójcy w Dallas. Bez niczyjej pomocy. Ale też ekshumował Gaitana i w tysiąc dziewięćset sześćdziesiątym roku stwierdził bez cienia wątpliwości, że brakująca kula pochodziła z tego samego pistoletu. Że Gaitana, w przeciwieństwie do Kennedy'ego, zabiła tylko jedna osoba".

„Ależ tego nie potwierdzono".

„Oczywiście, że potwierdzono".

„Nie".

„Jak to nie? Czy nie zrobiono autopsji? I jest na to dowód, Carlosie, chociaż usilnie próbuje pan temu zaprzeczyć".

„Dowód zniknął", powiedział Carballo, ściszając głos. „Tak, jak pan słyszy. Doktor zrobił sekcję, wyjął kręg, w którym tkwiła brakująca kula, i znalazł ją. Ale ani kula, ani kręg już nie istnieją. Zniknęły. Kto wie, gdzie są, może zostały zniszczone? Trzeba się zastanowić, czemu te dowody zniknęły, nieprawda? Trzeba się zastanowić, komu zależało na tym, żeby nie można ich było za jakiś czas zobaczyć. Trzeba się zastanowić, kto uświadomił sobie, że nauka idzie do przodu, że dowody zbrodni popełnionej w przeszłości kiedyś przemówią i kto postanowił, że muszą zniknąć. Prawda jest taka, że im się to udało, panie Vásquez, jak zwykle im się udało, już nigdy nie odzyskamy tych dowodów, żeby je zbadać z pomocą nowych narzędzi, a kto wie, co by nam powiedziały, jakie nowe odkrycia ujawniły. Balistyka bardzo się rozwinęła. Bardzo rozwinęła się też medycyna sądowa. Ale na nic się to nie zda, bo ci, którzy mają władzę, sprawili, że dowody zniknęły. I to oni wygrywają, to oni ukrywają przed nami prawdę, to oni…"

„Aj, panie Carlosie, niech pan zamilknie na chwilę", wypaliłem.

„Co to, to nie", zaprotestował, „nie pozwolę panu…"

„Kręg Gaitana jest w domu Benavidesa", powiedziałem.

„Co?"

„Nikt nie ukrył go naumyślnie, nie ma żadnego spisku. Francisco zabrał kręg do domu, kiedy zamknięto muzeum, to wszystko. Zabrał go, żeby nie zniknął, a nie po to, żeby go przed kimkolwiek ukryć. Przepraszam, że zrujnowałem wszystkie pańskie teorie, ale ktoś musi panu wreszcie wytłumaczyć, że Święty Mikołaj to rodzice".

Tym razem byłem celowo okrutny, wiedziałem bardzo dobrze, że mówię do osoby, którą ojciec porzucił. Czy istniał jakiś związek między porzuceniem Carballa przez ojca a jego skłonnością do wiary w duchy? Zastanawiałem się nad tym przez chwilę, ale potem zwróciłem uwagę na wyraz jego twarzy: nigdy nie widziałem niczego podobnego. Patrzyłem, jak w ciągu sekundy kompletnie się załamuje, a potem, nie wiem jak ogromnym wysiłkiem woli, odzyskuje panowanie nad sobą.

Jest ranny, pomyślałem, jest jak ranne zwierzę.

Patrzenie na niego było bolesne, a zarazem intrygujące, a przede wszystkim wymowne, bo coś w tej króciusieńkiej walce z samym sobą, tej próbie ukrycia rozczarowania albo zawodu, pokazało mi, że się pomyliłem, mówiąc mu o tym wszystkim. Mówiąc Carballowi o kręgu – ukrytym kręgu, pomyślałem – zawiodłem zaufanie Benavidesa, i na nic nie zdałoby się argumentowanie, że doktor nie zabronił mi o tym wspominać, bo podczas naszej rozmowy w jego gabinecie, tak z tonu głosu, jak i ze słów mogłem wywnioskować, że chciał ukryć przed Carballem istnienie kręgu i zdjęcia rentgenowskiego, czy też to, że przetrwały. Teraz ja zdradziłem ten sekret. Zrobiłem to impulsywnie, pod wpływem chwili, ale nawet mnie te wymówki nie wydawały się możliwe do zaakceptowania. Co działo się teraz w głowie Carballa? Czy wspominał rozmowy, gdy Benavides okłamywał go w sprawie kręgu, jego, który zawsze czuł się bratem doktora i duchowym spadkobiercą Luisa Ángela Benavidesa? Czy po głowie Carballa też krążyły myśli o zdradzie, inne niż moje, może bardziej uzasadnione? Niebo zaczęło się rozchmurzać, do kościoła wpadało teraz coraz więcej światła; za sprawą jakiegoś dziwnego złudzenia optycznego wydało mi się, że Carballo zbladł. Wzrok wbił w Chrystusa w głębi. Nie wyglądało na to, żeby miał jeszcze otworzyć usta. Złożyłem kartkę, którą mi wręczył, na trzy części i wsunąłem do kieszeni na piersi. „Przemyślę to", powiedziałem i wstałem.

„Tak", odrzekł Carballo, nie patrząc na mnie. Nagle słychać było w jego tonie głosu, tak zwykle dobitnym, że stracił równowagę, jak ktoś, kogo popchnięto na ulicy. „Niech pan to przemyśli, Vásquez. Niech się pan poważnie zastanowi. Powtarzam to, co napisał już panu R.H., niech pan nie przepuści takiej okazji".

„Jakiej okazji?", zapytałem. „Żeby napisać historię?"

Pytanie mogło zabrzmieć sarkastycznie, ale nie to było moim zamiarem. Zapytałem, bo naprawdę chciałem się dowiedzieć, czy to właśnie miałem w zasięgu ręki.

Carballo, wciąż wpatrzony w Chrystusa w głębi, nie odpowiedział.

W połowie grudnia, trzy tygodnie po pogrzebie, zadzwoniłem do Móniki i spytałem, czy mogę ją odwiedzić. W tym czasie Carballo wysłał do mnie dwa mejle (nie mam pojęcia, skąd wytrzasnął mój adres), a ja nie odpowiedziałem na żaden z nich. Wtedy napisał trzecią wiadomość: *Serdecznie pozdrawiam, Juanie Gabrielu, im dłużej nad tym myślę, tym bardziej jestem przekonany, że to książka dla Pana, niech pan nie zmarnuje okazji, CC*. Ta również pozostała bez odpowiedzi.

Kiedy dotarłem do mieszkania należącego kiedyś do R.H., okazało się, że ktoś oprócz mnie wpadł na pomysł odwiedzenia Móniki. Hugo Chaparro, facet o brązowych wąsach i pieprzykach rozsianych po białej skórze, widział wszystkie filmy na świecie i był bardzo blisko z R.H. podczas ostatnich miesięcy jego życia. Hugo jeździł z nim na chemioterapię, pomagał robić porządki w papierach, chodził z nim do skrytki pocztowej w budynku Avianki, zaglądał do niego za każdym razem, kiedy R.H. potrzebował pomocy w pracy. Ich mieszkanie było przestronnym apartamentem w północnej części Bogoty, przez którego cienkie okna przesączał się uparcie cały hałas tego hałaśliwego miasta. Zjedliśmy obiad, rozmawiając o książkach R.H. i o tym, co należałoby z nimi zrobić, ale także o jego chorobie – on sam mówił o niej swobodnie, z mieszanką odwagi i pogardy, nie robiąc z siebie ofiary, ale mając ochotę, żeby go słuchano – a potem rozmowa zeszła na mały gabinet R.H.; używał go do czytania, siedząc naprzeciwko biblioteczki z ciemnego drewna, w której przechowywał pierwsze wydania swoich książek, oprawiwszy wszystkie, jakby pod wpływem starego przesądu, w skórzane okładki. Hugo zaczął oglądać książki, przeglądał je półka po półce, jakby widział tę bibliotekę po raz pierwszy. Mónica siedziała w ratanowym fotelu na biegunach, ale nie bujała się, obcasy jej butów stały twardo na podłodze, za jej głową znajdowało się pionowe wąskie okno wychodzące na patio, przez to okno wpadało zimne zmęczone światło, które miało szybko zniknąć, ostrożne słońce andyjskiego miasta.

„No dobrze", powiedziała Mónica swoim szorstkim głosem. „O co chciałeś mnie zapytać?"

„Tak", odparłem. „To głupstwo, ale chciałem się upewnić. Czy ty znasz Carlosa Carballa?"

Po chwili ciszy odpowiedziała: „Nie, a kto to taki?"

„Jeden facet", wyjaśniłem, „znajomy R.H. Chociaż właściwie nie wiem, czy znajomy. Przynajmniej on sam twierdzi, że go znał. Chciałem wiedzieć, czy o nim słyszałaś".

„Nigdy nie słyszałam".

„Na pewno?", drążyłem. „Bo mnie powiedział, że znali się dobrze. Że często się widywali. Chciał, żeby R.H. napisał dla niego książkę".

Kiedy tylko to powiedziałem, Hugo wyprostował się i podszedł do nas. „Aaa, ja wiem, kto to jest", powiedział. „Ten od książki, wiem. Wkurzający, impertynencki typ. Kompletnie bezczelny".

„Carlos Carballo", powtórzyłem, żeby się upewnić.

"Tak, tak, ten", odrzekł Hugo. "Prześladował nas cały czas, to było nie do zniesienia. Jechaliśmy na chemioterapię, a on tam na nas czekał, jakby był zaginionym bratem R.H. Ty też go znasz?"

Nie zdradziłem im wszystkich szczegółów, ale wystarczająco dużo, żeby zrozumieli sytuację. "Podszedł do mnie po mszy", wyjaśniłem. "Powiedział, że czytał naszą rozmowę w «Piedepágina» i pod wpływem tej rozmowy zainteresował go R.H. A ściśle rzecz ujmując, zainteresowało go to, co R.H. mówi o powieści o Orsonie Wellesie, i pomyślał, że kogoś takiego właśnie potrzebuje".

"Do czego?", zapytała Mónica.

Tym razem odpowiedział Hugo. "Mówi, że wie o rzeczach, o których nikt nie wie. O jakimś dochodzeniu w sprawie Gaitana, chyba chodzi o dziewiątego kwietnia. Prawda? Mniej więcej tak to wygląda. Nękał nas nawet podczas chemioterapii, siadał obok R.H. i powtarzał, Mistrzu, pan musi to napisać, nie może to być nikt inny. W końcu zaczęliśmy się go bać, przysięgam. R.H. śmiał się, że czuje się jak hollywoodzki producent".

"Czemu?"

"Bo miał o b c e g o i s t a l k e r a".

Mónica się roześmiała. To był smutny śmiech.

"Ale R.H. się nie zgodził?", zapytałem.

"Oczywiście, że nie", odparł Hugo. "Miał nawet zadzwonić na policję, facet był naprawdę przerażający".

"Mnie powiedział, że R.H. przyjął propozycję".

"Co takiego ci powiedział?"

"Że R.H. przyjął propozycję. Zaczął nawet pisać tę książkę".

"Nie rozumiem tego", przyznała Mónica. "Dlaczego musiał to być właśnie on?"

"Spróbuję to wyjaśnić", powiedziałem. "Ten facet, cały ten Carballo, przeczytał moją rozmowę z R.H. W rozmowie

R.H. wspomina o powieści o Wellesie i wyjaśnia, że tak naprawdę Welles nigdy nie był w Bogocie. Że gazety z epoki obwieściły jego przyjazd, ale ta podróż nigdy się nie odbyła. A jednak R.H. relacjonuje tę podróż, trzy dni spędzone przez Wellesa w Bogocie, i opowiada je ze wszystkimi szczegółami. Powieść jest o tym, co przydarzyło się Wellesowi, kiedy spędził te trzy dni w Bogocie, o ludziach, których poznał, o politykach z tamtego okresu i tak dalej. Przynajmniej tak tłumaczył mi R.H. podczas rozmowy. Nie wiem, czy to prawda, bo nie czytałem manuskryptu. Ty go czytałeś, Hugo?"

„Nie".

„A ja tak", wtrąciła Mónica. „Ale mów dalej".

„Więc Carballo był przekonany o tym, że człowiek, który opisał coś, czemu zaprzecza oficjalna historia, jest idealnym kandydatem, żeby napisać jego książkę. Dlaczego? Właśnie dlatego, że napisał książkę o czymś, czego oficjalna historia nie przyjmuje do wiadomości".

„Ale o co chodzi?", zapytała Mónica. „O czym miałaby opowiadać ta książka?"

„Tego dokładnie nie wiem. Nie powiedział mi. Ale to coś ma związek z Gaitanem i z dziewiątym kwietnia. Poznałem Carballa we wrześniu, w domu przyjaciela, rozmawiałem z nim długo, więc mogę sobie wyobrazić, co mu chodzi po głowie. To po prostu teoria spiskowa, jedna z tysięcy".

„Teoria spiskowa", powiedziała Mónica. „Interesujące".

„I jakże oryginalne", dorzucił Hugo. „Jakby każdy szaleniec w tym kraju nie miał swojej".

„Nie, nie", odrzekła Mónica. „Mówiłam poważnie".

Wstała, a my patrzyliśmy, jak znika w ciemnym korytarzu prowadzącym do sypialni i gabinetu R.H. Na twarzy Hugona pojawił się prześmiewczy grymas, być może ten sam, który zwykle na niej gościł, krótkie brwi uniesione nad nosem, jakby rysowały nad nim daszki, a na ustach, pod rzadkim wąsikiem, zabawny i psotny uśmiech, zawadiacki, a jednocześnie melancholijny. W takich chwilach cały świat wydawał się zmieniać dla Hugona w film Chaplina, powiedzmy, że w *Gorączkę złota* albo *Światła wielkiego miasta*. Mónica przyniosła czerwony zeszyt. Nie, to nie był zeszyt, kiedy usiadła i położyła go na kolanach, zauważyłem, że to manuskrypt oprawiony w punkcie ksero, z grzbietem czarnych pierścieni i w czerwonych okładkach zafoliowanego kartonu. „To powieść o Orsonie Wellesie", powiedziała. Zaczęła ją kartkować, szukała konkretnego fragmentu, ale niedokładnie pamiętała, gdzie się znajduje, ze swojego miejsca widziałem zadrukowane strony, ponumerowane odręcznie czarnym tuszem, i poprawki naniesione na czerwono, autor czasami skreślał jakieś zdanie bądź notował coś na marginesie, czasem zakreślał całe akapity i rysował na nich bezlitosny krzyżyk. Jedna ze stron zwróciła moją uwagę i poprosiłem Mónikę, żeby pozwoliła mi ją przeczytać. Na niej R.H. wykreślił kilka linijek, których zrobiło mi się żal: żal, że zostały skazane na piekło słów, których nikt nigdy nie przeczyta. Poprosiłem, żeby pozwoliła mi je sfotografować telefonem.

„Wy, pisarze, macie nierówno pod sufitem", powiedziała, ale się zgodziła.

Linijki brzmiały następująco:

— Jeśli nasze czasy nauczyły nas czegokolwiek — powiedział nagle Welles — to uświadomiły nam to, jak wiele bytów mamy w środku. W naszej indywidualności jesteśmy tłumem, jest w nas tyle osób, ile wyrażanych przez nas opinii albo przeżywanych stanów ducha.

Potem Mónica znalazła to, czego szukała, i pozwoliła mi przeczytać. W scenie była mowa o zatopieniu szkunera

Resolute, znanym incydencie z czasów drugiej wojny światowej. Znałem go dobrze, gdyż natknąłem się na niego niejeden raz, kiedy robiłem kwerendy do swojej książki *Los informantes*, i pamiętałem, że ten atak, o który zawsze obwiniano nazistowską łódź podwodną, doprowadził do zerwania przez kolumbijski rząd stosunków dyplomatycznych z Niemcami, do zamknięcia Niemców w obozach odosobnienia, skonfiskowania ich własności i likwidacji kont bankowych. Wszystkie ich bogactwa – a Niemcy w Kolumbii byli zazwyczaj majętni – przejęło państwo, co zwykle znaczyło, że wpadły w łapy skorumpowanych rządzących albo skorumpowanych możnych. W powieści jedna z postaci pyta drugą: *Chce pan powiedzieć, że zatopienie statków na Karaibach było ukartowane, żeby nasz kraj dołączył do aliantów, a przy okazji kilku patriotów wzbogaciło się kosztem Niemców?*

„Widzisz?", zapytała Mónica.

„Co takiego?", zdziwiłem się.

„No właśnie?, zapytał Hugo.

„Poczekajcie", poprosiła Mónica.

Jej ręce bez pierścionków zaczęły przewracać strony, tym razem jednak szybciej znalazły to, czego szukały. Znów podała mi manuskrypt i poprosiła, żebym przeczytał. *Co myśli pan o śmierci Gardela*, pytał narrator powieści (nie wiedziałem jednak, kim jest ów narrator). *Wielu sądzi, że to nie był wypadek, tylko zamach, rozumie pan, ktoś podłożył bombę w samolocie i żegnaj, królu tanga.* Postać zwana Salcedito odpowiadała: *To doskonały pomysł na thriller. Poza tym nikogo nie zdziwiłoby, gdyby coś takiego wydarzyło się w naszym kraju, który jest krajem śmierci.* Tym razem temat był znajomy moim krewnym. W czerwcu 1935 roku podczas tournée po trzech kolumbijskich miastach Carlos Gardel, najsłynniejszy wykonawca tanga w historii, zginął w katastrofie samolotowej na lotnisku imienia Olaya Herrery

Rusia. Hitler se oponía a la ruptura de Japón y los Estados Unidos".

-Si algo nos ha enseñado nuestro tiempo -dijo de pronto Welles- ha sido tomar conciencia de los muchos seres que llevamos dentro. Somos multitud dentro de nuestra individualidad, tantos hombres como opiniones manifestemos o estados de ánimo vivamos.

Welles dejó de hablar y fijó su mirada en algunas manchas de tinta fresca que descubrió en la parte inferior del periódico que hojeaba su amigo. Husmeó dentro del portafolios y comprobó que su estilográfica tenía una pátina de tinta azul justo a la altura del anillo donde la tapa protege a la pluma.

-Supongo que son cosas de la despresurización -dijo sin que Crews advirtiera su maniobra.

Tras comprobar que el depósito de la tinta no había sufrido ningún desperfecto secó la pluma con un trozo de papel y enroscó la tapa con gran pericia. A continuación devolvió la estilográfica al portafolios y se miró los dedos, felizmente libres de manchas.

-Somos como las visiones de un calidoscopio -prosiguió Welles su discurso, como si nada lo hubiera interrumpido-. Quien me vea o escuche tiene que ordenar las diferentes partes de un todo. Ni yo mismo sé quién soy.

-¿Quiere eso decir que no somos más que lo que la visión de los otros dice que somos?

-Sospecho que sí -dijo Welles, mientras paseaba el índice de la derecha por la primera página del periódico-. Fíjate, si no, en Stalingrado. Aquí arriba aparece la noticia general sobre la situación de los nazis ante la estrategia del ejército rojo. Es la noticia desnuda de los hechos. A la derecha, un mapa nos ilustra sobre el orden de la batalla. Abajo, a la izquierda, dos o tres opiniones de autores especializados comentan lo que puede

4

w Medellín. Jego samolot F-31, którego nazwa Blaszana Gęś niepokoiła zapewne niejednego, był gotowy do odlotu dwie minuty przed trzecią po południu, ale pilot dostał wiadomość, że trzeba będzie załadować na pokład wiele szpul taśmy filmowej. Nie starczyło na nie miejsca w lukach bagażowych, więc załoga włożyła je pod siedzenia. Potem mówiono, że właśnie przeciążenie stało się przyczyną katastrofy. W każdym razie pilot (nazywał się Ernesto Samper, tak samo jak prezydent, który obejmie urząd sześćdziesiąt lat później) zobaczył flagę w kratkę i zaczął się rozpędzać. Ale F-31 nie nabierał prędkości. „Ten samolot przypomina mi tramwaj braci Lacroze", zażartował ponoć Gardel, i wtedy maszyna zboczyła w prawo, wypadła z pasa startowego i wbiłaby się zapewne w budynek pełen pracowników, gdyby pilot nie zdołał w ostatniej sekundzie wykonać odpowiedniego manewru. F-31 skręcił gwałtowanie, ominął budynek i rozbił się o inny samolot czekający na start do Manizales. Obie maszyny natychmiast stanęły w płomieniach, zginęło piętnaście osób, jedną z nich był Gardel. Oficjalne dochodzenie ustaliło, że przyczyną wypadku było przeciążenie samolotu, silny południowy wiatr i, przede wszystkim, fatalne warunki topograficzne lotniska. Wśród biegłych, którzy podpisali się pod oficjalnym raportem, był inżynier Epifanio Montoya, a jego wnuczka miała opowiedzieć mi w 1994 roku, że jej dziadek pracował w komisji badającej wypadek Gardela, a pięć lat później zostać moją żoną.

Nie wspomniałem o tym błahym szczególe Mónice i Hugonowi, bo nie musieli podzielać mojego zainteresowania najdziwniejszymi gościnnymi występami gwiazd w filmie, jakim jest historia, poza tym nie wydało mi się to istotne. Istotne było natomiast, że śmierć Gardela doczekała się w swoim czasie teorii spiskowych: jedne mówiły o rywalizacji między dwiema wielkimi liniami lotniczymi w Kolumbii, inne o rywalizacji między samymi pilotami, inna w końcu o pistolecie sygnałowym, któremu w tajemniczy sposób brakowało jednego pocisku.

„Teraz już rozumiecie?"

„Chyba tak", odparł Hugo.

„Słuchajcie, ja nie wiem, kim jest ten cały Carballo", powiedziała Mónica. „Ale jeśli potrzebował kogoś, kto chciałby posłuchać jego spiskowych teorii, to znalazł odpowiednią osobę. R.H. był wrażliwy na takie rzeczy. Lubił myśleć, że wszystko miało swoje ukryte dno. Zatopienie szkunera na Karaibach? Spisek mający odebrać Niemcom bogactwo. Katastrofa, w której zginął Gardel? Spisek linii lotniczej, żeby wysadzić z siodła konkurencję. Co na to poradzę? Lubił takie historie".

„To jeszcze o niczym nie świadczy", zaoponowałem.

„Jasne, że nie. Ale w powieści pełno jest takich kwiatków. Trzeba przyznać, że facet doskonale wiedział, do kogo uderzyć".

„Ale nie mógł znać książki", zauważył Hugo.

„Nieważne", powiedziała Mónica. „Chcę tylko powiedzieć, że R.H. poważnie podchodził do takich szaleństw. A może wyrozumiale, z ciekawością, jak zwał, tak zwał. I nie wydałoby mi się dziwne, gdyby usiadł w kawiarni w centrum, żeby wysłuchać opowieści jakiegoś szaleńca, a także gdyby usiłował pociągnąć go za język, żeby dowiedzieć się czegoś, co mógłby wykorzystać w powieści. Chyba nie spróbujesz mi wmówić, że wy, pisarze, tacy nie jesteście – nie kradniecie innym historii, nie wykorzystujecie dziwactw innych. W każdym razie powtarzam jeszcze raz to, co mówiłam ci od początku: nie znam tego faceta".

„Mnie powiedział, że był bliskim przyjacielem R.H.".

„No cóż, jestem pewna, że to nieprawda. R.H. przez ostatnie miesiące prawie nie wychodził. Gdyby był bliskim przyjacielem, widywałabym go w domu. A na kogoś nowego z pewnością zwróciłabym uwagę".

„No tak", przytaknąłem.

„Dlatego jestem pewna".

„Ale cała sprawa jest bardzo dziwna", zwrócił się do mnie Hugo. „Facet utrzymuje, że R.H. zgodził się napisać książkę?"

„Nie tylko się zgodził", odparłem. „Podobno był szczęśliwy. To miała być jego wielka powieść, taki łabędzi śpiew. I skończyłby ją, gdyby nie przeszkodziła mu choroba. Dlatego zostawił ją mnie".

„Jak to? Co masz na myśli?"

Byłem przygotowany na to pytanie. Wsunąłem rękę do wewnętrznej kieszeni marynarki, w której chowam zwykle długopis i ołówek, i wyjąłem list wręczony mi przez Carballa po mszy. Rozłożyłem go i podałem Mónice, widziałem, jak czyta – widziałem jej małe oczy, które zawsze wydawały się patrzeć na świat z pewną podejrzliwością, poruszające się jak muchy nad papierem – a potem podała go Hugonowi, który czytał w milczeniu, bez słowa komentarza.

„On dał ci ten list", powiedziała Mónica tonem nie pytającym, a stwierdzającym fakty. „Ten cały Carballo".

„Tak. Powiedział, że zostawił go dla mnie R.H. Że R.H. chciał, żebym to ja napisał powieść, bo on już nie zdąży".

„To niesamowite", powiedziała Mónica.

„Co takiego?"

„Ten list jest sfałszowany. Ale bardzo dobrze podrobiony. Zdumiewające, jak został podrobiony".

„A skąd wiesz, że jest sfałszowany?", zapytał Hugo.

„R.H. miał dwa podpisy, jednego używał w życiu, drugiego w literaturze", wyjaśniła Mónica. „Jednym podpisywał się pod czekami i umowami, drugiego używał, pisząc w książkach dedykacje. Tym samym podpisywał się też pod listami". Zbliżyła kartkę do oczu. „A to jest podpis, którego używał w życiu. Jedno trzeba przyznać: doskonale podrobiony".

„Gdzie mógł go zobaczyć?", zapytałem. „Nie mam pomysłu".

„A ja tak", powiedział Hugo. „R.H. musiał podpisywać zgody przed każdą sesją chemioterapii. Niewykluczone, że..."

„Niewykluczone, ale bardzo dziwne".

„W każdym razie facet, który podrobił ten podpis, jest artystą", powiedziała Mónica. „Ale prawda jest taka, że R.H. nigdy nie użyłby tego podpisu w liście, co więcej w liście o literaturze, w dodatku w liście o literaturze napisanym do przyjaciela".

„Czyli twierdzisz, że ten list jest sfałszowany".

„Bez wątpienia".

„Jesteś pewna?"

„Najzupełniej. Sam powiedz, widziałeś ten podpis pod czymś, co kiedykolwiek podpisał dla ciebie?"

la vida no me ha dado tiempo para transformar este don en
ue dadas mis circunstancias he cumplido a cabalidad. Ahora
r tan maravilloso material y llevarlo a buen puerto. Tienes en
rande y no dudo al decir que eres digno depositario de estos

io siempre mi abrazo y mi amistad,

Miała rację; nigdy go nie widziałem. Poczułem ulgę, ale też bliżej nieokreśloną frustrację, a do niej dołączył wstydliwy podziw i bardzo się pilnowałem, żeby go ukryć. Wyobraziłem sobie, jak Carballo poświęca całe godziny na studiowanie dokumentów, potem na staranne kopiowanie podpisu, żeglując mozolnie po jego subtelnych zawijasach, ucząc się ich powoli, zamieszkując w nich, pomyślałem wtedy podobnie jak Pacho Herrera, który pozwalał czasem zamieszkiwać w sobie duchowi Gaitana. Tak, podziwiałem intensywność kłamstwa, a może intensywność pragnienia, które uzasadniło albo stworzyło to kłamstwo, podziwiałem również detale tego kłamstwa, dochodzenie, które je podtrzymywało lub dokumentowało (zastanawiałem się, skąd Carballo wiedział o pewnych szczegółach, jak restauracja La Romana czy wycieczki do skrytki pocztowej; nie znalazłem na to odpowiedzi i za to podziwiałem go jeszcze bardziej). Pomyślałem, że powinniśmy wynaleźć nowe słowo na kłamstwo tak wyrafinowane, że wykracza poza granice zwykłego słownego oszustwa i takie oszustwo przerasta, które wymaga skomplikowanej i świetnie odegranej inscenizacji, wymaga pewnej

scenografii i talentu, żeby je stworzyć. Kim był Carballo? Bo nie zwykłym fałszerzem, chociaż nim też. Był kimś zdolnym sfałszować list nieżyjącego człowieka, żeby osiągnąć swój cel, żeby zrealizować swoje obsesje. „To człowiek z pasją", powiedział mi Benavides, tymi lub innymi słowy, ale ja widziałem nie pasję, lecz raczej niezdrową obsesję, demona, który dręczy istotę ludzką, bo tylko uganiając się za demonem, jest się zdolnym do takich skrajności, do jakich był zdolny Carballo. A ja mogłem to tylko uszanować.

„Trzeba przyznać, że ma talent", powiedziałem Hugonowi na odchodnym.

„Wielki talent", przyznał Hugo. „Nawet mu zazdroszczę".

Tego wieczoru, kiedy wróciłem do domu, natychmiast poczułem, że coś jest nie tak. Dziewczynki spały w naszej sypialni, a samochód był zaparkowany pod schodami, jakby M dopiero co wróciła. Nie musiała mi tłumaczyć, co się stało, wystarczył mi widok jej twarzy, zdenerwowanej i rozczarowanej, żebym przypomniał sobie, że umówiliśmy się w klinice i zawstydził się, że nigdy tam nie dotarłem. Powodem wizyty była pulsoksymetria, która miała pokazać, czy nasze córki są wreszcie zdolne oddychać samodzielnie, bez dodatkowego tlenu, ostatnio mieliśmy takie wizyty co trzy, cztery dni i zawsze kończyły się rozczarowaniem; dlatego pożegnanie się z koniecznością zabierania wszędzie butli z tlenem nabrało dla nas waloru symbolicznego – rurki otaczające twarze moich córek zmieniły się w ostatnią przeszkodę na drodze do normalności. I tym razem też nie wydarzyło się to, na co czekaliśmy. Rozczarowanie czuło się w powietrzu, widać było na twarzy i w ruchach mojej żony, i nie wynikało ono tylko z wyniku badania, ale także z mojej nieobecności. M podała mi papier z nadrukiem, na którym widniały wyniki jednej z córek:

– *Z rurką 1/8: HR, 142. Sat. % 95*
– *Czuwanie bez tlenu: HR, 146. Sat. % 86*
Sen bez tlenu: HR, 149. Sat. % 84

„A druga?", zapytałem.

„Tak samo. Nie na darmo są bliźniaczkami".

„Czyli nie?"

„Czyli nie", powiedziała M. „A ja wolałabym dowiedzieć się o tym z tobą, żebyś był przy mnie, kiedy je odbierałam". A potem zapytała: „Gdzie byłeś?".

„W domu R.H.", odparłem. „Rozmawiałem z Mónicą. Decydowaliśmy… Próbowaliśmy ustalić, czy ta sprawa z Carballem to prawda".

„Carballem? Tym przyjacielem Benavidesa?"

„Tak", potwierdziłem. „Przepraszam, nie zauważyłem, że jest tak późno".

„Nie chodzi o to, że się zagapiłeś i zrobiło się późno. Ty zapomniałeś o badaniu", powiedziała M. „Zupełnie wyleciało ci to z głowy". A potem: „Nie ma cię tutaj. Nie ma cię ze mną".

„Co chcesz przez to powiedzieć?", zapytałem. Wiedziałem jednak doskonale, o co jej chodzi.

„Myślami jesteś zupełnie gdzie indziej. A ja nie wiem gdzie. To, co się nam przydarzyło, jest ważne i trzeba się na tym skupić. Jeszcze się nie pozbieraliśmy, jest jeszcze wiele rzeczy, które mogą się nie udać, a przyszłość dziewczynek zależy od nas. Chcę, żebyś był przy mnie, skoncentrował się na nas, a ciebie bardziej interesują obsesje jakiegoś paranoika. Wprawdzie nie pierwszy raz zafascynowałeś się takim typem, ale tym razem jest inaczej. Nasze córki urodziły się w kraju, gdzie ludzie ciągle się zabijają. Nic na to nie poradzimy. Ale przeraża mnie, że ci martwi ludzie interesują cię bardziej niż one. Może przesadzam, może jestem niesprawiedliwa, nie wiem. Nie chcę być niesprawiedliwa.

Ale teraz najważniejsze są dziewczynki, chyba mnie rozumiesz. Nie przynoś im tego do domu, do ich łóżeczek. Spędziłeś cały dzień na rozmowach o tym wariacie i rozmyślaniach o okropnych rzeczach. Nie przynoś im tego wszystkiego, co masz w rękach i w głowie. Nie możesz zapominać o nich, żeby myśleć o tym. Potem będzie na to czas, ale nie rób tego teraz, teraz mamy na głowie ważniejsze rzeczy". Ruszyła w stronę podwójnych drzwi do kuchni. „Ale jeśli nie możesz, jeśli nie chcesz skupić na tym całej swojej uwagi, to najlepiej wyjedź do Barcelony", powiedziała, zanim zniknęła. „Sama dam sobie radę".

Zostałem w salonie sam. Poszedłem na górę do sypialni i zobaczyłem, że moje córki nie śpią, ich szare szeroko otwarte oczy próbowały skupić się na jakimś punkcie, odczytałem w nich niepokój, ale i ciekawość. Dziewięćdziesiąt dni minęło od ich urodzenia, dopiero teraz na ich twarzach zaczęły wyłaniać się podobieństwa, dopiero teraz widziałem, jak prawa genetyki zaczynają działać w kościach i mięśniach, i czymś na kształt cudu wydało mi się zobaczenie moich ust w ich ustach, brwi M w ich cieniutkich brwiach, powtórzenie naszych rysów w ich symetrycznych twarzach, które nie mogły jeszcze na mnie spojrzeć, ale wkrótce miało się to zmienić, skupią swój zagubiony wzrok, a ich oczy stracą szary odcień i przybiorą, żeby na mnie popatrzeć, kolor moich źrenic. Przypomniałem sobie wersy Paula Éluarda, które cytowałem kiedyś w książce, i chociaż ich znaczenie nigdy nie było dla mnie do końca jasne, wiedziałem, że nie odnoszą się do nowo narodzonego dziecka:

Ona ma kształty moich dłoni
Ona ma kolor moich oczu
Ona zatraca się w mym cieniu
Jak kamień pochłonięty niebem.

Zastanawiałem się bez sensu, czy były świadome mojej nieobecności, czy miały do mnie żal, zadałem sobie pytanie, czy
pierwszy raz je zawiodłem. Pomyślałem: kto ma dzieci, dostarcza losowi zakładników. Wydawało mi się, że rozumiem wreszcie w pełni sens tych słów, bo wcześniej, kiedy słuchałem ich na
pogrzebie, były dla mnie abstrakcyjne, nieznajome, zbyt odleg-
łe od mojej wiedzy i mojego doświadczenia. Jestem zakładnikiem ich losu, pomyślałem. Wtedy znów zszedłem na parter,
usiadłem za biurkiem, które nie było moje, włączyłem komputer i napisałem do Carballa zupełnie pewny swoich słów:

*Panie Carlosie, zastanowiłem się nad tym i podjąłem de-
cyzję. To nie dla mnie. Nie tylko dlatego, że Pan nie potrzebuje pisarza (potrzebuje Pan ojca chrzestnego własnego obłędu, kogoś, kto obdarzy pańską paranoję fałszywym
prestiżem słowa pisanego), ale też dlatego, że nie mówi
Pan prawdy. Nie sądzę, żeby R.H. cokolwiek mi zostawił.
Sądzę, że – za przeproszeniem – jest Pan kłamcą i oszustem. Nie interesuje mnie to, co mi Pan proponuje, nie
chcę utrzymywać z Panem kontaktów i proszę tylko, żeby
uszanował Pan tę decyzję i nie próbował nalegać.*

Kilka minut później dostałem odpowiedź.

Niech pan spierdla.

Trzy słowa, jedna literówka, to było wszystko. Wyobraziłem sobie twarz Carballa, na której mieszały się pewnie rozczarowanie i pogarda, intensywna pogarda, pogarda będąca
prawie obelgą, a może nawet pogróżką.
Nie odpowiedziałem.
A on więcej do mnie nie napisał.

W styczniu 2006 roku mój pobyt w Bogocie dobiegł końca. Wylądowałem w Barcelonie – mieście, w którym mieszkałem przez ostatnich siedem lat – gotowy zapomnieć o zbyt bliskim kontakcie z dawnymi brutalnymi zbrodniami mojego kraju i skoncentrować się na życiu, które miałem przed sobą, a nie tym, które zostawiałem.

Udało mi się to bez większego wysiłku, gdyż spotkanie z Benavidesem i Carballem zaczęło odsuwać się w mojej pamięci na dalszy plan, nie wiadomo kiedy, po prostu przestało istnieć, zakażać moją codzienność scenami i obrazami ze słynnych zabójstw (głowa wybuchająca jak petarda, krąg ze strzępkami ciała i dziurą po tkwiącej tam kiedyś kuli), i szalonymi teoriami spiskowymi będącymi tylko pożywką dla naszej paranoi, dla przekonania, że cały świat jest naszym wrogiem. Skoncentrowałem się na prowadzeniu zajęć, bo tak wówczas zarabiałem na życie, i starałem się nie zawieść swoich córek, wiedziałem bowiem, że moje błędy wkrótce staną się przeszłością dla mnie, ale każdą z nich naznaczą od pierwszej chwili i na zawsze. Wszyscy twierdzą, że władza, jaką mamy, by kształtować życie dzieci według własnego widzimisię, jest przerażająca, ale jeszcze bardziej przerażająca wydawała mi się bezkarność, z jaką mógłbym się pomylić, źle pokierować córkami, zranić je, skrzywdzić albo niechcący nauczyć robić krzywdę innym. Byłem zadowolony, że mogę się im poświęcić, bez przeszkód, wolny od wspominania toksycznej przeszłości. Zdobyłem się na dobrowolny, świadomy wysiłek, a jego owocem była uparta amnezja. Uznałem za błąd to, że poświęciłem czas i uwagę obsesjom Carballa i, czemu to przemilczeć, Benavidesa. Ten błąd dało się naprawić.

Ale czy naprawdę da się dobrowolnie zapomnieć? W *Mowach* Cyceron opowiada historię Temistoklesa, ateńczyka, którego mądrość nie miała za jego czasów sobie równych. Powiadają, że odwiedził go kiedyś mężczyzna uczony i darzony szacunkiem, który przedstawiwszy się i wygłosiwszy pochwały na swoją cześć, zaoferował mu, że nauczy go mnemotechniki. Zaintrygowany Temistokles zapytał, jakimi osiągnięciami może się poszczycić ta nowa nauka, o której dopiero zaczęło się robić głośno, a gość odpowiedział z dumą, że mnemotechnika pozwala zapamiętać wszystko. Temistokles odparł zawiedziony, że gość wyrządziłby mu prawdziwą przysługę, ucząc nie tego, jak wszystko zapamiętać, ale tego, jak zapomnieć o tym, czego pamiętać nie chce. Sam mogę myśleć, że bez niektórych zdarzeń z mojego życia (tego, co widziałem, słyszałem, postanowiłem w którymś momencie) byłoby mi lepiej, że do niczego mi nie służą, a wywołują dyskomfort, wstyd lub ból, wiem jednak, że zapominanie zależne od naszej woli nie istnieje, że one wciąż czają się w mojej pamięci, możliwe nawet, że zostawią mnie w spokoju przez krótszy czy dłuższy czas, jak zwierzęta, które zasnęły na zimę, ale któregoś dnia coś zobaczę, usłyszę albo postanowię coś, co sprawi, że wrócą i wychyną swoje łby; wspomnienia wstydliwe albo po prostu niepokojące wracają w naszej pamięci w nieprzewidzialnych momentach, powodując reakcję mięśni – odruch bezwarunkowy naszego ciała – który towarzyszy zawsze tym powrotom; niektórzy wciskają głowę w ramiona, jakby ktoś w nich czymś rzucał, inni uderzają ręką w biurko albo w deskę rozdzielczą samochodu, jakby ten gwałtowny gest mógł odgonić niepożądane wspomnienia, inni robią zdradzający ich grymas, zamykając oczy, zagryzając wargi i pokazując zęby; gdybyśmy ich szpiegowali, moglibyśmy nawet rozpoznać te chwile. No proszę, pomyślelibyśmy, przypomniało mu się coś niewygodnego, bolesnego, wstydliwego. Nie, nie można mieć kontroli nad niepamięcią, nigdy się tego nie nauczyliśmy, chociaż nasz umysł funkcjonowałby lepiej, gdybyśmy to potrafili, gdybyśmy mogli wpłynąć na to, w jaki sposób przeszłość wślizguje się do teraźniejszości.

Mnie się częściowo udało. Przez kolejne sześć lat nie myślałem o tych zbrodniach. Jakbym nigdy nie złożył wizyty w domu Francisca Benavidesa, zapomnienie było sukcesem pozbawionym rys. Pisałem i pracowałem, podróżowałem, kiedy wydawało mi się to konieczne, tłumaczyłem zdania Hemingwaya albo rozmowy z Alem Pacino, wykładałem literaturę amerykańskim dwudziestolatkom i starałem się – czasem z powodzeniem – zainteresować ich Rulfem albo Onettim, czytałem *Pod wulkanem* i *Wielkiego Gatsby'ego*, czując, że chcą mi udzielić ważnych lekcji, a ja jestem nie dość pojętny, żeby je zrozumieć; poza tym pozwalałem, żeby dni płynęły spokojnie. Miasta, podobnie jak twarz dziecka, zwracają nam to, co im pokazujemy; Barcelona w tamtych latach gościła mnie i brała w objęcia, ale było to tylko odbicie mojego osobistego zadowolenia, dziwnej równowagi, jaką dawała mi rodzina. Zacząłem żyć, nie zdając sobie z tego sprawy, co bez wątpienia jest jedną z metafor szczęścia. Moje córki nauczyły się chodzić na długim korytarzu naszego mieszkania przy placu Tetuán, na palmach widocznych z okien salonu przez cały rok trajkotały papugi, a później, kiedy przeprowadzaliśmy się do innego mieszkania na pierwszym piętrze przy ulicy Córcega, dziewczynki mówiły już z dziwnym akcentem, ni to hiszpańskim, ni to kolumbijskim, co czyniło je małymi cudzoziemkami w ich obu ojczyznach, a to, jak uczyły się mówić, zmieniło się w dziwne lustro odbijające moją własną obcość lub cudzoziemskość. Zacząłem się zastanawiać, poważniej niż kiedykolwiek, czy jeszcze zamieszkam w moim mieście, czy lata, które upłynęły od wyjazdu (a było ich już całkiem sporo), oddalą mnie od niego bezpowrotnie i sprawią w końcu, że powrót stanie się niemożliwy. Mój dobry przyjaciel podsumowywał to, bawiąc się trybami czasownika i wyrażając przy tym głęboką prawdę:

„Nam, Kolumbijczykom, nigdy nie udaje się na dobre wyjechać z Kolumbii", mówił. „My zawsze z niej wyjeżdżamy".
Ale gdzie leży granica? Ile czasu można było spędzić jako tymczasowy lokator, żeby nie stracić naszego świętego prawa powrotu do domu? W języku angielskim istnieje słowo *inquilin* oznaczające zwierzę, które żyje w gnieździe albo norze osobnika innego gatunku; ta definicja służyła mi, żeby zacząć tłumaczyć swoją sytuację bez uciekania się do czyhającego na nas patosu, nie byłem już przecież uchodźcą, bycie imigrantem nudziło mnie niemiłosiernie i nawet siłą nie przymuszono by mnie, żebym został częścią diaspory. Ale przez jakiś czas cierpiałem na bezsenność, rozmyślając o tym, czy kondycja tymczasowego lokatora jest dziedziczna, czy moje córki, choćby nie wiem jak zadomowiły się w Barcelonie, pozostaną nieuchronnie skazane na bycie nie stąd, przynależność do innego gatunku. Nie, być może nie była to ich nora, tak jak nie była moja, choćbym nie wiem jak dobrze się w niej czuł, choćbym nie wiem jak pokochał tutejszych przyjaciół i tutejsze zakątki. Nigdy nie było mi tak dobrze jak w tych latach życia w Barcelonie, kiedy patrzyłem, jak rosną moje córki i dzieci moich przyjaciół i czytałem książki, których nigdy wcześniej nie znałem, i zastanawiałem się, jak do tego doszło. Chodziłem na długie nocne spacery, czasem zaglądaliśmy z przyjaciółmi do barów albo wybieraliśmy się z M do kina w Méliès, obejrzeć film Hitchcocka albo Howarda Hawksa, a potem wracałem do domu, całowałem córki w czoło, przez chwilę patrzyłem, jak śpią w niebieskawym świetle kolorowej lampki, sprawdzałem, czy drzwi i okna są szczelnie zamknięte, i sam szedłem spać. Było w tym wszystkim wrażenie, że zostawiłem za sobą smugę cienia, o której pisał Conrad, ten wiek, kiedy stajemy się na zawsze dorośli, zajmujemy swoje miejsce w świecie i zaczynamy odkrywać jego sekrety. Kiedy miałem trzydzieści

trzy lata, upłynęło co najmniej pięć, odkąd przekroczyłem tę niewidzialną granicę i czułem się gotowy stawić czoło temu, co nadejdzie. I wszystko wydawało mi się w jakiś tajemniczy sposób powiązane z tym, że miałem szczęście, wielkie szczęście, mogąc uciec. Tak właśnie było. Jakbym uciekł, tak, wydawało się uczciwe ująć to w ten sposób, bo tak robią wszyscy Kolumbijczycy, na tym upływają nam dni; na próbach ucieczki albo zastanawianiu się, dlaczego tego nie robimy, na układaniu sobie życia w innym miejscu albo na borykaniu się z decyzją, żeby z tego życia zrezygnować. Dlatego wielu z nas zaludniło Barcelonę lub Madryt, tak zmieniliśmy Nowy Jork w trzecie kolumbijskie miasto na świecie, tak kończyliśmy w Miami albo w Paryżu, albo w Limie, albo w mieście Meksyk, wypełniając jak wdzierająca się woda każdą szczelinę. W tym mniej więcej czasie zacząłem tłumaczyć *Tunel*, niezwykłą powieść Williama Gassa, której motto nie zrobiło na mnie tak wielkiego wrażenia, jak powinno, a przede wszystkim takiego, jaki robi na mnie teraz:

Anaksagoras powiedział pewnemu człowiekowi, który żałował, że umiera na obczyźnie: „Do piekieł zewsząd schodzi się tak samo”.

Nie, nie da się uciec od kolumbijskiej przemocy i powinienem był o tym wiedzieć. Nikomu nie udaje się uciec, a już zwłaszcza ludziom z mojego pokolenia, które urodziło się razem z narkobiznesem i zaczynało dojrzałe życie, kiedy kraj tonął we krwi podczas wojny wypowiedzianej mu przez Pabla Escobara. Można wyjechać z kraju, jak ja w 1996 roku, i sądzić, że zostawiło się go za sobą, ale to tylko kłamstwo, wszyscy się okłamujemy. Nigdy nie przestanie mnie zdumiewać nauczyciel wybrany przez życie, żeby przerobić ze mną tę lekcję, której mogłem się nauczyć na tyle innych sposobów; upolowany hipopotam.

Ta ważąca półtorej tony bestia, która dwa lata spędziła na wolności, uciekłszy z hacjendy Nápoles, posiadłości będącej kwaterą główną Pabla Escobara i jednocześnie ogrodem zoologicznym otwartym dla publiczności. Kiedy zobaczyłem to zdjęcie, było lato, upalne lato 2009 roku. Jeden z gości, którzy często w tym okresie zatrzymywali się u mnie przejazdem, zostawił w domu egzemplarz tygodnika „Semana", ale musiało upłynąć wiele dni – czasopismo krążyło z miejsca na miejsca jak pokutująca dusza – żebym otworzył je machinalnie w jakiejś wolnej chwili, po tym jak wyjąłem z lodówki zimne piwo. Efekt był natychmiastowy. Zdjęcie żołnierzy, którzy upolowali hipopotama, facetów w ciemnych mundurach otaczających ciało nieżywego zwierzęcia ze strzelbami wycelowanymi w niebo i z prymitywnymi uśmiechami tryumfu na twarzach, wywołało we mnie zupełnie nieprzewidzianą reakcję, jakiś rodzaj niepokoju niemającego nic wspólnego z chwilą obecną, niewyjaśnione poczucie, że coś jest nie tak. Co się stało? Musiałem długą chwilę uważnie wpatrywać się w fotografię, przeczytać kilkakrotnie towarzyszącą jej opowieść o ucieczce i polowaniu, żebym zrozumiał, że widok hipopotama otoczonego przez myśliwych nałożył się w mojej kapryśnej pamięci na obraz Pabla Escobara, ściganego i zastrzelonego na dachach Medellín, nad jego ciałem wianuszek innych myśliwych, mężczyzn w mundurach z innymi strzelbami wycelowanymi w niebo, z innymi tryumfalnymi uśmiechami; jeden z nich unosił trupa za koszulkę, żeby pokazać aparatom ciekawskich zarośniętą twarz mężczyzny, który utopił kraj we krwi na całą dekadę.

I nagle pojawiło się wspomnienie. Zacząłem sobie przypominać wizytę, z kolegą ze szkoły i jego rodzicami, w ogrodzie zoologicznym hacjendy Nápoles, bajkowym miejscu, gdzie – oprócz hipopotamów – mieszkały różowe delfiny z Amazonki, kilka par żyraf, szare nosorożce i słonie afrykańskie, zebry w oczach zwiedzającego stwarzające złudzenie stada, cała armia flamingów, które, kiedy urosły, zaczynały się osiedlać w coraz bardziej odległych jeziorach (rysując długą różową linię pod olbrzymimi palmami), kangur umiejący kopać piłkę futbolową i papuga potrafiąca wymienić z pamięci ustawienie kolumbijskiej drużyny piłkarskiej. Był rok 1985, chyba lipiec, bo właśnie zaczęły się wakacje, musiałem więc mieć dwanaście lat, kiedy przekroczyłem bramę hacjendy Nápoles, przechodząc pod białą awionetką, którą Escobar kazał umieścić niczym fronton, żeby uwiecznić swoją pierwszą k o r o n a c j ę, tak bowiem nazywali *narcos* skuteczny przerzut towaru do Stanów Zjednoczonych – pionek przechodzący przez linie obrony i zmieniający się na końcu w majestatyczną królową. Później miałem się dowiedzieć, że awionetka (kod rejestracyjny HK-617; jedna z tych kompletnie nieprzydatnych informacji przechowywanych przez moją kapryśną pamięć) była repliką oryginalnej, która zatonęła w morzu z ładunkiem narkotyków, natomiast w owej chwili, przechodząc z przyjacielem pod jej skrzydłami, poczułem dziecięce wyrzuty sumienia, bo doskonale wiedziałem, że rodzicom nie spodobałaby się moja wizyta w posiadłości człowieka, który już od wielu miesięcy był w kraju najpotężniejszym baronem narkotykowym, który od kwietnia minionego roku pozostawał nieukaranym wciąż sprawcą zabójstwa ministra sprawiedliwości.

Wszystkie wspomnienia napłynęły z przejrzystością południowego światła. Nie mogłem się oprzeć impulsowi i znalazłem swój notatnik, moleskine w czarnej okładce, i zacząłem zapisywać wspomnienia: o życiu w tamtych czasach, o zoo, o tym, co pomyśleliby moi rodzice, gdyby dowiedzieli się, że tam byłem. Nie spodobałoby im się to, o nie, i ja w wieku swoich dwunastu lat doskonale już rozumiałem dlaczego; zabójstwo ministra Rodriga Lary Bonilli zniszczyło jednym celnym ciosem ich wyobrażenie o kraju, w którym mieszkali. „Takie rzeczy nie zdarzały się od czasów Gaitana", powiedział ojciec w tamtych dniach, a przynajmniej mówi tak w mojej pamięci. Oni – wówczas pokolenie czterdziestolatków – wzrastali w kraju, w którym to j u ż s i ę n i e z d a r z a ł o. Kilka miesięcy przed zabójstwem, na jakimś weekendowym spotkaniu u mojego sąsiada, ktoś z dorosłych zauważył, że minister powinien bardziej uważać, bo jeśli nadal będzie zadzierał z mafiosami, zabiją go. Wszyscy obecni – cztery małżeństwa z dziećmi grające w karty i pijące *aguardiente*, otuleni w poncha z Nobsy – wybuchnęli śmiechem, bo wydawało się to zupełnie nieprawdopodobne, a ci, którzy pamiętali Bogotazo (siłą własnych lub odziedziczonych wspomnień), wciąż żywili nadzieję, że to się nigdy nie powtórzy. Ale ta nadzieja wyleciała w powietrze w nocy 30 kwietnia. Rodrigo Lara wyszed ze swojego gabinetu, kiedy już było ciemno. Zaatakowali go *sicarios:* ten, który miał pistolet maszynowy, strzelał natychmiast i bez mierzenia, jak nauczono go w szkole dla *sicarios* założonej w Sabaneta, na południu Medellín, przez izraelskiego najemnika. W chwili śmierci Lara miał przy sobie książkę w twardej okładce *Słownik historii Kolumbii.*

Następnego dnia na ulicach zaległa szczególna cisza, cisza, jaka panuje w domach, gdzie ktoś umiera. Potem, kiedy zapytałem o to dorosłych z mojego otoczenia, wszyscy powtarzali to samo: tak, to inne miasto, miasto, które wstało odmienione. Kraj też był inny, to oczywiste: coś pękło, coś się zmieniło, ale wówczas nie było jeszcze wiadomo, że zmieniło się na zawsze, nie było wiadomo, że tej nocy rozpoczęła się mroczna dekada, dziewięć lat, siedem miesięcy i sporo dni, których efekt mieliśmy potem rozpamiętywać do końca naszego życia; mroczna dekada, tak, ciemne lata, śmierdzące szambo naszej historii. Wszyscy to pamiętają. Kolumbijski

rząd musiał jakoś zareagować i zdecydował się zadać karte-
lom cios w najwrażliwsze miejsce, obwieścił z wielką medial-
ną pompą, że od tej chwili przemytnicy będą natychmiast
poddawani ekstradycji. Stosowny traktat między Kolumbią
a Stanami Zjednoczonymi, podpisany w 1979 roku przez
Jimmy'ego Cartera i Julia Cesara Turbaya, znów wyszedł na
ulicę jak zombie i zaczął straszyć *narcos*. Bo jedno było dla
nich jasne, o ile kolumbijskiego sędziego można było prze-
kupić lub zabić – słynne *plata o plomo* – o tyle za granicą
było to znacznie trudniejsze, z dala od swoich ukrytych dolarów i przymierających głodem *sicarios*. I wtedy wybuchła
pierwsza bomba, a przynajmniej pierwsza przeze mnie zapa-
miętana. Stało się to przed ambasadą amerykańską, zginęła
jedna osoba. Dwa miesiące później w Stanach Zjednoczonych wylądowały pierwsze samoloty z przemytnikami pod-
danymi ekstradycji. Escobar i jego wspólnicy, zdecydowani
nie dopuścić, żeby spotkało ich to samo, stworzyli grupę
o nazwie Los Extraditables i wznieśli swój okrzyk wojenny:
„Wolimy grób w Kolumbii niż więzienie w Stanach Zjednoczonych". I zajęli się, z godnym podziwu uporem, kopa-
niem grobów dla innych.

Sędziego Tulia Manuela Castro Gila, prowadzącego śledztwo w sprawie Lary, zabił *sicario,* który wysiadł z zielonej
mazdy, z twarzą zasłoniętą szalikiem. Hernanda Baquera
Bordę, sędziego Sądu Najwyższego i sprawozdawcę trak-
tatu ekstradycyjnego, kilku płatnych zabójców na moto-
cyklach podziurawiło kulami niedaleko od miejsca, gdzie
zabito Larę. Roberta Camacha Pradę, syna liberała zamordowanego w burzliwych latach pięćdziesiątych, właściciela
posiadłości na brzegu Amazonki, chorego na zespół Guillaina-
-Barrégo korespondenta „El Espectador", w Leticii zabił
sicario czekający na niego przed domem. Kapitana Wydziału Antynarkotykowego Policji Luisa Alfreda Macanę zabił

w Bogocie osiemnastolatek; przyjechał specjalnie w tym celu z Nocaimy, gdzie kilka miesięcy wcześniej ściął maczetą głowę przeciwnika, z którym grał w bilard, i właśnie uciekł z więzienia; za zbrodnię wziął sto tysięcy peso, przyznał się do wszystkiego, a potem wszystkiemu zaprzeczył. Sędziego Gustava Zuluagę Sernę, prowadzącego śledztwo w sprawie zabójstwa z 1975 roku dwóch agentów, którzy odkryli trzydzieści sześć kilogramów kokainy w oponach ciężarówki, przez cztery lata zastraszano przez telefon, przysyłano mu nekrologi z jego nazwiskiem, a nawet wiadomości od Pabla Escobara z groźbą, że jeśli sędzia nie wycofa zarzutów, zabije jego ciężarną żonę, w końcu *sicarios* napadli go na rondzie w Medellín i zastrzelili. Na pułkownika Jaime Ramireza Gomeza, towarzysza Lary w walce z kartelem, czekali przy wjeździe do Bogoty, kiedy wracał po weekendzie w Sasaimie, bez eskorty ani innej broni poza własną i wpakowali w niego czterdzieści kul na oczach żony i dwojga dzieci. Guillerma Cana, redaktora naczelnego „El Espectador", który często atakował Escobara na pierwszych stronach swojej gazety, najpierw publikując zdjęcia z jego dawnego aresztowania za posiadanie narkotyków, a potem rozpowszechniając zarzuty Lary, i zawsze używał swoich łamów, żeby nazywać Escobara skorumpowanym zbrodniarzem, zastrzelono nieopodal jego gazety, o siódmej trzydzieści wieczorem, tydzień przed świętami Bożego Narodzenia. Sędzi Marieli Espinosie, która prowadziła sprawę Escobara o dziesięć kilogramów kokainy znalezionych w Itagüí, grożono, podpalono sąd, żeby pozbyć się akt, podłożono bombę w samochodzie (sędzia wysiadła w porę) i kilka miesięcy później zastrzelono ją w drzwiach garażu, na oczach czekającej na nią matki. Kandydata na prezydenta Luisa Carlosa Galana, założyciela – wspólnie z Larą – ruchu Nuevo Liberalismo, wielbiciela Jorge Eliecera Gaitana ocierającego się o imitację caudilla, upartego dręczyciela wszelkich mafii ocalałego z nieudanego zamachu z użyciem wyrzutni rakietowej, zabito trzema seriami z pistoletu maszynowego w Soache, na południu Bogoty, kiedy wszedł na drewnianą trybunę, żeby wygłosić mowę do setek zgromadzonych osób. A kiedy wszystko to się działo, wybuchały też bomby: ta w samolocie, która zabiła ojca mojego przyjaciela, ta przed DAS, która zabiła pomocniczkę doktora Benavidesa, ta z Izby Handlowej, która wybuchła tak blisko mnie, i inne w centrach handlowych.

Wiele lat później usłyszałem nagranie głosu Escobara, które nie pozostawia cienia wątpliwości:

„Musimy zasiać zajebisty chaos, żeby chcieli zawrzeć z nami pokój", mówił, „Jeśli będziemy strzelać do polityków, podpalać im domy i zrobimy zajebistą wojnę domową, będą musieli usiąść z nami do stołu i po kłopocie".

Ale nie tylko politycy, lecz także my wszyscy mieliśmy spalone domy, czuliśmy się wplątani w wojnę domową, która oczywiście nie była żadną wojną domową, ale tchórzliwą, bezlitosną i pokrętną rzezią ludzi będących łatwym celem i w dodatku niewinnych.

Dwadzieścia cztery lata po mojej wizycie w ogrodzie zoologicznym znów to wszystko wróciło do mnie, wspominałem w Barcelonie to, co widziałem w tamtych latach, spędzałem długie godziny w internecie, żeby zebrać wszystkie potrzebne informacje (oglądałem filmy pokazujące zakrwawioną tapicerkę samochodu Lary albo mównicę, na którą padł Galán), rozmawiałem przez telefon z przyjaciółmi oraz rodziną, dopytując się, co oni pamiętają, i wspominając inne ofiary, bo gdybym tego nie zrobił, czułbym, że dopuszczam się niesprawiedliwości, jakby ktoś obserwował mnie ukradkiem i miał mi za złe, że zapominam o jego zmarłych;

wspominałem to miasto poranione przez bomby, które każdego ranka po zamachu budziło się zmienione w kurę, wciąż biegającą w kółko, chociaż obcięto jej głowę. I zastanawiałem się, co się nam przydarzyło: bogotanom, oczywiście, ale szczególnie tym, którzy byliśmy dziećmi, kiedy wszystko się zaczęło i nauczyliśmy się rzemiosła życia podczas tej trudnej dekady. Cząstkowej odpowiedzi doczekałem się w Barcelonie pewnego wieczoru, podczas powrotu ze stadionu z meczu swojej drużyny. Jak zwykle poszedłem do stacji metra Collblanc, żeby trochę się przewietrzyć, a potem wsiadłem w pierwszy pociąg, który po meczu był tak zapchany jak w godzinach szczytu. Pasażerowie prawie nie mogli się ruszać i tylko ci najwyżsi trzymali się (opierając dłoń na zielonym suficie), żeby nie przewrócić się na sąsiada, kiedy pociąg robił jakiś gwałtowny manewr. Ale wagon stopniowo pustoszał, zostawialiśmy za sobą kolejne stacje i kolejnych pasażerów, a kiedy zbliżaliśmy się do stacji Diagonal, coś zwróciło moją uwagę. Był to porzucony pod siedzeniem, tuż obok buforu łączącego wagony, ręcznie haftowany plecak. Kiedy go zobaczyłem, zorientowałem się, że widzi go też kobieta trzymająca dziecko (oboje w koszulkach Barçy). Maluch spał na jej ramieniu, a ona ponad jego głową spoglądała na ten plecak. Coś w jej twarzy wydało mi się znajome. Znaliśmy się? Minęliśmy się na stadionie? Gdzie ją wcześniej widziałem?

Nie pamiętam, kiedy to się stało, ale zapewne ze dwa lata po tym, jak hiszpańskie gazety zapełniły się wiadomościami o dżihadystach planujących zamach w barcelońskim metrze. Nastały długie dni paranoi przyniesionej nam przez wciąż żywe obrazy z zamachów Al-Kaidy na dworcu Atocha; obrazy pociągów rozerwanych bombami, fragmentów karoserii porzuconych na torach jak stara skóra węża powracały do nas z 2004 roku, żeby pokazać z całym bogactwem szczegółów to, co mogło nas spotkać, ale nas nie spotkało, miały one zamieszkać z nami na wiele miesięcy, atakować z gazet wystawionych w kioskach, z ekranu telewizora rozświetlającego mijany bar. W miarę jak media zapoznawały nas z wynikami śledztwa, dowiadywaliśmy się, że w skład barcelońskiej komórki terrorystycznej wchodziło sześciu samobójców i trzech liderów, którzy mieli włożyć bomby do plecaków, a ktoś inny miał je zdalnie aktywować i że wybrali za cel metro, bo do pociągu, który znajduje się między dwiema stacjami, nie mogą dotrzeć służby ratownicze.

W naszym pociągu, kiedy zostawiliśmy za sobą stację Diagonal, kobieta ze śpiącym dzieckiem (w koszulkach Barçy), zobaczywszy porzucony plecak, zapewne przypomniała sobie plan przewidujący zabicie wielu osób, gdyby nie został odkryty i udaremniony przez służby. I wtedy stanął mi przed oczami wyraz twarzy tej kobiety, który przecież widywałem w Bogocie wielokrotnie, w centrach handlowych, na podziemnych parkingach, na twarzach ludzi żyjących z pozoru normalnie. Udawaliśmy, że oklejanie szyb na krzyż taśmą klejącą jest normalne, żeby w wypadku wybuchu bomby szkło nie rozprysło się na śmiercionośne odłamki. Udawaliśmy, że normalne jest spanie w obcych domach za każdym razem, kiedy po wybuchu bomby albo zamachu godzina policyjna zastawała nas nie tam, gdzie trzeba.

Półtora roku. Przez półtora roku wypełniałem strony podobnymi wspomnieniami, notatkami i datami, w desperackim wysiłku przekształcenia ich z pomocą wyobraźni, która wszystko oświetla, i fabuły, która widzi więcej niż my sami, żeby w końcu zrozumieć, co wydarzyło się przez tę dekadę, zrozumieć wydarzenia, publiczne i widoczne oczywiście, całe legiony obrazów i opowieści czekających na nas w kronikach, historiografii i pamiętliwych labiryntach internetu, ale także zrozumieć wydarzenia niewidoczne i prywatne, których nie ma nigdzie, gdyż nawet najlepszy z historyków oraz najlepszy z dziennikarzy nie potrafi opowiedzieć, co dzieje się w duszy kogoś innego. Półtora roku, tak. Przez ten czas bez przerwy wspominałem tamte dni, tamtych zabitych, żyłem wśród nich, rozmawiałem z nimi, słuchałem ich lamentów i sam lamentowałem nad tym, że nie mogę zrobić nic, żeby ulżyć ich cierpieniu. Ale przede wszystkim myślałem o nas, którzy przeżyliśmy i próbujemy teraz zrozumieć, co się stało, tyle lat później opowiadamy o tym historie, żeby to sobie wytłumaczyć. Taki był mój cel: próbowałem wyjaśnić, opowiedziałem historię, napisałem książkę. I przysięgam – kiedy skończyłem *Hałas spadających rzeczy*, myślałem, że wyrównałem osobiste rachunki z przemocą, w jakiej przyszło mi żyć. Teraz wydaje mi się niewiarygodne, iż nie rozumiałem wówczas, że naszymi aktami przemocy są nie tylko te, które wydarzyły się za naszego życia, ale też inne, pochodzące z minionych czasów, bo wszystkie one są powiązane, chociaż łączące je nitki są niewidzialne, bo czas przeszły zawiera się w czasie teraźniejszym, bo przeszłość jest naszym spadkiem dziedziczonym z dobrodziejstwem inwentarza i w końcu dostajemy wszystko: zdrowy rozsądek i szaleństwo, trafne decyzje i błędy, niewinność i zbrodnie.

IV

PRÓŻNO SIĘ PYSZNISZ

W lipcu 2012 roku, po szesnastu latach życia w trzech europejskich krajach, wróciłem do Bogoty. Od razu zadzwoniłem do doktora Benavidesa, żeby zapytać, kiedy możemy się zobaczyć. Nasze ostatnie spotkanie zakończyło się bardzo niemiło, a ja chciałem to jakoś załagodzić, zatrzeć pamięć o dawnych tarciach, a nawet przeprosić, bo to ja popełniłem błąd, nie tylko w ocenie sytuacji, ale także zachowując się tak, jak się zachowałem. Smutny głos powiedział mi, że doktor jest chory i nie może podejść do telefonu. Wysiłek związany z rozpoczynaniem życia w innym kraju wcale nie jest mniejszy, kiedy tym nowym krajem jest nasz własny; byłem skoncentrowany na niespodziankach zastanych po powrocie, na wychwytywaniu setek drobnych zmian, jakie zaszły w mentalności i temperamencie miasta podczas mojej nieobecności, i nie zatelefonowałem więcej do Benavidesa, nawet nie zainteresowałem się stanem jego zdrowia. Napisałem krótką powieść; odbyłem podróże, które wydawały mi się konieczne, i powoli, krok po kroku, odnajdywałem się w Kolumbii. Przez półtora roku, które w mojej pamięci teraz wydaje się wiecznością, nie miałem żadnych wieści od Benavidesa. Nawet o nim nie myślałem.

On otworzył przede mną drzwi swojego gabinetu, podzielił się ze mną rzeczami, które uważał za sekrety, zaufał mi. Czym odwdzięczyłem się za to zaufanie? Pewnego pięknego dnia zdałem sobie sprawę, że od naszej rozmowy, napiętej i nieprzyjemnej, upłynęło osiem lat i musiałem przyznać, że to nie pierwszy raz, kiedy ktoś znika z mojego życia z mojej winy, z powodu moich skłonności do samotnictwa i milczenia czy mojej rezerwy, czasami niczym nieuzasadnionej, przez nieumiejętność utrzymywania bliskich relacji (nawet z ludźmi, do których jestem przywiązany i którzy naprawdę mnie interesują). To była zawsze jedna z moich wielkich wad, niejeden raz przyczyniła się do rozczarowań, a także rozczarowała innych. Nic jednak nie mogę na to poradzić, bo nikt nie może zmienić swojej natury tak po prostu, siłą woli.

Ale na początku 2014 coś się wydarzyło.

Pierwszego stycznia byłem w dziewiętnastowiecznej hacjendzie w rejonie uprawy kawy, domu o ścianach z plecionych gałęzi pokrytych gliną i podłodze z malowanego drewna, którego nazwa „Alsacia" sprawiła, że zacząłem fantazjować o weteranach wojny francusko-pruskiej, którzy pozostawili w kolumbijskich Andach nieco swojej nostalgii. Znalazłem się tam z oczywistych powodów: chciałem przywitać nowy rok w dobrym towarzystwie, ale ostatecznie spędziłem więcej czasu, niż zamierzałem, na rozmyślaniu o ostatniej wiadomości, jaką przyniósł stary rok; 24 grudnia, wracając z Belgradu do Sarajewa, w którym mieszkała, serbska pisarka Senka Marnikovic, autorka zbioru opowiadań, uważanych przeze mnie osobiście za arcydzieło, straciła panowanie nad kierownicą na śliskiej oblodzonej szosie, auto rozbiło barierkę, zjechało z wysokiego wału i zderzyło się czołowo z warsztatem samochodowym. Śmierć na drugim krańcu świata autorki jednej jedynej książki, pisarki, której zdjęć nigdy nie widziałem, a głosu nigdy nie słyszałem, wprawiła mnie w niespodziewaną i zaskakującą melancholię, zwłaszcza jeśli wziąć pod uwagę, że kilka lat wcześniej nie miałem nawet pojęcia o jej istnieniu.

Usłyszałem o niej na wiosnę 2010 roku, podczas mojej trwającej siedemdziesiąt dwie godziny podróży z Barcelony do Belgradu, dokąd pojechałem wygłosić wykład o literaturze przed publicznością złożoną z hispanistów. Moja gospodyni, wykładowczyni literatury latynoamerykańskiej, tłumacząca w wolnych chwilach poezje Cesara Vallejo, zaproponowała mi potem zwiedzanie mieszkania powieściopisarza Iva Andricia, a następnego dnia postarała się o to, żeby oprócz tej fetyszystycznej wizyty pokazać mi też park i rozciągający się z niego widok na Dunaj oraz spelunkę, gdzie ciekawscy cudzoziemcy mogli kupić na pamiątkę zdewaluowane banknoty z czasów wojny w Bośni. W tym właśnie barze zapytała mnie, czy czytałem *Duchy Sarajewa*. Kiedy powiedziałem, że nie tylko nie znam książki, ale wręcz nigdy nie słyszałem o autorce, wykładowczyni odparła, z doskonałym madryckim akcentem, że tak, kurwa, być nie może, i następnego dnia okazało się, że zostawiła mi w recepcji hotelu egzemplarz opowiadań Marnikovic w jedynym języku zachodnioeuropejskim, na który została dotychczas przetłumaczona. Zacząłem czytać *Fantôme de Sarajévo* w poczekalni na lotnisku w Belgradzie, a kiedy dotarłem do domu w Barcelonie, po przesiadce w Zurychu, która przeciągnęła się z powodu złej pogody, już ją skończyłem i czytałem jeszcze raz niektóre opowiadania, przeklinając pod nosem, że nie natknąłem się wcześniej na tę doskonałą książkę, i czując, że nie odkryłem nic równie fantastycznego od owego dnia 1999 roku, kiedy to otworzyłem przedziwną książkę niejakiego W.G. Sebalda. A teraz Marnikovic nie żyła, zginęła, mając siedemdziesiąt dwa lata, trzydzieści dziewięć lat po opublikowaniu swojego wspaniałego zbioru, a melancholia, w której się pogrążyłem na wieść o jej śmierci, zmieniała się teraz w niemal fizyczną potrzebę przeczytania go ponownie, zanurzenia się w jej głosie, który wiedział więcej niż mój głos, oglądania świata jej oczyma, które były uważniejsze od moich oczu. Wyjąłem książkę z biblioteczki i włożyłem do czarnego plecaka, i miałem ją przy sobie tego pierwszego stycznia, towarzyszyła mi w dziewiętnastowiecznej posiadłości, cicha nawet w neutralnym tonie kremowej okładki, delikatna, jakbyśmy oboje stracili wspólnego przyjaciela.

W tamtym roku święto wypadało w środę, a był to dzień tygodnia, który przez siedem ostatnich lat poświęcałem na pisanie cotygodniowych felietonów do dziennika „El Espectador". Przyzwyczaiłem się do pracy rankami, kiedy głowa pracuje mi szybciej, ale powolność Nowego Roku (nieświadome przekonanie, że świat zaczął się od nowa i nie warto się spieszyć) zaburzyła moją rutynę. Dopiero po późnym obiedzie, kiedy w starym domu o drewnianych podłogach zawitała niemożliwa do przezwyciężenia senność i nic nie zakłócało ciszy prócz gwaru cykad i papużek, wziąłem sobie z lodówki piwo, usadowiłem się za stołem do gier, którego zielone sukno zostało nadpalone papierosami podczas wczorajszej imprezy, i zabrałem się do roboty niczym myśliwy, który wychodzi na łowy, chociaż nie jest pewien, czy cokolwiek upoluje. Otworzyłem na chybił trafił książkę Marnikovic, przypomniałem sobie początek kilku opowiadań, w końcu przeczytałem w całości jedno, *Dziwne przypadki Gawriła Principa*, najlepsze z całego zbioru i, jak mi się wydało, najbardziej adekwatne do tego roku, który dopiero co się zaczynał. Mając w głowie bohaterów opowiadania, napisałem pierwsze zdania felietonu; upłynęło zaledwie kilka minut, a opowiadanie Marnikovic skojarzyło mi się z innymi tematami i innymi postaciami, osobiście mi bliższymi, ostatecznie skonstruowałem ten felieton wokół w miarę prostej idei: możliwego pokrewieństwa łączącego dwa słynne zamachy, jeden o znaczeniu uniwersalnym, drugi o znacznie skromniejszych konsekwencjach, które dzieliło tylko kilka miesięcy. *Wspomnienia z roku, który właśnie się zaczyna*, tak zatytułowałem tekst. Potem napisałem:

To będzie rok świętowania rocznic, ale nie tych dobrych. Z pewnością Panamczycy upamiętnią przepłynięcie S.S. Acón przez swój świeżo otwarty kanał, a czytelnicy Julia Cortazara wspomną jego przyjście na świat w Brukseli. Niestety obawiam się, że kolejne miesiące poświęcimy przede wszystkim na rozmowy o pewnych zamachach i ich konsekwencjach. Rok 1914, wedle powszechnego przekonania graniczącego z banałem, jest bramą do przerażającego dwudziestego wieku, i to nie dlatego, że w tym roku urodził się argentyński pisarz, który przetarł sobie szlak pomiędzy oceanami. Zabójstwa, które wtedy miały miejsce, były akuszerami najznaczniejszych wydarzeń późniejszej historii i ciarki przechodzą po plecach, kiedy obserwujemy z fałszywie uspokajającej perspektywy lat, jak małe wyobrażenie mieliśmy o czekającej nas za rogiem katastrofie. W Dziwnych przypadkach Gawriła Principa, jednej z najlepszych fikcji, jakie kiedykolwiek napisano o dziedzictwie tego roku, serbska pisarka Senka Marnikovic wyobraża sobie świat, w którym nie wybuchła pierwsza wojna. Gawriło Princip, młody serbski nacjonalista, przyjeżdża do Sarajewa, żeby zabić arcyksięcia Franciszka Ferdynanda, ale jego pistolet zacina się i arcyksiążę przeżywa. Princip umiera rok później na gruźlicę, a losy świata toczą się inaczej.

Tak oczywiście nie było. Gawriło Princip zabił arcy-
księcia Franciszka Ferdynanda Habsburga. Princip miał
niedługo skończyć dwadzieścia lat, próbował wcześniej
wstąpić do organizacji terrorystycznej Czarna Ręka, ale
nie przyjęto go ze względu na niski wzrost, więc nauczył
się podkładać bomby i posługiwać pistoletem, przyłączył
się do grupy sześciu spiskowców, których celem było zabi-
cie następcy tronu Cesarstwa Austro-Węgierskiego; potem
mieli nadzieję oddzielić od cesarstwa dwie jego słowiań-
skie prowincje i stworzyć wielkie serbskie państwo naro-
dowe. Spiskowcy wmieszali się w tłum flankujący trasę
przejazdu arcyksięcia podróżującego w wozie z otwartym
dachem, żeby publiczność mogła zobaczyć szlachetnie
urodzonych pasażerów. Pomysł spiskowców polegał na
tym, żeby wszyscy po kolei, od pierwszego do ostatniego,
spróbowali oddać strzały. Pierwszemu nie udało się, nie
opanował strachu. Principowi natomiast, wbrew wspo-
mnianym spekulacjom Marnikovic, się udało.

W październiku tego samego roku, ale po drugiej stro-
nie globusa, mężczyzna, który nie był wprawdzie arcy-
księciem, lecz senatorem Republiki i generałem, też zo-
stał zamordowany, nie z broni palnej ale toporkami,
przez dwóch młodych i biednych jak Princip osobników.
Rafael Uribe, weteran wielu wojen domowych, niekwes-
tionowany lider Partii Liberalnej (w tamtych czasach
bycie liderem naprawdę coś znaczyło) i pierwowzór po-
staci Aureliana Buendíi, został w południe zaatakowa-
ny przez Leovigilda Galarzę i Jesusa Carvajala, bez-
robotnych stolarzy. Zmarł następnego dnia nad ranem
w swoim domu przy Dziewiątej Ulicy w Bogocie; dziś
tam, gdzie zaatakowali go mordercy, znajduje się tab-
liczka, na którą nikt nie patrzy, bo powieszono ją na wy-
sokości kolan. Kolumbijczycy wszakże zapamiętają ten

rok. Będą pisać o generale, wychwalać jego życie, cho-
ciaż go nie znają, ubolewać nad jego śmiercią, chociaż
nie wiedzą, dlaczego został zabity. I tak będzie płynął
nam czas, na rozmyślaniach o Principie i Franciszku
Ferdynandzie, na rozmyślaniu o Galarzie i Carvajalu
i o generale Uribe Uribe.
Rok dopiero się zaczął.

Felieton opublikowano 3 stycznia. W następny poniedziałek, święto Trzech Króli, obudziłem się chwilę przed
świtem. Starając się bardzo, żeby nie zdradził mnie żaden
trzask podłogi pod stopami, skrzypienie zawiasów drzwi tego
starego domu, wstałem i otworzyłem komputer, żeby przejrzeć prasę. Wiele lat temu przestałem czytać komentarze na
stronie pod swoimi felietonami, nie tylko przez brak czasu
i zainteresowania, ale również dlatego, że dochodziły tam do
głosu największe przywary naszych nowych cyfrowych spo-
łeczeństw: intelektualna dezynwoltura, dumna z siebie prze-
ciętność, oszczerstwa, równie nieprawdopodobne co bezkarne, ale przede wszystkim słowny terroryzm będący jak bójka
na podwórku szkolnym, w którą uczestnicy wdają się z niezrozumiałym entuzjazmem, tchórzostwo wszystkich tych
agresorów, pogardzających innymi, kiedy ukrywają się pod
pseudonimem, ale nigdy nie odważyliby się powtórzyć swoich obelg na głos. Fora pod felietonami w moim kraju zmieniły się w cyfrową wersję Dwóch Minut Nienawiści, owego
rytuału z *Roku 1984* Orwella, podczas którego wyświetla
się obywatelom zdjęcie wroga, a oni w ekstazie dopuszczają
się agresji fizycznej (rzucają przedmiotami w ekran) i wer-
balnej (obrażają, krzyczą, oskarżają, zniesławiają), a potem
znów wracają do rzeczywistości, rozładowawszy swe napięcia,
czując się wolni i zadowoleni z siebie. Tak, od wielu lat nie
czytałem tych komentarzy, jednak tego ranka zrobiłem to:

przejrzałem obelgi pełne błędów ortograficznych, oszczerstwa napisane jak zwykle z żałosną interpunkcją, wszystko to było znakiem, że coś się w Kolumbii popsuło. Jeden z ostatnich komentarzy zwrócił moją uwagę. Podpisany pod nim (to może za dużo powiedziane) był niejaki Wolnyduch. A brzmiało to tak:

> *Co za idiotyczny felieton, kogo obchodzi, co działo się gdzieś tam!!! A co stało się tutaj?? My, Kolumbijczycy, WIEMY, dlaczego zabito Uribe Uribe, chociaż bardzo starali się nas OSZUKAĆ, inna sprawa, że prawda nie wyszła na jaw. Panowie Redaktorzy, z takimi felietonistami codziennie tracicie prestiż. Ten pan, szumnie zwany felietonistą, lepiej niech pisze te swoje kiepskie powieści. Pewnego dnia prawda ujrzy ŚWIATŁO dzienne!!!*

Przez następne dni nie mogłem się pozbyć natrętnej myśli, że znów spotkałem Carlosa Carballa, potem doszedłem do wniosku, że jest inaczej, nie spotkałem go ponownie, tylko on z rozmysłem stanął na mojej drodze. A potem pomyślałem, że i to nie było prawdą, prawda była prostsza i zarazem bardziej przykra – Carlos Carballo nigdy nie odszedł. Przez tych długich osiem lat, jakie upłynęły od naszego spotkania w kościele, Carlos Carballo ani na chwilę nie stracił mnie z oczu; niewykluczone, że przeczytał moje książki, pomyślałem, a z pewnością czytał moje felietony, pozostawiając pod wieloma z nich anonimową krytykę. Potem pomyślałem, że Wolnyduch mógł, wbrew pozorom, wcale nie być Carlosem Carballem, ale kimkolwiek z miliona osobników zaludniających republiki paranoi, typowe dla kraju o tak burzliwej historii jak nasza. Najlepiej będzie, pomyślałem, zadzwonić do doktora Benavidesa, zapytać go o zdrowie i o to, czy był ostatnio w kontakcie z Carlosem Carballem, czy ten opowiedział mu, co zaproponował mi w kościele i jaka była moja odpowiedź. Zadzwoniłem, nie odebrał, zostawiłem mu wiadomość u sekretarki w jego gabinecie. Nie oddzwonił.

Mój krótki pobyt w dziewiętnastowiecznej hacjendzie dobiegł końca, znów znalazłem się z rodziną w Bogocie, gotów wrócić do zwykłego rytmu pracy, ale nie próbowałem ponownie kontaktować się z Benavidesem. Dwie rzeczy pochłaniały całkowicie moją uwagę: z jednej strony powieść o weteranie wojny w Korei, którą chciałem napisać od pięciu lat, ruszyła wówczas z kopyta po wielu nieudanych próbach i trudno było mi ją odłożyć nawet na czas urlopu; z drugiej strony szukanie informacji o Sence Marnikovic, której śmierć sprawiła, że nagle zacząłem się nią interesować. Ale internet, który wszystko wie, o Sence Marnikovic wiedział bardzo niewiele. Jak to się często zdarza, kiedy coś nas martwi albo fascynuje, życie wydaje się nagle konspirować, żeby wszystko, w sposób bezpośredni lub nie, kazało nam wspominać o tym, wszystko się z tym kojarzyło. I tak oto okazało się, że para hiszpańskich dalekich znajomych, Asier i Ruth, mieszkała kiedyś na Bałkanach, opowiadali nostalgicznie o tamtych czasach i podsuwali mi książki o oblężeniu Sarajewa, rodziła się między nami przyjaźń. Powieściopisarz Miguel Torres napisał do mnie, że przeczytał mój felieton i chciałby wiedzieć, kim była ta serbska pisarka, czy jej książki przetłumaczono i gdzie można je znaleźć, bo bardzo interesują go fikcje, które zmieniają lub przekształcają bieg historii. Nie odpowiedziałem mu, choć było to niegrzeczne i egoistyczne, zwłaszcza że dotyczyło kolegi, którego szanuję (jego powieści o 9 kwietnia należą do najlepszych, jakie kiedykolwiek ukazały się w moim kraju), ale jedną z tajemnic życia czytelnika fikcji jest dążenie do zawłaszczenia, które odczuwamy wobec autorów opowiadających nam coś ważnego i nowego, coś, o czym nigdy nie słyszeliśmy. Ja nie chciałem rozmawiać o Sence Marnikovic, bo była tylko moja. To prymitywne poczucie, ale w tamtej chwili właśnie je miałem.

Na początku lutego napisałem wreszcie do doktora Benavidesa. Napisałem, że bardzo żałuję tej ciszy, która zapadła między nami na tyle lat, przyznałem, że czuję się odpowiedzialny za tę ciszę i jej konsekwencje, ale że bardzo zależy mi na ponownym spotkaniu. Tym razem odpowiedział natychmiast:

Szanowny Pacjencie!
Nie ukrywam, że Pańska wiadomość bardzo mnie ucieszyła. Od czasu do czasu przypominam sobie te dni, wiele lat temu, i też żałuję, że nie utrzymujemy kontaktu. Dowiedziałem się, że obecnie zaszczyca nas Pan swoją obecnością jako rezydent, prawda? Życie nie potraktowało mnie dobrze i chciałbym chyba porozmawiać o tym z kimś, kto zrozumie moje rozterki (wstawić melodramatyczną muzykę). Tak czy owak, z wielu powodów, nad którymi nie będę się tu rozwodził, Pan jest właśnie tym kimś. Ja ostatnio pracuję do późna. Do ósmej może mnie Pan zastać w klinice. Proszę mnie powiadomić, zanim się Pan wybierze w odwiedziny.
Serdeczności
— Francisco

Wybrałem się w kolejny piątek. Od czasu, kiedy urodziły się moje córki i spędziłem w klinice długie nocne godziny niepokoju i niepewności, przestępując jej próg o tej porze, natychmiast się denerwuję. Na dodatek umówiliśmy się w miejscu, które sprawiało, że czułem, jakbym przeżywał tamte chwile jeszcze raz — w mieszczącym się w podziemiach bufecie, pomieszczeniu bez okien zapełniającym się w porach posiłków dwoma rodzajami osób: krewnymi pacjentów, mającymi nieustannie na twarzy maski niepokoju, i lekarzami oraz pielęgniarkami, przyzwyczajonymi do widoku chorób a czasem wręcz na nie obojętnymi. Kiedy przyszedł Benavides, dwie minuty spóźniony, zauważyłem, że się postarzał, a potem, jakby w przypływie olśnienia, przypomniałem sobie, dlaczego darzę go szacunkiem tak podobnym do podziwu, bo na zmęczonej twarzy Benavidesa zobaczyłem nie tylko upływ czasu, ale też piętno, które odciska cudze cierpienie, te dodatkowe obowiązki, jakie wziął na siebie wiele lat temu, polegające przede wszystkim na dotrzymywaniu towarzystwa umierającym. Zjawił się w swoim białym fartuchu, w ręku miał książkę w zielonej okładce i zanim dotarł do mnie do stolika, musiał przywitać się z czterema osobami, które wstały, widząc, jak wchodzi przez przeszklone drzwi; wszystkich traktował tak samo uprzejmie, ściskając im dłonie z przyjemnością, a jednocześnie tak, jakby niósł na barkach niewidoczny ciężar. Teraz miał okulary bez oprawek, dwoje szkieł, które zdawałyby się unosić przed jego oczami, gdyby nie intensywna czerwień zauszników i mostka nad nosem.

„Coś panu przyniosłem", powiedział, siadając.

Była to uniwersytecka publikacja pod przerażającym tytułem: *Patrząc śmierci w oczy. Osiem perspektyw.*

„Co to jest?", zapytałem.

„Wariacje na ten sam temat", odrzekł. „Opowiadają filozofowie, teologowie, literaci, ludzie, którzy mogą pana zainteresować. I lekarz, to znaczy ja". Zrobił wstydliwą pauzę i dodał: „Kiedy nie będzie miał pan co czytać".

„Bardzo dziękuję", powiedziałem i to szczerze (a nie zawsze tak bywa, kiedy dostaję w prezencie książki). „Panie Francisco, kiedy widzieliśmy się ostatni raz…"

205

„Osiem lat temu? Będziemy rozmawiać o tym, co stało się osiem lat temu? Nie, Vásquez, to strata czasu. Porozmawiajmy raczej o czymś ważniejszym. Na przykład niech pan mi opowie, jak się mają pańskie córki".

I tak zrobiłem. Kiedy staliśmy w kolejce, żeby nałożyć sobie jedzenie, kiedy wracaliśmy do stołu i zaczynali jeść, opowiedziałem mu, nie wdając się w szczegóły, o moim doświadczeniu ojcostwa, które z dnia na dzień wydawało mi się coraz trudniejsze, i o tym, że czasem tęskniłem za początkami, kiedy jedynymi problemami były te natury medycznej. Teraz należało stawić czoło światu, temu cholernemu światu, który znajdzie swoje sposoby, żeby zranić każdego, a moje córki osiągnęły już wiek, kiedy były zdolne zauważyć, że wielu ich przyjaciół zostało zranionych na zawsze. Opowiedziałem o ostatnich latach w Barcelonie i o decyzji powrotu do Kolumbii. Opowiedziałem mu o swoich wrażeniach po szesnastu latach, o tym poczuciu częściowej obcości, że nie jestem całkowicie stąd, podobnie jak wcześniej, w Barcelonie, nie byłem całkowicie stamtąd, powiedziałem mu, że ta dziwna cudzoziemskość pozwoliła mi wrócić, gdyż tak naprawdę zawsze się nią żywiłem. Z drugiej strony miasto wydawało mi się nabuzowane, wrogie i nietolerancyjne, i w jakiś sposób nieprzewidywalne; inaczej niż w czasach, kiedy wyjechałem, przemoc nie była dziełem dobrze zdefiniowanych autorów wypowiadających wojnę społeczeństwu, przemoc tkwiła teraz w samych obywatelach, wszyscy sprawiali wrażenie zaangażowanych we własne krucjaty, wszyscy wydawali się wyciągać oskarżycielski palec, żeby piętnować i potępiać. „Kiedy to się stało?", zapytałem Benavidesa. W którym momencie zrobiliśmy się tacy? Kilka razy dziennie nachodziło mnie przykre przekonanie, że bogotanie, gdyby tylko mieli taką możliwość, chętnie nacisnęliby guzik, który wymazałby na zawsze znienawidzonych I n n y c h: ateistów, bogaczy, homoseksualistów, Murzynów, komunistów, biznesmenów, zwolenników prezydenta, zwolenników eksprezydenta, kibiców klubu Millonarios, kibiców klubu Santa Fe. Miasto było zatrute trucizną małych fundamentalizmów, ta trucizna krążyła pod ziemią niczym ścieki w kanalizacji, życie natomiast wydawało się toczyć normalnie, bogotanie nadal uciekali w objęcia przyjaciół, w seks z kochankami, byli rodzicami i dziećmi, i mężami, i żonami, trucizna im w niczym nie przeszkadzała, może nawet wierzyli, że jej nie ma. Ale istniały też takie wspaniałe osoby jak doktor Francisco Benavides, który całe godziny każdego dnia poświęcał na trzymanie za rękę nieuleczalnie chorych i rozmawianie z nimi o najlepszej z możliwych śmierci, nie broniąc się przed przywiązywaniem się do nich, nie racjonując empatii, nie dawkując uczuć, skaczących z otwartymi oczami na główkę w znajomości mogące mieć tylko jeden smutny koniec.

Opowiadałem mu o Carballu. Jedni wychodzili z bufetu, inni do niego wchodzili, w tle słychać było hałas będący mieszaniną dźwięku sztućców brzęczących o talerze i stukotu obcasów o kafelki, i głosów zderzających się z innymi zdenerwowanymi głosami, a ja opowiadałem. O spotkaniu po pogrzebie R.H. Moreno-Durana, o tym, co opowiedział mi Carballo, o powieści o Orsonie Wellesie, i słuchałem, jak żartuje z tej konkretnej powieści i w ogóle z powieściopisarzy niepotrafiących zostawić historii w spokoju ani uszanować rzeczy, które wydarzyły się naprawdę, jakby same w sobie nie były już wystarczająco interesujące. Powiedział, że dlatego właśnie pisarze już wiele lat temu przegrali naprawdę ważną bitwę, i nie chodziło o to, żeby ludzie przestali myśleć o swojej nieprzyjemnej, szarej czy wybrakowanej rzeczywistości, ale o to, żeby wzięli ją za fraki, spojrzeli jej w twarz i dali w pysk. Powiedziałem mu, że tak czy siak od śmierci R.H. upłynęło już osiem lat, a powieści nie opublikowano, więc pewnie ma rację; ludziom w zupełności wystarczało to, co wydarzało się naprawdę, a nie to, co mogłoby się wydarzyć. A jednak tylko tym byłem zainteresowany, gdy czytałem powieści, interesowała mnie tylko i wyłącznie eksploracja innej rzeczywistości, nie tej prawdziwej, nie osnucie powieściowej fabuły na kanwie ustalonych i udowodnionych faktów, ale królestwo możliwości, spekulacji, interesowało mnie to, jak pisarz przenika do miejsc niedostępnych dziennikarzowi czy historykowi. Wszystko to powiedziałem Benavidesowi, a on udawał, że słucha mnie uważnie i z zainteresowaniem.

Potem opowiedziałem mu o sfałszowanym liście i o propozycji napisania książki. „Na pewno był sfałszowany?", zapytał Benavides. „Na pewno", odparłem. I wtedy wbiłem wzrok w parę staruszków siedzących w głębi, w części bufetu, w której stały miękkie fotele. Ale nie zapatrzyłem się na nich dlatego, że w jakikolwiek sposób zwrócili moją uwagę, ale dlatego, żeby nie patrzeć Benavidesowi w oczy, kiedy mówiłem, że muszę mu coś wyznać. I zaraz, nie dając mu czasu na pytanie, wyjaśniłem, że to ja poinformowałem Carballa o zachowanym kręgu Gaitana, a co gorsza, podałem mu adres, pod którym się znajduje.

„Zrobiłem to niechcący" tłumaczyłem się głupio. „Wymsknęło mi się".

Zobaczyłem wtedy w jego twarzy coś, czego nie widziałem nigdy wcześniej, nowy kształt wyłaniający się z głębokich otchłani. Upłynęła chwila, która dłużyła mi się w nieskończoność, cztery, pięć sekund, może sześć. Benavides przerwał milczenie jedną z najkrótszych istniejących monosylab.

„Ach", powiedział.

„Przepraszam", powtórzyłem.

„Rozumiem". A potem: „Miałem swoje podejrzenia". A po chwili: „Pan je potwierdza, ale miałem swoje podejrzenia". Spojrzał na mój talerz, widziałem, że zwraca uwagę na ułożenie sztućców. „Już pan skończył?", zapytał. „Ma pan ochotę na deser, na kawę?"

„Nie, dziękuję".

„Prawda? Ja też nie".

Patrzyłem, jak wstaje i podnosi tacę, nie nachylając się, tylko uginając delikatnie kolana. Ruszył w stronę stojaka na brudne naczynia. Wstałem i poszedłem za nim.

„Przepraszam, panie Francsico, przepraszam za porywczość", powiedziałem. „Wiem, że chciał pan utrzymać to w tajemnicy. Ale pokłóciłem się z Carballem, atmosfera była gorąca, a w końcu wyrzuciłem to z siebie, niemal wyplułem. Tak, przyznaję, popełniłem błąd. Ale przecież to nie koniec świata".

Przygładził swój biały fartuch, spojrzał na mnie.

„Nie wiem, czy to koniec świata", odparł. „Ale na pewno początek nocy. Dokładniej rzecz ujmując, ta rozmowa się nam przeciąga. Mam nadzieję, że nie powiedział pan w domu, że wróci wcześnie. Niech pan pójdzie ze mną zajrzeć do pacjentów, a ja opowiem panu, co mi się przydarzyło".

I zaczął opowiadać.

„Kilka lat temu urządziłem w domu przyjęcie", powiedział Benavides. „Z okazji urodzin mojej żony. Nie znam nikogo, kto radziłby sobie równie dobrze z upływem lat. «Szczęśliwi czasu nie liczą», powtarza często. Przyszli jej przyjaciele, moi, nasi wspólni. Jednym z zaproszonych, jak pan się pewnie domyśla, był Carballo, który pojawił się pierwszy i wyszedł ostatni. Carballo jest w moim domu jak mebel, Vásquez. Przyzwyczailiśmy się do niego, jest dla nas jak nieżonaty wujek, który zawsze przychodzi, jest częścią rodziny jak każdy inny i traktuje nasz dom jak własny. Tego dnia podarował mojej żonie album ze zdjęciami, piękna rzecz. Zdobył papier wyprodukowany na początku lat sześćdziesiątych. Kupił specjalną nitkę, żeby zszyć album. Pięknie go oprawił, nie wiem, czy tak się mówi, nieważne. Zdobył też zdjęcia. Nigdy nie dowiedziałem się jak, nie zadałem sobie trudu, żeby sprawdzić, skąd wziął zdjęcia moich dzieci, kiedy miały trzy, pięć czy siedem lat, zdjęcia z naszych spacerów, kiedy nie byliśmy jeszcze małżeństwem, zdjęcia mojego ojca. Bardzo szczególny prezent w każdym razie, zrobiony własnoręcznie, poświęcił na to czas, naprawdę się zaangażował. Mnie też udała się niespodzianka: Estela raczej nie lubi mariachi, ale tym razem zaryzykowałem i spodobało się jej. Po serenadzie ludzie zaczęli powoli wychodzić, w końcu zostaliśmy sami na patio, siedząc na ławeczce z podkładu kolejowego, patrzyliśmy, jak niespiesznie zapada noc. Ja i moja rodzina. Siedzieliśmy na tym samym wewnętrznym patio, które pan zna, prócz jednego szczegółu: piecyka. Elektryczny piecyk grzał jak ognisko i pozwalał siedzieć na zewnątrz, nawet w nocy, kiedy robiło się zimno. Dostała ten prezent od dzieci, bo Esteli zawsze wieczorami na dworze było za zimno. Wypróbowaliśmy go tego samego wieczoru, idealne rozwiązanie. Piliśmy *aguardeinte*, bo dzieci uznały, że to najlepszy trunek na tę okazję, gadaliśmy jak najęci, umieraliśmy ze śmiechu i nagle pomyślałem, że to dobry moment, żeby przekazać rodzinie wiadomość. «Chodzi o rzeczy, które zostały po tacie», powiedziałem. «Te, które mam na górze. Zamierzam je oddać».

Na ich twarzach zobaczyłem chyba przerażenie. «Jak to oddać?», zdziwili się. Powiedziałem, że taki właśnie mam zamiar. Że postanowiłem podjąć decyzję co do pewnych rzeczy. Zbliżam się do sześćdziesiątki, dodałem, w tym wieku człowiek zaczyna dużo myśleć i czasem przychodzą mu do głowy dziwne pomysły. Zabrałem te rzeczy z muzeum, trzymałem je dość długo. I nigdy się nie oszukiwałem, nigdy nie uwierzyłem, że należą do mnie. Wiem, że zabranie ich stamtąd było uzasadnione. Wiem, że to było konieczne, dobre, ale wiem również, że nie są moje. Mam je od dziesięcioleci, towarzyszą mi w przeprowadzkach, stanowią część mojego życia… A wszystko wskazuje na to, że dobrze zrobiłem, przynosząc je tu ze sobą, nikt za nimi nie tęskni. Pozostałe, te, których nie zabrałem, zaginęły. Ale te nie. Te ocalały. I nie będę ukrywał, Vásquez, jak nie ukrywałem przed nimi tamtej nocy, że przynoszą mi ogromną radość. Wracanie do nich wieczorem, ze szklaneczką czegoś mocniejszego, dotykanie ich, czytanie o nich, o ich historii, to wszystko jest dla mnie tym, czym znaczki dla kolekcjonera. Albo motyle. Albo monety. W ostatnich latach te rzeczy dawały mi wiele satysfakcji. Wszystko to im powiedziałem. Patrzyłem na Estelę, na syna i córkę i zapewniałem, że mogą być spokojni, nie będę wygłaszał na ten temat tanich filozoficznych wywodów, ale żeby się nie martwili, po prostu podjąłem taką decyzję. I wtedy wyjaśniłem im istotę sprawy: mimo tego szczęścia, mimo chwil ogarniętego obsesją szaleńca, które spędziłem w towarzystwie tych staroci, nigdy, przenigdy nie zapomniałem o tym, że do mnie nie należą. Nie są moje, nigdy nie były. Nie należą również do mojej rodziny, chociaż czasem wydaje mi się, że jest inaczej, że mamy prawo je odziedziczyć, ja, a potem moje dzieci. Ale tak nie jest, nie mam do tego prawa. Nie są moje ani mojej rodziny, należą do kraju. A może do narodu, są jego dziedzictwem. Tak im powiedziałem, w tej przydługiej przemowie, a potem zapytałem: «Zgadzacie się?»

Odpowiedział mój syn: «Tak, tato, zgoda», przyznał. «Ale to ty je ocaliłeś. Nikogo nie obchodziły, z wyjątkiem tego, kto je ocalił. Więc należą do ciebie, tak mi się wydaje».

Powiedziałem, że nie. Że nie są moje i kropka. Należały do państwowej instytucji, a teraz znalazły się w rękach prywatnych. «Chcę powiedzieć», wyjaśniłem, «że nikt nie wie, że je mam. Ktoś mógłby mi zarzucić, że je ukradłem. I jak mam temu zaprzeczyć? Nie mógłbym, zabrakłoby mi argumentów. Dlatego chciałem porozmawiać o tym z wami, z moją rodziną. Nie chcę, żebyście po mojej śmierci zostali z tym problemem. Wiem, że mam jeszcze przed sobą mnóstwo czasu, ale trzeba to dobrze przemyśleć». Powiedziałem im, że te rzeczy ich nie interesują. Ani mojej żony, która tolerowała je ze względu na moją fascynację. Ani moich dzieci, które miały na głowie ważniejsze sprawy. I powtarzam panu to samo, co powiedziałem im. Wyobraża sobie pan, jaki straszny spadek bym im zostawił? «W każdym razie», powiedziałem im, «myślałem o tym, bardzo długo myślałem, i doszedłem do wniosku, że już czas. Tak. Najwyższy czas je zwrócić».

Estela zadała mi oczywiste pytanie: «Ale komu? Sam dobrze wiesz, że to miejsce już nie istnieje. Komu oddasz te rzeczy po tylu latach? A poza tym co się wówczas stanie? Nie wiem, co prawo mówi o takich przypadkach, ale zapewniam cię, że wpakujesz się w kłopoty. Kolumbia to miejsce, gdzie żaden dobry uczynek nie pozostaje bezkarny. Kto wie, co może nas spotkać. I nie jestem pewna, czy warto narażać się na to ryzyko tylko po to, żeby zmienić miejsce kilku rzeczy, za którymi nikt nigdy nie zatęsknił. Nikt nie będzie się nimi opiekował tak dobrze jak ty, co więcej, nikt nie będzie miał z nich większego pożytku niż ty. Nie, ja uważam, że to głupota. Rzeczy z muzeum twojego ojca to twój skarb. Jeśli przetrwały, to tylko dzięki tobie. Gdybyś nie wziął ich na przechowanie wiele lat temu, zaginęłyby na zawsze. I posłuchaj mnie, na pewno zaginą, jeśli je zwrócisz. Poza tym nie mam pojęcia, komu zwraca się rzeczy tego typu».

Powiedziałem, że na przykład można je oddać do Muzeum Narodowego. Przechowują tam mundury Gwardii Obywatelskiej, szpady, pióra kilku mężów stanu, wydawało mi się, że rzeczy mojego ojca powinny zostać wystawione, żeby ludzie mogli je oglądać. «A jeśli nikt nie zechce ich oglądać?», zapytała moja córka. «Jeśli nikt nie zechce ich wystawić?» «Na pewno zechcą», odparłem. «Na pewno zechcą je wystawić. A jeśli będzie inaczej, nic mnie to nie obchodzi. To przyzwoite, uczciwe, chociaż dziś już nikt nie pamięta, co to znaczy». «A jeśli ci je odbiorą i wytoczą ci proces? Albo nałożą taką grzywnę, że zbankrutujemy? Pomyślałeś o tym? A może sądzisz, że będą ci wdzięczni za to potajemne troszczenie się o skarby historyczne kraju? Myślisz, że takie rzeczy dzieją się w Kolumbii, tato? Powiedz mi prawdę, sądzisz, że dostaniesz jakiś medal za to, że przez dwadzieścia lat bawiłeś się kośćmi?»

Nie spodziewałem się, że zareagują w ten sposób. «Teraz martwię się tym, żeby wszystko znalazło się w dobrych rękach, kiedy mnie zabraknie», wyjaśniłem. «I że nie będzie dla nikogo problemem. I że ludzie nie będą źle o mnie myśleć. Rozumiem, że nie zgadzacie się ze mną», dodałem, «rozumiem wasze obawy. Dlatego trzeba to zrobić dobrze, skutecznie załatwić sprawę. Decyzja już zapadła, długo o tym myślałem i ją podjąłem. Ale zgadzam się, że trzeba to sprytnie załatwić, żeby uniknąć nieprzyjemnych sytuacji. Pomóżcie mi się nad tym zastanowić. Ja uważam, że warto najpierw z kimś porozmawiać, z kimś z Ministerstwa Kultury? To chyba podstawa».

Zapadła cisza z tych, które zapadają tylko na rodzinnych spotkaniach. Cisza w rodzinie jest inna, nie wydaje się panu, Vásquez? Kiedy jesteśmy z przyjaciółmi, staramy się jakkolwiek wypełnić kłopotliwe milczenie, wszyscy czują potrzebę albo uważają za stosowne wypełnić to milczenie, zanim będzie za późno. Ale w rodzinie milczenie zapada i nie dzieje się nic złego. Kiedy milczenie jest dobre, przepełnione zaufaniem i bliskością, to jedna z milszych rzeczy. Ale zdarza się też inaczej. W rodzinie cisza, która oznacza konflikt lub

213

niezgodę, boli, zawsze tak to czułem. Pierwsza przerwała ją moja żona. «A może najpierw pójdziesz z tym do mediów? Umówisz się na wywiad w radiu, na przykład, wszystko byłoby prostsze, a ty narażałbyś się na mniejsze ryzyko, gdyby istniał jakiś pośrednik, posłaniec, gdyby ludzie dowiedzieli się najpierw z wywiadu. To pozwoliłoby naświetlić sprawę, wyjaśnić, że tak naprawdę ocaliłeś dziedzictwo narodowe, że dbałeś o nie i opiekowałeś się nim przez dwadzieścia lat, że kraj ma wobec ciebie dług. Zachowałbyś kontrolę nad przesłaniem, jak mówią politycy. Jednocześnie muzeum poczułoby presję, żeby przejąć od ciebie te rzeczy z szacunkiem i na dogodnych warunkach. Że to nie ty prosisz ich o przysługę, wręcz odwrotnie, wyświadczasz ją. Ocaliłeś przed zaginięciem kilka eksponatów, w innym kraju każdy z nich miałby osobne muzeum. Wyobraź sobie, co zrobiliby w Stanach Zjednoczonych, gdyby ktoś powiedział, że ma kość Lincolna. Wyobraź sobie, co stałoby się we Francji, gdyby ktoś nagle ogłosił, że ma żebro Jeana Jaurèsa. Że przechowywał je i dbał o nie, i konserwował przez cały ten czas, a teraz chce podarować je Republice, podarować je narodowi. Wystawiono by mu pomnik. Ja nie chcę, żeby wystawiali ci pomnik, poza tym pomniki nigdy nie są ładne. Ale owszem, uważam, że zasłużyłeś sobie na to, żeby ci podziękowali».

Jak zwykle miała rację. Zdążyłem się już przyzwyczaić, że Estela ma rację, za każdym razem jednak mnie to dziwi. Jest jak brzytwa Ockhama wcielona w kobietę: zastrzyk zdrowego rozsądku, całkowita niezdolność do robienia głupstw. Więc natychmiast wszyscy zgodzili się, że to najinteligentniejsze, najrozsądniejsze, najkorzystniejsze wyjście. Moje dzieci, każde z nich na własną rękę, miały porozmawiać ze znajomymi w mediach. Skorzystać ze swoich kontaktów. Estela postanowiła zrobić to samo. Znała kogoś, kto znał kogoś, kto pracował w Caracol albo RCN, już nie pamiętam.

A ja pomyślałem o panu, Vásquez. Od razu przyszedł mi pan do głowy, nie musiałem się nawet zastanawiać. Był pan jedyną osobą, która widziała te rzeczy, nie wszystkie, ale najważniejsze... Oczywiście tego dnia, kiedy był pan moim gościem i rozkwaszał nosy moim znajomym, nie miał pan jeszcze kolumny w „El Espectador". Ale teraz tak, moje dzieci pana czytały, Estela pana czytała. Prawie zawsze zgadzali się z panem. Czy raczej prawie zawsze się z panem zgadzają. Chyba że robi się pan agresywny, tego Estela nienawidzi. Mówi, że to podważa pańską argumentację. Że niby ma pan rację, ale kiedy popada pan w te swoje sarkastyczne tony, śmieje się pan z innych pomiędzy wierszami z tą lekką arogancją, jaka czasem z pana wychodzi, wówczas przestaje pan mieć rację. Gdyby tu była, powiedziałaby to panu wprost, jak kiedyś powiedziała mnie: «Twojego przyjaciela nie interesuje wcale to, żeby kogoś przekonać, on od razu rzuca się do gardła. Tak nie można. Tak nie da się prowadzić debaty. A szkoda». No nic, bo to już kolejna dygresja, w każdym razie myślałem o panu, chciałem zadzwonić, żeby pomógł mi pan w tym wszystkim. Wspomniał o mnie w swoim felietonie, zrobił ze mną wywiad. Pomyślałem, Vásquez na pewno mi pomoże. Pomyślałem, że nie będę się z panem kontaktował tamtej nocy, bo był piątek przed długim weekendem. Następnego ranka, bardzo wcześnie, mieliśmy wyjechać do Villa de Leyva. A ja powiedziałem, sądzę, że powiedziałem: «Dobrze, więc jesteśmy umówieni. Każdy skorzysta ze swoich kontaktów. Ja napiszę do Vasqueza we wtorek rano».

Wszyscy czworo wstaliśmy i poszliśmy do kuchni, żeby trochę posprzątać, pozmywać naczynia, wyrzucić śmieci. I kiedy każdy z nas skupiał się na swoim zadaniu, kran zlewu był odkręcony, talerze i sztućce brzęczały, szeleściły torby na śmieci, kiedy wyjmowano je z kosza, zamykano, a na ich miejsce wkładano nowe. I wśród tych wszystkich hałasów usłyszeliśmy nagle dźwięk dzwoneczka wiszącego nad drzwiami. W moim domu są takie dzwoneczki, które ostrzegają, gdy ktoś wchodzi, pewnie wie pan, o czym mówię. No więc usłyszeliśmy, że dzwoni, a Estela powiedziała synowi: «Idź, zobacz kto to». On zdjął gumowe rękawiczki, a po chwili wrócił i powiedział, że drzwi zamknęły się same. Nikt nie wspomniał słowem o tych zamykających się drzwiach i wyobrażam sobie, że nikt o nich nawet nie pomyślał. Ja na przykład zapomniałem już w następnej sekundzie. I przypomnieliśmy sobie o nich dopiero – za sprawą prostego skojarzenia – kiedy wróciliśmy z Estelą po długim weekendzie, w poniedziałek w nocy, i okazało się, że do domu ktoś się włamał.

Rozbili jedną z szybek w drzwiach, tych małych prostokątnych okienek po prawej stronie, pamięta pan, i otworzyli drzwi od środka. Spotkało kiedyś pana coś takiego, Vásquez? Wie pan, jak to jest wchodzić do domu, do którego włamali się złodzieje? Ogarnia człowieka smutek, totalne przygnębienie, poczucie bezsilności i niesprawiedliwości. Głupie uczucia, przecież to idiotyczne mówić o niesprawiedliwości, kiedy ktoś wlazł panu do domu, prawda? To tak jakby nazwać nieuprzejmym kogoś, kto wpakował panu trzy kule. Powiedziałem Esteli, żeby wróciła do samochodu, a ja sprawdzę. Człowiek nie mówi w tej sytuacji, *sprawdzę, czy wciąż tam są*, mówi po prostu *sprawdzę*. «Aj, weź daj spokój», odparła i weszła pierwsza. Sprawdzaliśmy pokój za pokojem, ale w głębi duszy wiedzieliśmy, że nikogo nie ma, że poszli sobie jakiś czas temu. Nie wyrządzili też wielkich szkód. Zabrali drobne przedmioty: biżuterię, laptop, pieniądze przechowywane w nocnym stoliku. Z szafy na dole wzięli kalejdoskop i stare pistolety. Mojego dużego komputera nie, właśnie dlatego że był duży, ale wyłamali zamek w szafce na dokumenty i zabrali wszystko, co było w środku, z rzeczami mojego ojca włącznie, wszystko to, co mieliśmy oddać, kiedy to tylko będzie możliwe.

Tak, zabrali wszystko, co pan widział tamtego wieczoru w moim domu. I to, czego pan nie widział, również. Wszystko, Vásquez. Wszystko zabrali, schowali do tej samej torby, co wartościowe przedmioty. Wyobrażałem sobie, jak przeszukują szuflady i zastanawiają się potem, co to w ogóle za gówno, za przeproszeniem, kawałek kości w żółtawym płynie, wyobraziłem sobie, jak wylewają płyn do ubikacji, nie wiem dlaczego, wyobrażam sobie, że zielonej, i wyrzucają do śmieci – osobno słoiczek, osobno kość. Nigdy nie płakałem za utraconymi rzeczami, nawet kiedy byłem mały, ale tamtej nocy zapłakałem. Zapłakałem, bo mojego ojca już nie było, żeby płakać zamiast mnie. A może raczej zapłakałem, bo ojca już nie było, a on płakałby po swoich skarbach. Płakałem, żeby zastąpić nieistniejący płacz ojca. Dlatego nie skontaktowałem się z panem, podejrzewam, że nie muszę tego wyjaśniać. Nie potrzebowałem już żadnego felietonu, żadnego wywiadu. Bo już nie było co zwracać. Nie miało to sensu.

Przez dwa lata lamentowałem po tej stracie. Żałowałem, że nie przyszło mi wcześniej do głowy zwrócić eksponaty odziedziczone po ojcu. Żałowałem, że nie trzymałem ich w sejfie, jak czasem radziła mi Estela. A ja mówiłem, że po co, że te przedmioty obchodzą tylko mnie, poza tym nikt nie wie, że są tutaj. Estela odpowiadała, że o rzeczy, które obchodzą tylko ciebie, należy dbać w sposób szczególny, bo niełatwo zastąpić je innymi, właśnie dlatego, że obchodzą tylko ciebie. Ale oczywiście jej nie posłuchałem i stało się to, co się stało. I przez cały ten czas przeżywałem żałobę, jakby ktoś mi umarł. I muszę powiedzieć, że mi się to udało, a może byłem na dobrej drodze. Kiedy pisałem do pana mejl, miałem zamiar opowiedzieć panu to, co właśnie opowiedziałem, wyjaśnić, że spotkało mnie to, co tysiące osób w Bogocie.

Powiedzieć panu: «Ja też jestem jednym z nich, jestem częścią statystyk. Niewiarygodne, że w moim wieku nie spotkało mnie to nigdy wcześniej». Albo powiedzieć: «Proszę sobie wyobrazić, Vásquez, co za pech. Zabrali kilka rzeczy, trochę na chybił trafił. Zabrali wszystko z szuflad, między innymi pamiątki po moim ojcu. I co można powiedzieć więcej? Co za pech. To się nazywa prawdziwe zezowate szczęście. Nie wiedzieli, co zabierają, Vásquez. Skurwysyny, nie wiedzieli, co zabierają i jaką krzywdę mi robią». To miałem panu powiedzieć, ale pan mnie uprzedził. Bo teraz, po tym, czego dowiedziałem się od pana, ten szczegół, który w innych okolicznościach mógłby być błahy, wszystko zmienia".

„Nie rozumiem", powiedziałem w końcu. „Co to znaczy w s z y s t k o? Dlaczego w s z y s t k o zmienia?"

„Kiedy wyszliśmy z bufetu, Vásquez? Od jak dawna rozmawiamy o tym? Piętnaście, dwadzieścia minut? Powiedzmy, że dwadzieścia. Gdyby pan wiedział, co chodzi mi po głowie, co chodziło mi po głowie przez ostatnich dwadzieścia minut, umierałby pan ze strachu. Moje całe życie stanęło na głowie przez te dwadzieścia minut. Wie pan dlaczego? Bo kiedy krążyliśmy po tych korytarzach, jeździliśmy windą w górę i w dół, ja nieustannie przypominałem sobie słowa Esteli. Sądziłem, że moje skarby są bezpieczne, że nigdy nic im się nie stanie, b o n i k t n i e w i e d z i a ł, że t u s ą, i n i k o g o n i e o b c h o d z i ł y. Ale przychodzi pan, opowiada mi to, co opowiada, i wszystko, czego dotąd byłem pewny, zaczyna się zmieniać. Przez te dwadzieścia minut wszystko to, co zdarzyło się przez ostatnie dwa lata, zmieniło się, i to, co teraz widzę, zaczyna mnie przerażać i sam byłby pan przerażony, gdyby pan to widział, gdyby mógł pan czytać w moich myślach i zobaczył pan przepaść, która otwiera się między tym, co sądziłem, że przeżywam, a tym, co sądzę teraz, że przeżyłem. Bo pan przyznał mi się do czegoś, co dla pana było nieistotnym

218

szczegółem, a teraz mogę myśleć tylko o tych kościach, które zostawił mi przed śmiercią ojciec, o tym, że dwa lata temu, owszem, była na świecie osoba, która wiedziała o ich istnieniu, była na świecie osoba, którą one obchodziły. A raczej więcej niż jedna. Byliśmy my dwaj: ja i pan, a teraz dochodzi ktoś jeszcze. Tym kimś jest Carballo. Dwa lata temu, kiedy wróciłem do domu i odkryłem, że ukradziono mi skarby odziedziczone po ojcu, Carballo wiedział, że one istnieją. Jak się dowiedział? Od pana, Vásquez. Dowiedział się od pana".

Tak, to trwało dwadzieścia minut, dwadzieścia długich minut, podczas których Benavides mówił bez przerwy, prowadząc mnie przez labirynty kliniki Santa Fe, z bufetu do drzwi na pierwszym piętrze, od drzwi do korytarza z wysokimi oknami, wiodącego do innego pawilonu i z tego korytarza, zbyt wąskiego (trzeba przyciskać się do ściany, żeby nie potrącić osoby idącej z naprzeciwka), do wind, a wreszcie do gabinetów lekarskich. Poszedłem za nim do jego gabinetu, a on wciąż mówił. Patrzyłem, jak przechodzi obok biurek, przy których za dnia siedziały sekretarki, opuszczonych i smutnych w tych późnych godzinach, otwiera gabinet, szuka czegoś w segregatorze, a potem idzie do innego pomieszczenia z niebieską leżanką przykrytą papierowym ręcznikiem, zdejmuje z wieszaka biały fartuch, taki sam, jak ma na sobie, i cały czas mówi. Wręczył mi ten fartuch. „Niech pan go włoży", powiedział, i wciąż mówił. Pojechałem z nim na dół windą, z powrotem na drugie piętro, i z powrotem, korytarzem z wysokimi oknami, do głównego wejścia, i nadal mówił; szedłem za nim, kiedy wspinał się po schodach z żyłkowanego marmuru, z metalową poręczą, z tych, które zostawiają kwaśny zapach na dłoniach, i szliśmy razem aż do przeszklonych drzwi, przed którymi kobieta o zmęczonej twarzy i z wielkim pieprzykiem na czole, siedząca za biurkiem z laminowanej płyty, przywitała się z nim: „Doktorze Benavidesie, świetnie, że pana widzę. Idzie pan do sali czterysta dwadzieścia sześć?" Rozległo się brzęczenie i Benavides popchnął drzwi. Dopiero wówczas przestał mówić o Carballu i rzeczach skradzionych z jego domu.

„Doktorze Vásquez", powiedział, „włoży pan w końcu ten fartuch?" A potem zwrócił się do kobiety z ironiczną miną: „Aj, Carmencita, ci dzisiejsi lekarze".

Zaskoczył mnie. A kiedy zostaje się zaskoczonym w obecności świadków, instynkt podpowiada, żeby podjąć grę w fikcję, którą rozpoczął ktoś inny, człowiek czuje się jak aktor, który musi podtrzymywać iluzję, póki jest na scenie, a dopiero potem może zażądać wyjaśnień. Carmencita patrzyła na mnie z zainteresowaniem.

„Jasne", odparłem. Żeby włożyć fartuch, musiałem wziąć między kolana książkę podarowaną mi przez Benavidesa. Manewr nie był łatwy. „Przepraszam, zamyśliłem się", powiedziałem. Ale kiedy przeszklone drzwi zamknęły się za nami, chwyciłem Benavidesa za ramię. „O co chodzi, panie Francisco? Co pan robi?"

„Chcę, żeby pan ze mną poszedł".

„Dokąd? Chyba nie dokończyliśmy rozmowy?"

„Została p r z e r w a n a. Jak niektóre stosunki. Potem do niej wrócimy".

„Ale to, co przed chwilą od pana usłyszałem, to poważna sprawa", upierałem się. „Sądzi pan, że Carballo mógł to zrobić? Byłby do tego zdolny?"

„Ależ z pana naiwniak, Vásquez. Carlos jest zdolny do gorszych rzeczy. Jak to możliwe, że dotąd pan nie zauważył? Jednak tego się po nim nie spodziewałem. Ale obiecuję, potem do tego wrócimy". Delikatnie odsunął moją rękę. „Teraz muszę się skupić na czymś innym".

Poszedłem za nim w głąb korytarza, jak członek sekty podążający za swoim liderem, świeżo założony fartuch czynił mnie wrażliwym na magnetyzm Benavidesa. Weszliśmy do sali po prawej stronie. Rolety były odsłonięte i okno wydawało się płótnem niedoskonałej czerni. Najpierw zauważyłem mężczyznę, który czytał gazetę, siedząc na skraju zielonej kanapy, przyklejony do poręczy, jakby reszta mebla była zarezerwowana dla kogoś innego. Kiedy zobaczył, że wchodzimy, zamknął gazetę (zwinne klaśnięcie dłoni), złożył ją dwukrotnie i odłożył na poręcz kanapy, żeby przywitać się z Benavidesem. Było to zwyczajne powitanie – uścisnął mu dłoń, uśmiechnął się, powiedział kilka słów – ale coś, czego nie potrafiłem dokładnie określić, sprawiło, że poczułem siłę obecności Benavidesa w tej sali, a może szacunek i podziw, który budził w mężczyźnie siedzącym na kanapie. I wtedy zauważyłem, że w sali jest ktoś jeszcze, kobieta leżąca w łóżku, która wydawała się drzemać i odpoczywać, ale po naszym wejściu otworzyła oczy, wielkie oczy, piękne mimo malujących się pod nimi szarych cieni, oczy nieproporcjonalnie duże, ale w jakiś tajemniczy sposób wpisujące się w proporcje tej twarzy i jej zmęczonego, zepsutego i zużytego piękna. „To doktor Vásquez", przedstawił mnie Benavides. „Mam do niego całkowite zaufanie".

Łysy mężczyzna wyciągnął do mnie rękę. „Bardzo mi miło", powiedział, „jestem ojcem Andrei". Kobieta w łóżku uśmiechnęła się szczerze, ale z wysiłkiem, jakby sprawiało jej to ból. Spojrzałem na nią uważniej, jej cera i kolor włosów wskazywały na to, że skończyła trzydzieści kilka lat, ale jej postawa i ruchy pozwalały się domyślać, że nie miała łatwego życia. Benavides mówił do mnie, użył wyrażenia „problem immunologiczny", powiedział, że pacjentka od lat jest przykuta do łóżka, jej choroba nie rokuje wyzdrowienia ani nawet poprawy, a ja myślałem: jaki on jest sprytny. Mówi do mnie prostymi słowami, żebym zrozumiał, ale sprawia wrażenie, że mówi tak, żeby zrozumieli go pacjenci. Wyjaśnił, że po ostatnich badaniach, które wykazały niedokrwienie, zaszła konieczność amputacji lewej nogi. Andrea słuchała tych słów nieporuszona, jej wielkie szeroko otwarte oczy nadal wpatrywały się w górną część ściany, gdzie metalowe ramię podtrzymywało wyłączony telewizor. Ojciec mocno zacisnął powieki, potem je otworzył, było oczywiste, że to nie po nim Andrea odziedziczyła swoje piękne oczy. Benavides usiadł obok niego na sofie; nie było już miejsca dla mnie, ale nie przeszkadzało mi to – obraz trzech mężczyzn siedzących, jakby oglądali przedstawienie, którego bohaterką była Andrea, miałby w sobie coś groteskowego. Stanąłem więc z boku obok umywalki, jak podpatrzyłem w podobnych sytuacjach u lekarzy, rodziny, znajomych pacjenta, pielęgniarek czy zwykłych ciekawskich. Ja nie byłem żadnym z tych przypadków: byłem oszustem i zostałem wciągnięty w oszustwo przez doktora Benavidesa. Dlaczego? Jakie miał powody, żeby zastawić na mnie tę pułapkę? Zaplanował to od początku, na pewno myślał o tej chwili, kiedy poszedł do gabinetu po drugi fartuch. Fartuch pachniał świeżo, w kieszonce na piersi tkwił niebieski długopis, wsunąłem ręce do bocznych kieszeni, ale nic w nich nie znalazłem. „No dobrze, słucham was", powiedział wówczas Benavides.

„No właśnie, panie doktorze", odezwał się ojciec i zawiesił głos. Zwrócił się do córki: „Chcesz ty to powiedzieć?".

„Nie, ty powiedz", odparła Andrea. Miała niski dźwięczny głos. Było w nim coś, co mimo okoliczności mogłem nazwać tylko charyzmą.

„No dobrze", powiedział ojciec. „Długo się nad tym zastanawialiśmy".

„Nie, jednak ja powiem", przerwała mu Andrea. „Jeśli nie masz nic przeciwko temu".

„Oczywiście, mów".

„Nie chcemy", powiedziała Andrea. Teraz zwróciła się do Benavidesa, utkwiła w nim wzrok, jej oczy lśniły jak dwie latarnie morskie w nocy. „Tata się zgadza".

„Nie chcecie amputacji?", zapytał Benavides.

„Nie tylko. Ja już nie chcę przez to przechodzić".

Benavides powiedział: „Rozumiem". Tego tonu głosu nigdy wcześniej u niego nie słyszałem, doktor był czuły, ale nie paternalistyczny, zdolny do solidarności i sympatii, ale starał się nie być protekcjonalny. „Rozumiem", powiedział znowu, „bardzo dobrze to rozumiem". Ściszył głos. „Już dużo o tym rozmawialiśmy. Domyślam się, że pamiętają państwo nasze rozmowy".

„Tak", potwierdził ojciec.

„Jestem zmęczona, panie doktorze", powiedziała Andrea.

„Wiem", odparł Benavides.

„Jestem bardzo, bardzo zmęczona. Już dłużej nie mogę. A poza tym co będzie, jeśli się zdecydujemy? Co będzie, jeśli amputujecie mi nogę? Czy jest jakaś możliwość, że mój stan się poprawi?"

Benavides spojrzał jej w oczy. Położył obie dłonie na teczce, jakby chciał się odnieść do jej zawartości. Nie, nie ma.

„Nie, prawda?", zapytała Andrea.

„Nie", odrzekł Benavides.

„No właśnie", powiedziała Andrea. „Niech pan mnie poprawi, o ile nie mam racji, doktorze, ale tak zyskamy tylko trochę więcej czasu. Więcej czasu, żebym żyła tak jak teraz, bez wyraźnych zmian, czekając, aż amputujecie mi drugą nogę. Bo tak będzie, prawda? Proszę mi powiedzieć doktorze, jeśli się mylę".

„Nie mylisz się", potwierdził Benavides. „Na ile potrafimy przewidzieć, tak się właśnie stanie".

Doktor patrzył na nią przez cały czas. Podziwiałem odwagę, z jaką to robił, bo nawet ja, nie biorąc udziału w rozmowie,

nie mogłem spojrzeć prosto na Andreę, a kie
szukał mojego wzroku, nie byłem zdolny go u
łem schronienia w telefonie, udając, że robię
ki, w przezroczystych pojemnikach z kroplów k
w profilu Andrei, w jej upiętych włosach, jej bi
doczną tętnicą, w jej ramionach atletki.

„Jednym słowem", powiedziała Andrea, „to w
nie paliatywne. I już nic nie da się zrobić, je
trochę czasu. Prawda?"

„Tak, to prawda".

„Rozmawialiśmy z tatą", powiedziała. „I zde
że nie chcemy więcej czasu". Ojciec spuścił g
szlochać. „Jestem bardzo zmęczona", powied
A potem: „Przepraszam, tatusiu". I też się roz

Benavides podszedł do łóżka i wziął lewą
w swoje dłonie. Jej dłoń była blada, silna, lecz
doktora wydawały się ją pożerać. „Podjęłaś
decyzję", powiedział Benavides. „Masz do te
wo. Masz też prawo przepraszać, ale nie mas
wiązku. Ty przez to przechodzisz, nikt inny, b
bardzo odważna, rzadko widuję tak odważny
jak wy dwoje. Nie będę próbował przekony
czego. Po pierwsze dlatego, że już przekazałe
potrzebne informacje. Po drugie dlatego, że n
scu zrobiłbym to samo. Lekarz powinien le
możliwe. Kiedy to niemożliwe, powinien ła
nie. A jeśli to także niemożliwe, pozostaje m
pacjentowi i wspierać go, żeby wszystko od
najlepszych warunkach. Ja będę ci towarzys
czas, ale tylko jeśli tego chcesz, Andreo, jeśli
ważne i potrzebne".

Płacz Andrei nie trwał długo, jak zdyscypl
kogoś, kto wiele wycierpiał. Przetarła oc

sięgnęła po papierową chusteczkę, żeby otrzeć czubek nosa, jakby w geście próżności, jakby chciała wytrzeć błyszczącą skórę.

„I co teraz?"

„Musimy przygotować papiery", powiedział Benavides. „Jutro dostaniesz wypis. Pojedziesz do domu".

„Do domu", powtórzyła z uśmiechem.

„Pojedziemy do domu", westchnął ojciec.

„Tak", powiedziała Andrea. „A potem? Co pan zrobi, panie doktorze?"

„Będziemy leczyć paliatywnie", zapewnił Benavides.

„A potem?"

„Potem już nic".

„Już nic pan nie zrobi", powiedział ojciec. Wyglądało to jak pytanie, ale nim nie było.

„Czasami", odrzekł Benavides, „najlepszym wyjściem jest nie robić nic".

„Dziękuję", powiedziała Andrea.

„Jutro wychodzisz", oznajmił Benavides.

„Tak", powiedziała Andrea. „Ach, jutro wychodzę, wychodzę stąd, do domu, do mojego łóżka".

„Do twojego łóżka", przytaknął ojciec.

„Teraz potrzebuję pana, panie Giraldo", powiedział Benavides. „Musi pan podpisać kilka dokumentów". Andreę zaś zapewnił: „To nie potrwa długo".

Wyszli. Zostaliśmy sami, ona patrzyła w sufit, a ja patrzyłem na nią z bolesną świadomością, że cała empatia świata nie wystarczy, żeby odgadnąć, co chodzi jej po głowie. Właśnie zdecydowała, że chce umrzeć; o kim się myśli w takiej chwili? Gdzie był jej narzeczony, o ile go miała? Gdzie były jej dzieci? Być może żałowała popełnionych błędów, może wspominała jakieś dawne szczęśliwe momenty. A może się bała, bała się tego, co ją czeka. Mrugnęła, raz, drugi, jakby

chciała pozbyć się z oczu łez, a potem spojrzała na mnie.
„A co pan o tym sądzi, panie doktorze?"

„Słucham?"

„Zna pan mój przypadek. Co pan sądzi? Czy się po-
myliłam?"

„To tylko pani może wiedzieć", powiedziałem. A potem
moja odpowiedź wydała mi się tchórzliwa, jeszcze bardziej
wobec odwagi, jaką wykazała się Andrea, nie tylko podejmu-
jąc decyzję, ale także pytając innego lekarza. Ktoś mniej odważny nie szukałby innych opinii, żeby nie podważyć całego
wysiłku, jaki kosztowało go podjęcie takiej decyzji. „Nie",
powiedziałem. „Myślę, że się pani nie pomyliła".

Wciąż na mnie patrzyła.

„Boję się", powiedziała. „Problem w tym, że jestem też
zmęczona. I to zmęczenie jest większe niż strach".

„Pani Andreo, nie wiem, co pani czuje. Większość lekarzy
udaje, że wie, ale to nieprawda. Nie wiedzą, czytają tylko
historię choroby i próbują zgadywać. Mogę pani powiedzieć
jedno: doktor Benavides jest z tych, co wiedzą. I jeśli proponuje pani swoje towarzystwo i wsparcie, nie ma się pani
czego bać, jest pani w najlepszych rękach".

Oczywiście święcie w to wierzyłem i byłem pewien, że
Andrea podzielała tę banalną diagnozę. Ale gdybym przewidział to niespodziewane pytanie, powiedziałbym jej co innego; że ją podziwiam, że zazdroszczę jej odwagi i zdecydo-
wania, i niewiarygodnej dojrzałości, że jestem jej niezwykle
wdzięczny (chociaż nie wiedziałem dlaczego) za przywilej
bycia świadkiem tej chwili. Nie, dojrzałość nie była słowem,
którego szukałem, dojrzałość nie była słowem opisującym
to, co widziałem w ciele i oczach tej kobiety. To była nieza-
leżność, tak, to ona właśnie promieniowała z ciała i wielkich
oczu Andrei, którą śmierć miała zabrać za kilka miesięcy,
ale nawet w chwili śmierci, pomyślałem, będzie doskonale

panować nad własnym ciałem. Pomyślałem: *Death, be not proud*. Przełożyłem wers w głowie i już miałem zacytować go Andrei, ale doszedłem do wniosku, że mogłaby wziąć mnie za wariata albo kogoś pozbawionego uczuć, bo komu innemu przyszłoby do głowy recytowanie starych angielskich wierszy w takiej chwili (poezja nie dla wszystkich jest pocieszeniem czy kołem ratunkowym, chociaż przez długie lata tego nie rozumiałem). Ale nie mogłem się powstrzymać i w myślach przetłumaczyłem kolejny wers, w którym nazywa się śmierć *Losu, przypadku, królów, desperatów sługą*; zarzuca się jej posłuszeństwo *wojnie, truciźnie, chorobie*. Ten stary wiersz mówił, że śmierć jest zależna od tych wszystkich zjawisk, od choroby, wojny, trucizny, desperatów, królów, losu i przypadku. Czemu więc się pyszni?, zastanawia się podmiot liryczny, a ja pomyślałem, no właśnie, czemu? Andrea natomiast miała wszystkie powody świata, żeby być dumna z siebie, ze swojej odwagi i opanowania, a także z odwagi i opanowania doskonale widocznych na zmęczonej twarzy ojca. Ale nie mogłem jej o tym powiedzieć. Nie, nie mogłem rozmawiać o tym z Andreą, nie mogłem wyznać, że dopiero ją poznałem, a już jestem z niej dumny, za to śmierć nie miała najmniejszego powodu, by się pysznić. Andrea wzięła pilota do łóżka, a kiedy z wysiłkiem wyprostowała oparcie, uniosła się na ramionach i znalazła w pozycji półsiedzącej, wtedy przestała wyglądać na umierającą.

Widziałem, jak zakrywa twarz rękami, nie żeby płakać, ale żeby głęboko odetchnąć, uniosła ramiona i pod szpitalną koszulą nocną jej piersi nabrały objętości, z której nie zdawałem sobie wcześniej sprawy. Kiedy odsłoniła twarz, jej wyraz zupełnie się zmienił, jakby podjęta decyzja zdjęła z niej ciężar, pomyślałem, jakby pogodzenie się z pragnieniem, żeby porzucić walkę i umrzeć w spokoju, przyniosło jej tutaj, na czwarte piętro kliniki Santa Fe, do łóżka stojącego na środku sali, nowy spokój. Była to chwila zarazem przerażająca i piękna, ale nie potrafiłbym powiedzieć, w czym tkwiło jej piękno. Oczywiście mogłem źle zinterpretować całą sytuację. Nie byłoby to nic dziwnego ani niezwykłego, przez cały czas to robimy, źle interpretujemy innych, czytamy ich według niewłaściwego klucza, próbujemy zrobić skok w ich kierunku, a tylko spadamy w pustkę. Nie ma sposobu, żeby się dowiedzieć, co dzieje się w ich głowach, chociaż iluzja wydaje nam się bardzo pociągająca, przez cały czas otwierają się między nami a innymi niezmierzone obszary pustki, złudzenie zaś empatii i zrozumienia jest tylko złudzeniem. Wszyscy jesteśmy zamknięci w naszym własnym nieprzekazywalnym doświadczeniu, a śmierć to najbardziej nieprzekazywalne doświadczenie ze wszystkich, a zaraz po niej jest pragnienie śmierci. To właśnie działo się w tej sali, między mną a Andreą otwierała się niezmierzona pustka, bo nie było wspólnego terytorium pomiędzy nią, która postanowiła umrzeć i w pewnym sensie nie należała już do świata żywych, a mną, który byłem tak mocno osadzony w tym świecie, że mogłem robić plany dla siebie i rodziny. Przypomniałem sobie inny wers: *Najlepsi z nas pierwsi ruszają za tobą*. Oczywiście nie zawsze było to prawdą (poezja może nas czasem okłamywać, czasem bywa winna demagogii), ale w tym wypadku niewykluczone, że nią było.

„Jaką książkę pan przyniósł?", zapytała Andrea.

Zwróciła uwagę na prezent od Benavidesa. Ja prawie o niej zapomniałem, położyłem ją na umywalce, pod pojemnikiem na środek dezynfekujący, a kiedy znów na nią spojrzałem, zdziwiłem się na jej widok jak wtedy, gdy znajduje się na chodniku jakiś przedmiot.

„Ach, książka", powiedziałem. „Dał mi ją doktor Benavides. Jest tu jego artykuł".

„Artykuł doktora?"

„Tak".

„Niemożliwe", powiedziała zdumiona. „Więc mój lekarz jest również pisarzem". Usiadła trochę wyżej, a może wygodniej na poduszce. „A o czym jest?" Nie miało sensu pudrować sprawy. „O śmierci", powiedziałem.

„O, nie", westchnęła. Zobaczyłem, jak uśmiecha się po raz trzeci. „Nie lubię głupich zbiegów okoliczności". I dodała: „A może to nie zbieg okoliczności?"

„Co ma pani na myśli?"

„Nic, panie doktorze, głupstwa gadam", powiedziała Andrea. „A jaki jest tytuł tego artykułu?"

„Artykułu doktora?"

„Jasne. Co mnie obchodzą inne".

Otworzyłem na spisie treści i odnalazłem artykuł Benavidesa. Zamieszczono go po tekście *Eksploracja śmierci, od Tołstoja do Juana Rulfo* i przed *Cnota cierpienia: śmierć jako okazja do chrześcijańskiego miłosierdzia*. Tytuł, składający się tylko z jednego słowa, brzmiał *Ortotanazja* i jego okrągłe litery unosiły się nad nazwiskiem autora jak źle zrobiony gzyms. Wymówiłem go i poczułem suchość w ustach. „Mogę zobaczyć?", zapytała Andrea. Podałem jej książkę, otworzyła szeroko oczy, żeby lepiej widzieć, w ułamku sekundy uświadomiłem sobie, że jest dalekowidzem i do czytania używa okularów, ale nie włożyła ich albo może gdzieś zostawiła i nie zależało jej, żeby je odzyskać, bo pewnie nie czytała zbyt dużo, a może przez ostatnie dni pogrążona była w silnej depresji, a przecież nikt nie zabiera się do czytania, kiedy ma depresję, a może po prostu dlatego, że teraz już nie było po co. Pomyślałem, że teraz całe jej życie jest jednym wielkim j u ż   n i e   m a   p o   c o. „Ortotanazja", mówiła i powtarzała, jakby oceniała słowo, zanim zdecyduje się je kupić. „Ortotanazja".

„Słuszna śmierć", powiedziałem.

„I co pan o tym sądzi?"

„Jeszcze nie czytałem", odrzekłem.

„Ale niektóre zdania są podkreślone. To nie pan je podkreślił?", zapytała.

„Nie zdążyłem jeszcze otworzyć książki", powiedziałem. „Doktor Benavides dał mi ją przed chwilą".

„Więc kto podkreślił te zdania? Czy ktoś podkreśla zdania, które sam napisał?"

„Ja nie piszę", odparłem. „Nie potrafię odpowiedzieć".

Przez chwilę miałem zamiar dodać: To rodzinne. Ojciec Benavidesa też podkreślał czytane teksty, na przykład artykuł w gazecie o zabójstwie Kennedy'ego. Jednak to przemilczałem.

„Tu jest napisane, że pan doktor jest lekarzem chirurgiem, specjalistą od bioetyki, profesorem zwyczajnym i nie wiem jeszcze co. Ma więcej tytułów niż ten spis treści, nasz doktor Benavides".

„Mówiłem, jest pani w najlepszych rękach".

„Proszę nie pleść głupstw, doktorze", ofuknęła mnie. „Wiem, że to prawda, ale nie ze względu na dyplomy". Natychmiast zobaczyłem na jej twarzy zawstydzenie, jakby pożałowała, że była niegrzeczna, chociaż zaprotestowała jedynie przeciwko mojej uwadze, lekkomyślnej lub idiotycznej. „Niech pan tylko posłucha", powiedziała. Przymknęła oczy, oddaliła książkę od twarzy i zaczęła czytać: *Poczucie winy lekarzy w obliczu śmierci ich pacjentów wynika z głębokiego zaprzeczenia naturalnej śmierci, jakie propaguje współczesna medycyna.* „To jest podkreślone". *Warto wspomnieć o Aleksandrze Wielkim, któremu przypisuje się frazę: „Umieram z pomocy zbyt wielu lekarzy".* „To też podkreślone. Tutaj jest dłuższy fragment. Podkreślono cały akapit". Andrea zaczęła czytać: *Odebrałem telefon od starego przyjaciela.* Czytała dalej w ciszy, w ciszy panującej w sali wodziła wzrokiem po linijkach, ale jej usta już się nie poruszały. „Ach", powiedziała w końcu.

„Co się stało?", zapytałem.

Zamknęła książkę i oddała mi ją. „Nic", odrzekła. „Jak długo im to jeszcze zajmie?"

„Nie poczyta mi pani więcej?"

„To zbyt długo trwa", powiedziała Andrea, ale miałem wrażenie, że nie mówi do mnie. „Papiery, ciągle papiery. W tym kraju trzeba wypełniać stos papierów nawet po to, żeby umrzeć".

Wcześniejsza cudowna lekkość wyparowała z jej twarzy i gestów. „Nawet po to, żeby umrzeć", powtórzyła i się rozpłakała. Coś w artykule Benavidesa spowodowało tę metamorfozę; uświadomiłem sobie, nie bez paniki, że nie wiem, co robić. „Andrea", powiedziałem, bo w trudnych sytuacjach używamy zwykle imion jak formuł zaklęcia, jakbyśmy nadawali im cech magicznych. Ale ona mnie nie słyszała, płakała z otwartymi oczyma, najpierw bezgłośnie, potem pozwalając sobie na łagodne łkanie jak mała dziewczynka. Usiadłem na łóżku obok niej, nie wiedziałem, czy lekarze tak robią, czy też łamię jakąś pisaną albo niepisaną regułę zachowania, a może nawet zasadę etyczną. Andrea objęła mnie, a ja pozwoliłem jej na to i potem sam ją objąłem. Wyczuwałem pod dłonią jej twarde kręgi. Usłyszałem, jak mówi: „Ja nie mam do opowiedzenia żadnych historii". Nie zrozumiałem. „O czym pani mówi, Andreo?". Ale ona nie chciała niczego wyjaśniać. Odsunęła się ode mnie. Wówczas usłyszałem kroki na korytarzu i odgłos otwieranych drzwi. Zerwałem się na równe nogi, jakbym się bał, że przyłapią mnie na gorącym uczynku, jakbyśmy z Andreą robili coś zakazanego, kokietowali się, dopuścili niewłaściwego kontaktu, który maskuje albo rozładowuje niewłaściwy pociąg. Na kołdrze był jeszcze ślad odciśnięty przez ciężar mojego ciała, kiedy do sali weszli

Benavides i ojciec Andrei. Pomyślałem, że ten człowiek właśnie podpisał zgodę na śmierć własnej córki. Benavides miał coś powiedzieć, ale uprzedziłem go.

„Czekam na pana na zewnątrz, doktorze", powiedziałem. „Niech pan się nie spieszy".

Wyszedłem z sali i wróciłem tą samą drogą, którą przyszedłem. Carmencita otworzyła mi przeszklone drzwi i pożegnała się ze mną: „Dobrej nocy, doktorze". Ale nie odszedłem daleko, w poczekalni nie było nikogo, więc usiadłem przed telewizorem bez dźwięku, gdzie trzech mężczyzn pod krawatem i kobieta w eleganckich ciuchach rozmawiali o czymś na tyle ważnym, że wymagało od nich symultanicznego machania rękami. Otworzyłem książkę z artykułem, znalazłem zdanie, które Andrea zdołała przeczytać na głos, i to, które było po nim, zdania podkreślone przez Benavidesa z powodów być może mniej jasnych, niż mi się wydawało. Była to krótka historia opisana w jednym akapicie; Benavides wspominał w nim przyjaciela cierpiącego na nieuleczalną chorobę krwi. *Rozumiał, że opcja przeciągania bez końca transfuzji nie miała sensu*, pisał Benavides, *dlatego postanowił przerwać leczenie i umrzeć śmiercią naturalną. Towarzyszyłem jemu i jego rodzinie w ostatnich dniach w domu, wśród troskliwych zabiegów pielęgniarskich, w spokojnych, niemęczących warunkach; słuchając jego historii z odległych czasów, odebrałem od niego kolejną ważną lekcję. Mogłem zobaczyć, jak wygląda dobra śmierć.* Uniosłem wzrok: kobieta w eleganckim kostiumie wciąż gestykulowała, a jej twarz wykrzywiał grymas. Pomyślałem: to grymas nienawiści. Wróciłem do książki: *Jego świat ograniczał się do sypialni, najbliższej rodziny i wspomnień*, pisał Benavides o przyjacielu. *Pewnego wieczoru zamknął oczy jak ktoś, kto zasypia po dniu ciężkiej pracy, z satysfakcją płynącą ze spełnionego obowiązku.* Kobieta na ekranie pokazywała zęby, wysuwała podbródek, oblizywała wargi ciemnym językiem, nienawidząc swoich oponentów albo wrogów, ale ja nie myślałem o niej, lecz o Andrei, która powiedziała we łzach: „Ja nie mam do opowiedzenia żadnych historii".

Wówczas wydawało mi się, że rozumiem. Zrozumiałem (albo sądziłem, że zrozumiałem), że ta dzielna kobieta załamała się, czytając opowieść Benavidesa, pełne czułości słowa o jego śmiertelnie chorym przyjacielu, człowieku, który opowiadał historie z dawnych czasów, człowieku, który mógł zamknąć się w pokoju, aby umrzeć otoczony najbliższą rodziną, otulony wspomnieniami. Andrea, w wieku swoich trzydziestu kilku lat, była za młoda, żeby opowiadać historie, mieć wspomnienia, którymi mogłaby się otulić. „Nie mam do opowiedzenia żadnych historii", powiedziała mi wcześniej, i im więcej o tym myślałem, tym jaśniejsze wydawało mi się, że tak głęboki smutek ogarnął ją na chwilę po tym, jak przeczytała podkreślone zdanie z artykułu Benavidesa. Zdanie o człowieku, który, podobnie jak ona, przestał już należeć do tego świata, który jak ona podjął niezależną i samodzielną decyzję, że chce umrzeć śmiercią naturalną, który, podobnie jak ona, pokonał śmierć; powiedział jej, że próżno się pyszni, upomniał się za to o własną dumę. Tak, byli tacy sami, ten anonimowy umierający przyjaciel i Andrea, pacjentka, cierpliwa i cierpiąca. Jedno tylko ich różniło: historie, które mogli opowiedzieć tym, którzy chcieli słuchać, wspomnienia, którymi mogli się otoczyć, żeby odejść w spokoju. Ta niewielka różnica, zrozumiałem, albo tak mi się tylko wydawało, wywołała w Andrei coś w rodzaju epifanii, której źródeł nie byłem zdolny zrozumieć ani nawet się ich domyślić, natomiast zrobiła na mnie takie wrażenie, że nie zauważyłem nawet, jak otwierają się przeszklone drzwi i staje przy mnie Benavides.

„Dokąd pan teraz jedzie?", zapytał. „Mógłby pan mnie podwieźć, czy to będzie wielki problem? Dokończylibyśmy naszą rozmowę".

Jechałem w przeciwny koniec miasta, on na północ, ja na południe. Poza tym dochodziła już jedenasta.

„Żaden problem", odpowiedziałem. „Rozmowy powinno się kończyć".

Ruszyliśmy więc na północ oświetloną aleją, powtarzając razem trasę, którą przemierzyłem samotnie dziewięć lat temu, tym razem milczeliśmy z woli czy wyboru Benavidesa. Kiedy opuszczaliśmy parking przed kliniką, uznałem, że muszę natychmiast zapytać go o tę dziwną inscenizację, w której obaj przed chwilą uczestniczyliśmy; zapytałem go w sposób bardziej oględny, po co w ogóle wpakował mnie w tę sprawę – dlaczego pożyczył mi biały fartuch, czemu zmusił mnie do udziału w oszustwie, czemu wydało mu się konieczne, a może użyteczne, może nawet zabawne, uczynić mnie świadkiem swojej rozmowy z pacjentką w chwili, gdy ta pacjentka zdecydowała się nie uciekać dłużej przed śmiercią. Ale Benavides, nie odwracając wzroku od panoramicznego widoku Siódmej Alei, rozciągającego się przed nami, odparł: „Nie chcę o tym rozmawiać".

„Zaraz, zaraz, panie Francisco", powiedziałem. „Najpierw pakuje mnie pan w coś takiego. Zmusza, żebym udawał kogoś innego i był świadkiem czegoś, czego nie powinienem widzieć. A teraz mówi mi pan, że nie chce o tym rozmawiać?"

„Właśnie tak. Nie chcę o tym rozmawiać".

„To nie takie proste", odrzekłem. „Muszę…"

„Poza szpitalem", przerwał mi Benavides z cieniem zniecierpliwienia w głosie, „nie rozmawiam o pacjentach w stadium terminalnym. Podjąłem taką decyzję wiele lat temu i dotąd uważam ją za najlepszą na świecie. Trzeba oddzielić te dwa życia, Vásquez, w przeciwnym wypadku można zwariować. To wyczerpuje, zużywa energię. A ja, podobnie jak wszyscy, mam ograniczone zasoby energii". Oczywiście uznałem to za wymówkę. Ale wymówka wydawała się na tyle rozsądna, a zmęczenie doktora na tyle prawdopodobne, że nie potrafiłem zaprotestować. Ja również, wychodząc z sali Andrei Giraldo, poczułem, że zostawiłem tam wszystkie swoje siły; zaplątane w pościel, na której siedziałem, a może wchłonięte przez ciało kobiety, która postanowiła umrzeć; te delikatne kości, jakie objąłem na chwilę, próbując nieudolnie pocieszyć kogoś, kto potrzebował pocieszenia. Po przejechaniu dwudziestu przecznic w absolutnej ciszy zauważyłem, że Benavides zamknął oczy. Wydawało się, że śpi, ale jego głowa opierała się twardo na zagłówku, nie opadając, nie chwiejąc się na boki. Nie odważyłem się wywabiać go z tej zaimprowizowanej kryjówki, bo wyobraziłem sobie, że właśnie tego – kryjówki – w tej chwili potrzebuje. Mnie wciąż nurtowały te same pytania, co chciał osiągnąć, zastawiając na mnie pułapkę. Żebym był świadkiem sceny, na którą nie byłem przygotowany? Wiedział, że Andrea podejmie decyzję właśnie w tamtej chwili? I o co chodziło z książką? Czy zaplanował to, że zaczniemy przeglądać z Andreą jego artykuł i przeczytamy podkreślone przez niego zdania? Czy podarował mi ją właśnie po to? Kiedy wyszedł z sali i zostawił nas samych, czy przewidział scenę, która miała miejsce później? Tej odległej nocy, kiedy poznałem Carballa, przemknęło mi przez myśl dokładnie to samo – że Benavides wiedział o wiele więcej i o wiele więcej kontrolował, niż sam był skłonny przyznać.

Benavides ocknął się dopiero przed bramą wjazdową do domu. Dozorca podszedł do nas, żeby potwierdzić moją tożsamość; otworzyłem okno i podmuch zimna wtargnął do samochodu jak chmara komarów. „Przywiozłem doktora Benavidesa", powiedziałem głośno. „Numer 23". Kiedy pokazałem go dozorcy, Benavides otworzył oczy, ale nie jak ktoś, kto spał, ale jak ktoś, kto zamyślił się zaledwie na kilka sekund.

„No to jesteśmy na miejscu", powiedział. „Dziękuję".

Dom pogrążony był w ciemnościach. Nie paliło się nawet światło przy wejściu, które zwykle zostawia się zapalone, żeby udawać, że ktoś jest w domu i odstraszyć złodziei. Stojąc przed drzwiami, Benavides położył dłoń na niewielkiej szybie i powiedział: „Właśnie tę szybę rozbili". Zrobiłem to samo co on, dotknąłem nowej szybki wstawionej w miejsce tej wybitej przez włamywaczy, a Benavides tłumaczył: „Nie stłukli tej górnej ani tej na dole. Stłukli właśnie tę, dokładnie na wysokości zamka do drzwi".

„Wszystkie drzwi na świecie mają zamki na tej samej wysokości", stwierdziłem.

Ale on mnie nie słuchał. „Weszli tędy", tłumaczył, „jakby czuli się jak u siebie w domu". Skierował się w prawo, do salonu. „Wcześniej myślałem, że najpierw zapoznali się z zawartością mojej szafy, kalejdoskopem itp. A potem weszli na górę, żeby zobaczyć, co jeszcze mogą zabrać. Ale teraz już nie".

„Teraz już pan w to nie wierzy".

„Nie".

„Teraz sądzi pan, że to był Carballo".

„Coś panu pokażę", powiedział. „Niech pan pójdzie ze mną".

Wszedł po schodach, a ja ruszyłem za nim, cały czas miałem wrażenie, że zwiedzam miejsce zbrodni, nie dom, do którego się włamano, ale miejsce, gdzie kogoś zamordowano. Było zimno, jakby tu nikt nie mieszkał, i wszędzie panowały ciemności, więc Benavides, idąc, zapalał światła – sprawiając, że świat rodził się na naszych oczach. „Teraz sądzę, że poszli najpierw do mojego gabinetu", powiedział Benavides. „Bo już wiedzieli. Doskonale wiedzieli, czego szukają i gdzie to znajdą. A kiedy już to znaleźli, pobuszowali nieco po domu, robiąc bałagan. Znaleźli biżuterię, trochę forsy, kilka urządzeń, które dało się sprzedać, kilka rzeczy wyglądających na antyki. Ale najpierw mieli, powiedzmy, że w kieszeni, to, po co przyszli. Całą resztę zabrali być może tylko dla niepoznaki. Problem w tym, że trudno teraz wyobrażać sobie szczegóły. Wyobrażanie sobie innych zawsze jest trudne, ale trudniej jeszcze wyobrazić sobie kogoś, kogo wydawało się, że znamy, a potem okazuje się, że nie znamy go wcale. Odkąd wyszliśmy ze szpitalnego bufetu, próbuję sobie wyobrazić Carballa, ale nie udaje mi się uzyskać pełnego obrazu. Najpierw myślę: nie, niemożliwe, to nie mógł być on. Carballo, uczeń mojego ojca. Carlos, mój przyjaciel. Carlos Carballo, przyjaciel, z którym dzieliłem zainteresowanie przeszłością... A potem myślę: jedyny, z którym je dzielę. Jedyny, którego mogło interesować dziedzictwo po moim ojcu, kości polityka zamordowanego sześćdziesiąt sześć lat temu. Z pana powodu jedyna osoba spoza rodziny wiedząca o istnieniu tych kości, jedyna, która mogła sobic wyobrazić, gdzic zostały schowane. Widzi pan, Vásquez, jedyny, jedyny, jedyny".

„Ale po co?", zapytałem. „Po co miałby teraz kraść te rzeczy?"

„Nie teraz. Dwa lata temu".

„Wszystko jedno. Opowiedziałem mu, że są u pana, dziewięć lat temu. Jeśli naprawdę je ukradł, czemu czekał z tym siedem lat?"

Benavides usiadł na swoim czarnym fotelu. „Nie mam zielonego pojęcia", odparł. „Ale nie muszę rozumieć motywacji złodzieja. Muszę natomiast wziąć pod uwagę fakty i wyciągnąć logiczne wnioski. Bo kto poza nim, Vásquez? Kto poza nim chciałby zabrać te rzeczy?"

„Ktoś, kto nie wiedział, co to właściwie jest".

„Nie sądzę".

„Ktoś, kto zobaczył szufladę zamykaną na klucz i zabrał wszystko, co było w środku. Myślał prawdopodobnie, i trudno mu odmówić logiki, że nikt nie zamyka na klucz szuflady, w której nie przechowuje niczego cennego. To jest logiczne wytłumaczenie, panie Francisco. A nie myślenie, że ktoś, z kim przyjaźni się pan całe życie, pewnego dnia postanawia stłuc szybę i włamać się panu do domu. Przyznaję, nigdy nie polubiłem Carballa. To prawda, że jest mitomanem, oszustem, a nawet fałszerzem. Ale stąd do posądzania go o złodziejstwo jeszcze daleka droga".

„Pan nie zna go tak dobrze jak ja", upierał się Benavides. „Nie wie pan, do czego jest zdolny. Ja tak, bo przyglądam mu się od wielu lat. Przyglądam się jego obsesjom. Wszyscy mamy obsesje, Vásquez, mniejsze i większe. Ale nigdy nie spotkałem kogoś takiego jak Carballo, kogoś, kto organizuje sobie życie wokół pewnej idei. Carlos jest rozwodnikiem, wiedział pan o tym?"

„Nie, nigdy mi o tym nie powiedział. Zresztą nie miał powodu zwierzać mi się ze swojego życia prywatnego".

„Ale to prawda. Ożenił się pod koniec lat siedemdziesiątych z kobietą pochodzącą z Cali. Bardzo sympatyczną, miała taki uśmiech, który umili każdemu dzień. Poza tym stąpała twardo po ziemi. Carlos ją zostawił. A wie pan dlaczego? Bo nie rozumiała całej tej historii o dziewiątym kwietnia".

„Której części?"

„Nie rozumiała, że Gaitana mogła zabić więcej niż jedna osoba. Że mógł go zabić ktoś inny niż Roa Sierra. Śmiała się z tego. Powtarzała Carlosowi: «Kochanie, ile palców mieści się na cynglu pistoletu?» Carballo nie mógł tego znieść. Pewnego dnia spakował manatki i wyprowadził się z domu, spał przez kilka tygodni na sofie mojego ojca".

„Ale to jeszcze o niczym nie świadczy, panie Francisco".

„Tak pan uważa?"

„Tak uważam".

Schyliłem się nad szufladą, do której się włamano. Zobaczyłem popsuty zamek, nadłamane drewno na jej krawędzi i wyobraziłem sobie śrubokręt i młotek, które do tego posłużyły. Na dnie zgromadził się kurz, jakby szufladę zostawiono zbyt długo otwartą, w jednym z rogów spacerowała szczypawka. „Kim jest fanatyk, Vásquez?", zapytał Benavides.

„Fanatyk to osoba, która nadaje się tylko do jednej rzeczy na świecie, odkrywa, czym jest ta rzecz i poświęca jej cały swój czas, aż do ostatniej sekundy. Ta rzecz interesuje ją z jakiegoś szczególnego powodu. Bo może ją do czegoś wykorzystać, bo służy mu za narzędzie, bo pomaga mu w zdobyciu pieniędzy, władzy albo kobiety, albo wielu kobiet, albo poprawia mu samoocenę, buduje ego, czyni go godnym raju, pozwala zmieniać świat. Oczywiście, że zmienianie świata buduje ego, zapewnia i pieniądze, i władzę, i kobiety. Dlatego ludzie robią to, co robią, nawet fanatycy. Czasem jednak fanatyk robi to, co robi, z bardziej tajemniczych powodów, powodów, które nie przynależą do żadnej ze wspomnianych kategorii. Potem te powody się mieszają, rozmywają, zmieniają się w obsesję ocierającą się o irracjonalność, poczucie misji, osobistej i nieuniknionej, poczucie, że przyszło się na świat w jakimś celu. W każdym razie taka osoba wyróżnia się wieloma cechami, ale jedna z nich jest oczywista: robi to, co musi zrobić. Eliminuje ze swojego życia wszystko, co nie jest mu przydatne. A jeśli uważa, że coś jest przydatne, robi to albo zdobywa. Nie bacząc na środki".

„A pan sądzi, że Carballo jest fanatykiem".

„Przynajmniej tak się zachowuje", powiedział Benavides. „Jest wiele rodzajów fanatyków, Vásquez. Jedni są zdolni zabić, inni nie. Jest tysiąc sposobów na to, żeby być fanatykiem, tysiąc najrozmaitszych sposobów, skala rozciąga się od strajku głodowego przeciw wycince drzew do podkładania bomb, bo zachęca do tego Koran. Być może się mylę, ale myślę, że w tej skali mieści się ktoś, kto włamuje się do domu przyjaciela, żeby ukraść rzeczy, które wydają mu się przydatne. A może czuje, w wyniku jakiegoś pokrętnego rozumowania, sądzi, że należą do niego, że zasługuje na nie bardziej niż przyjaciel, a nie należą do niego tylko dlatego, że życie bywa niesprawiedliwe. Czy to niemożliwe, że tak się właśnie stało? Carballo dowiaduje się przez przypadek, że mam kręg Gaitana, ten, który przechowywał mój ojciec po autopsji z sześćdziesiątego roku. Zżera go zawiść, to rzeczy jego mistrza, mentora, lepiej, żeby znalazły się w rękach ukochanego ucznia niż syna marnotrawnego. Mistrz popełnił błąd, wielki błąd, przekazując je synowi, który nie rozumie ani nie docenia ich tak jak on, uczeń. Dla syna są zwykłą historyczną ciekawostką, przyjemnością kolekcjonera, hobby albo w najlepszym wypadku fetyszem. Dla ucznia natomiast są misją. Tak, właśnie w tym rzecz, są częścią jego misji, to rzeczy, które służą wyższemu celowi. Inni nie zdają sobie z tego sprawy. Inni to profani".

„Bóg daje chleb tym, co nie mają zębów".

„No właśnie".

„A misją jest książka?"

„Nie przychodzi mi do głowy nic innego", odrzekł Benavides. „Tak, Vásquez, chodzi o książkę. A ściślej rzecz ujmując: informacje czy też historie, które dzięki książce mają ujrzeć światło dzienne. Jego teoria o spisku, który zabił Gaitana. Obsesja, która dręczy go przez całe życie, jak wcześniej dręczyła mojego ojca. Z tą różnicą, że dla mojego ojca to była zabawa. Zabawa na serio, ale ostatecznie jednak zabawa". Te same słowa słyszałem dziewięć lat wcześniej. Mam słabą pamięć, zarówno do nazwisk, jak i twarzy czy drobnych spraw do załatwienia, ale dobrze pamiętam słowa, ich porządek, rytm i sekretną melodię. I to samo powiedział Benavides tej nocy, gdy pokazał mi krąg Gaitana. „Nie starcza mi wyobraźni, żeby domyślać się, co się wydarzyło przez te lata, Carballo nie ufa mi, ale nie ma w tym nic dziwnego, bo nie ufa nikomu. I to, że jest bliskim przyjacielem rodziny i częstym gościem w moim domu, wcale tego nie zmienia. Pewna część jego życia jest dla mnie strefą ciemności, tajemnicą. Coś musiało się przez te lata wydarzyć, jakieś nowe odkrycie, pomysł. Nie wiem, nie potrafię ułożyć sobie chronologii ani logicznej sekwencji. Ale wydaje mi się, że to nie zbieg okoliczności, że kradzież miała miejsce wtedy, kiedy zdecydowałem oddać rzeczy po moim ojcu. Co więcej, dokładnie po rozmowie o tym z moją rodziną. Kiedy tej nocy kładliśmy się spać, decyzja była ostateczna, mieliśmy skorzystać z naszych kontaktów, żeby udostępnić te rzeczy publiczności, sprawić, że zostaną wystawione w jakimś muzeum, czyli tam, gdzie powinny się znaleźć. I zaraz potem włamują się złodzieje. Czy to zbieg okoliczności? Sądzę, że nie, sądzę, że Carballo dowiedział się, co zamierzamy zrobić, i temu zapobiegł. Nie wiem jak, nie potrafię sobie tego wyobrazić. Ale to najprostsze wytłumaczenie. A moje doświadczenie i moja żona nauczyły mnie, że kiedy istnieje proste wyjaśnienie, nie warto szukać skomplikowanego".

„Ale to jest bardzo skomplikowane", powiedziałem. „Proste wyjaśnienie jest inne, panie Francisco. Zwykli, pospolici złodzieje".

Benavides mnie nie słyszał albo udawał, że nie słyszy.

„Pytanie brzmi: co teraz zrobimy? Co zrobimy, żeby odzyskać te rzeczy? Przyjmijmy na potrzeby dyskusji, że nie jesteśmy pewni, iż ma je Carballo. Co zrobimy, żeby się upewnić? Facet wciąż mnie odwiedza. Jego relacje ze mną i moją rodziną nie zmieniły się po włamaniu. A ja nie opowiedziałem mu o kradzieży, bo nie chciałem opowiadać mu o tych rzeczach po ojcu. Nie chciałem się przyznać, że ukrywałem je przed nim przez tyle lat. Ale teraz, kiedy go podejrzewam, zacząłem przypominać sobie wszystkie te razy, kiedy zaprosiłem go na obiad albo kolację w ciągu ostatnich lat. Twarz pokerzysty, Vásquez, doskonała gra aktorska. Nie zrobił najmniejszego gestu, który mógłby go zdemaskować, to niezwykłe. Nie wiem, ile razy siedział w mojej jadalni, opowiadał mi o Gaitanie, o Kennedym, o podobieństwach pomiędzy zabójstwami, wszystko d o k ł a d n i e tak samo jak przed włamaniem. A ja byłem pełen wyrzutów sumienia, bo po kradzieży już nigdy nie miał wziąć do ręki tego kręgu. Nigdy nie chciałem mu go pokazywać, ale po kradzieży już nie tylko nie chciałem, teraz po prostu nie mogłem. I miałem wyrzuty sumienia, jakbym mu coś odebrał. Ja jemu! Ach, życie bywa takie ironiczne. Siedziałem tu, słuchałem, jak mówi o Gaitanie, i miałem wyrzuty sumienia, że odebrałem mu wielką przyjemność (chociaż on nie miał o tym pojęcia), a on w tym czasie wiedział, że po powrocie do domu będzie mógł wziąć krąg Gaitana do ręki, oglądać go, użyć do własnych celów, których nie potrafimy sobie wyobrazić. Włączyć go do archiwum swojej paranoi, do kolekcji dowodzącej prawdziwości jego teorii spiskowej".

„O ile naprawdę go ma".

„O ile naprawdę go ma", przytaknął Benavides. Zamilkł na chwilę. Patrzyłem, jak wstaje, obchodzi fotel, chwyta się obiema rękami czarnego oparcia jak rozbitek koła ratunkowego. „Vásquez, bardzo proszę, niech pan mnie uważnie posłucha", powiedział. „To, co panu powiem, może wydawać się pochopne, ale tak nie jest. Myślałem o tym w klinice, kiedy opowiadałem panu o czym innym. Myślałem o tym w samochodzie, kiedy jechaliśmy tutaj. Myślę o tym przez cały czas, kiedy rozmawiamy. Sprawa wygląda tak:

rzeczy mojego ojca są moje i nikogo więcej. Ale wiem też, że są dziedzictwem mojego kraju, i chcę, żeby po tylu latach znów stały się jego częścią. I nie chcę, zdecydowanie nie chcę, żeby posłużyły jakiemuś fanatykowi do spekulacji nad bolesną przeszłością. A pan jest jedyną osobą, która może sprawdzić, czy Carballo ma te rzeczy, czy nie. Życie postawiło pana w takiej sytuacji i nic pan na to nie poradzi. Carballo chciał, żeby napisał pan dla niego książkę. Proponuję, żeby poszedł pan do niego i powiedział, że się zgadza. Tak, dobrze pan słyszy. Niech pan go odnajdzie, obieca napisać tę cholerną książkę, niech pan wejdzie do jego domu i to sprawdzi. Nikt oprócz pana nie ma takiej możliwości. Gdyby pański przyjaciel Moreno-Durán żył, poprosilibyśmy go o to. Ale on umarł. A pan żyje. I Carballo otworzy panu drzwi do swojego domu, pokaże panu dokumenty, dowody, wszystkie materiały, które ma, żeby objawić światu prawdę o zabójstwie Gaitana. Niech pan udaje, że jest pan po jego stronie, powie mu to, co chce usłyszeć, niech pan gra, jeśli zajdzie potrzeba. I niech pan to sprawdzi. Wiem, że pomysł wydaje się szalony, ale nic z tych rzeczy, jest całkiem rozsądny. Niech pan wyświadczy mi przysługę i wróci do domu, przemyśli to dziś w nocy i zadzwoni do mnie jutro. I niech pan nie zapomina, że proszę o pomoc. Potrzebuję pańskiej pomocy i o nią proszę. Jestem w pańskich rękach, Vásquez. Jestem w pańskich rękach".

V

NAJWIĘKSZA RANA

W niedzielę wieczorem napisałem do Carlosa Carballa na adres, który dostałem od Benavidesa, ten zachowany w moim komputerze od wielu lat był nieaktualny, i poprosiłem o spotkanie. Odpisał mi natychmiast, ze zwykłą sobie pogardą dla zasad, którymi kierują się bardziej konwencjonalne umysły – ortografii i gramatyki. *Serdeczne pozdrowienia, Juanie Gabrielu*, przeczytałem. *Czemu zawdzieczam niespodzianke?* Odpisałem, że od naszego ostatniego spotkania upłynęło sporo czasu, że się zmieniłem i zmieniły się okoliczności, w ciągu ostatnich paru lat, ciągnąłem, objawiło mi się wiele ciekawostek, o których wcześniej nie miałem pojęcia (tak właśnie napisałem: „objawiło mi się") i powoli nabrałem przekonania, że zaproponowana przez pana książka jest mi przeznaczona (tak właśnie napisałem: „jest mi przeznaczona"). Pomyślałem, że taka retoryka spełni oczekiwania Carballa, poczułem się jak oszust, ale czułem też, że oszustwo jest częścią misji powierzonej mi przez Francisca Benavidesa, a jak wiadomo, cel uświęca środki. Potem, kiedy zobaczyłem, że Carballo mi nie odpowiada, pomyślałem, że przesadziłem i że ten doświadczony hochsztapler odgadł albo przejrzał moje prawdziwe intencje. Poszedłem spać z tą myślą, zastanawiając się nad awaryjnym planem, żeby wykonać misję, nie zdradzając swoich zamiarów. Ale o wpół do siódmej rano mój telefon zadzwonił. To był on.

„Skąd ma pan mój numer?", zapytałem.

Carballo nie odpowiedział. „Cieszę się, że pana słyszę", rzekł. „Czy jest pan zajęty w piątek wieczorem?"

„Nie", odparłem. To była prawda, ale odwołałbym i tak wszystkie zobowiązania. „Możemy umówić się na kolację".

„Nie, nie na kolację", powiedział. „Zapraszam pana do mojego programu".

Tak właśnie dowiedziałem się o nowym wcieleniu tego nieprzewidywalnego człowieka. Carballo zaczął prowadzić w radiu swój własny program, czterogodzinną audycję emitowaną co noc po dwunastej, w której robił wywiady (chociaż to słowo wydaje się zbyt profesjonalne na to, co działo się na antenie) z jednym, a czasem dwoma gośćmi. Przez ostatnie pięć lat audycję *Nocne ptaki* odwiedzili politycy, piłkarze, artyści konceptualni, wojskowi w stanie spoczynku, wykonawcy muzyki popularnej, gwiazdy telenowel, powieściopisarze, poeci, poeci, którzy byli też powieściopisarzami, politycy, którzy uważali się za poetów, i piosenkarze, którzy uważali się za aktorów, i wystarczyła mi krótka chwila internetowych poszukiwań, żeby odkryć, że program, o którym nigdy nie słyszałem, był dla wiernej publiczności czymś w rodzaju radiowej instytucji docenianej zwłaszcza ze względu na swój mniejszościowy i, by tak rzec, podziemny charakter. Zaproszeni mieli spełnić dwa warunki: przynieść własną muzykę – około dziesięciu piosenek, żeby spersonalizować program – i swoje własne napoje, mogła to być kawa w termosie, piersiówka rumu czy *aguardiente* albo bidon wody. Poza tym wymagano od nich tylko otwartej głowy i ochoty na rozmowę, gdyż ich udział zajmował dwie pierwsze godziny *Nocnych ptaków.* W tym czasie Carballo rozmawiał ze swoim gościem i odbierał telefony od słuchaczy, prze dwie następne godziny, już sam w studiu, znów odbierał telefony, niekiedy rozmawiano o występie zaproszonego już pod jego nieobecność w studiu, puszczał muzykę i monologował w eter, i tak przez te lata stał się towarzystwem dla samotników i cierpiących na bezsenność, nocnych marków z wyboru albo z przyczyn zawodowych, a także tych, którzy wstawali przed świtem. Teraz zapraszał mnie do tego programu, co nie wydało mi się wygórowaną ceną, żeby znów zaakceptował mnie w swoim życiu.

W ten oto sposób w najbliższy piątek, o wpół do dwunastej w bardzo zimną noc, parkowałem samochód przed rozgłośnią Todelar, równolegle do 84 Ulicy i zapytałem dozorcę, który nudził się w żółtym świetle lampy, gdzie znajdę Carlosa Carballa. Zawahał się, otworzył kołonotatnik, jak widać nie należał do publiki *Nocnych ptaków*. Wytłumaczył mi coś mętnie, wszedłem na drugie piętro po pogrążonych w półmroku schodach, przemierzyłem wyłożony dywanem pusty korytarz, oświetlony jarzeniówkami i blaskiem ze studiów, w których nadal ktoś pracował. W jednej ręce miałem buteleczkę whisky; w kieszeni marynarki, na pendrivie, znajdowało się moich dziesięć ulubionych piosenek albo takich, które tego popołudnia stały się na potrzebę chwili moimi ulubionymi, i kiedy wręczałem Carballowi niewielkie plastikowe urządzenie, uświadomiłem sobie, że wszystkie od *Eleanor Rigby* po *Las ciudades*, od przeboju Paula Simona po hit Serrata, mówią o samotności.

„No i przyszedł nasz gość", wykrzyknął Carballo, właściwie do nikogo. „Proszę, proszę, niech pan się czuje jak u siebie w domu".

Carballo miał na sobie jasne dżinsy i koszulę, której jego pasek nie zdołał okiełznać, na szyi szal w czarno-białą kratę, chociaż nie było tam zimno. Wydał mi się bledszy niż kiedyś, natychmiast skojarzyłem tę bladość z jego obecną pracą; zmienił się w człowieka, który żyje w nocy, a śpi w dzień i dlatego rzadko widuje światło słoneczne. To było zapewne przyczyną oliwkowych cieni pod oczami, dobrze widocznych niebieskich żył na niestarannie ogolonych policzkach. Carballo nie zaczął rozmowy, jak zwykle zaczynamy ją my, bogotanie, co słychać, jak leci, co zdarzyło się przez te wszystkie lata, lecz zaprosił mnie do studia, posadził przed mikrofonem ozdobionym niewielką kolumbijską flagą, zamknął dźwiękoszczelne drzwi i pochylił się nad dźwiękowcem, żeby udzielić mu kilku niesłyszalnych dla mnie wskazówek. Kiedy zajął miejsce na krześle, włożył słuchawki i pokazał mi gestem swoich długich palców, żebym zrobił to samo, pomyślałem, że unika mnie celowo, może chciał, żebyśmy byli już na odsłuchu, kiedy zacznie się rozmowa, żeby nie przechodzić przez fazę banałów i fałszywej kurtuazji. Pomyślałem, że niecierpliwiły go formuły życia społecznego. Pomyślałem też, że być może zrobił się nieśmiały albo powściągliwy. Ale nie przyszło mi do głowy, że zastawił na mnie pułapkę.

„Dziś zaprosiliśmy niezwykłego gościa", powiedział. Takiego go pamiętałem, w słowach Carballa ekscentryczność mieszała się z banalnymi kalkami, które wykwitały jak polne chwasty. Przedstawił mnie pobieżnie, a potem opowiedział słuchaczom, że spotykamy się nie pierwszy raz. „Czy wiecie, moi drodzy słuchacze, moje nocne ptaki, jak się poznaliśmy?", zapytał, ściszając głos, bez wysiłku przyjmując intymny ton, który należał zapewne do repertuaru jego sztuczek. „Złamał mi nos szklanką. Tak się poznaliśmy. Pierwszy raz zapraszam do swojej audycji osobę, przez którą znalazłem się w klinice, i mam nadzieję, że po raz ostatni". Zachichotał porozumiewawczo śmieszkiem, który nie był jednak skierowany do mnie, na moich oczach Carballo tworzył prywatną więź z tysiącami osób słuchających nas w tej chwili. To było fascynujące. „Wszystko zdarzyło się dziewięć lat temu, dziewięć lat bez paru miesięcy. A teraz siedzimy tutaj, drodzy słuchacze *Nocnych ptaków*, jak gdyby nigdy nic. A wiedzą państwo dlaczego? Bo rzeczy przytrafiają się nam zawsze z jakiegoś powodu. Jak się pan miewa, Juanie Gabrielu?"

„Bardzo dobrze, panie Carlosie. Chciałem tylko…"

„Jest pan autorem wielu książek, ale pisuje pan również felietony do dziennika «El Espectador». I właśnie jako felietonista zaskoczył nas pan na początku roku tematem, którego się po panu nie spodziewaliśmy: zabójstwem Rafaela Uribe Uribe".

Zupełnie nie byłem na to przygotowany. Wówczas niemal zdążyłem już kompletnie zapomnieć o tym zaimprowizowanym felietonie, ale jak nagły błysk stanął mi w pamięci komentarz niezadowolonego czytelnika, za którego pseudonimem ukrywał się, jak przypuszczałem, Carlos Carballo. Teraz byłem pewien, że miałem rację.

„No tak, w rzeczywistości felieton nie dotyczył jedynie Uribe Uribe", powiedziałem. „Przede wszystkim dotyczył on książki, która mi się podobała. *Duchy Sarajewa*, tak brzmi tytuł, bardzo ją polecam. Poza tym felieton poruszał sprawę dwóch rocznic, dwóch zabójstw, które miały miejsce…"

„Jak zainteresował się pan sprawą Uribe Uribe?", przerwał mi prowadzący.

„Nie wiem", przyznałem. „To nowe zainteresowania".

„Ach tak? Ale wspomina pan o nim na początku jednej z pańskich powieści, a dokładniej w *Sekretnej historii Costaguany*. Pisze pan w niej o Uribe Uribe i o Galarzie, i Carvajalu, jego zabójcach. Książka ma siedem lat, więc zainteresowania nie są takie świeże".

„To prawda. Nie pamiętałem o tym, ale ma pan rację. Nie wiem, panie Carlosie. Interesuje mnie ta zbrodnia, podobnie jak interesuje ona wszystkich Kolumbijczyków. Ja…"

„Tak pan sądzi? Nie byłbym tego taki pewny. Nie wiem, jak dużo moi słuchacze, moje nocne ptaki, wiedzą o generale Uribe Uribe. Ilu z nich wie, jak zginął. Pan wie, jak zginął? Wie pan, jak to się stało?"

Coś tam wiedziałem. To właśnie zamierzałem mu powiedzieć, że coś tam wiem, ale niezbyt wiele. Ogólne kwestie, mniej więcej utrwalona scena, która zachowała się w mojej pamięci, chociaż nie wiem, w jaki sposób się ukształtowała; tak zwykle poznajemy przeszłość. Wiedziałem oczywiście to, co napisałem w felietonie, że 15 października 1914 roku, sto lat bez ośmiu miesięcy przed naszą rozmową w radiu, generał Rafael Uribe Uribe szedł zachodnim chodnikiem Siódmej Alei, gdy został śmiertelnie raniony ciosami toporków przez dwóch stolarzy. Tak, to wiedziałem i wiedziałem to od dziecka. Musiałem mieć dziewięć, może dziesięć lat, kiedy ojciec zabrał mnie na miejsce, gdzie to się stało, pokazał mi smutną marmurową tablicę upamiętniającą wydarzenie i opowiedział o zabójcach. Galarza i Carvajal, muzyka tych dwóch nazwisk towarzyszyła mi od tamtej pory jak refren popularnej piosenki, chociaż upłynąć musiało wiele lat, żeby tym nazwiskom zaczęły towarzyszyć imiona, żeby moja dziecięca świadomość zdołała je wreszcie rozdzielić i zaczęła sobie wyobrażać ich właścicieli jako dwie różne osoby, a nie jak tajemniczą nierozerwalną jedność, dwugłowego potwora. Nie pamiętam już, jak wyobrażałem sobie ich jako dziecko, przechodząc z moją rodziną przez plac Bolivara, nie pamiętam też, jak w mojej wyobraźni widziałem scenę, brutalną i dziką, jaką zobaczyli bogotanie w 1914 roku. Zdałem sobie sprawę, że moja ignorancja, wychodząc poza te ogólne ramy, przyozdobiła scenę nieścisłościami lub nieprawdami.

Mogłem wyjaśnić to wszystko Carballowi, ale nie zrobiłem tego. Ograniczyłem się do opowiedzenia o Galarzie i Carvajalu, o wschodnim chodniku Kapitolu. On skrzywił się (na szczęście słuchacze nie mogli tego zobaczyć) i mówił dalej.

„Tak mówi historia", odezwał się kpiącym tonem. „Ale moi słuchacze wiedzą, że historia bywa czasem, jak by to powiedzieć, odrobinę zakłamana. Nieprawda, mój drogi Juanie Gabrielu?" Teraz jego ton był przymilny albo pojednawczy, albo wszystko naraz. „Prawda może przecież być inna? Podobnie jak w wypadku śmierci Gaitana, by podać pierwszy z brzegu przykład, prawda jest inna niż wersja, jaką sprzedano nam w szkolnych podręcznikach".

„Tak, zastanawiałem się, ile czasu zajmie panu dojście do kwestii Gaitana", powiedziałem, próbując z pomocą szczypty humoru odzyskać kontrolę nad rozmową. Pomyślałem: Gaitán, którego kręg pan ukradł. „Dobrze pan wie, mój drogi Carlosie, że nie wierzę zbytnio w teorie spiskowe. Wiem, że są popularne, wiem, że ludzie…"

„Zaraz, zaraz", znów mi przerwał. „Mamy telefon". Odwrócił ode mnie wzrok (poczułem się, jakby uwalniał mnie od ciężaru) i powiedział, patrząc w przestrzeń: „Tak? Dobry wieczór, z kim mam przyjemność?"

„Dobry wieczór, Carlitos", odpowiedział mu męski głos. „Tu Ismael".

„Don Ismael, o czym chce nam pan dziś opowiedzieć?"

„Ja też czytałem felieton młodego Velasqueza", powiedział głos Ismaela, zniekształcony przez mikrofon. Carballo nie poprawił mojego nazwiska, a ja nie chciałem mu przerywać. „I muszę powiedzieć jedno: jeśli naprawdę interesuje pana pierwsza wojna światowa, nie powinien pan z góry wykluczać tego, co nazywa pan z taką pogardą «teoriami spiskowymi»".

„Ale ja nimi nie pogardzam", próbowałem się bronić. „Ja…"

„W felietonie pisze pan o Franciszku Ferdynandzie", ciągnął Ismael. „Pisze pan o Gawrile Principie. Pisze pan, że od tego zaczęła się pierwsza wojna. Mogę pana o coś zapytać?"

Starałem się być miły. „O wszystko, o co pan tylko zechce, Ismaelu".

„Czy pan wie, jak Stany Zjednoczone przystąpiły do wojny?"

Nie mogłem w to uwierzyć. Nie upłynęło jeszcze pół godziny programu, a już musiałem zdawać telefoniczny egzamin z historii Zachodu. Carballo miał szeroko otwarte oczy, a jego twarz wyrażała absolutną powagę, jakby najważniejszy na świecie był w tej chwili powód wybrany przeze mnie, żeby wyjaśnić przystąpienie Stanów Zjednoczonych do pierwszej wojny światowej – która w swojej epoce nie nazywała się pierwszą, bo nikt nie miał pojęcia o tym, że wybuchnie druga, lecz Wielką Wojną. Tak właśnie o niej mówiono: Wielka Wojna. Mówiono o niej też, z populistycznym optymizmem, wojna, która położy kres wszystkim wojnom. Nazwa tego konfliktu zmieniała się z upływem lat, tak jak być może zmieniała się jego natura albo wytłumaczenia, jakie wymyśliliśmy, żeby o nim mówić. Nasza zdolność do nazywania rzeczy jest ograniczona, a ograniczenia te stają się jeszcze bardziej dotkliwe albo okrutne, kiedy rzeczy, które chcemy nazwać, zniknęły na zawsze. Tym jest właśnie przeszłość: opowieścią, opowieścią zbudowaną na innej opowieści, tworzywem z czasowników i rzeczowników, w których udaje nam się czasem przygwoździć ludzki ból, strach przed śmiercią i wolę przetrwania, tęsknotę za domem podczas walki w okopach, troskę o żołnierza, który wyruszył na pola Flandrii i być może już nie żyje, kiedy o nim wspominamy.

„No więc", zacząłem, „prezydent Wilson, o ile dobrze pamiętam, wypowiedział wojnę Niemcom po zatopieniu Lusitanii. Był to parowy statek pasażerski zatopiony przez niemiecki okręt podwodny. W wyniku tego ataku zginęło ponad tysiąc osób. Wilson nie wypowiedział wojny natychmiast, ale jakiś czas potem".

„No dobrze, a niech mi pan powie", ciągnął Ismael, „kiedy zatopiono Lusitanię?"

„Nie pamiętam dokładnej daty", broniłem się. „Ale musiało to być…"

„Siódmego maja tysiąc dziewięćset piętnastego roku", pospieszył mi z pomocą Ismael. „A kiedy Anglicy rozszyfrowali niemiecki szyfr?

„Kiedy co?"

„Niemieckie szyfry. Kod wojenny Niemców. Kiedy rozszyfrowali go Anglicy?"

„Nie wiem, Ismaelu".

„W grudniu 1914 roku", powiedział elektronicznie zmodyfikowany głos. „Jakieś pięć miesięcy p r z e d zatopieniem Lusitanii. Niech mi pan więc powie: skoro pan Winston Churchill, który pełnił wówczas funkcję szefa Admiralicji, znał lokalizację wszystkich niemieckich okrętów podwodnych, dlaczego jeden z tych okrętów mógł podpłynąć do statku pasażerskiego i zatopić go torpedą? Lusitania stała zacumowana w kanale nieopodal portu, kiedy uderzyła w nią niemiecka torpeda. Wie pan, dlaczego tam się znalazła? Na co czekała? Czekała na krążownik, który miał ją eskortować do angielskiego portu. Krążownik nazywał się Juno. I nigdy nie dotarł na miejsce: nie dotarł, bo Winston Churchill wydał rozkaz, żeby wrócił do portu. Dlaczego wydał taki rozkaz? Dlaczego Churchill, który wiedział o obecności trzech niemieckich okrętów podwodnych na tych wodach, z r o z m y s ł e m zostawił Lusitanię bezbronną? No, proszę mi wytłumaczyć. Czemu tak postąpił?"

Nagle poczułem się zmęczony, bardzo zmęczony, i to nie ze względu na późną godzinę. Jakby ktoś uchylił drzwi, a ja zobaczyłem za nimi całą noc pełną monologów, wyrzucających mi, z różnych anonimowych miejsc, niewiarę i naiwność. Spojrzałem na Carballa, sądząc, że odnajdę na jego twarzy wyraz rozbawienia kogoś, kto zastawił pułapkę i wrócił, żeby zobaczyć, że zwierzyna się złapała, lecz nie zauważyłem na jego twarzy nic podobnego, malowało się na niej autentyczne zainteresowanie wystąpieniem Ismaela i moją odpowiedzią. Być może ze słuchaczy podobnych do Ismaela składała się publiczność Carlosa Carballa, jego legion nocnych ptaków, bez wysiłku wyobraziłem sobie tych samotnych ludzi, którzy w dzień wypełniają mało satysfakcjonujące obowiązki, a naprawdę wracają do życia dopiero w nocy, otoczeni książkami, które nie stoją na półkach, lecz piętrzą się w stosach, włączają swój komputer albo radio i czekają do północy, bo dopiero wtedy, odwrotnie niż w przypadku Kopciuszka, zaczyna się ich magia. W towarzystwie Carballa, czy też jego głosu, ci mężczyźni i kobiety poświęcają kilka godzin na badanie ukrytej strony świata, prawdy, która została wyciszona przez oficjalną wersję historii, łączą się w braterstwie paranoi, w przyjemności swojego wspólnego oburzenia, bo to, co najlepiej może połączyć dwoje ludzi, choćby się nie znali i nigdy nie widzieli, to wrażenie, że mają wspólnego prześladowcę. Wszystko to przeszło mi przez myśl w ułamku sekundy, ale dopiero teraz, kiedy o tym piszę, to, co wydarzyło się później, nabiera sensu. Zrozumiałem coś, zrozumiałem, dlaczego Ismael zadzwonił tak szybko, jakby z góry znał moje zdanie na temat teorii spiskowych; zrozumiałem też, dlaczego Carballo zaprosił mnie do programu. Oczywiście nie chodziło o to, że interesowały go moje opinie czy moje książki. Zaprosił mnie, żeby wystawić na próbę. A ściśle rzecz ujmując, zaprosił mnie nie ze względu na moje napisane już książki, ale żeby sprawdzić, czy na pewno zasługuję na pewną przyszłą książkę. Oślepiła mnie jasność tego objawienia. Odpowiedziałem czym prędzej.

„Bo miał nadzieję, że ją zatopią", powiedziałem.

„Słucham?", zapytał Carballo.

„To oczywiste", wyjaśniłem. „Chodziło o to, żeby Stany Zjednoczone włączyły się do wojny, prawda? Ale Stany Zjednoczone nie miały w zwyczaju pakować się w obce konflikty, to było coś w rodzaju tradycji od czasów ojców założycieli. Chyba nawet Waszyngton ustanowił tę zasadę jako część narodowej filozofii". Pamiętałem coś podobnego z dawnych lektur, z pewnością niedokładnie. Ale sądziłem, że nikt mnie nie poprawi. I nikt tego nie zrobił. „A jednak wielu ludziom było na rękę, żeby Stany Zjednoczone przystąpiły do wojny, bo wojna rodzi zyski. Wszyscy wiedzą, że bogaci Amerykanie chcieli włączyć się do wojny, ze względu na spodziewane korzyści. Ale prezydent Wilson uparcie się temu sprzeciwiał. Potrzeba było aktu przemocy wobec Stanów Zjednoczonych, czynu, który rozpali opinię publiczną, żeby zbuntowała się przeciw prezydentowi, zażądała zadośćuczynienia i zemsty".

Carballo oparł się mocniej na krześle. Splótł ręce za głową i bacznie mi się przyglądał.

„Słyszał pan o papierach pułkownika House'a?", zapytał Ismael.

Nie mogłem powiedzieć mu prawdy, że nie mam o nich zielonego pojęcia. Ale wiedziałem, że nie będzie to konieczne, bo Ismael chciał rozmawiać, aż rozsadzała go chęć, żeby mówić. A ja mu na to pozwoliłem.

„Kto nie słyszał o papierach pułkownika House'a?", zapytałem.

„No właśnie, kto o nich nie słyszał", potwierdził Ismael. „Więc w tych papierach, jak pan wie, znajduje się pewna wymowna rozmowa".

„Ale wyjaśnijmy to naszym słuchaczom", powiedziałem, „wyjaśnijmy naszym nocnym ptakom, kim był pułkownik House.

„Tak, ma pan rację", przytaknął Ismael. „Pułkownik House był głównym doradcą prezydenta Wilsona, jego zaufanym człowiekiem. W tych papierach zachowała się rozmowa, którą odbył z panem Edwardem Greyem, sekretarzem spraw zagranicznych Wielkiej Brytanii. To zdarzyło się niedługo przed zatopieniem Lusitanii. Grey zapytał go, co zrobiłyby Stany Zjednoczone, gdyby Niemcy zatopiły transatlantyk pełen *gringos*.

„Tu mówimy obywateli amerykańskich", przerwał Carballo.

„Przepraszam, obywateli amerykańskich. Co zrobiłyby Stany Zjednoczone, gdyby Niemcy zatopiły statek pełen ich obywateli. I pułkownik House odpowiada: podejrzewam, że oburzenie w Stanach byłoby tak wielkie, że wystarczyłoby za powód przystąpienia do wojny. Tak mniej więcej odpowiada".

„I to właśnie się stało", skomentowałem. „Bez mniej więcej".

„Wielu wzbogaciło się dzięki przystąpieniu Stanów Zjednoczonych do wojny. Rockefellerowie zarobili ponad dwieście milionów dolarów. J.P. Morgan dostał pożyczki od Rothschildów na ponad sto milionów. A pan doskonale wie, jaki ładunek transportowała Lusitania.

„Oczywiście", powiedziałam. „Ale niech pan o tym opowie, niech pan opowie o tym naszym nocnym ptakom".

„Amunicję", wyjaśnił Ismael. „Sześć milionów kul, własność samego J.P. Morgana. Gdyby ktoś próbował to wymyślić, wszyscy by go wyśmiali".

„Ale nic nie trzeba wymyślać", powiedziałem.

„Nie. To się po prostu wydarzyło".

„Ale tej historii nikt nie opowiada".

„Tak".

„Trzeba umieć to zobaczyć".

„Umieć zobaczyć", powtórzył Ismael.

„Trzeba umieć odczytać", powiedziałem, „prawdę rzeczy".

Carballo – z miną ojca, nauczyciela albo lidera sekty – spoglądał na mnie z aprobatą.

Podczas mojej obecności w programie *Nocne ptaki* miałem okazję podyskutować o tym, jak rewolucja francuska była w rzeczywistości spiskiem burżuazji, o sekretnym stowarzyszeniu Illuminati, które wydało wojnę religii na świecie, o tym, jak prawdziwych początków nazistowskiej filozofii – tak, ktoś użył tego określenia, nazistowska filozofia – szukać należy w roku 1919, kiedy Hitler dołączył do tajnej organizacji o nazwie Thule. Pod koniec programu usłyszałem jeszcze, że ewolucja jest jednym z narzędzi używanych przez socjalizm, żeby zakraść się do naszych umysłów, a ONZ – fasadą organizacji, która chce zaprowadzić na świecie nowy ład. Dowiedziałem się również, że wojna z narkotykami, wypowiedziana przez prezydenta Richarda Nixona na początku lat siedemdziesiątych, była najskuteczniejszą strategią imperialistyczną w historii Stanów Zjednoczonych, gdyż z jej pomocą udało mu się ustanowić własne prawa w Ameryce Łacińskiej, podczas gdy brudne pieniądze z handlu narkotykami zasilały ich ekonomię. I mniej więcej o drugiej, kiedy rozbrzmiewała piosenka Van Morrisona i piosenka Jacques'a Brela, podziękowałem Carballowi i wyciągnąłem do niego rękę na pożegnanie. Moja dłoń przez chwilę zawisła w powietrzu: był to krótki moment, ale zdołałem dostrzec zmianę w spojrzeniu Carballa, jakby uznanie, które czuł przed chwilą, zniknęło. To jednak nie była prawda, stało się ono tylko refleksyjne i łagodne, jak płomyk świecy.

„No dobrze, to ja uciekam", powiedziałem. „Ale jestem gotów napisać tę książkę, niech pan do mnie zadzwoni, kiedy będzie miał pan chwilkę".

I ruszyłem przed siebie, ale Carballo chwycił mnie za ramię.

„Nie, nie", zaprotestował. „Niech pan na mnie zaczeka. Skończę program i odwiezie mnie pan do domu".

„Carlosie, ja nie jestem nocnym ptakiem", powiedziałem, starając się go nie obrazić. „Dla mnie jest bardzo późno. Lepiej zobaczmy się kiedy indziej".

„Nic z tego. Słyszał pan kiedyś o tym, że cierpliwość jest cnotą? No właśnie. Cierpliwości, przyjacielu, odrobinkę cierpliwości. Niech pan mi wierzy, że nie pożałuje pan tego".

Czy jego słowa były zapowiedzią pokazania mi skradzionego kręgu? Nikt nie mógł wybić mi tego pomysłu z głowy. A ten kręg, w ostatecznym rozrachunku, był moją jedyną misją. Carballo zapraszał mnie do domu, co prawda po czwartej nad ranem, ale przecież nie mogłem odmówić.

„No dobrze", zgodziłem się. „Gdzie mam na pana zaczekać?"

„Pokażę panu dobre miejsce", powiedział. „Będzie pan mógł wysłuchać reszty programu".

Posadził mnie w studiu o zgaszonych światłach po drugiej stronie korytarza, z moją pustą już butelką whisky i plastikowym kubkiem pełnym po brzegi kawy smakującej przypaloną skórą. Miał rację, słyszałem tu doskonale dźwięki ze studia, muzykę z *Nocnych ptaków*. Kiedy Carballo chciał zapalić neonową lampę, poprosiłem go, żeby tego nie robił, że wolę tak, jak jest. Potrzebowałem tego półmroku i ciszy panujących o drugiej w nocy w na wpół opuszczonym budynku, zajmowanym tylko przez nocne duchy, żeby się uspokoić, bo dopiero wtedy poczułem napięcie, jakie kumulowało się we mnie przez te dwie godziny; przez ten czas powiedziano wiele głupstw, ale powiedziano też kilka rzeczy prawdziwych, kilka nowych i kilka takich, które zapadły mi w pamięć i jakoś mi ciążyły, nie bardzo wiem dlaczego, podobnie jak czasem po jakiejś rozmowie ciąży nam poczucie, że chciano nam coś powiedzieć, ale z jakiegoś powodu – ze strachu, nieśmiałości, żeby nie sprawiać nam rozczarowania albo nas nie zasmucać – nie zrobiono tego. Nowe było dla mnie zainteresowanie Carballa zabójstwem Rafaela Uribe Uribe, które w moim wspomnianym felietonie stanowiło jedynie pretekst, sposób na uzupełnienie mniej lub bardziej atrakcyjnego pomysłu, który przyszedł mi do głowy pewnego dnia, kiedy moja kreatywność felietonisty była na urlopie. W przerwie, podczas gdy w studiu rozbrzmiewał głos Maxime'a Le Forestiera – gospodarz programu rzucił w moim kierunku przytyk.

„To przez ten felieton pan się tu znalazł, więc proszę go nie lekceważyć".

A potem w programie ktoś zaczął mówić o Uribe Uribe. Byłem pogrążony we własnych medytacjach i nie wiedziałem, kto dodzwonił się do studia, zacząłem przysłuchiwać się rozmowie, gdy, jak mi się wydawało, była już bardzo zaawansowana. A może nie rozmawiali o Uribe Uribe, lecz tylko wspomnieli o nim przelotnie, głosy docierały do mnie wyraźnie, a jednocześnie jakby z oddali, być może ze względu na iluzję wywoływaną przez radio – chociaż moje krzesło znajdowało się dziesięć metrów od studia, skąd transmitowano audycję, *Nocne ptaki* docierały do mnie, jakbym był na przykład w Baranquilli albo w Barcelonie, albo w Wellington. Dzwoniący słuchacz miał ochrypły głos palacza, zmęczony i słaby, który mieszał się z szumem radiowym (nie pomagała słaba jakość łączy) i jedynie nienaganna dykcja pozwalała mi rozumieć jego słowa. To on pierwszy wymienił moje nazwisko, tak mi się przynajmniej wydawało. Jesteśmy zaprogramowani, żeby zwracać baczną uwagę na te sylaby, i tak się stało w moim przypadku. Ale moje nazwisko nie pojawiło się więcej. Teraz rozmawiali o niejakim Anzoli. „On wiedział", mówił Carballo. „Wy, moje nocne ptaki, wiecie, że Anzola był jednym z nas, człowiekiem odważnym, powiernikiem prawdy, kimś, kto potrafił zobaczyć ukryte dno. Prawda, don Armando?" Mężczyzna o schorowanym głosie miał na imię Armando. „Oczywiście, że tak", przytaknął Armando, „i oczywiście trzeba zadać sobie pytanie, co stałoby się, gdyby odkrycia Anzoli przetrwały. Ale popadły w zapomnienie, bo ten kraj cierpi na amnezję, pamięta tylko o tym, co go interesuje". „Nie uważam, że to kwestia amnezji", wtrącił Carballo. „Zapomnienie o odkryciach Anzoli ma swój cel. Nie chodzi o krótką pamięć, lecz o wyciszenie niewygodnej prawdy. Doskonały przykład udanego spisku". I wtedy don Armando powiedział: „Ale tego Vásquez nie wie". I Carballo mu przytaknął: „Tak, tego nie wie".

Chwilę przed czwartą nad ranem Carballo puścił ostatnią piosenkę z mojej listy (najdłuższą, zawsze zostawiał najdłuższą na koniec) i pożegnał się z dźwiękowcem, uścisnęli się tak, jak mogłoby się uścisnąć dwóch umierających. Dał mi znak z oddali, wstałem i ruszyłem za nim ciemnymi korytarzami, on poruszał się sprawnie, ja zaś macałem ściany, i po kilku minutach ruszaliśmy już na północ 85 Ulicą, a potem skręciliśmy w Siódmą Aleję na południe. Kiedy dotarliśmy do alei Chile, odważyłem się zapytać: „Kim jest Anzola?".

Carballo nie spojrzał na mnie. Jechaliśmy przez opustoszałe groźne miasto, gdyż godziny przed świtem są w Bogocie właśnie groźne, chociaż sprawy mają się lepiej niż wtedy, kiedy wyjeżdżałem, wciąż jest to miasto, w którym nikt nie zatrzymuje się na światłach bez odrobiny lęku. Carballo miał spojrzenie utkwione w drodze, a na jego twarzy grały żółte blaski latarni i czerwone światła nielicznych samochodów. „Potem", odpowiedział.

„Po czym? Słyszałem, że mówiliście o mnie. I mówiliście o jakimś Anzoli, który odkrył nie wiem co. Kto to jest?"

„Był", poprawił mnie Carballo.

„Kim był?"

„Później", powiedział Carballo. „Później".

Carballo cały czas mówił mi, którędy mam jechać, należał do tych osób, które nie mogą podać adresu w chwili, kiedy wsiadają do samochodu, ale udzielają kierowcy wskazówek na każdym skrzyżowaniu, jakby nie chcieli zdradzić jakiegoś sekretu czy zastrzeżonej informacji nieprzyjacielowi. I tak minęliśmy tylną elewację hotelu Tequendama, skręciliśmy w La Quinta na południe i dotarliśmy do Osiemnastej Ulicy. Na skrzyżowaniu, naprzeciwko zamkniętego parkingu, kilka metrów od zaimprowizowanego daszku, pod którym dwa ciała spały w brudnych śpiworach, ręka Carballa poruszyła się w ciemnościach samochodu.

„Jesteśmy na miejscu", powiedział. „To moje okno. Niech pan zaparkuje samochód".

„Tutaj?"

„Nic się nie stanie, może pan być spokojny. Na tej ulicy dbamy o siebie nawzajem".

„Ale blokujemy przejazd".

„O tej porze nie ma tu nikogo. Potem go przestawimy. Parking otwiera się o szóstej, wpół do siódmej, kiedy przyjeżdżają studenci".

Carballo mieszkał na pierwszym piętrze, miał dwa niewielkie pokoje z oknami zakratowanymi jak w więzieniu. Podłogę prawie całkowicie przysłaniały stosy książek, niełatwo było nie potknąć się o nie, ale udało mi się to, bo szedłem za Carballem po ścieżkach wydeptanych przez niego podczas wykonywania codziennych czynności. Przy ścianie, na środku pokoju, stała lodówka, na niej również piętrzyły się książki. „Napije się pan czegoś?", zapytał, ale zanim zdążyłem odpowiedzieć, już nalewał mi szklankę brandy Domecq. Kiedy to robił, ja przyjrzałem się regałowi, chwiejnym półkom, na których szklanki i kieliszki walczyły o miejsce z książkami, a na samej górze książki walczyły o nie z butelkami *aguardiente* Néctar ustawionymi w rządku jak elementy kolekcji. Zza butelek, z portretu, spoglądał na nas z roztargnieniem Borges. Zaintrygowany, wskazałem portret. „Ach, tak, kiedyś zrobiłem z nim wywiad", powiedział takim tonem, jakby była to najzwyklejsza rzecz na świecie. „Mniej więcej w sześćdziesiątym którymś roku. Mój kolega dziennikarz powiedział mi, że na uniwersytecie szukają kogoś na zastępstwo do wywiadu z Borgesem. Jakiś wykładowca nie mógł przyjść, o ile dobrze pamiętam. Zgodziłem się oczywiście, chociaż nie miałem pojęcia o tym, jak się przeprowadza wywiad. No, ale to był Borges, sam pan rozumie. Powiedzieli mi: «Czekamy na pana jutro o jedenastej». Dopiero po chwili dotarło do mnie, na co się zgodziłem, a kiedy wróciłem do domu, mój żołądek zwariował. Wymiotowałem, dostałem biegunki, cały układ hormonalny zaczął mi szwankować. Zastanawiałem się, czy przygotować listę pytań. Sporządziłem ją, podarłem, napisałem nową. Cały czas dręczył mnie ten cholerny lęk, który wywoływał w ludziach słynny Argentyńczyk, pamięta pan? Stawiłem się na miejscu, Borges już tam był, sam, bo to czasy, kiedy jeszcze nie związał się z Kodamą. Wywiad trwał dwie i pół godziny, puścili go następnego dnia, a kiedy poszedłem do rozgłośni, żeby dali mi kopię, już go skasowali. Nagrali na niej transmisję z meczu piłki nożnej". Wręczył mi kieliszek i powiedział:

„Niech pan na mnie chwilkę zaczeka. Muszę coś przynieść".

Nieprzewidywalny Carballo. Zdecydowanie był człowiekiem bez dna, za każdym razem, kiedy wydawało mi się, że go zrozumiałem, że wiedziałem, o co chodzi, on ukazywał mi swoją kolejną twarz i całkowicie ośmieszał moją satysfakcję. Wyobraziłem sobie, jak wychodzi z zajęć doktora Benavidesa, żeby poczytać sobie *Fikcje* albo *Alefa*, a może eseje, pewnie tak, bo eseje nasunęłyby przypadkowemu autorowi wywiadu więcej pytań niż opowiadania albo przynajmniej istniało mniejsze ryzyko, że pytania wydadzą się naiwne albo powtarzalne. Carballo, tropiciel spisków, czytający refleksje Borgesa na temat Whitmana albo Kafki, sam nie wiem dlaczego, ta wizja wydała mi się niezwykle kusząca. I przypomniałem sobie wtedy *Wstydliwość historii*, esej Borgesa, który zawsze mi się podobał, a w owej chwili, w mieszkaniu tego człowieka nabierał jakiejś tajemniczej aktualności, Borges utrzymywał w nim bowiem, że najważniejsze daty historii to nie te odnotowane w książkach, lecz inne, ukryte i prywatne. Co sądził o tym Carballo? Jakie sekretne daty byłyby dla niego ważniejsze niż 9 kwietnia 1948 roku, na którego punkcie miał chorobliwą obsesję? A może moja pamięć zniekształcała ten esej? To całkiem możliwe. Ale wówczas przypomniałem sobie *Temat zdrajcy i bohatera,* opowiadanie o spiskach, w którym jest mowa o Juliuszu Cezarze, a potem przypomniałem sobie jeszcze wiersz, którego tytuł *Spiskowcy* zachęca nas do rozmyślań o sekretnych rozmowach, szpiegostwie i zabójstwach, chociaż mówi tylko o Szwajcarach, którzy spotykają się, żeby stworzyć Szwajcarię. W każdym razie Borges przestał wydawać mi się egzotyczny w mieszkaniu Carballa, zastanawiałem się nawet, czy zaproponował mu opisanie swoich odkryć, zanim zaproponował to R.H. Moreno-Duranowi. Pomysł nie wydawał mi się nieprawdopodobny.

Nad tym właśnie się zastanawiałem, kiedy wrócił Carballo. Miał w ręku teczkę.

„Ja o tej godzinie mam swoje zwyczaje", powiedział. „Wracam do domu, przygotowuję ciepłą zupę i idę spać, bo jeśli tego nie zrobię, nazajutrz jestem nie do życia. Ale dziś jest szczególny dzień i zanim pójdę spać, muszę tu panu wszystko zorganizować. Mam nadzieję, że potem wzniesiemy toast, toast za nasz sukces. Zgadza się pan na to?"

„Tak", odparłem.

„Rozumiem, że przyjechał tu pan właśnie po to. Żeby napisać książkę, która tak bardzo chce być napisana. Mam rację, czy się mylę?"

„Ma pan rację".

„Jeśli się mylę, proszę mi to powiedzieć od razu. Nie będziemy tracić czasu".

„Nie, nie myli się pan".

„W takim razie musimy zacząć natychmiast", powiedział. Wręczył mi teczkę i dodał: „To pójdzie na początek".

Była to dokładnie taka sama teczka jak te, które widziałem kilka lat temu w domu doktora Benavidesa. Widniała na niej data: 15.10.1914. Nic więcej, żadnych słów, nazwisk, dodatkowych oznaczeń, a jednak rozpoznałem datę.

„Zabójstwo Uribe Uribe", powiedziałem. „Czemu, Carlosie? Co to ma z tym wspólnego?".

„Niech pan tylko zacznie czytać", powiedział. „Od razu, bo resztę zostawimy na później, najpierw musi pan dowiedzieć się pewnych rzeczy. Niech pan się nie obrazi, ale ja pójdę spać. Jeśli nie prześpię kilku godzin, jak poprowadzę kolejny program? Jeśli się nie wyśpię, jak będę mógł rozmawiać z moimi nocnymi ptakami, poświęcić im uwagę, wysłuchać ich, a przecież to dla nich bardzo ważne. Ci ludzie są ode mnie zależni, nie mogę ich zawieść. Zawdzięczam im wiele, rozumie pan?"

„Tak, rozumiem".

„Nie byłbym taki pewien, ale to nieważne. Powtarzam jeszcze raz: proszę się czuć jak u siebie w domu. W lodówce jest dzbanek z wodą. Może pan zaparzyć sobie kawę, bo ta na kuchence już nie nadaje się do picia. Proszę tylko o jedno: niech pan nie robi hałasu. Niech mnie pan nie obudzi. Bardzo bym się zdenerwował".

„Proszę się tym nie martwić", zapewniłem.

„Kiedy będzie pan wychodził, proszę zostawić mi teczkę na stole. Niech pan się upewni, że drzwi są dobrze zamknięte, moje, ale przede wszystkim drzwi do budynku. Żeby nikt się nam tu nie włamał".

Potem zamknął drzwi po prawej stronie, w głębi, i już więcej się nie pokazał. Znalazłem się sam w salonie Carlosa Carballa, sam w miejscu, gdzie mogłem wykonać zleconą mi przez przyjaciela misję. Więc zamiast zapoznawać się z zawartością teczki, której data już zaczęła rezonować w mojej głowie, zacząłem szukać kręgu w słoiku z formaliną. Zajrzałem do lodówki, szukałem między książkami na półkach i butelkami *aguardiente*, sprawdziłem w szufladach mebla przypominającego komodę, którą ktoś ustawił w dziwnym miejscu w rogu, spróbowałem nawet zaglądać pomiędzy sterty książek, które piętrzyły się przy ścianach jak chwasty. Nie było tu szuflad zamykanych na klucz ani szaf, w których można by coś ukryć. Wszystko leżało na widoku. Pomyślałem natychmiast, że Carballo nie zostawiłby mnie samego w pokoju, w którym przechowywał skradziony przedmiot, a potem pomyślałem, że może niczego nie ukradł, a Benavides mylił się od a do z, a całe to przedsięwzięcie było tylko tanią burleską, nie tylko idiotyczną, ale w dodatku niesprawiedliwą. Carballo był ekscentrykiem, paranoikiem, ale nie złodziejem. Czy nie miał setek wielbicieli, którzy go kochali, słuchali co noc jak dewoci? Czy jego program nie był czymś w rodzaju nocnego kościoła, nieoficjalnym dziełem dobroczynności i empatii? Kiedy wyjmowałem książki, żeby sprawdzić, czy niczego za nimi nie ukryto, bo czytelnicy uciekają się do takich sztuczek, myślałem o tym wszystkim, a potem wstydziłem się własnych myśli. Dobroczynność i empatia, arogancja, za której sprawą uwierzyłem, że jestem lepszy niż ci ludzie cierpiący na bezsenność, ci samotnicy; nieznośny paternalizm, dzięki któremu sądziłem, że tkwią w błędzie, że ich życie krąży wokół fantazji i spekulacji, podczas gdy moje…

Po kilku minutach poddałem się. Krótkie przeszukanie nie doprowadziło mnie do żadnych interesujących wniosków, nie znalazłem rzeczy, których szukałem, ani śladów, które mogłyby do nich doprowadzić. Wróciłem do teczki, otworzyłem ją niechętnie, pomyślałem, o ile dobrze pamiętam, że przekartkuję ją szybko, żeby potem okłamać Carballa i usprawiedliwić swoją obecność w jego domu przypominającym fortecę. W teczce umieszczono szczegółowy chronologiczny zapis, godzina po godzinie, wszystkiego, co wydarzyło się w dniu śmierci Rafaela Uribe Uribe. Zdjąłem buty i położyłem się na kanapie, tak żeby światło padało prosto na strony. Zauważyłem, że zasłony są zaciągnięte, spodziewałem się, że nie zobaczę świtu za oknami, a może brzask wpadnie nieśmiało przez brzegi ram okiennych. Było chwilę po piątej nad ranem, kiedy uzbrojony w nowy dzbanek kawy (i kubek, na którym Mafalda powiesiła na swoim globusie kartkę z ostrzeżeniem: *Uwaga, pracują tu nieodpowiedzialni ludzie!*), zacząłem czytać musiała być mniej więcej szósta, kiedy zrozumiałem sens zapisków, które miałem w rękach, otwierający się przede mną jak sekret, żeby pokazać mi rozmiary mojej ignorancji o tym niesławnym dniu, pierwszym z tylu innych, jakie naznaczyły całe ubiegłe stulecie mojego kraju. Zacząłem robić notatki, i te właśnie notatki rozłożyłem teraz przed sobą; służą mi jako przewodnik i memorandum, żeby nadać tym dokumentom formę opowieści i pozory – ale tylko pozory – porządku i znaczenia.

Piętnastego października 1914 roku, mniej więcej o w pół do drugiej, generał Uribe Uribe, senator Republiki i weteran czterech wojen domowych, wyszedł z domu pod numerem 11 przy Dziewiątej Ulicy i ruszył środkiem chodnika w kierunku Kapitolu. Miał na sobie czarny garnitur i melonik, swój zwyczajowy strój, kiedy wybierał się na obrady senatu, pod pachą niósł kartki zawierające, według jego znajomych, projekt ustawy o wypadkach przy pracy. Wiedział, że o tej porze biura izby będą jeszcze zamknięte, ale zawsze lubił zjawiać się wcześniej; wykorzystywał te martwe godziny do przygotowywania swoich budzących postrach wystąpień. Dotarł do skrzyżowania z Siódmą Aleją, przeszedł przez ulicę, przebył kilka metrów wschodnim chodnikiem na północ, nie zauważywszy, że idzie za nim dwóch mężczyzn w ponchach i słomkowych kapeluszach. Wkrótce mieliśmy poznać ich nazwiska: Leovidildo Galarza, ten w czarnym poncho, był wyższy, miał jaśniejszą skórę i wąsy koloru miedzi; ten w brązowym – niższy, o ciemniejszych wąsach i skośnych oczach, którego opalona cera przybierała gdzieniegdzie zielonkawe tony, jak skóra ludzi chorych – nazywał się Jesús Carbajal. Później dowiemy się również, że byli rzemieślnikami – a konkretnie stolarzami – i że spędzili ranek, przygotowując toporki, które obaj nieśli za pazuchą; ostrzyli je, robili wiertłami dziury w drewnianych trzonkach i przeciągali przez nie sznurek sizalowy, żeby przymocować je sobie do nadgarstków, bez wątpienia przewidzieli, że spocą im się ręce, a nie chcieli, by toporki ześlizgnęły się w decydującej chwili. Kilka kroków przed nimi, ulicą, przy której mieszkał, szedł jak tyle razy wcześniej generał Uribe Uribe, głuchy na przepowiednie od miesięcy zapowiadające zamach na jego życie.

Nękano go pogróżkami przez kilka ostatnich lat. Generał przyzwyczaił się do nich; od czasów wojny z 1899 roku, po której musiał podpisać poniżający pokój, żeby uniknąć pogrążenia całego kraju we krwi, żył w przekonaniu, że nieprzyjaciele go nienawidzą, co było dość oczywiste, ale nienawidzą go też niektórzy z przyjaciół. Prasa konserwatywna obwiniła go o sto tysięcy zabitych w tej wojnie pewnie dlatego, że nie wiedziała, iż on sam obwiniał siebie o to dostatecznie mocno. Ale tak właśnie było. I chyba te wyrzuty sumienia albo coś podobnego zmieniły go; przez ostatnie dziesięciolecie generał Uribe Uribe, symbol najbardziej żarliwego liberalizmu, przeszedł metamorfozę, która jego zwolennikom wydawała się skandaliczna. Nie tylko porzucił na zawsze broń i przysiągł, że ani razu nie opowie się za jakąś grupą Kolumbijczyków przeciw innej, ale też poświęcił się obronie dawnych nieprzyjaciół, podejmował się czynności dyplomatycznych na rzecz konserwatywnych prezydentów i wygłaszał długie przemówienia, w których raz po raz powtarzał, że się ustatecznił, a pokój w Kolumbii jest jego jedynym celem.

Legion jego nieprzyjaciół, w czasach wojny doskonale widoczny, podczas pokoju stał się niezdefiniowany jak lęk. Nie sposób było ocenić, kto do niego należał, jakie przyświecały im intencje, ale do generała Uribe zaczęły docierać wrogie plotki, zawoalowane groźby i przyjacielskie ostrzeżenia, które z jakichś powodów wydały mu się inne od tych, które otrzymywał dotychczas. Przyjaciele radzili mu, żeby uważał na siebie, bo słyszeli dziwne rzeczy; rodzina prosiła go, żeby nie wychodził sam. Dla jego najzagorzalszych zwolenników nadal pozostawał symbolem postępu, obrońcą ludzi pracy i ostatnim bastionem prawdziwego liberalizmu, dla innych doskonałym ucieleśnieniem moralnej dekadencji, wrogiem tradycji i wiary. Konserwatyści uważali Uribe za p r o p a g a t o r a   z g u b n y c h   d o k t r y n,   s k a z a n e g o – jak każdy liberał – na wieczne potępienie, dla połowy liberałów był k o n s e r w a t y s t ą,   z d r a j c ą   p a r t i i   i   s p r a w y. To ostatnie oskarżenie, które musiało mu się wydawać przedziwne, zyskało nowe życie podczas wyborów prezydenckich w 1914 roku. Senator Uribe – dyplomata, rozjemca, człowiek pokoju, którego jedyną obsesją było doprowadzić kraj do pojednania – poparł kandydata konserwatystów. José Vicente Concha, co z takim poparciem było do przewidzenia, wygrał. Generał

Uribe nie mógł tego wiedzieć, ale miały to być ostatnie wybory w jego życiu.

Liberałowie oskarżyli go o zdradę. Na murach centrum Bogoty zaczęły się pojawiać plakaty odsądzające go od czci i wiary. Niejaki Bernardino Tovar, rzemieślnik, powiedział, że konserwatyści zawdzięczają zwycięstwo Uribe Uribe. „Dni generała są policzone", oświadczył. Niejaki Julian Machado powiedział, że generał Uribe przeszedł na stronę wroga. „Rzemieślnicy go zabiją". Po zaprzysiężeniu nowego prezydenta do domu generała Uribe dotarły dwie anonimowe wiadomości. W jednej z nich była mowa o wyborze Conchy i *słusznym oburzeniu, jakie wzbudził on wśród klasy pracującej naszego miasta,* zawierała również ostrzeżenie: *Uważamy za stosowne powiadomić pana, że świerzbi nas ręka, by ulżyć wściekłości naszych serc.* Drugi anonim był mniej poetycki, za to bardziej stanowczy.

Rafaelu Uribe Uribe! Ostrzegamy pana, że jeśli nie wyjaśni nam pan w sposób satysfakcjonujący swojego udziału w tworzeniu gabinetu Conchy, żebyśmy mogli uwierzyć, że nie dopuścił się pan haniebnej zdrady partii liberalnej, pańskie dni są policzone.

Pod tekstem z pogróżkami, w jednej tylko linijce przesuniętej w prawo, widniał górnolotny podpis wielkimi literami: RZEMIEŚLNICY. Potem krążyć będzie legenda, że w tamten czwartkowy poranek generał pokłócił się z rodziną o to, czy powinien zabrać ze sobą ochroniarza. Ale nie zrobił tego, wyszedł sam, zapatrzony w chodnik, nie zauważył, że idzie za nim dwóch mężczyzn – dwóch rzemieślników – uzbrojonych w toporki i zdecydowanych go zabić.

Według wyjaśnień Jesusa Carvajala decyzja została podjęta ubiegłej nocy. Zabójcy spotkali się przypadkiem, pijąc chichę w barze Puerto Columbia, stamtąd wyszli razem do Puente Arrubla, innej spelunki, do której często zaglądali. Zagrali w karty o to, kto płaci za napitek i papierosy, a potem, kiedy zjawiła się niewielka orkiestra grająca na gitarach i tiple, zatańczyli (znów według słów Carvajala), tylko mężczyźni, bez kobiet. Po tańcach zostali sami. Poszli na spacer Trzynastą Aleją do chicheríi La Alhambra. Rozmawiali o tym, jak ciężko obecnie znaleźć pracę, bo Ministerstwo Robót Publicznych zatrudnia jedynie członków tak zwanego Bloku, frakcji liberałów popierających generała Uribe Uribe. Generał, uznali, jest bezpośrednio odpowiedzialny za bezrobocie i głód pracowników, którzy nie należeli do Bloku i nie głosowali w ostatnich wyborach według jego zaleceń. Oskarżyli go o to, że robotnicy interesowali go tylko podczas wojny, w czasie pokoju zaś zupełnie o nich zapominał, wyrzucali mu, że traktuje lud jak mięso armatnie. „Zamiast umierać z głodu we własnej ojczyźnie", powiedział Carvajal, a może to był Galarza, „trzeba ukarać winnego". W tym właśnie celu – żeby ustalić formę i strategię kary – umówili się w zakładzie stolarskim Galarzy przy Dziewiątej Ulicy następnego dnia o ósmej rano.

Lokal Galarzy był niewielki, ale znajdował się w samym centrum Bogoty, przecznicę od kościoła Santa Clara. Składał się z dwóch zaledwie pomieszczeń, jedno służyło za warsztat, w którym pracowali, pod kierunkiem Galarzy, stolarz, rzeźbiarz i dwóch uczniów – młodszy z nich miał dopiero dziewięć lat. Potem znaleziono tam karabinek z zepsutą kolbą, dwa wojskowe berety, osiem naboi do rewolweru, nóż myśliwski w pochwie, i nikt nie potrafił wyjaśnić, do czego pięciu stolarzy potrzebowało tego małego arsenału. Galarza nauczył się fachu od ojca, brutalnego mężczyzny, który za dużo pił. Nazywał się Pío Galarza i w 1881 roku został skazany na dziesięć miesięcy więzienia za zabójstwo – jednym strzałem i z premedytacją – Marcelina Leivy, podobnie jak i on stolarza; Leovigildo nie skończył jeszcze roku, a już został synem mordercy. Kiedy miał lat dziewiętnaście, podczas wojny tysiąca dni, został zrekrutowany przez wojska rządowe do batalionu Villamizar; nieźle na tym wyszedł, bo nie tylko jego obóz wygrał wojnę, ale też on sam został stolarzem wojskowym. W tym czasie poznał Carvajala. Zatrudnił go w swojej stolarni; dziesięć lat później, kiedy zdecydował się uniezależnić, zaproponował mu wspólne wynajęcie lokalu przy Dziewiątej Ulicy. Spółka nie trwała długo (rozstali się ze względu na nieporozumienia dotyczące rozliczeń) i nie widywali się więcej aż do przypadkowego spotkania 14 października w środę w barze Puerto Colombia.

Czwartek wstał zimny i pochmurny. Carvajal zjawił się w zakładzie stolarskim punkt ósma, ale nie zastał Galarzy. Poszedł po niego do mieszkania konkubiny, Maríi Arrubly, zmęczonej życiem kobiety, która prała mu ubrania i dawała jeść od ponad dwóch lat. Jadł właśnie changuę, żeby wyleczyć kaca, przywitał się z Carvajalem pieszczotliwym „Co słychać, głupku?" – i wówczas, kiedy przyszła María, zaproponował, żeby wpadli na szybki kieliszek *aguardiente* do pobliskiego baru. W drodze powrotnej do stolarni utwierdzili się w pomyśle ukarania winnego, postanowili, że do wykonania kary użyją toporków, gdyż każdy z nich miał własny. Na miejscu Galarza zdjął swój z wieszaka i zobaczył, że ma popsuty trzonek, postanowił więc go skleić, podczas gdy Carvajal poszedł do domu po swój. Naostrzyli je, przepletli sznurki przez trzonki, a jeden z nich, Galarza lub Carvajal, Carvajal lub Galarza, powiedział:

„Dobrze ciełoby się tym eukaliptus".

Wtedy uświadomili sobie, że nie mają pieniędzy na to, żeby pójść do baru, więc wstąpili razem do lombardu La Comercial z niklowaną ręczną wiertarką stolarską, mieli nadzieję, że dostaną za nią dobry zastaw; poprosili o sto pesos, dostali pięćdziesiąt. Carvajal podpisał się pod rachunkiem nazwiskiem Galarzy. Potem poszli na *aguardiente*, a wróciwszy do zakładu stolarskiego, odkryli, że María Arrubla przysłała tacę z jedzeniem. Zjedli wszystko razem, dzieląc się sztućcami, porcje ryżu i gotowanych ziemniaków, bulion pachnący kolendrą, a o wpół do dwunastej wyruszyli na poszukiwanie generała.

Co robił Uribe Uribe w chwili, gdy zabójcy zaczaili się na niego przed drzwiami? Później dowiedzieliśmy się, że spędził jakiś czas w swoim gabinecie, przeglądając dokumenty, które miał zabrać na posiedzenie senatu. Czy wyjrzał przez okno, omiótł wzrokiem dwie postacie w ponchach czyhające na niego jak myśliwi na skraju lasu? A Galarza i Carvajal, co widzieli wówczas? Kto pierwszy zobaczył generała Uribe? Kto dał znak drugiemu? Zabójcy wstąpili wcześniej do baru na rogu i podejrzewając, że generał zje obiad w domu, wypili po dwa piwa, po pierwszej przeszli kilka metrów w stronę Siódmej Alei, zatrzymali się przed wejściem do Nowicjatu, skąd mieli lepszy widok na drzwi. Ale nie widzieli, jak wychodzi, nie widzieli momentu, kiedy otworzył drzwi. Dostrzegli Uribe Uribe na ulicy dopiero w chwili, kiedy ich mijał. „Mamy go", powiedział Galarza, a może był to Carvajal.

Ruszyli za nim. Carvajal szedł chodnikiem tuż za generałem, w odległości jakichś czterech, pięciu metrów, Galarza zaś środkiem ulicy, patrząc przed siebie, żeby nie wzbudzać podejrzeń. Wtedy generał skręcił z Siódmej Alei na północ i przeszedł na zachodni chodnik, ten po stronie Kapitolu. Wówczas jeszcze zachowali tę samą formację i niejeden zastanawiał się pewnie, co by się stało, gdyby Uribe Uribe odwrócił się – zaalarmowany na przykład jakimś hałasem – i zobaczył idącego tak blisko za nim mężczyznę, który, zaskoczony, musiałby pewnie się zatrzymać, żeby nie zdradzić swoich zamiarów. Ale tak się nie stało: Uribe Uribe nie odwrócił się. Szedł dalej chodnikiem do portyku Kapitolu. Carvajal zezna później, że w tej chwili miał ochotę dać znak Galarzie, żeby zrezygnowali z ataku. „Powiedziałem sobie, jeśli się odwróci i spojrzy na mnie, pokażę mu, żebyśmy dali spokój", wyjaśnił. Ale Galarza się nie odwrócił, nie spojrzał na niego, nie poczuł na sobie jego spojrzenia; czy gdyby generał Uribe to zrobił, pozostałby przy życiu? Carvajalowi obluzowała się podwiązka pończochy i pochylił się na chwilę, żeby ją poprawić (jeden ze świadków opisze potem jego ciemną, pozbawioną zarostu twarz). A potem nastąpił atak.

To Carvajal wszedł na chodnik, przyspieszył kroku, a kiedy dogonił generała, zrobił coś, żeby zwrócić na siebie jego uwagę. Jedni twierdzą, że zagwizdał, inni, że zawołał: „Generale!". Według wersji cytowanej najczęściej na początku, wzniósł pełen pretensji okrzyk: „To pan spieprzył nam życie!". W tym momencie, kiedy generał zatrzymał się, żeby odpowiedzieć na zawołanie, a może zainteresować się oskarżeniem albo po prostu się zdziwić, Galarza zaszedł go od tyłu i wymierzył pierwszy cios w głowę, z siłą wystarczającą, żeby Uribe osunął się na kolana. Rozległy się pierwsze krzyki (jedni wzywali policję, inni krzyczeli z przerażenia), jakiś wózek zatrzymał się na torach tramwajowych i wówczas świadkowie, świadomi już tego, co się dzieje, świadomi już, że s ą ś w i a d k a m i, zobaczyli, jak Carvajal zbliża się do zaatakowanego mężczyzny – „Jakby chciał spojrzeć mu w twarz", powiedział któryś z nich – i unosi drobną dłoń, a potem uderza więcej niż raz, z taką siłą, że słychać było wyraźnie trzask czaszki pod ostrzem toporka, cichy chrzęst łamanych kości. „Teraz już możecie mnie zabić", powiedział Carvajal. „Spełniłem swój obowiązek wobec tego skurwiela".

„Mordercy! Mordercy! Zabili generała Uribe!" Krzyki odbijały się echem na kolejnych ulicach, oddalając się od miejsca zbrodni niczym fale wzbudzone przez kamień wpadający do spokojnej wody. Ci, którzy widzieli zdarzenie, zdesperowani wzywali pomocy. „Policja, policja", krzyknął ktoś, a ktoś inny usłyszał krzyk: „Panie agencie! Agencie", krzyczała María del Carmen Rey, która znalazła się na miejscu przypadkiem i zeznała później, że ze strachu zakręciło się jej w głowie. „Żaden się nie zjawił", dodała.

Uribe Uribe miał twarz i włosy we krwi. Ktoś położył go w portyku Kapitolu, wiele osób będzie się później chełpić, że otarło mu krew swoimi chusteczkami albo że są właścicielami chusteczki, którą otarto krew rannego. Carvajal patrzył na niego, patrzył na Uribe, a świadkowie patrzyli, jak na niego patrzy, jego wzrok był pełen pogardy, ale była to pogarda spokojna. A jednak sprawiał wrażenie zdezorientowanego. W pierwszej chwili po zadaniu ciosu generałowi ruszył na północ w kierunku placu Boliwara, ale później zawrócił i znów zbliżył się do ofiary, jakby chciał zadać jej kolejny cios. Jeden ze świadków zastąpił mu drogę. „Co to ma znaczyć?", zapytał. Carvajal zawahał się i znów odszedł, patrząc wyzywająco, a na jego twarzy malował się, według świadka, wyraz „zadowolonej z siebie nienawiści". Nie stawiał oporu, gdy Habacuc Osorio Arias, funkcjonariusz policji, złapał go i wykręcił mu rękę, żeby odebrać zakrwawiony toporek, a ci, którzy to widzieli, twierdzą, że wyglądał na osobę w ogóle nieprzejmującą się swoim losem. Galarza tymczasem uciekał na południe, skręcił na zachód Dziewiątą Ulicą, jakby chciał obiec Kapitol od tyłu, w pewnej odległości biegli już jednak za nim liczni świadkowie i kilku oficerów wojska. Biegnący widzieli, jak się zatrzymał, żeby zamienić kilka słów z robotnikiem Andresem Santosem (zapytał go, czy ma pracę, i Santos odpowiedział, że nie; Santos zapytał Galarzę, czy ma pracę, a Galarza odpowiedział, że też nie). Widzieli, jak rusza dalej w stronę kościoła Santa Clara i zatrzymuje się przed jego murami, żeby przeczytać, albo udawać, że czyta, wiszące tam ogłoszenia. Agent José Antonio Pinilla, zaalarmowany przez świadków, dopadł go wówczas i przed obwieszonym afiszami murem zaczął go przeszukiwać. Galarza, według agenta Pinilli, miał w lewej ręce toporek zakrwawiony „na trzonku i głowicy po stronie obucha służącego za młotek", a w kieszeniach scyzoryk i portfel z banknotami. Kiedy policjant przeszukiwał Galarzę, podszedł do niego pewien mężczyzna i uderzył go w twarz tak mocno, że złamał mu nos, Galarza zaś próbował wykorzystać ten niespodziewany atak, żeby wyjaśnić, skąd wzięła się krew na trzonku toporka. „Skoro miał pan w ręku toporek, dlaczego nie próbował się pan bronić?", zapytał prokurator. Galarza odpowiedział dziwacznym zdaniem, chociaż na tę dziwaczność nikt nie zwrócił uwagi.

„Bo nigdy go nie używam", powiedział, „nigdy wcześniej nie byłem mordercą".

Tymczasem Carvajal został wysłany do aresztu, agent Osorio zaś, ten sam, który go zatrzymał, pomagał generałowi Uribe stanąć na nogi. Generał podtrzymywał głowę zakrwawioną chusteczką, jakby się bał, że głowa spadnie na ziemię, i patrzył błędnym wzrokiem poprzez strużki krwi spływające mu po twarzy; próbował iść, ale nogi odmówiły mu posłuszeństwa. Agent Osorio i kilku świadków wsadzili go do samochodu, żeby zawieźć do domu, a potem biegli za nim, jakby nie chcieli dopuścić, że ranny dotrze do celu sam albo żeby coś ważnego wydarzyło się bez nich.

W tej samej chwili, po drugiej stronie placu Boliwara, doktor Lusis Zea – jeden z najbardziej renomowanych chirurgów w kraju, znawca francuskich win i wielbiciel poezji zdolny recytować z pamięci Victora Hugo i Whitmana – kierował się Ósmą Aleją do swojego gabinetu i przechodząc naprzeciwko Kapitolu, zobaczył tłum gapiów zgromadzony przy wschodniej ścianie budynku. Przez resztę swojego życia doktor Zea będzie opowiadał, jak usłyszał nieznajomego, który mówił, że zabito toporkami generała Uribe Uribe, jak pospieszył do jego domu, jak modlił się po drodze, żeby pogłoska okazała się nieprawdą, jak utorował sobie drogę pomiędzy tłumem gapiów, wszedł po schodach (potykając się na ostatnim stopniu) i zastał rannego w pokoju wychodzącym na korytarz, leżącego na noszach, otoczonego rodziną i nieznajomymi, ledwo przytomnego.

Rozcięto na nim ubranie, drąc cienkie sukno, które wydawało się już tylko długim strupem, odsłonięto pierś. Generał miał głowę opartą o stertę rozrzuconych poduszek i twarz wykrzywioną w grymasie; jego oblicze, z którego odpłynęła krew, było blade i nieruchome, i kontrastowało z czerwienią obmywającej je krwi, i nadawało mu przerażającego wyglądu figury woskowej. Doktor Zea spostrzegł kilku kolegów, których cenił, i to go uspokoiło, potem poprosił o gazę i zaczął obmywać rany i sprawdzać obrażenia niczym badacz wchodzący do dżungli, której niebezpieczeństw nie zna. Wsunął dłonie w kręcone włosy – z ich kosmyków wciąż spływała krew – żeby przyłożyć pierwszy kawałek gazy. Jego palce wymacały okrągłą ranę dochodzącą do czaszki, ale doktor przekonał się, że ostrze odcięło tylko fragment tkanek miękkich, jak nóż ucinający kawałek owocu. Macał głowę dalej, starając się, żeby nerwowe palce nie zaplątały mu się we włosy zlepione skrzepniętą krwią i wtedy, docierając do czubka głowy nad prawym płatem ciemieniowym, znalazł ranę, która krwawiła najbardziej, największą ranę.

Doktor Zea przemył ręce wrzątkiem, położył na ranie warstwę aseptycznej gazy i zaczął obcinać włosy. Generałem Uribe wstrząsały drgawki, próbował wstać, wykrzykiwał jakieś niedorzeczne słowa. „Co ty robisz?", mówił. „Co to znaczy? Zostawcie mnie, zostawcie!" Podczas tej walki z nikim stracił przytomność i opadł na poduszki. Ktoś stojący w kącie pomyślał, że umarł i w pokoju rozległ się stłumiony szloch. Doktor José María Lombana Barreneche zmierzył mu puls. „Wciąż jest z nami", powiedział cicho, jakby nie chciał zagłuszyć swoim poruszonym głosem szeptów rannego sączących się z jego spierzchniętych, półotwartych ust. Wówczas generał odzyskał przytomność, znów się wzdrygnął i zaczął krzyczeć. „Co to jest?", wołał, „Co to jest? Zostawcie mnie!" Doktor Zea przygotowywał się do zbadania najpoważniejszej rany. Sprawdził, że ostrze wbiło się w czaszkę poziomo, i pomyślał, że zamachowiec, zamiast zaatakować z przodu, wstrzymał się na chwilę i wybrał jedną ze stron, żeby uderzyć głębiej. Należało zrobić trepanację. Ale tutaj, w domu generała, Zea nie miał odpowiednich narzędzi, musiał posłać po nie do Domu Zdrowia.

Oczekiwanie było koszmarem. Doktor José Tomás Henao mierzył tętno generałowi tak często, że ten w końcu się zdenerwował i dał wyraz własnym pretensjom językiem oficjalnych dokumentów: „Panie prezydencie, nie podzielam pańskiej opinii", skarżył się. Carlos Adolfo Urueta, zięć generała, wyszedł do jednego z przyległych pokoi, żeby pozwolić lekarzom pracować w spokoju i pocieszać żonę, ale z pewnością musiał poczuć tę ciszę oczekiwania, która zaległa w całym domu. Z zewnątrz, z ulicy, dobiegały okrzyki „Viva Uribe!", na patio nerwowo przechadzali się obcy ludzie, ale na drugim piętrze panowała cisza, więc Urueta udał się do pokoju rannego i na korytarzu się zorientował, że komendant główny policji, wąsaty generał Salomón Correal, zjawił się już i przechadzał po domu niczym gospodarz, i rozmawiał z obecnymi, przygotowując się być może na reakcję wściekłego lub sfrustrowanego tłumu. Obecność Correala bynajmniej Uruety nie ucieszyła, między innymi dlatego, że wiedział, iż nie ucieszyłby się z niej generał Uribe, ale wolał na razie nie protestować, w końcu Correal był przedstawicielem władzy. Poluzował krawat i wszedł do pokoju rannego. Zaproponował, płaczliwym głosem, żeby podać generałowi brandy na kostkach lodu. Generał zareagował, jakby nagle odzyskał świadomość. „Nie, brandy nie", powiedział. „Czystej wody, bo chce mi się pić". Podali mu wodę w glinianym naczyniu. Wstrzyknęli dożylnie sól fizjologiczną. Przygotowali do operacji.

O dziesiątej dziesięć przybył personel z Domu Zdrowia. Rozłożyli stół operacyjny, kwadratowy siermiężny jak juczny osioł, a doktor Zea znowu się umył. Chloroformista Helí Bahamón zajął się narkozą generała, doktor Rafael Ucrós ogolił głowę wokół rany brzytwą golibrody. „Niech żyje generał Uribe Uribe", krzyczał tłum zgromadzony na Jedenastej Ulicy, a doktor Zea oddzielał tkanki miękkie i odsłaniał ranę czaszki, i tłum odpowiadał z placu Bolivara „Niech żyje!", a doktor wyjmował kawałek kości i oddzielał palcami tkankę mózgową, lepką i ciepłą, i stwierdzał, że ostrze przecięło opony mózgowe na grubość palca. Rana zalewała się co chwila krwią, co utrudniało operację. „Skąd bierze się ta krew?", zapytał ktoś. „Niech żyje generał Uribe Uribe!", skandowano na Szóstej Alei. „Tutaj jest, tutaj", powiedział doktor Zea, znajdując ranę w zatoce strzałkowej górnej. „Gaza, więcej gazy", powiedział doktor Henao, a na zewnątrz krzyczano „Wiwat, wiwat!". Podczas gdy pielęgniarze robili wyczerpanemu ciału zastrzyki ze strychniny i kamfory, generał skarżył się, ale nikt nie rozumiał jego słów, wyrzucał z siebie pojedyncze sylaby, jakby śpiewał albo wołał żonę, która za którymś razem podeszła do stołu, z twarzą i szyją mokrą od łez, i zapytała rannego, czego chce. Generał odpowiedział ze szczerością umierającego: „A skąd mam wiedzieć?" Kilka minut później doktor Putnam zapytał, czy go boli, a generał odpowiedział z delikatną ironią:

„Wyobraź sobie, że tak".

Całkowicie zatopieni w zmienianiu bandaży i przykładaniu nowych kawałków gazy, uwijaniu się z kolejnymi zastrzykami, doktor Zea i pozostali lekarze nie zauważyli, kiedy zapadła noc. Spojrzeli na zegarek dopiero wtedy, kiedy Julián Uribe, brat generała, zajrzał do pokoju, mówiąc, że przyszli księża. Byli to dwaj jezuici o miłym obejściu, którzy czuwali przy generale przez długą godzinę, mimo że dziennikarz Joaquín Achury próbował argumentować, że generał Uribe, który do znudzenia krytykował kościół za nadużycia i podwójną moralność, nigdy by się na to nie zgodził. „Ja jestem tylko lekarzem", odparł Zea, „te sprawy mnie nie dotyczą. Poza tym generał jest nieprzytomny". Kiedy tylko to powiedział, generał odzyskał przytomność i zaczął krzyczeć: „Nie, nie!" wołał. „Wy! Wy!", po czym zaczął wymiotować krwią. Zimny pot oblewał czoło i szyję rannego. „Nadchodzi koniec", powiedział ktoś. Doktor Zea odsunął butelki z gorącą wodą, żeby zmierzyć generałowi temperaturę, potem tętno, niewyczuwalne już na nadgarstku i pulsujące słabo w tętnicy szyjnej. Tłum na ulicy dawno przestał krzyczeć. I wówczas Zea zobaczył, że ranny otwiera oczy, przyciska głowę do poduszki i powtarza przerażonym głosem: „To koniec! To koniec! To koniec!"

Generał Uribe Uribe, pięćdziesięciopięcioletni senator Republiki, lider Partii Liberalnej i weteran czterech wojen domowych, zmarł o drugiej w nocy w piątek 16 października. Okna były otwarte mimo zimna bogotańskich nocy, grupka sióstr miłosierdzia pochyliła głowy, żeby zmówić w kącie modlitwę, podczas gdy dwie Indianki, bardziej pragmatyczne, zaczęły obmywać ciało. Woda, którą wylewały na głowę nieboszczyka, spływała po szyi zabarwiona na różowo, a w oczach gromadziły się maleńkie kałuże, które jedna z kobiet osuszała delikatnie, przykładając gazę, płacząc i wycierając rękawem swoje żywe oczy: makabryczne echo tamtych martwych, ale także wilgotnych. Umyty, z obandażowaną głową, generał spoczął w otwartej trumnie, którą umieszczono pośrodku głównego salonu. W ciągu kolejnych godzin schodzili się najbliżsi, żeby zobaczyć go ostatni raz i opłakiwać tym szczególnym rodzajem łez, które przelewa się za zamordowanych; łez szoku, ale też czystej wściekłości, bezsilności i bolesnego zdumienia, łez przelewanych też na myśl o wszystkich, którzy mogli zapobiec zbrodni i tego nie zrobili, o tych, którzy wiedzieli, że zamordowanemu grozi niebezpieczeństwo, ale nie chcieli go ostrzec, wierząc być może, że kiedy rozmawiamy o nieszczęściach, sami je przywołujemy, otwieramy im drzwi do naszego życia i zapraszamy je do środka.

Lekarze sądowi zjawili się około południa 16 października, dokładnie w chwili, kiedy młody artysta robił gipsowy odlew twarzy generała Uribe. Autopsję przeprowadzić mieli Ricardo Fajardo Vega, Julio Manriquc i trzech asystentów z Zakładu Medycyny Sądowej; wszyscy robili notatki, zapisali słowa takie jak *płacik ciemieniowy dolny i uszkodzenie owłosionej skóry głowy*, wyjęli miarkę i zapisali *Cięcie poprzeczne. Dwanaście centymetrów.* Potem przecięli skalp od ucha do ucha, odseparowali czubek czaszki i znaleźli miejsce, gdzie toporek zmiażdżył kość. Doktor Fajardo kazał zmierzyć ranę (wynik: osiem i pół centymetra długości, cztery i pół szerokości), a Julio Manrique poprosił o nożyczki, żeby przeciąć opony mózgowe, odciął skalpelem rdzeń przedłużony i dwoma rękami wyjął mózg generała Uribe, jakby podnosił z ziemi umierającego gołębia. Położył go na wadze. „Tysiąc pięćset gramów", powiedział. Lekarze zrekonstruowali czaszkę i zaczęli badać pozostałe części ciała. Narządy jamy brzusznej były zupełnie nieuszkodzone, a w płucach nie znaleziono śladów gruźlicy, sądząc ze stanu tkanki, można by przysiąc, że generał nie wypalił w życiu ani jednego papierosa. Wszyscy zgodzili się, że mógłby spokojnie pożyć kolejnych trzydzieści lat.

Nad ranem 17 października przyprowadzono zabójców, żeby rozpoznali zwłoki generała Uribe. Czuwanie przy zmarłym miało miejsce w Salón de Grados, imponującym kamiennym budynku w stylu kolonialnym przy Szóstej Alei, w którym mieściły się kiedyś klasztor i nowo powstały uniwersytet i w którym miesiącami więziono Francisca de Paulę Santandera, podczas procesu o udział w spisku mającym doprowadzić do zabójstwa Bolivara w 1828 roku. W sali, gdzie ustawiono trumnę w otoczeniu świec i kwiatów, policja urządziła dwa korytarze – dla wchodzących i wychodzących – żeby tłum mógł poruszać się bezpiecznie i w sposób uporządkowany, a przy trumnie ustawiono żołnierzy w paradnych mundurach, by chronili ją, a przy okazji czuwali przy zmarłym. Przed katafalkiem przedefilowali ludzie wszystkich ras, wszystkich klas społecznych, najprzeróżniejszych zawodów; chcieli okazać swój nieutulony żal albo rzucić okiem na słynnego nieboszczyka z ciekawości, niezdrowej ekscytacji albo podyskutować z każdym, kto miałby na to ochotę, o przyczynach zabójstwa. A potem w Salón de Grados zjawili się, eskortowani przez agenta policji i kierującego dochodzeniem, Leovigildo Galarza i Jesús Carvajal.

O tej porze w sali nie było już tłumów, ale ludzi wystarczyło, żeby doprowadzić do prawdziwej katastrofy, w każdej chwili zwolennicy generała, zranieni do żywego i pałający żądzą zemsty, mogli bowiem rzucić się na zabójców i zlinczować ich na oczach wszystkich. Ale w Salón de Grados nie wydarzyło się nic podobnego, mordercy nie zostali zaatakowani ani powieszeni, nie rozdarto na nich ubrań, nie powleczono ich ulicami śródmieścia ani nie poniżono w żaden sposób. Stanęli przed ciałem swojej ofiary i prześlizgnęli się spojrzeniem po twarzy zmarłego jak zwykli żałobnicy. W tamtej chwili ich wina była już bezsporna, bo agenci, którzy aresztowali zabójców, rozpoznali ich bez cienia wątpliwości podczas okazania – poncha, słomkowe kapelusze – i przedstawili natychmiast zarekwirowane dowody, dwa toporki z trzonkami na sznurkach, świeżo zastygła krew generała na ostrzach. Mimo wszystko w Salón de Grados, naprzeciwko martwego ciała swojej ofiary, zabójcy odpowiedzieli na pytania prowadzącego śledztwo i nie przyznali się do winy.

Tak, poznali generała.

Nie, nie mieli pojęcia, co było przyczyną jego śmierci.

Nie, to nie oni go zaatakowali.

Nie, nie wiedzieli, kto mógł go zaatakować.

Dopełniwszy formalności, stojący na czele dochodzenia i agent policji poprowadzili zabójców do wyjścia. Agent szedł po lewej stronie, trzymając za ramię jednego z zabójców, prowadzący dochodzenie, czyniąc to samo, szedł z prawej. Byli tak rozkojarzeni, twierdzili świadkowie, że zabójcy mogli swobodnie rzucić się do ucieczki, miało się wrażenie, że nikt ich nie pilnuje, miało się wrażenie, że wszyscy im ufają.

Urządzono najbardziej pompatyczne uroczystości pogrzebowe, jakie widział kraj od bardzo dawna. Ktoś napisał później, z typową dla bogotan egzaltacją, że miasto zmieniło się w Rzym żegnający Juliusza Cezara. (Porównanie nie było trafne, jak kilka dni później słusznie zauważył ktoś w którejś z gazet, gdyż Juliusza Cezara zamordowano dlatego, że był tyranem). Artykuły prasowe zrelacjonują ceremonię pełną proporców i flag, okraszoną homilią arcybiskupa, po niej uformuje się orszak żałobny, który odprowadzi trumnę na cmentarz, karety z wieńcami przejadą w ściśle ustalonym porządku: najpierw kareta prezydenta, potem nuncjusza apostolskiego, potem karety obu izb parlamentu, Sądu Najwyższego, a w końcu Partii Liberalnej. Wieńców będzie tyle, że plac wypełni się zapachem kwiatów i ten zapach towarzyszyć będzie orszakowi przez ulicę Real i ulicę Floriana. Z przyległych ulic napłynie coraz więcej osób, aby dołączyć do konduktu, ktoś powie, że w tej chwili Uribe Uribe stał się ważniejszy od Bolivara. Ze wszystkich balkonów spoglądać będą na kondukt ubrane na czarno kobiety i dzieci, smutne dzieci wypełniające posłusznie instrukcje okazywania smutku. Na cmentarzu ośmiu mówców, od senatorów i posłów po dziennikarzy i wojskowych, wygłosi swoje przemowy bardzo podniesionym głosem, i tak oto bogotanie dowiedzą się, że *kraj zrezygnował z partyjnych podziałów i wspólnie zapłakał, żeby uczcić pamięć wielkiego człowieka* i że nad trumną *ucichły ludzkie namiętności*. Ale prawda jest zupełnie inna: pod przykrywką spokoju, wyciszania sporów i powszechnego lamentu, przyjaciele rodziny Uribe zaczną zauważać, że wokół nich dzieją się dziwne rzeczy. Trudna kwestia śledztwa. Wszczęto je, zgodnie z prawem, następnego dnia po zabójstwie. Według przepisów kierownictwo nad nim objąć miał Pierwszy Inspektor Ratusza, adwokat, który piastował wcześniej stanowisko prokuratora, więc miał idealny życiorys. Ale kiedy tylko zaczął pierwsze czynności, dostał wiadomość, że został odsunięty od śledztwa, gdyż prezydent republiki osobiście poprosił Salomona Correala, komendanta głównego policji, żeby się tym zajął. Od kiedy prezydent mógł decydować, kto obejmie śledztwo? Poza tym jak to możliwe, że kierowanie dochodzeniem powierzono człowiekowi, który nie miał ani wykształcenia, ani wiedzy, ani doświadczenia, żeby je prowadzić? Najbardziej niepokojące było jednak to, że decyzja prezydenta nie została wydana na piśmie. Nie widniała w żadnym dokumencie, nie pozostał po niej żaden namacalny ślad. Po prostu nie istniała.

Komendant główny policji Salomón Correal był człowiekiem o znanych sympatiach konserwatywnych i autorytarnym temperamencie. Nie najlepszej reputacji dorobił się na początku wieku, kiedy wziął udział w intrygach grupki konserwatystów mających doprowadzić do obalenia legalnie urzędującego prezydenta, osiemdziesięcioletniego Manuela Sanclemente, i zastąpienia go kimś o odmiennych poglądach. Legendy i prawda mieszały się w ludzkiej pamięci, ale według najgorszej z wersji Correal, będąc prefektem miejscowości Guaduas, zaaresztował Sanclemente, przywiązał go do krzesła, zwyzywał go i pobił, jakby miał do czynienia z ulicznym złodziejem, a nie ponadosiemdziesięcioletnim prezydentem państwa, a potem zamknął go w szklanej skrzyni i postawił ją na południowym słońcu; wszystko po to, żeby zmusić go do oddania władzy. Kiedy wyjęto go ze skrzyni, której ścianki nagrzały się niemiłosiernie, stary Sanclemente zemdlał z wycieńczenia i odwodnienia, ale nigdy nie dał torturującym go satysfakcji i nie zrezygnował. Brutalność prefekta Guaduas odbiła się w kraju szerokim echem, a kiedy Sanclemente zmarł, dwa lata po tych makabrycznych wydarzeniach, wszyscy byli zgodni, że nie umarł śmiercią naturalną: zabiły go poniżenie i cierpienia, na jakie narazili go nieprzyjaciele. A wśród nich Salomón Correal.

Dlatego jego nadzór nad dochodzeniem nie budził zaufania wśród zwolenników generała Uribe. Wszystko, co robił Correal, otaczały ciemności: kiedy tylko otrzymał od prezydenta polecenie zajęcia się sprawą, nakazał szefowi Wydziału Dochodzeniowego zebrać zeznania świadków zbrodni; trzy dni później bardzo skutecznie odsunął go od sprawy, nie dając mu nawet szansy na sprzeciw. Szef Wydziału Dochodzeniowego nazywał się Lubín Bonilla, był znany ze swojej uczciwości i uporu, więc jego odwołanie wydawało się trudne do uzasadnienia. Ale Salomón Correal oskarżył go o szerzenie szkodliwych zarzutów wobec rządu, co powtórzył potem w telegramie. I odebrał mu sprawę.

Telegram, o którym wspominał Correal, stał się ulubioną plotką bogotańskiej socjety. Niedługo po swoim odwołaniu Bonilla wysłał go znajomemu, który, bez uprzedzenia i bez prośby o zgodę, opublikował go w gazecie. Słowa telegramu niełatwo było zlekceważyć – KIEDY ROZBŁYSŁO ŚWIATŁO, ODEBRALI MI ŚLEDZTWO – i mieszkańcy Bogoty zaczęli się zastanawiać, czy Bonilla nie był o krok od jakiegoś ważnego odkrycia. Tu i tam, w przypadkowych rozmowach powtarzanych i przekręcanych, skarżył się, że zabrano mu sprawę tuż przed konfrontacją pomiędzy zabójcami, słyszano również, że Correal wtrącał się do śledztwa, narzucał swoją obecność podczas przesłuchań, mimo że zabraniały tego przepisy prawa, a kiedy Bonilla zadawał pytanie zabójcom, unosił palec do ust, jakby chciał im dać do zrozumienia, żeby milczeli. Ale to nie najważniejsze plotki, jakie krążyły na temat komendanta głównego policji, gdyż już w momencie odsunięcia Bonilli od sprawy rodzina Uribe dowiedziała się o poważnym problemie tajemniczego świadka, mężczyzny, który nazywał się Alfredo García.

Miał trzydzieści kilka lat, proste włosy, ubierał się niedbale, a w jego szczerbatych ustach jaśniał złoty ząb. Jak inni sympatycy generała, przyszedł do jego domu w nocy, kiedy ten umierał, i od początku usadowił się na półpiętrze, dyskutując z innymi ściszonym głosem o tym, co się wydarzyło. Wszyscy mieli swoje własne przypuszczenia na temat zbrodni i jej sprawców; dzielili się nimi, od tych rozmów aż dudnił cały dom. Tomás Silva, przyjaciel rodziny Uribe, właściciel zakładu szewskiego, u którego generał nieraz obstalowywał buty, przechodził obok schodów, gdy usłyszał, jak García mówi zdanie, nieskierowane w szczególności do nikogo:

„Gdybyście tylko wiedzieli, kto pomagał Galarzie i Carvajalowi w zamachu, zrzedłyby wam miny".

Tomás Silva zapytał go natychmiast: „Co pan ma na myśli? Co chce pan przez to powiedzieć?".

„Musi pan zeznać wszystko policji", zachęcili go inni.

Poszli do śledczego. Wysłuchał ich z zainteresowaniem, ale powiedział, że tego dnia nie może spisać zeznań i żeby wrócili nazajutrz. Tak zrobili, następnego ranka, bardzo wcześnie, García i Silva zjawili się w komisariacie. Na progu czekał na nich komendant główny policji Salomón Correal.

„Już wiem, o czym przyszliście porozmawiać", powiedział. Poklepał Silvę po ramieniu. „Musimy pomówić". A potem: „Zaczekajcie na mnie".

Wszedł do budynku i zostawił ich samych. Silva i García sądzili, że poszedł po jakieś dokumenty albo po sekretarza, który spisze zeznania. Czekali dziesięć, dwadzieścia minut, godzinę, dwie godziny, ale generał Correal już nie wrócił. O jedenastej w nocy García i Silva zrozumieli, że Correal, z niejasnych dla nikogo przyczyn, nie chciał wysłuchać ich zeznań.

Przez kilka dni zastanawiali się, co robić. W końcu jakiś adwokat zasugerował Tomasowi Silvie, żeby zebrał dwóch świadków i w ich obecności spisał zeznanie. Silva zaprosił do zakładu szewskiego Garcíę i dwóch mężczyzn o nazwiskach Vásquez i Espinosa. Tam położył na stole notatnik i pióro i powiedział (tonem, który zabrzmiał jak rozkaz):

„Teraz proszę napisać, co pan widział".

A widział rzecz następującą: w przeddzień zbrodni García przechodził obok warsztatu stolarskiego Galarzy, po tym jak napił się czegoś orzeźwiającego w pobliskim barze, i zauważył Galarzę i Carvajala z grupką elegancko ubranych mężczyzn w melonikach. Było ciemno i García nie zwrócił uwagi

288

na twarze mężczyzn, ale zastanowiło go, że tak dobrze ubrani ludzie rozmawiają o tak późnej porze z dwoma robotnikami. Kiedy przechodził obok, García usłyszał Galarzę: „Jeśli dadzą nam panowie to, o co prosimy, zrobimy to. Jeśli nie, nie ma mowy". „Niech pan mówi ciszej", powiedział jeden z mężczyzn tonem pretensji w głosie. „Ludzie mają bardzo długie uszy". Weszli wszyscy do lokalu Galarzy i zamknęli drzwi. Ciekawość Garcíi zwyciężyła nad sennością i czekał prawie godzinę, opierając się o ścianę domu niejakiego Francisca Bordy, przechadzając się ulicą tam i z powrotem, i umierając z zimna. Kiedy w końcu zobaczył, jak wychodzą, schował się za rogiem Dziesiątej Alei i stamtąd usłyszał uprzejmy głos jednego z mężczyzn: „Więc jesteśmy umówieni". „Tak jest", odpowiedział Galarza, a może Carvajal, „wszystko elegancko załatwimy". Świadek przeczytał głośno to, co napisał, i potem złożył podpis ozdobiony mnóstwem zawijasów. Ale to wszystko nie interesowało Correala. Nigdy nie dowiedziano się, kim byli mężczyźni, którzy rozmawiali z zabójcami tamtej nocy; nigdy śledztwo nie poszło tropem zeznania Garcíi.

Wieść o tych zaniedbaniach dotarła szybko do uszu Juliana Uribe, starszego brata generała. Był to mężczyzna o długiej szyi i bujnym wąsie i zawsze zachowywał się wobec brata raczej jak drugi ojciec. Jego cierpliwe czoło nigdy się nie marszczyło, w twarzy był spokój, którego nigdy nie miał generał, jakby Julián nie był starszy o dwa lata, ale o dwa życia. Od początku interesował się dochodzeniem, przyglądał mu się z bliska, dopytywał o szczegóły i miał swoje obawy, swoje zastrzeżenia do tego, jak je prowadzono. Sam zebrał wszystkie te informacje, sam je zapisał i osobiście udał się do komendanta głównego policji, gdyż uznał, że są ważne, a zdał sobie sprawę, że nie może ufać posłańcom.

Chodziło o zeznania dwunastu świadków. Z rozmaitą precyzją, przytaczając różne anegdoty, dwanaście osób opisywało wycieczkę do wodospadu Tequendama, na której byli również zabójcy generała Uribe. Wodospad, gwałtownie opadające wzgórze, przez które przelewają się wody rzeki Bogota, jest jednym z ulubionych celów wycieczek bogotan, i nie było w tym niby nic dziwnego, że grupa robotników spędziła tam dzień wolny, bo stowarzyszenia rzemieślników w Bogocie organizowały takie rekreacyjne wycieczki i często wybierały wyprawę do tego wspaniałego wodospadu, zapierającego dech w piersiach nie tylko za pierwszym razem, zawsze osnutego mgłami, które przydawały górom porośniętym wysokimi drzewami baśniowej atmosfery. Ale ta wycieczka, która według świadków odbyła się w czerwcu, w okolicach przesilenia letniego, nie była podobna do innych, bo zabójcy – znów według wersji świadków – nie byli sami, towarzyszył im człowiek z wyższej klasy społecznej, ubrany w czarne poncho i słomkowy kapelusz, który z własnej kieszeni zapłacił za wypożyczenie dwóch powozów na resorach, a nawet wydał dziesięć tysięcy pesos na piknik dla dziesięciu osób. Był to Pedro León Acosta.

A to zmieniało wszystko.

Pedro León Acosta był człowiekiem podłym, jednym z najpodlejszych w tamtej epoce, w której podłości nie brakowało. Powieka jego prawego oka delikatnie opadała, co nadawało jego spojrzeniu niepokojącego wyrazu nieufności, a szpiczaste uszy upodabniały go do perwersyjnego skrzata; ów skrzat był również znakomitym jeźdźcem i niezłym strzelcem. Jego rodzina, od dawien dawna konserwatywna i katolicka, posiadała wielkie latyfundia w miejscowości Sopó i w górach otaczających Ubaté. Pedro León Acosta nie wzbudzał jednak szacunku, lecz lęk, jaki we wszystkich dobrych rodzinach budzą czarne owce, dzieci, które nie tylko wyrządziły krzywdę światu, ale też złamały serca swoim rodzicom. Kiedy taki ród jak Acostowie dochowuje się syna takiego jak Pedro León, wydaje się nam to zatrważające, bo jest w tym jakaś przewrotna złośliwość losu, niemalże świadectwo, że Bóg o rodzinie zapomniał. Bogotanie natomiast nie zdążyli zapomnieć, że ów mężczyzna noszący poncho i eleganckie sombrero, który dosiadał konia, żeby doglądać swoich majątków, uzbrojony, chociaż po drodze spotykał tylko bezpańskie psy, nie był jak inne czarne owce z rodzin, od których Bóg się odwrócił. Nie, nie był taki jak inni, gdyż osiem lat wcześniej próbował zabić prezydenta Republiki.

Na początku 1905 roku Pedro León Acosta i jego brat Miguel spotkali się z trzema braćmi Ortega, żeby spiskować przeciwko prezydentowi Rafaelowi Reyesowi, którego uważali za zbyt mało radykalnego wobec zakusów liberałów. Reyes wzbudzał nieufność, bo kiedyś powiedział, że jego obowiązkiem jest sprawowanie rządów dla wszystkich obywateli, nie tylko dla swojej partii; mówiono też, że chce powołać na stanowisko ministra wojny liberalnego generała Benjamina Herrerę, a konspiratorzy nie mieli zamiaru oddawać pola wrogowi. Ale najbardziej przeszkadzało im zbliżenie się prezydenta do generała Rafaela Uribe Uribe, ateusza, który powstał zbrojnie przeciwko własnej ojczyźnie i zażądał renegocjacji konkordatu. W wojnie z 1895 roku Reyes go pokonał; teraz krążyły pogłoski, że wprowadzi go do rządu. Po co wygrywać wojny w imieniu Boga i Kolumbii, skoro potem oddaje się kraj zwyciężonym?

Pewnego popołudnia, o którym opowiadać będzie się tak, jak opowiada się legendy, w dolinie Sopó zgromadziło się dwudziestu jeźdźców i tam, przed olbrzymią górą drzemiącą jak dzika bestia, żegnając się kciukiem i palcem wskazującym prawej ręki, w lewej zaś trzymając kieliszki szampana, przyrzekli obalić Reyesa i wznieśli toast za powodzenie przedsięwzięcia. Nie spodziewali się tego, że ktoś pozna ich plany, ale tak właśnie się stało – dowiedziano się o nich. Konsekwencje jednak nie były na tyle poważne, na ile można by się spodziewać, bo don Anatolio Acosta i don Senén Ortega, głowy obydwu rodzin, przyjaźnili się z prezydenem Reyesem. Zapewniło to konspiratorom pewne przywileje, prezydent, do którego dotarły plotki o spisku, zaprosił ich wszystkich do pałacu – ojców, synów, księdza proboszcza – i poprosił, jakby zwracał się do psotnych dzieci, żeby porzucili swoje plany. Zapewnił, że absolutnie nie ma zamiaru powoływać liberała na ministra wojny; żeby uspokoić spiskowców, zaproponował Acoście stanowisko komendanta policji, a jego bratu posadę reprezentanta rządu w szkole wojskowej w Chile. Mimo uprzejmości, z jaką Acosta przyjął ofertę, mimo uścisków i uśmiechów na pożegnanie, w grudniu prezydent Reyes dowiedział się, że konspiratorzy nadal coś knują. Generał Luis Suárez Castillo zaaresztował kilka osób. Ale synowie przyjaciół – Acosta i Ortega – nie trafili do więzienia.

W 1906 roku, na początku lutego, funkcjonariusze wywiadu potwierdzili prezydentowi plotki, zamach był planowany pomiędzy 10 a 12 tego miesiąca. Reyes odmówił unikania wyjazdów, a także zwiększenia ochrony; 10 lutego około jedenastej odebrał swoją córkę Sofíę z Pałacu Świętego Karola i wyruszył z nią na codzienną przejażdżkę na północ Bogoty. Dach był prawie zamknięty, mimo że Sofíi robiło się niedobrze, upierała się, żeby uchylić go tylko trochę, chciała ochronić ojca od wiatru, od którego mógłby się przeziębić. Przejechali przez plac Bolivara, potem skręcili w ulicę Floriana i ulicę Real. Kiedy mijali kościół Nieves, prezydent uniósł spojrzenie ku niebu, zdjął kapelusz i zmówił modlitwę. Na rogu parku San Diego zauważył trzech jeźdźców, którzy wydawali się na kogoś czekać, zauważył też, że jeźdźcy patrzą na niego. Pomyślał, że to mordercy, pomyślał też, że jeśli wysiądzie z powozu, żeby stawić im czoło, tylko ułatwi im zadanie. Kiedy dojechali do posiadłości La Magdalena, w okolicy nazywanej Barro Colorado, uświadomił sobie, że było już wpół do dwunastej i musi wracać do pałacu. Wydał więc polecenie woźnicy, kiedy wóz zaczął skręcać, żeby wrócili tą samą drogą. Okazało się, że trzech jeźdźców podążało przez cały czas za nimi. Jeden zatrzymał się przed powozem. Dwóch pozostałych, z tyłu, wyjęło spod ponch pistolety i zaczęło strzelać. „Niech pan strzela!", krzyknął Reyes do swojego jedynego ochroniarza. A do woźnicy powiedział: „Ruszaj, Vargasie! Przejedź po nim!". Bernardino Vargas smagnął konie biczem i powóz ruszył z kopyta; widząc, że zostanie stratowany, mężczyzna, który blokował im drogę, zjechał na bok, minął powóz i otworzył ogień. Prezydent naliczył pięć strzałów i zdumiał go fakt, że żaden go nie zranił. „Tchórze!", krzyczała Sofía. „Mordercy!" Kapitan Pomar strzelał, dopóki nie opróżnił magazynku; zobaczyli wtedy, że zamachowcy rzucają się do ucieczki na północ. Prezydent Reyes upewnił się, że Sofía nie jest ranna, stwierdził też, że cudem uszli z życiem, w dachu było kilka dziur, kula przeszła też przez rondo kapelusza jego córki. „Bóg nas ocalił", powiedział prezydent; kilka minut wcześniej zmówił krótką, ale szczerą modlitwę do Najwyższego przed kościołem Nieves, a teraz niebo odpowiedziało mu cudem. Potem skierował się do urzędu pocztowego i zaczął wydawać rozkazy. Polecił wysłać telegramy do La Calera, Puente del Común, do Cajicá; wszystkich miejscowości, przez które mogli przejeżdżać uciekający zamachowcy.

Dwudziestego ósmego lutego opublikowano następujący list gończy:

Komendant Główny Policji wzywa Roberta Gonzaleza, Marca A. Salgara, Fernanda Aguilara i Pedra Leona Acostę do stawiennictwa w Komendzie Głównej albo

w domu komendanta w najszybszym możliwym termi-
nie, zważywszy aktualne miejsce pobytu, ze względu
na ciążące na nich zarzuty próby zabójstwa Prezydenta
Republiki i jego córki Sofii R. de Valencia.

W wypadku stawiennictwa uzna się gotowość współpra-
cy za okoliczność łagodzącą, w przeciwnym razie zostaną
potraktowani z całą surowością przepisów prawa.

Każda osoba, która ukrywa, prowadzi koresponden-
cję, dostarczy bagaż, wiadomości lub żywność wyżej
wymienionym, stanie przed Trybunałem Wojskowym
i odpowie za współpracę, pomoc i ukrywanie spraw-
ców. Natomiast każdy, kto powiadomi o miejscu pobytu,
albo wyda wyżej wymienionych w ręce policji, otrzyma
nagrodę w wysokości 100 000 $ za trzech pierwszych
poszukiwanych i 200 000 $ za Pedra Leona Acostę.
Nazwisko osoby denuncjującej pozostanie tajemnicą.

Po zidentyfikowaniu zamachowców i zaproponowaniu
sutej nagrody ich aresztowanie było tylko kwestią czasu.
Niejaki Emeterio Pedraza, podobno bliski przyjaciel trzech
spiskowców, wydał ich na początku marca i zainkasował nagrodę. González, Salgar i Aguilar zostali aresztowani i posta-
wieni przed sądem wojskowym, który uznał atak za szczególnie niebezpieczny, gdyż dokonany przez „bandę złoczyńców",
i skazał ich na „rozstrzelanie w tym samym miejscu, gdzie po-
pełniono przestępstwo". Nigdy dotąd nie udokumentowano
egzekucji w tak wyczerpujący sposób. Na słynnym zdjęciu
widać ciała trzech zamachowców i Juana Ortiza, podżega-
cza i organizatora; mówiono, że w sobotę przed zamachem
wznosił ze zbrodniarzami toasty *aguardiente* w barze San
Diego. Na fotografii uwieczniono ich siedzących na drewnianych ławkach, już bez życia, z rękami związanymi z tyłu, ciałami opadającymi bezwładnie, co najmniej jeden z nich ma

oczy przewiązane białą przepaską. Na innym zdjęciu widać pozostałych spiskowców – częścią ich kary było oglądanie egzekucji. Ilu z nich odwróciło wzrok? Ilu pragnęło, żeby ta biała przepaska przesłoniła ich oczy? Czy któryś naprawdę widział, jak tamci umierają? Pomyślał przez chwilę: To ja mogłem być tym człowiekiem, który umarł, a może: Teraz umiera człowiek i to nie jestem ja? Nie możemy wiedzieć tego na pewno, ale zostali uwiecznieni na fotografii, również siedzą na ławkach otoczeni przez policjantów; scena przypomina festyn albo przedstawienie teatru ulicznego. Byli tam wszyscy, którzy spiskowali przeciwko prezydentowi Reyesowi. Wszyscy oprócz jednego. Pedra Leona Acosty. Uciekł policyjnej obławie.

Jak to możliwe? Otóż Pedro León Acosta miał przyjaciół w gronie wpływowych bogotan, wielu z nich podzielało jego niechęć wobec wszystkich miękkich albo tchórzliwych konserwatystów, wszystkich tych, którzy oddawali kraj ateistycznym liberałom. Jeszcze w dniu zamachu skontaktował się z nim pułkownik Abelardo Mesa i ostrzegł go, że jest poszukiwany, kilka godzin później Acosta pojechał konno Trzynastą Aleją i wyjechał z miasta na pola otaczające je od strony zachodniej. Nie mógł schronić się w hacjendzie El Salitre, bo zastał drzwi zamknięte na kłódkę, nie zdołał jej przeciąć, ruszył więc w góry do hacjendy San Bernardo i ukrył się w lesie w miejscu, gdzie nikomu nie przyszło do głowy go szukać. Była to jedna z najzimniejszych i najwilgotniejszych okolic, Pedro León Acosta postanowił tam zaczekać, aż nastroje w Bogocie nieco się uspokoją. Znalazł grotę, do której musiał wprawdzie wczołgiwać się jak zwierzę i jej wnętrze było najciemniejszym miejscem, jakie kiedykolwiek widział, ale znajdowała się daleko od drogi i zamieszkanych obszarów, więc mógł czuć się w niej bezpieczny.

Cudem nie zachorował w tych pierwszych dniach, potem, kiedy już przeniósł się do szałasu, który dla niego zbudowano, z uwagą śledził docierające doń informacje i dowiedział się, ilu ludzi go poszukuje oraz jaką cenę wyznaczono za jego głowę. Zauważył, że przestał ufać komukolwiek. Wrócił do domu, samotnie podróżując wyłącznie nocą, chciał tylko zobaczyć po raz ostatni żonę, zjeść ciepły posiłek i odpocząć trochę pod wełnianym kocem, a potem ruszyć w dalszą drogę. Ale podczas wizyty wpadł na inny pomysł. Przetrząsnął szafę swojej żony i znalazł szeroką sukienkę, która nie uciskała go zbytnio w pasie. Przebrany za kobietę, podróżując nocami, dotarł nad brzeg rzeki Magdaleny, wsiadł na statek transportowy United Fruit Company płynący do Panamy i po kilku dniach znalazł się na miejscu, w którym zamierzał się ukrywać – choć on sam nazywał to wygnaniem – aż do końca rządów Reyesa, San José de Costa Rica.

I słuch po nim zaginął.

Kilka lat później, kiedy prezydent Reyes oddał władzę, przebaczenie albo zapomnienie (albo mieszanka tych dwóch) zaczęły powoli rozciągać się na jego wrogów i przynosić im korzyści. Kiedy Pedro León Acosta wrócił do kraju w 1909 roku, uświadomił sobie, że jego dawne winy obrosły teraz legendą, mógł się nawet nimi publicznie chełpić. I to właśnie robił: mówił, czasem na głos, a czasem za pośrednictwem prasy, że nigdy nie żałował spiskowania przeciw prezydentowi Reyesowi, i tylko tchórzostwo innych, którzy go nie wsparli, i nielojalność ludzi gotowych wydać go za nagrodę zmusiły go do wyjazdu. W 1914 roku nie był już uciekinierem, wielu Kolumbijczyków, ze wszystkich warstw społecznych i niekoniecznie o podobnych przekonaniach politycznych, patrzyło na niego z szacunkiem – szacunkiem, z jakim od zarania dziejów patrzy się na spiskowców, którym się udało.

Pod koniec listopada Julián Uribe spotkał się z Carlosem Adolfem Uruetą, zięciem generała Uribe, żeby podjąć decyzję w tej przykrej sprawie. Correal manipulował dochodzeniem i nikomu nie wydawało się to przeszkadzać, Pedra Leona Acostę widziano w towarzystwie Galarzy i Carvajala, ale nie zbadano tego tropu, a z dwunastu świadków, którzy ich widzieli, przesłuchano tylko dwóch. Jeden z nich, ten, co wcześniej rozpoznał Galarzę na zdjęciu w gazecie, z niewiadomych powodów zmienił zeznania i twierdził, że mówił ogólnie o rzemieślnikach, ale nikogo nie zidentyfikował. Inny, mieszkaniec Tequendamy zarabiający na życie wynajmowaniem powozów, potwierdził, że Acosta był jego klientem i zabrał wypożyczony wóz do wodospadu, ale nie wspominał nic o jego towarzyszach. Dla Juliana Uribe wszystko było oczywiste, nawet jeśli świadkowie nie mogli albo nie chcieli zidentyfikować Galarzy i Carvajala, stwierdzono niezbicie, że Pedro León Acosta pojechał tam w grupie rzemieślników i że z dużą dozą prawdopodobieństwa zabójcy znajdowali się wśród nich. Czy nie wydawało się logiczne popchnąć dochodzenie w tym kierunku, sprawdzić tożsamość wszystkich członków tamtej grupy i ustalić, czy to prawda – jak twierdziło pozostałych dziesięciu świadków – że byli tam mordercy. Ale tego nie zrobiono. Jakby prokurator prowadzący sprawę, słynny Alejandro Rodríguez Forero, nie chciał ich zeznań w aktach, jakby udawał, że nie istnieją. I owego listopadowego popołudnia Julián Uribe i Carlos Adolfo Urueta zdecydowali, że w takich okolicznościach została im tylko jedna możliwość: zlecić prywatne śledztwo.

Ale komu je zlecić? Kto byłby na tyle odważny, żeby przeciwstawić się Salomonowi Correalowi i prokuratorowi Rodriguezowi Forero, i rozgłosić na cztery strony świata, że władze państwowe prowadzą w sposób nieodpowiedzialny, dopuszczając się wielu zaniedbań, najsłynniejsze dochodzenie kryminalne w historii Kolumbii? Kto ośmieli się wziąć to na siebie? Kto się ośmieli, a przy tym będzie tak lojalny pamięci generała, żeby wpakować się w podobną kabałę? Musiał to być liberał z przekonania, musiał to być prawnik, żeby znać tajniki prowadzenia dochodzeń kryminalnych, musiał być sympatykiem, a nawet bezwarunkowym poplecznikiem generała Uribe, najlepiej, żeby był również jego przyjacielem. Carlos Adolfo Urueta powiedział to pierwszy, ale kiedy imię i nazwisko uniosło się w powietrzu, obydwu wydawało się, że zawsze było w tym pokoju. Marco Tulio Anzola.

Anzola miał wtedy dwadzieścia trzy lata. Był wprawdzie młodym adwokatem, ale o ugruntowanej reputacji, na którą zapracował jako urzędnik Robót Publicznych. Był przede wszystkim mężczyzną niebojącym się polemiki i przez ostatnie lata przyjaźnił się z generałem Uribe – a raczej to generał był jego mentorem, opiekunem, ojcem chrzestnym, wziął go pod swoje skrzydła i załatwił pierwsze stanowiska. Miał ciemne włosy, zakola zbyt duże jak na swoje młode lata, szpiczaste wąsiki i oczy, które w pierwszej chwili nie sprawiały wrażenia żywych, ale Julián Uribe był zupełnie pewien, że to człowiek stworzony do tej misji.

I tak oto na początku grudnia, pewnej zimnej nocy, tak zimnej jak bywają noce w Bogocie, gdy na niebie nie ma jednej chmurki, Julián Uribe i Carlos Adolfo Urueta zjawili się w domu Marca Tulia Anzoli z walizeczką pełną papierów. Przez godzinę opowiadali o Alfredzie Garcíi, o dobrze ubranych mężczyznach, którzy odwiedzili morderców w nocy przed zbrodnią, o świadkach, którzy wiedzieli o wycieczce do wodospadu Tequendama, o Pedrze Leonie Acoście i o piśmie, w którym Julián Uribe napisał o swoich podejrzeniach generałowi Salomonowi Correalowi, komendantowi głównemu policji. Powiedzieli mu, że wielokrotnie przekonali się o tym, iż śledztwo w sprawie zabójstwa generała

Uribe zostało zmanipulowane, żeby nie dopuścić, by znalazło się w nim cokolwiek, co podważałoby wersję prokuratora Rodrigueza Forera, że mordercy działali sami. Ale oni sądzili, że jest inaczej, sądzili też, że zgromadzili dostatecznie dużo dowodów, żeby stracić zaufanie do oficjalnego dochodzenia.

„Chcemy pana poprosić, panie Anzola, żeby przeprowadził pan równoległe śledztwo", powiedział w końcu Julián Uribe. „Niech pan pójdzie tropem Alfreda Garcíi. Niech pan zbada sprawę wycieczki do wodospadu Tequendama. Niech pan przyjrzy się Anie Rosie Díez".

„Kim jest Ana Rosa Díez?".

„Nie opowiadaliśmy panu o Anie Rosie Díez?", zapytał Carlos Adolfo Urueta.

„Chyba nie", odparł Anzola.

I wtedy opowiedzieli mu o sprawie Any Rosy Díez. Była młodą kobietą, bardzo biedną, przez ostatnie lata prała ubrania Alfredowi Garcíi. Ale to nieistotne. Ważne jest to, że mieszkała z Eloísą Barragán, matką Galarzy. Niedługo po tym, jak spisał swoje zeznania na kartkach z notesu Tomasa Silvy, García zabrał panią Díez do zakładu szewskiego i poprosił ją, żeby powtórzyła coś, co przed chwilą mu opowiedziała. Ana Rosa posłuchała. Kilka dni temu, powiedziała Silvie, kiedy była w domu, przyszedł do niej z wizytą jezuita, który pytał o matkę Leovigilda Galarzy. Kiedy Ana Rosa Díez powiedziała, że jej nie ma, jezuita wyciągnął kartkę, napisał na niej kilka słów i poprosił Anę Rosę, żeby ją przekazała. A to sam musiałby pan ją przeczytać, powiedziała Ana Rosa Díez. „I gdzie jest teraz ta kartka?", zapytał Silva. Może ją przynieść do zakładu szewskiego, postara się ją podkraść w taki sposób, żeby starsza pani nie zauważyła. Cztery dni później, kiedy w końcu Ana Rosa Díez zjawiła się w zakładzie Tomasa Silvy, akurat go nie było. Pracownicy zakładu widzieli kartkę, ale Ana Rosa nie chciała jej zostawić. Zabrała ją ze sobą i powiedziała, że jeszcze wróci.

„Więc musimy po nią iść", powiedział Anzola.

„No i właśnie tu pojawia się problem", powiedział Julián Uribe. „Panna Díez zniknęła".

„Jak to zniknęła?"

„Nie ma jej. Nie ma jej w domu matki Galarzy. Nie ma jej nigdzie. Zapadła się pod ziemię".

„A co na to policja?"

„Policja też nie może jej znaleźć".

„Nie myślą panowie chyba…"

„My", przerwał Julián Uribe, „sami już nie wiemy, co myśleć".

W tym momencie Anzola domyślił się, że brat generała Uribe, jego mentora i mistrza, zaraz ponowi swoją prośbę. Anzola zaś nie mógł pozwolić, żeby potem mówiono o nim, iż kazał się prosić o pomoc w odkryciu prawdy na temat zabójstwa generała. Spojrzał na Juliana Uribe i powiedział:

„To będzie dla mnie wielki zaszczyt".

„Czy to znaczy, że pan nam pomoże?", zapytał Julián Uribe.

„Tak", zapewnił Anzola. „I będzie to dla mnie zaszczyt".

Następnego dnia, wcześnie rano, kiedy bogotańskie powietrze pali w nozdrza, wyszedł z domu i przemierzył dwanaście przecznic dzielących go od miejsca zbrodni. Na placu Bolivara panował spokój. Anzola podszedł do Kapitolu od strony północnej, przechodząc przed katedrą, a potem przez kolegium jezuitów, i zauważył wtedy obecność licznych agentów policji. Dotarł dokładnie tam, gdzie dwa miesiące wcześniej generał oparł się o niewielki kamienny mur, z jego głowy obficie leciała krew, a tymczasem zabójcy zostali zatrzymani, każdy z osobna, niewiele metrów dalej. Mógł rozpoznać miejsce, bo gdy podniósł głowę ku wschodniej ścianie Kapitolu, na którą padały pierwsze nieśmiałe promienie słońca, zobaczył marmurową tablicę, niewielką jak okno w łazience. Wydała mu się nazbyt dyskretna, wydało mu się, że tablica nie chce być widoczna, wydało mu się, że wstydzi się tego, co mówi, a może (pomyślał wówczas Anzola), tego, czego nie mówi.

Rafaelowi Uribe Uribe
Kongres Deputowanych Kolumbii
15 października 1914

Anzola pomyślał, że ten Kongres nie zasługiwał na kogoś takiego jak generał Uribe. Nawet kraj, ten kraj, w którym grożenic komuś śmiercią jest rutyną, a te rutynowe pogróżki nierzadko zostają spełnione, nie zasługiwał na bitwy, które stoczył o jego losy i jego przyszłość generał Uribe. Potem schylił się przy kamiennym murze, tak jak powiedziano mu, że osunął się generał po ataku, i spróbował spojrzeć na świat z tej pozycji: zobaczył Dziewiątą Ulicę, kolegium jezuitów, katedrę, wszystko to odcinało się na niebieskawym porannym niebie. Poszukał na kamiennym murze śladu, który, jak mu powiedziano, zostawił toporek zabójców, ale go nie znalazł. Szukał śladów krwi, plamy albo śladu po plamie, i nie tylko nie znalazł niczego, lecz w dodatku poczuł się głupio, że uwierzył, iż cokolwiek znajdzie. Ale w gruncie rzeczy wcale się tym nie przejął. Był zadowolony z siebie, dumny z powierzonej mu misji, pewny, że czekające go śledztwo będzie najważniejszą rzeczą, jaką zrobi w życiu. Nie mógł wiedzieć, że za sprawą tej honorowej decyzji wyrzuca za burtę wszystko, co przychodziło mu do głowy, kiedy myślał o własnej przyszłości.

„Tak się wszystko zaczyna, panie Vásquez", powiedział Carballo. Mniej więcej o dwunastej wyszedł ze swojej jaskini potwora, a ja usłyszałem szum wody płynącej w rurach, a potem zobaczyłem go w czystej koszuli, rzadkie włosy przyklejały mu się do skroni; wtedy, spacerując w białych skarpetkach po mieszkaniu, zaczął mówić, jakby kontynuował rozmowę sprzed wieków. „Tak, właśnie tak wszystko się zaczyna. Cały ten monumentalny bałagan, o którym nikt w naszym kraju nie ma pojęcia, bo nasz kraj pełen jest ludzi łatwowiernych i pozbawionych pamięci, cały ten bałagan, któremu poświęciłem więcej czasu niż samemu sobie, tak się zaczyna, pod koniec tysiąc dziewięćset czternastego roku, od tego młodzieńca o nazwisku Anzola – tajemnicy historii, ducha, który wyłonił się z cieni za sprawą zbrodni, by pięć lat później do nich powrócić, od człowieka prowadzącego zwykłe, pospolite, być może szczęśliwe życie, gdy przypadł mu w udziale obowiązek zdemaskowania spisku. To najbardziej szlachetne zadanie, jakiego ktokolwiek może się podjąć, panie Vásquez, obnażyć wielkie kłamstwo. Stawić czoło ludziom, którzy nie zawahają się zrobić mu krzywdę. I ponosić ryzyko, zawsze ponosić ryzyko. Szukanie prawdy to nie hobby, Vásquez, to nie jest coś, co się robi, bo ma się za dużo czasu. Nie było to hobby ani dla Anzoli, ani dla mnie. To nie przelewki. To nie bułka z masłem. Więc niech pan przygotuje się na to, co zobaczy pan wkrótce w tych czterech ścianach. Bo ta historia może wywrócić do góry nogami wiele pańskich poglądów. To, co przydarzyło się Anzoli, kiedy prowadził śledztwo, zmieniło całe jego życie, więc niech pan nie spodziewa się, że przejdzie przez to wszystko gładko, a potem zniknie, jak gdyby nigdy nic. Nikt nie wychodzi z tego bez szwanku. Nikt, ani pan, ani nikt inny".

VI

ŚLEDZTWO

Przez ostatnie dni 1914 roku i pierwsze dni kolejnego, podczas gdy miasto usiłowało uczcić narodziny Dzieciątka Jezus, otrząsając się jednocześnie po śmierci generała Uribe, Marco Tulio Anzola poświęcił cały swój czas i całą swoją energię, by dowiedzieć się jak najwięcej o świadkach wydarzeń: o tych, którzy widzieli zbrodnię, tych, którzy jej nie wiedzieli, ale byli w okolicy, tych, którzy powiedzieli coś ważnego, ale prokurator to zbagatelizował. Od początku poczuł to, co wcześniej przewidział: ani prokuratorowi Rodriguezowi Forero, ani Salomonowi Correalowi, komendantowi głównemu policji, nie spodobało się, że taki młokos wtrąca się w ich nader delikatne dochodzenie. Anzola zaczął jednak zadawać pytania i przekonał się, że ludzie chętnie z nim rozmawiają, jeździł po mieście i poza miasto, pisał listy, na które otrzymywał odpowiedzi, i tak powoli dowiadywał się wielu niepokojących rzeczy. Pierwszą był przydomek, jakim ludzie obdarzyli Salomona Correala – generał Toporek. Wszędzie go tak nazywano, uważając, żeby nie usłyszał tego żaden agent ani przyjaciel komendanta głównego; i chociaż ten popularny przydomek nie miał większego znaczenia dla śledztwa prowadzonego przez Anzolę, było wszak prawdą, że ludzie wiedzą, czemu mówią to, co mówią, i prawdą było również to – jak powiedział mu kiedyś Julián Uribe – że głos ludu jest głosem Boga.

„Generał Toporek", powtórzył Anzola. „Nie wiem, czy głos ludu rzeczywiście jest głosem Boga, ale na pewno wali prosto z mostu".

W śledztwie działy się bardzo dziwne rzeczy. Mimo że prokurator wiedział już o tym, co świadek Alfredo García widział w zakładzie stolarskim Galarzy w noc przed zbrodnią, chociaż wiedział o istnieniu dokumentu zredagowanego i podpisanego na kontuarze zakładu szewskiego Tomasa Silvy, wciąż nie wezwał Garcíi do złożenia zeznań mogących spełnić rolę w procesie. Dlaczego? Tak, to co powiedział mu Julián Uribe, było prawdą, czasem wydawało się, że prokurator chce nie dopuścić do pojawiania się w dochodzeniu wersji innej niż dwóch samotnych zabójców, uniemożliwić wykonanie jakichkolwiek czynności, które skomplikowałyby to najprostsze wyjaśnienie. Tomás Silva przychodził do niego co trzy dni, nagabywał go wręcz na ulicy, błagając, żeby pozwolił Garcíi złożyć zeznanie. Prokurator wykręcał się, mówił, że nie dostał jeszcze dokumentu Garcíi, tłumaczył, że już o niego prosił. Tak mijały dni i nikt nie próbował się dowiedzieć, kim było sześciu dobrze ubranych mężczyzn, którzy rozmawiali z zabójcami w nocy 14 października.

Tymczasem Anzolę nurtowało też inne pytanie: gdzie podziała się Ana Rosa Díez? Co stało się z rzekomą kartką, którą rzekomy jezuita zostawił rzekomo matce Galarzy. Co mogło znajdować się na tej kartce, skoro Ana Rosa Díez tak bardzo chciała pokazać ją Silvie? I jaki związek miał ów liścik ze zniknięciem kobiety? Anzola szukał jej wszędzie. Poszedł do domu Eloísy Barragán, matki Galarzy, i jej nie zastał. Rozmawiał więc z Eloísą Barragán, która wydała mu się sprytniejsza, niż chciała to okazać, ale dowiedział się jedynie, że Ana Rosa Díez wyprowadziła się bez uprzedzenia, jak złodziejka, nie zapłaciwszy czynszu za dwa ostatnie tygodnie. Jej pokój został natychmiast wynajęty, ale nowej lokatorki nie było, więc Anzola nie mógł do niego zajrzeć. Postanowił poszukać jej w mieszkaniu Galarzy, pod numerem 205A na Szesnastej Ulicy, ale kiedy tam dotarł, trzy dni przed Bożym Narodzeniem, zastał tylko urzędnika przeprowadzającego eksmisję. Rzeczy należące do Galarzy i jego konkubiny Maríi Arruby skończyły na ulicy, wciąż leżały tam ich meble, zawartość szuflad − smutny widok ubrań wyrzuconych na chodnik, czekających, aż ktoś je pozbiera. Anzola dowiedział się później, że podczas eksmisji dokonano ważnego odkrycia. Za stertą skrzynek inspektor Urzędu Miasta znalazł starannie ukryty zaostrzony toporek, a kilka metrów od niego drewniany trzonek z linką sizalową. Narzędzie było identyczne jak użyte przez zabójców generała Uribe. Co ciekawe, nie znaleźli go policjanci, którzy w dniu zbrodni po południu przyszli do mieszkania Galarzy, by dokładnie je przeszukać.

„Jest nowy", powiedział Anzola do inspektora Urzędu Miejskiego. „Nieużywany". „I w dodatku naostrzony", zauważył.

„Tak, starannie naostrzony", powiedział inspektor Urzędu Miejskiego. „Dziwne, że się tu znalazł. Takich narzędzi nie używa się w stolarni".

„Nie, mnie nie dziwi wcale, że się tu znalazł. Dziwi mnie, że nie został użyty".

Od tej chwili Anzolę zaczęły dręczyć dwie obsesje: że zbrodnię zaplanowano o wiele wcześniej, niż zeznali zabójcy utrzymujący, iż wpadli na ten pomysł poprzedniego wieczoru, pijąc chichę, po drugie, że trzeci toporek musiał należeć do trzeciego zamachowca, który, z niemożliwych od odgadnięcia powodów, nigdy go nie użył. Czyżby istniał jeszcze jeden zamachowiec gotowy zaatakować generała Uribe tamtego dnia? Anzola zaczął wspominać o trzecim mężczyźnie za każdym razem, kiedy z kimś rozmawiał, próbował odtworzyć przebieg zbrodni z pomocą nowych świadków i czytając raz jeszcze zeznania tych dawnych. Zauważył, że miejsce zbrodni zmieniało się tak, jak zmieniają się nasze wspomnienia: z każdym nowym dniem, po każdej nowej rozmowie, po każdym maleńkim odkryciu, obrazy powstające w jego mózgu stawały się coraz bardziej zaparowane, na Siódmej Alei, tam, gdzie wcześniej nie było nikogo, zaczynali pojawiać się ludzie, a równocześnie na Ulicy Dziewiątej znikała jakaś postać, która, jak mu się wcześniej zdawało, na pewno tam była. Zdał sobie również sprawę, że ludzie patrzą na niego ukradkiem, bogotanie dowiedzieli się już o zleceniu, którego podjął się na prośbę rodziny zamordowanego generała. „To on", usłyszał głos za swoimi plecami pewnego popołudnia w kawiarni Windsor. „Taki młodziutki", powiedział inny głos. A trzeci podsumował: „Nie sądzę, żeby dożył Nowego Roku". Kiedy Anzola się odwrócił, zobaczył tylko mężczyzn czytających gazety. Jakby nikt nic nie powiedział.

Dożył Nowego Roku. Spędził te dni (pomost łączący ubiegły rok z kolejnym) na czytaniu raz jeszcze zeznań świadków, szukając wzmianki – choćby nawet pośredniej – o zamachowcu, który nie byłby Galarzą ani Carvajalem. Świadkowie mówili o ataku, o zabójcach, o ofierze, mówili o tych, co wołali o pomoc, i o tych, którzy tej pomocy udzielili. Ale dla Anzoli wciąż nic nie było jasne. Jednak na początku roku dociekania doprowadziły go do dwóch mężczyzn, którzy wcześniej nie złożyli zeznań, mimo że mieli do powiedzenia bardzo ważne rzeczy.

To oni go znaleźli, a nie odwrotnie. Anzola szedł Ósmą Aleją na północ, kiedy zaczepił go mężczyzna w muszce. Przedstawił się jako José Antonio Lema i przyznał, że próbował rozmawiać z prokuratorami w sprawie zabójstwa generała Uribe, ale bezskutecznie. „Nie przychodzę opowiedzieć o tym, co widziałem", powiedział Lema, „ale o tym, co widział ktoś inny. Mam nadzieję, że pan mi uwierzy". Tym kimś innym był Tomás Cárdenas, zatrudniony w senacie, który wyszedł z Kapitolu na chwilę przed zbrodnią i wszystko widział. „Wszystko?", zapytał Anzola. „Tak, wszystko", odrzekł Lema. Cárdenas opowiedział o tym Lemie i innym przyjaciołom w kawiarni, i mówił z takim przekonaniem, że trudno było nie wziąć jego słów na poważnie. „A co widział?", zapytał Anzola. Lema odparł: „ Z dwoma zabójcami był ktoś jeszcze".

„Ach tak?", zainteresował się Anzola. „A kto to był?"

„Cárdenas go nie rozpoznał", powiedział Lema. „To on pierwszy zadał generałowi cios. Cárdenas widział broń, wprawdzie z daleka, ale myśli, że to był kastet. Poszedł opowiedzieć to wszystko policji, ale nie chcieli spisać jego zeznań".

„Jak to uzasadnili?"

„Że to nie są użyteczne informacje", odparł Lema. „Że tylko przeszkadzają w śledztwie".

W połowie lutego Tomás Cárdenas potwierdził wszystko, co powiedział wcześniej Lema. Opowiedział, że w dniu zabójstwa, około pierwszej po południu, oglądał afisze wiszące nieopodal El Oso Blanco, kiedy zobaczył generała Uribe (chociaż w tym momencie nie wiedział jeszcze, że to generał Uribe) idącego chodnikiem po wschodniej stronie Kapitolu. I zobaczył wtedy, że nie idzie sam, szedł za nim w bardzo bliskiej odległości mężczyzna z wąsami, w czarnym garniturze i meloniku. Mężczyzna ten przyspieszył kroku, zbliżył się do generała, podniósł rękę i mocno uderzył go w twarz. Cárdenas zobaczył, że coś błyszczy w jego dłoni, i uznał, że to kastet.

„I próbował pan przekazać te informacje policji?"

„Tak", potwierdził Cárdenas, „ale nie chcieli mnie słuchać. Uznali, że to tylko zaciemniłoby im śledztwo".

Wyobrażenie mężczyzny z kastetem nie opuszczało Anzoli. Jego obecności nie potwierdzał żaden z pierwszych raportów o zbrodni; był jak duch. Czy to ten sam mężczyzna, dla którego przygotowano trzeci toporek, odkryty wśród rzeczy Galarzy? I jeśli tak było, dlaczego przed atakiem zdecydował się zmienić broń? W każdym razie jedno było pewne w sprawie napastnika z kastetem; chociaż nie znano jego tożsamości, a wiadomo, że to nie Galarza ani Carvajal, więc mieliśmy do czynienia z trzecim zabójcą.

Po powrocie do domu Anzola zamknął się w jadalni i zaczął czytać raport z sekcji zwłok. Cios zadany kastetem to nie to samo, co cios zadany toporkiem, i owa różnica powinna znaleźć wyraz w raporcie lekarzy sądowych, o ile, rzecz jasna, Cárdenas nie kłamał ani nie twierdził, że widział coś, czego naprawdę nie widział, ani nie dodał do sceny swoich własnych niepokojów. A jednak nie: właśnie w raporcie z sekcji widniał, czarno na białym, ślad po uderzeniu kastetu w skórę i czaszkę generała Uribe. *Na twarzy*, czytał Anzola, *na wysokości lewej bruzdy bocznej, znajduje się poprzeczna rana o długości 4 centymetrów, przecinająca skórę i tkanki miękkie i mająca znamiona rany zadanej narzędziem ostrokrawędzistym. Na wysokości lewego płata czołowego widoczny ubytek tkanki skórnej, z okrągłą wybroczyną, o średnicy 3 centymetrów; uszkodzenie nosi znamiona zadanego narzędziem tępym i twardym. Na wysokości kości jarzmowej znajduje się rana skóry o średnicy 1,5 centymetra, zadana narzędziem twardym i podobna rana na prawym policzku. Na grzbiecie nosa znajduje się ubytek skóry o długości 1 centymetra od ciosu zadanego narzędziem twardym.* Za każdym razem, kiedy pojawiały się słowa *narzędzie twarde*, Anzola myślał o kastecie, o dłoni uderzającej generała Uribe w twarz i przygotowującej go na nadejście kolejnych bestii z toporkami mających dokończyć robotę, poćwiartować ofiarę. A więc go znalazł,

znalazł dowód, że ktoś jeszcze zaatakował generała, gdyż rany zadane narzędziem tępym nie mogły pochodzić od ciosów toporków Galarzy i Carvajala. Anzola mógł być dumny ze zwycięstwa, ale ogarnął go smutek. Poczuł, że jest sam.

Nie chcąc ryzykować pochopnych opinii, poszedł do doktora Luisa Zei, jednego z lekarzy, którzy próbowali ocalić życie generała Uribe Uribe. Czekając na niego, Anzola przyjrzał się szkieletowi i wiszącym na ścianach planszom, przeszklone szafki i rzeźbione szkło drzwi rozpraszały białe światło w kolorowych rozbłyskach. Nie znał Luisa Zei zbyt dobrze, ale Julián Uribe wyrażał się o nim na tyle pochlebnie, że Anzola czuł się, jakby szedł na spotkanie z przyjacielem. Nie – wspólnikiem. Świat zaczął dzielić się na tych, którzy byli z nim, i tych, którzy byli przeciw. Z jednej strony ci, co szukali prawdy, z drugiej ci, którzy chcieli ją ukryć, przysypać ziemią. Poczuł też, że świat wokół niego zaczął się zachowywać w sposób niezrozumiały. W tamtym czasie w jednej z gazet ukazało się ogłoszenie braci Di Domenico, Włochów wyświetlających zagraniczne filmy w sali Olympia. Spółka braci Di Domenico oferowała sto franków za opowieść o życiu generała Uribe. Anzola nie potrafił sobie wyobrazić rezultatu tego ogłoszenia, ale coś w nim wydało mu się nieuczciwe. Z jednej strony on próbował samodzielnie ustalić prawdę na temat narodowej tragedii, z drugiej w gazetach oferowano pieniądze komuś, kto wymyśli o tym historię.

„W tym kraju wszystko jest na sprzedaż", powiedział doktorowi Zei w jego gabinecie. „Nawet śmierć sławnych ludzi".

Ku jego zaskoczeniu doktor wiedział doskonale o ogłoszeniu z gazety, co więcej, przekazał mu zdumiewającą wiadomość, bracia Di Domenico byli obecni w dniu zamachu. Nie, nie na ulicy, wyjaśnił doktor, ale w samym domu Uribe Uribe, w chwili gdy generał balansował na granicy życia i śmierci (tak powiedział Zea) pod narzędziami chirurgicznymi lekarzy próbujących go ocalić. „Byli tam!?", wykrzyknął Anzola. I doktor wyjaśnił, że tak, że byli z czarną skrzyneczką utrwalającą obrazy nie wiadomo po co. Czy Anzola lubił kinematograf?, zapytał wówczas doktor Zea, a Anzola przyznał, że tylko raz był na projekcji. Potem wrócił do tej wiadomości, która go zirytowała: „Oni, bracia Di Domenico przebywali w domu generała podczas jego agonii?", zapytał znów z niedowierzaniem, a doktor Zea potwierdził to ponownie. „A co tam robili?", zapytał Anzola, a Zea wzruszył ramionami: „Licho wie".

Potem Anzola wyjaśnił, po co przyszedł. Wypowiedział słowa *wybroczyna, narzędzie twarde, kastet*. Doktor Zea wysłuchał go uprzejmie, ale nie wydawał się specjalnie zainteresowany. Sądzi, że się do tego nie nadaję, pomyślał Anzola. Patrzy na mnie jak na dziecko, dziecko, któremu powierzono zadanie dla dorosłych. I wtedy, nie patrząc na niego, Zea przyznał cicho, że tak, Anzola ma rację.

„Niech mi pan to wyjaśni, doktorze".

„To naprawdę bardzo proste. Nie ma możliwości, żeby te rany na twarzy zadano toporkami".

„Nawet drewnianą częścią?", zapytał Anzola. „Nie wiem, jak ona się nazywa, ta druga strona".

„Wydaje mi się to nieprawdopodobne", powiedział Zea. „Toporki zabójców ważą jakieś osiemset gramów. Podobnym narzędziem nie sposób zadać takich ran". Przesuwał palec po linijkach raportu. „Niech pan tylko spojrzy. Na twarzy są cztery ślady, na niewielkiej jej części. Każde uszkodzenie ma bardzo niewielką średnicę. Nie, mój drogi przyjacielu, to ma własną nazwę. Byłoby uderzeniem pięści, jeśli agresor byłby niezwykle silny. Gdyby był potworem, olbrzymem. Ale tego dnia na placu Bolivara nie było potworów ani olbrzymów, prawda?"

„Prawda".

„Więc nie ma innego wyjścia. To cios kastetem". Anzola musiał spojrzeć na niego sceptycznie, bo doktor Zea dodał: „Jeśli nie jest pan przekonany, proszę zapytać lekarzy sądowych. Może pokażą panu kości generała. Jeśli jest pan z tych, którzy potrzebują dotknąć, zanim w cokolwiek uwierzą".

„Kości generała?"

„Lekarze sądowi na pewno zostawili sobie fragment sklepienia czaszki. To jej górna część, którą odcina się, żeby zbadać mózg. W wypadku generała po to, żeby zbadać uszkodzenia opon mózgowych. Oczywiście była uszkodzona, to w nią wbił się toporek zabójcy. Kawałek złamanej kości sklepienia czaszki. Tędy uchodzi ludzkie życie". Przez chwilę milczał. „Byłem tam, kiedy ją odcinali, pomagałem im we wszystkim. I jeden z nich musiał ją sobie zostawić".

„Wolno tak robić?"

„To praktycznie obowiązkowe, drogi przyjacielu. Niech pan przeczyta raport, zobaczy pan, że to właśnie była śmiertelna rana. I jedyna, o ile dobrze pamiętam, która przeszyła kość i rozcięła opony mózgowe. Żadna inna z ran nie zabiłaby go, prawda? Tylko ta jedna uszkodziła mózgowie, ta jedna spowodowała ostatecznie śmierć generała Uribe. I dlatego tę część ciała zachowuje się dla potomności. Jest jak świadek, rozumie pan? Ta część sklepienia czaszki, złamana kość, jest świadkiem. Dlatego należy ją zachować. Chyba wziął to na siebie doktor Manrique".

„Ale co zostaje w głowie zmarłego?", zapytał Anzola. „Czym się ją wypełnia?"

„Drogi panie Anzola, niech będzie pan tak uprzejmy i nie zadaje głupich pytań", odrzekł doktor Zea. „Niech pan pozwoli, że napiszę panu kilka listów polecających. Niewiele więcej mogę dla pana zrobić. Ale chcę wiedzieć tak samo jak pan, co wydarzyło się tamtego dnia".

I tak się stało. Mając w ręku list Zei, Anzola zjawił się pewnego deszczowego ranka w gabinecie doktora Julia Manrique, profesora patologii na Wydziale Medycyny i głównego lekarza sądowego Departamentu Cundinamarca. Doktor miał krótką szpiczastą bródkę i jasne oczy nieśmiałego dziecka, które od razu wywoływały iluzję zaufania. Choć skończył dopiero czterdzieści kilka lat, był gwiazdą bogotańskiej medycyny, studiował chirurgię w Paryżu, fizjologię narządów zmysłów w Nowym Jorku, prowadził badania nad trądem w Wielkiej Brytanii i pracował w Lazarecie San Juan de Dios z pacjentami cierpiącymi na choroby oczu. Jego osiągnięcia nikogo jednak nie dziwiły, gdyż doktor Manrique był czwartym z dynastii słynnych lekarzy: jego dziadek był lekarzem, ojciec był lekarzem, lekarzem był też jego brat, chirurg owiany w kraju legendą, człowiek o magicznych dłoniach, który ufundował kliniki, wykładał na uczelni, miał czas pracować jako parlamentarzysta w Bogocie, a potem jako dyplomata we Francji i Hiszpanii. „Wie, pan, co spotkało mnie tego dnia?", zapytał Anzolę. „Wszyscy w Bogocie wiedzą, co mnie spotkało. A pan wie?" Anzola przyznał, że nie.

„Nie wie pan?", nie dowierzał Manrique.

„Nie", odparł Anzola.

W dniu autopsji, według własnej opowieści, doktor Julio Manrique przyszedł do domu generała Uribe w towarzystwie doktora Ricarda Fajarda Vegi i trzech asystentów. Jeden z nich, młodziutki mężczyzna, który dopiero zaczynał kształcić się w tym fachu, nie mógł znieść emocji i wybuchnął płaczem. Manrique w głębi duszy go rozumiał, bo otwieranie głowy kogoś takiego jak Rafael Uribe Uribe nie zdarza się często, ale nie mógł pozwolić na tego typu zachowania wśród współpracowników i wyprosił go z sali. „Niech pan wróci, jak się pan uspokoi", powiedział. A potem rozciął skórę, sięgnął po piłę, odseparował sklepienie czaszki, sprawdził uszkodzenia tkanki mózgowej, i z pomocą doktora Fajarda wyjął mózg, zważył go i wagę tę zapisał, i przez chwilę zastanawiał się – jak zastanowiłby się każdy – co działo się w tym mózgu przez ostatnich kilka lat. Asystenci pomogli mu rozciąć brzuch generała i wyjąć trzewia do zbadania, pomogli mu rozciąć przeponę, żeby obejrzeć serce i płuca. I pod koniec, kiedy zaczęli zszywać ciało, a on zaczynał rekonstruować głowę, wrócił wyrzucony chłopak i powiedział, że bardzo przeprasza, ale ktoś chce się widzieć z doktorem Manrique. Nie patrząc na niego, z mimowolną pogardą, doktor odpowiedział: „Niech pan powie, że jestem zajęty". I zapytał tonem nie tyle upomnienia, co otwartych pretensji: „A może nie widzi pan, co tu robimy?".

„Ale to pilne, doktorze", upierał się młody lekarz.

„To też", odparł Manrique. „I w dodatku ważne".

„Ma dla pana wiadomość", powiedział młody doktor.

I tak Manrique dowiedział się, że zmarł jego brat. Po zakończeniu swojej misji dyplomatycznej Juan Evangelista został w Paryżu i zajmował się medycyną. Przez dwa lata był kimś w rodzaju dobrego wujka dla mieszkających we Francji Kolumbijczyków: przyjmował ich, pocieszał, patrzył, jak chorują i w rzadkich wypadkach umierają. Ale wtedy wybuchła wojna. Kiedy Niemcy wkroczyli na terytorium neutralnej Belgii i ich wojska ruszyły na Paryż, Juan Evangelista Manrique postanowił spakować walizki i – razem z żoną i jej siostrą – schronić się, jak tylu innych, którzy mogli sobie na to pozwolić, na terytorium Hiszpanii. Przekroczył granicę i zamieszkał w San Sebastián. Ostatnią wiadomość, jaką Julio otrzymał od brata, był list, w którym wspominał o zajęciu Longwy – nazywanym przezeń bramą do Paryża – a potem zdobyciu twierdzy w Liege. „To barbarzyńcy", pisał brat o niemieckim wojsku. Teraz dostał kolejną wiadomość: Juan Evangelista zachorował na zapalenie płuc, prawdopodobnie podczas podróży, a jego chore serce pogorszyło sprawę. Płuca przestały pracować w nocy 13 października. Juan Evangelista nigdy się nie dowiedział, że kiedy umierał, w jego dalekim mieście ktoś planował zamach na jego ukochanego Rafaela Uribe. Nie mógł sobie również wyobrazić, że brat Julio dowie się o jego śmierci, szyjąc ze starannością rzemieślnika głowę martwego generała.

„Wiadomość ukazała się w bogotańskiej prasie", powiedział Julio Manrique. „Ale kogo miała obchodzić śmierć lekarza na innym kontynencie, kiedy właśnie zabito ciosami toporków jednego z najważniejszych polityków ostatnich czasów?"

„A pan robił mu sekcję", powiedział Anzola.

„A ja robiłem mu sekcję", przytaknął Manrique. Przez chwilę milczał, jakby zaglądał w ukryte smutki. Wreszcie przemówił. „Więc pan chce zobaczyć kości generała Uribe".

„Ze względu na raport z autopsji".

„A o co dokładnie chodzi?"

„Wspomina się w nim o ciosie zadanym narzędziem twardym, a nie tnącym", powiedział Anzola. „To nie mógł być cios toporkiem".

„Ach, rozumiem, już wiem, do czego pan zmierza", powiedział Manrique. „To, co panu pokażę, do niczego nie posłuży. Ale i tak to zrobię. Żeby pan nie myślał, że przyszedł tu na próżno".

Doktor Manrique wstał i otworzył szafę. Wyjął z niej fragment czaszki i położył go na drewnianym biurku. Kość była mniejsza, niż oczekiwał Anzola, i była czysta, czysta jakby nigdy nie pokrywała jej skóra ani ciało człowieka. Anzola pomyślał, że przypomina bardziej czarkę, z której pija się *aguardiente* na piknikach, niż czaszkę męża stanu, który zmienił losy kraju. Potem zawstydził się tej myśli.

Na czołowym fragmencie czaszki widniały trzy wyryte litery: R.U.U.

„Zawsze pan to robi?", zapytał Anzola.

„Zawsze", odparł doktor Manrique, „żeby mi nie zginęły albo się nie pomyliły. Niech pan dotknie, śmiało".

Anzola posłuchał. Przesunął palcem po brzegu rany, tam, gdzie kość złamana uderzeniem toporka przestawała być gładka i robiła się chropowata, a potem dotknął jej w środku, jakby zwiedzał stare ruiny, i poczuł, że mógłby się skaleczyć ostrą krawędzią rozbitej czaszki. „Tę ranę zadano toporkiem", powiedział doktor Manrique. „Rany zadane narzędziem ciężkim znajdowały się na prawym policzku, jeśli dobrze pamiętam, i na wysokości oczodołu. To wszystko miejsca poniżej tej linii". I mówiąc to, wziął fragment sklepienia czaszki i narysował w powietrzu wyobrażoną granicę, jakby w powietrzu zaczynała się reszta głowy generała Uribe. „Takie rany nie zostawiają śladu w kościach. A nawet gdyby zostawiały, i tak kości zostały pogrzebane. Razem z resztą generała".

„Nie ma ich pan", powiedział Anzola.

„Obawiam się, że nie", odparł Manrique. „Ale jeśli posłuży to panu za pocieszenie, ja je widziałem".

„Nie bardzo", przyznał Anzola.

„No tak", powiedział. A po chwili milczenia dodał: „Mogę pana o coś zapytać?".

„Słucham, panie doktorze".

„Czemu pan to robi?"

Anzola popatrzył na fragment czaszki. „Bo chcę poznać prawdę", powiedział. „Bo poprosił mnie o to ktoś, kogo szanuję. Nie wiem, doktorze. Z obawy, co się stanie, jeśli nikt tego nie zrobi. Wiem, że trudno to zrozumieć".

„Wręcz przeciwnie", zaprzeczył. „I podziwiam pana, mam nadzieję, że nie pogniewa się pan, że to mówię".

Po tej wizycie Anzola odkrył, że wcale nie jest rozczarowany. Wychodził wprawdzie z pustymi rękami, ale także z uczuciem, że dotknął kawałka tajemnicy. Było to oczywiście uczucie zafałszowane, zafałszowane kontaktem z kośćmi zmarłego człowieka, zafałszowane niezwykle uroczystym charakterem chwili, zafałszowane przez niespodziewany i efemeryczny kontakt tej chwili przemocy z inną wielką chwilą innej przemocy, przemocy odległej, wojny toczącej się właśnie tysiące kilometrów stąd, która przybyła, żeby nas musnąć. To w jakiś niemądry sposób go wzruszyło. Spojrzał na swoje dłonie, potarł palce, którymi wodził po fragmencie czaszki, jej spokojnym terakotowym pejzażu. Chociaż nie, pejzaż nie był spokojny, był świadectwem przemocy. Sklepienie trepanowanej czaszki, kawałek kości, przez który, jak powiedział wcześniej doktor, uciekło życie. Anzola pomyślał, że niewiele osób widziało to, co on. Było to jak religijne przeżycie, tak jak przebywanie w pobliżu relikwii. I jak przeżycie religijne okazało się zupełnie niemożliwe do przekazania, pustka otwierała się pomiędzy nim a innymi, tylko dlatego że widział to, co zobaczył, że dotykał tego, czego właśnie dotknął.

Zajrzał do kawiarni Windsor, poprosił o kieliszek rumu, poczuł, że na niego patrzą. Ale nie przeszkadzało mu to i zdziwił się, że mu nie przeszkadza.

Następna osoba, która zaczepiła go, żeby z nim porozmawiać – tak, teraz ludzie podchodzili od niego, opowiadali historie – nazywała się Mercedes Grau. W dniu zamachu panna Grau czekała na tramwaj na rogu Torre de Londres przy Dziewiątej Ulicy. Stojąc na przystanku, zwróciła uwagę na eleganckiego mężczyznę kilka metrów od niej, który sprawiał wrażenie, jakby też na coś czekał. Wydał się jej znajomy, chociaż nie mogła sobie przypomnieć, gdzie widziała go wcześniej. Mężczyzna miał na sobie lakierowane sztyblety, fantazyjne czarne spodnie z białymi lampasami i szare poncho. Tak, Mercedes Grau widywała go już wcześniej, poznała jego wąsy i małe oczka i zauważyła, ze względu na jasny odcień cery, że niedawno się ogolił. I wtedy przypomniała sobie, że zna go z widzenia z katedry, gdzie chodziła na msze, a także spotkała się z nim na projekcji filmowej w sali Olympia (może był to *Hrabia Monte Christo*, a może *Trzej muszkieterowie*, albo jakiś krótkometrażowy film, który bracia Di Domenico kręcili w innych miastach, tego już nie była pewna). Zastanawiała się, czy powinna mu skinąć głową na powitanie, żeby nie wyjść na nieuprzejmą i niewychowaną, kiedy elegancki mężczyzna zwrócił się do innego, wyglądającego na robotnika albo rzemieślnika, i powiedział:

„Oto i generał Uribe".

Mercedes Grau spojrzała tam, gdzie pokazywał elegancki mężczyzna, i zobaczyła, że rzeczywiście generał Uribe szedł Dziewiątą Ulicą. Rzemieślnik, który w tym momencie stał na chodniku przed budynkiem San Bartolomé, patrzył na niego, póki generał nie skierował się ku Siódmej Alei, mijając go tak blisko, że rzemieślnik prawie musiał ustąpić mu miejsca, potem poszedł za nim. Jego ręce poruszały się pod wytartym ponchem, opowiadała Mercedes Grau, stawiał krótkie kroki. Z kolei elegancki mężczyzna nie ruszał się wcale, jakby przybito go do bruku. Rzemieślnik kroczył tuż za generałem Uribe, który przeciął Siódmą Aleję i ruszył chodnikiem przy Kapitolu, przy kamiennym murze; wtedy właśnie Mercedes Grau zauważyła, że zza węgła tego samego muru wyłonił się drugi mężczyzna, też miał przetarte poncho i też wyglądał na rzemieślnika, i wyciągnął rękę spod poncha, i rzucił się na generała Uribe, wymierzając mu dwa ciosy w głowę, generał upadł na plecy, uderzając o kamienny mur. „Oj, skręcił sobie kark", powiedział czyjś głos. Mężczyzna, który wcześniej szedł za generałem, dopadł go teraz i zadał kolejne ciosy. Ktoś krzyczał: „Policja!". I w tym momencie pierwszy zamachowiec, który pobiegł truchtem w kierunku południowym, minął ją, Mercedes Grau, a ona, przerażona, wykrzyknęła tylko: „To tak się zabija ludzi w Bogocie?"

„Tak to się robi", odparł zamachowiec.

Mercedes nie miała odwagi spojrzeć mu w oczy, ale widziała broń – może nóż, nie, raczej małą maczetę – lśniącą pod czarnym ponchem. I wtedy zamachowiec podszedł albo spróbował podejść do eleganckiego mężczyzny, tego w lakierowanych sztybletach, który, kiedy zamachowiec znalazł się bliżej, zapytał go przerażającym głosem – tego tonu Mercedes Grau nigdy nie zapomni, chociaż nie potrafiła powiedzieć, dlaczego zrobił na niej takie wrażenie – spokojnym głosem zdającym się płynąć z nieruchomych ust, głosem, wywołującym u Mercedes Grau dreszcz za każdym razem, kiedy sobie go przypominała.

„No i co"?, zapytał. „Zabiłeś go?"

Nie patrząc na niego, a może patrząc kątem oka, zamachowiec odparł:

„Tak, zabiłem".

I natychmiast skręcił za róg, kierując się na zachód, jakby chciał obejść Kapitol od tyłu. Mężczyzna w lakierowanych sztybletach ruszył tymczasem Dziewiątą Ulicą w drugą stronę, w kierunku wzgórz. Mercedes Grau przeszła kilka kroków w kierunku chodnika, żeby nie stracić go z oczu, i zobaczyła, jak podchodzi do niego inny mężczyzna, grubszy od niego, ale dobrze ubrany, w pilśniowym kapeluszu na głowie. Ten w lakierowanych sztybletach nie przywitał się tak, jak wita się z kimś, kogo spotyka się przypadkiem, ale ruszyli razem, jakby tamten na niego czekał. I szli dalej, minęli dom generała Uribe i balkon nowicjatu, podczas gdy generał leżał na chodniku i wykrwawiał się na oczach wszystkich, pośród krzyków, wołania o pomoc i ludzi biegających tam i z powrotem aleją.

I Anzola zastanawiał się: kim był mężczyzna w lakierowanych sztybletach? Kim mógł być ten, który zapytał Galarzę, c z y g o z a b i ł, a kiedy usłyszał twierdzącą odpowiedź, oddalił się od miejsca zdarzenia? Ani policja, ani prokurator nie wydawali się zainteresowani ustaleniem tożsamości tego mężczyzny, po dniu zamachu Mercedes Grau widziała go jeszcze kilka razy, ale nigdy nie dowiedziała się, kim jest. Widziała go, przynajmniej zdawało się jej, że go widzi w kondukcie pogrzebowym, który odprowadził generała Uribe na cmentarz; widziała go, albo tak jej się zdawało, w komitecie, który przybijał upamiętniającą tablicę na wschodniej ścianie Kapitolu. Ale w obu tych przypadkach była sama, nie miała kogo o niego zapytać, a mężczyzna znikał jej z oczu tak nagle, jak się zjawiał. Czy sobie go wyobraziła? Wyobraźnia lubi płatać podobne figle i Anzola o tym wiedział, a wyobraźnia bogotan w tamtych dniach była mocno rozpalona, jak zwierzę, oszalałe, żarłoczne i rozjuszone. Tak czy owak, Mercedes Grau nie wyobraziła sobie mężczyzny w lakierowanych sztybletach. To przynajmniej było pewne. Ten człowiek rzeczywiście istniał, miał prawdziwy głos i przede wszystkim prawdziwe sztyblety, i stanowił dowód na to, że García i Carvajal nie działali sami, że było to coś większego, coś, w co nie chcieli uwierzyć Salomón Correal ani prokurator Rodríguez Forero. Nie, pomyślał Anzola, Leovigildo Galarza i Jesús Carvajal nie działali sami. Zabójstwo Rafaela Uribe Uribe, którego czaszkę miał w dłoniach i gładził palcami, nie było improwizowanym działaniem rzemieślników sfrustrowanych bezrobociem. Było czymś innym. Uczestniczyli w nim trzeci zamachowiec, który nie użył toporka, tylko kastetu, i obserwujący z daleka mężczyzna, który ostrzegł Carvajala, że nadchodzi ofiara, a potem zapytał Galarzę o powodzenie ich misji.

Anzola pomyślał z m o w a, potem pomyślał s p i s e k, i słowa te wydały mu się bolesne niczym obelga ze strony kogoś, kto nas kocha, i sprawiły, że przymknął oczy.

Mniej więcej w marcu Anzola zdał sobie sprawę z niezwykłego zjawiska – w kraju zaroiło się nagle od proroków i wizjonerów, wieszczy i czarodziei, którzy przewidzieli zamach na generała Uribe Uribe wiele dni wcześniej. W Simijace, sto trzydzieści pięć kilometrów od Bogoty, pięciu świadków zeznało, że Julio Machado zapowiedział zabójstwo generała Uribe z czterdziestodniowym wyprzedzeniem. Kiedy przepowiednia się spełniła, jasnowidz Machado spotkał się z niejakim Delfinem Delgado: „Pamiętasz, co ci mówiłem?", zapytał. „Pamiętasz?" W Tenie, sześćdziesiąt kilometrów od Bogoty, niejaki Eugenio Galarza powiedział, że jest kuzynem zabójcy Rafaela Uribe Uribe, i wiedział o planowanej zbrodni miesiące wcześniej. „Nie chciałem w tym uczestniczyć, bo jestem z dobrej rodziny", wyjaśnił. Później, kiedy miał potwierdzić to, co powiedział, przyznał, że skłamał w sprawie swojego pokrewieństwa z zabójcą, że znał go tylko z nazwiska, nic poza tym. Nie, nigdy nie twierdził, że wiedział o zbrodni wcześniej. Pewnie świadkowie źle go zrozumieli, bo tego dnia był pijany.

Najsłynniejszy z tych jasnowidzów nazywał się Aurelio Cancino. Był z zawodu mechanikiem, na początku sierpnia 1914 roku zaczął pracować dla francusko-belgijskiej spółki przemysłowej, a w tygodniach poprzedzających zabójstwo generała Uribe zatrudniony był jako technik przy budowie elektrowni w La Cómoda, w departamencie Santander, jakieś dwieście pięćdziesiąt kilometrów od Bogoty. Siedemnaście dni przed zamachem jego koledzy z pracy słyszeli, jak mówi, że generał Uribe pożyje jeszcze najwyżej dwadzieścia dni. „Mogę się założyć", powiedział. Po zabójstwie słyszeli, jak ostro krytykował generała: „Gdybym to ja miał go zabić", twierdzili, że mówił Cancino, „zrobiłbym to i wypił jego krew". Chwalił się też, że zna Galarzę i Carvajala, że wiedział doskonale, do jakiego stowarzyszenia należeli, i że może z całą pewnością stwierdzić, iż mordercy nie pisną ani słowa więcej o zbrodni. „Kazano im milczeć", to – według świadków – słowa Cancina. Ci sami koledzy z pracy, którzy słyszeli jego zapowiedź, spotkali się z Cancinem, gdy dowiedzieli się o zabójstwie z ogólnokrajowej prasy, a Cancino przyjął ich z uśmiechem i zakrzyknął radośnie:

„I co, nie mówiłem, panowie?"

Kilka dni później burmistrz Suaity wezwał kolegów z pracy Cancina, żeby złożyli zeznania. Były jednoznaczne. W szczegółach różniły się tak, jak zmienia się ludzka pamięć, jeśli chodzi o bogactwo i precyzję, ale nie w samej istocie ich słów, wszyscy byli zgodni co do proroczego daru Cancina, jego niewiarygodnej umiejętności jasnowidzenia, znajomości szczegółów dotyczących Galarzy i Carvajala, o których mógł wiedzieć tylko ktoś, kto był z nimi w bliskich stosunkach. Poszczególni świadkowie zeznali, co następuje:

Miguel Nieto

Tak, pamiętał to dobrze. Pili piwo w La Cómoda, było przy tym ośmiu czy dziewięciu innych kolegów, wszyscy pracowali we francusko-belgijskiej spółce i rozmawiali o zabójstwie generała Uribe, bo wtedy wszyscy rozmawiali o zabójstwie generała Uribe; miało się wrażenie, jakby w kraju nigdy nie wydarzyło się nic innego. Zjawił się tam Aurelio Cancino, wielu z obecnych pamiętało jego przepowiednię zbrodni. Po kilku piwach rozwiązał mu się język: „Też bym go zabił", powiedział. „Jeśli wybrano by mnie, zabiłbym go z wielką przyjemnością i wypił jego krew". Ktoś zapytał go, o kim właściwie mówi, kto mianowicie miałby go wybrać. Cancino wspomniał wówczas o towarzystwie, do którego należeli Galarza i Carvajal, powiedział, że to duża organizacja licząca około czterystu osób. „Kierują nią bardzo mądrzy i bogaci ludzie", zdradził Cancino. „Wspierają jego członków. Nie pozwolą, żeby cokolwiek im się stało". A odnosząc się do zabójców, Cancino powiedział: „Znam ich, jakbym ich urodził. Nie pisną słowa, bo taka jest zasada".

Rafael Cortés

Pewnego październikowego dnia, niedługo po zbrodni, spotkali się z Aurelio Cancinem i innymi kolegami z pracy. Taki mieli zwyczaj, od czasu do czasu spotykali się, żeby wypić piwo i pogadać o życiu. Cancino przypomniał im o tym, jak przepowiedział zabójstwo: „Widzicie, wszystko było tak, jak wam mówiłem". Pozostali zaczęli go wypytywać, skąd o tym wiedział, a on opowiedział im z całą swobodą o towarzystwie, do którego należeli mordercy. „Też jestem członkiem i jestem z tego dumny. Na mnie też mogło paść na loterii. Dlatego przyjechałem tutaj. Żeby nie padło na mnie". „Loterii?", zapytał ktoś z obecnych. „Jakiej loterii?" Towarzystwo, wyjaśnił Cancino, składało się z około czterystu członków, którzy mogli liczyć na pomoc bardzo nadzianych ludzi, i ci ludzie wylosowali Galarzę i Carvajala na loterii. I niemożliwe, żeby oni zdradzili. Nic nie powiedzą, znam ich tak, jakbym sam ich urodził. „Nie opłaca im się nic powiedzieć, bo tam, gdzie są, nic im się nie stanie, a zgodnie z umową ich rodziny otrzymają wsparcie. Pomogą im bardzo potężni ludzie".

Ciro Cabanza

Kiedy do firmy przyszedł telegram z wiadomością o śmierci generała Uribe, Aurelio Cancino przyszedł dumny jak paw na spotkanie z kolegami. „Zrobili to parę dni wcześniej", oświadczył, „ale stało się to, co miało się stać". Koledzy rzeczywiście przypomnieli sobie, że Cancino przewidział śmierć generała: „Nie upłynie więcej niż dwadzieścia dni", mówił. Ciro Cabanza zapytał wówczas, kto jeszcze popierał tę zbrodnię. „Lud", powiedział Cancino, a potem zrobił tajemniczą pauzę albo pauzę fałszywie tajemniczą, teatralnie zawiesił głos. Kiedy zapytano go, czy mieli wsparcie potężniejszych osób, Cancino odparł: „To my ich popieramy". „Pan też ich popiera?", zapytał Ciro Cabanza. „Uribe był zdrajcą", powiedział Cancino. „Gdyby zmartwychwstał, sam bym go zabił i wypiłbym jego krew". Kilka dni później, kiedy pracowali w elektrowni, Ciro Cabanza podszedł do Cancina i zapytał, co się stanie, jeśli wezwą go na przesłuchanie w sprawie tego, co powiedział kolegom z pracy. Cancino machnął ręką. „Powiem im, że byłem pijany", odparł zupełnie niezmieszany. „I że nic nie pamiętam".

Nepomuceno Velásquez

Tak, to prawda, że Cancino rozmawiał z nimi o zamachu. Przewidział go siedemnaście dni wcześniej. Kiedy nadeszła wiadomość o tym, co się stało, powiedział, że zrobili to parę dni wcześniej, ale wszystko skończyło się tak, jak zapowiedział. Mówiąc o towarzystwie, do którego należeli Galarza i Carvajal, oświadczył z dumą: „Też mam zaszczyt do niego należeć". Mówiąc o zbrodni, twierdził, że to wielka przysługa dla kraju. „Śmierć tego człowieka musiała być tak haniebna, bo był nikczemnym zdrajcą".

Enrique Sarmiento

Byli w siedzibie firmy, chwilę po tym, jak przyszedł telegram z wiadomością o zabójstwie generała Uribe. Rozmawiając z kolegami, Aurelio Cancino, który przyjechał wcześniej z Bogoty, żeby pracować przy złączkach do rur, zapytał: „A nie mówiłem?" A kilka dni później, kiedy w prasie opisano zbrodnię ze szczegółami, koledzy Aurelia Cancina ze zdumieniem stwierdzili, że przewidział je wszystkie. Podczas przerwy w pracy Sarmiento rozmawiał o zamachu z kolegą i nie mógł przypomnieć sobie nazwiska jednego z zabójców. Aurelio Cancino, który był przy tym obecny, powiedział, że nazywa się Leovigildo Galarza, mieszkał przy Dziewiątej Ulicy i był członkiem Towarzystwa Rekreacyjnego. Sarmiento zapytał go wówczas, czym zajmowało się owo towarzystwo. Spotykało się, żeby omawiać wspólnie interesujące tematy, a także urządzało wycieczki turystyczne w okolicach Bogoty. Powiedział, że przynależność do tego towarzystwa to zaszczyt, że w jego skład wchodziło ponad czterystu członków, a sponsorami były ważne osobistości ze stolicy, potężne umysły, które miały utrzymywać rodziny zabójców.

W marcu Cancino przyjechał do Bogoty, żeby złożyć przed sędzią okręgowym swoją wersję zeznań. Był to majstersztyk prostoty i oszczędności – wszystkiemu zaprzeczył. Nie pamiętał, żeby to mówił, pamiętał, że był na spotkaniu z kolegami z pracy, ale już nie to, o czym wtedy rozmawiano. Usprawiedliwiał ten brak pamięci stanem upojenia alkoholowego. Wielu świadków opowiedziało o jego przewidywaniach i zadowoleniu z tego, że się spełniły, ale on wszystkiemu zaprzeczył i jego pojedynczy głos znaczył więcej niż wiele innych, które oskarżały go chórem. Powiedział, że źle go zrozumiano, że wyraził się nieprecyzyjnie, że nigdy nie przewidział zamachu na generała Uribe, a tym bardziej nie chełpił się tym, że przepowiednia się spełniła. Kiedy pytano go, czy naprawdę powiedział, że gdyby generał Uribe zmartwychwstał, zabiłby go jeszcze raz, Cancino odpowiadał: „Nie wiem". Kiedy pytano go, kto powiedział, że byłby gotów zabić generała Uribe i wypić jego krew, odpowiadał: „Nie wiem". Zaprzeczył temu, że znał Galarzę, zanim mu go pokazano, potem, siedząc naprzeciwko niego, przypomniał sobie, że owszem, dwa miesiące przed zabójstwem był jego sąsiadem, że spotykał się z nim i jego przyjacielem Carvajalem w knajpie Puerto Colombia, że wielokrotnie słyszał, jak rozmawiają o swojej działalności, o towarzystwie, do którego należeli. A co to za towarzystwo? Towarzystwo Rekreacyjne, duże stowarzyszenie, które już od lat organizuje wycieczki i pikniki dla rzemieślników. Zapytany, czy Towarzystwo Rekreacyjne poświęca się także działalności politycznej, zaprzeczył gorliwie i pospieszył z wyjaśnieniem: „Ja to na polityce się nie znam". Chociaż nikt go o nic nie zapytał, dodał, że towarzystwo, według jego najlepszej wiedzy, nie zajmuje się również praktykami religijnymi. Ale najciekawsze było to, że wyparł się przynależności do towarzystwa. „Mówiłem", wyjaśnił Cancino, „że Galarza i Carvajal prowadzili w Bogocie warsztat stolarski, tam spotykało się towarzystwo, które nazywało się Rekreacyjne, ale nie miałem pojęcia, w jakim celu się spotykali". „Zabójcy spotkali się w stolarni?", zapytał sędzia. Cancino potwierdził, a potem dodał: „Według mojej najlepszej wiedzy". Sędzia wezwał wówczas świadków. Przy nich Aurelio Cancino podtrzymał stanowczo swoją wersję wydarzeń: był pijany, źle go zrozumiano, nigdy nie mówił takich rzeczy. Świadkowie natomiast – Nieto i Cabanza, Cortés i Sarmiento, i Velásquez – podtrzymali swoje wersje.

Wydawało się, że na tym się skończy, lecz sędzia wezwał Cancina raz jeszcze, tym razem, żeby złożył zeznania w obecności prokuratora Alejandra Rodrigueza Forera. Przez długie godziny zadawał mu te same pytania co wcześniej, on z kolei bronił się, udzielając tych samych odpowiedzi. Ale później zaczął się łamać. Powiedział, że uknuto przeciw niemu spisek, że świadkowie zmówili się, żeby wsadzić go do więzienia. Sędzia naciskał, pytał raz i drugi o zeznania świadków, wskazywał mu miejsca, kiedy zaplątał się w odpowiedziach, pytał, jak to możliwe, że pięć różnych osób potrafi podać tę samą wersję jego słów. Wtedy stało się coś, czego nikt nie oczekiwał: Cancino przyznał, że rozmawiał z kolegami o zbrodni.

„Co im pan powiedział?", zapytał sędzia.

„Chwaliłem się, że wiem, kto zabił generała Uribe".

„A kto według pana zabił generała Uribe?", zapytał sędzia.

„Generał Pedro León Acosta", odparł Cancino. „To on nasłał zabójców".

„A na czym oparł pan tę pewność?"

Cancino odpowiedział: „Bo pisał o tym «Gil Blas»".

„Gil Blas". Plotkarski szmatławiec zajmujący się rozsiewaniem niesprawdzonych pogłosek i najbardziej bezlitosną satyrą, nieuznający żadnych świętości, gwiżdżący na godność wysoko postawionych osób, publikujący zdjęcia dzieci rozjechanych przez tramwaj albo ciała rozczłonkowane po jakiejś bitce, która rozpętała się z przyczyn politycznych. Brukowiec pozbawiony godności i wstydu. Cancino rzucał swoje przerażające oskarżenia, bazując na jego lekturze.

Tak sędzia jak i prokurator natychmiast zrezygnowali z dalszego dochodzenia.

Kable łączące nas z Europą sprawiły, że gazety puchły od wiadomości o wojnie. Większość bogotańskiej społeczności uczestniczyła w mszach, modląc się o zwycięstwo Francji, ludzie, którzy nigdy wcześniej nie słyszeli o Reims, rozdzierali szaty nad zniszczeniami tamtejszej katedry, a ci, którzy nie wiedzieli, gdzie leżą Ardeny, sądzili, że fryce zachowały się tam jak dzikusy. Byli też tacy, co śledzili z podziwem ofensywę niemieckich wojsk, i tacy, co wychwalali pod niebiosa cywilizację germańską i twierdzili, że przydałby nam się podobny temperament, może wyzwolilibyśmy się w końcu od szkodliwych wpływów wszystkich tych Indian i Murzynów. W połowie maja pewna niepotwierdzona z początku plotka zmieniła się w oficjalną wiadomość, a potem w coś w rodzaju legendy – zginął Kolumbijczyk walczący w Legii Cudzoziemskiej. Nikt – poza ciekawskimi czytelnikami gazet – pewnie nigdy by się o tym nie dowiedział, gdyby ofiara nie była ukochanym dzieckiem stołecznej burżuazji. A była nim, i przez kilka dni, kiedy Anzola prowadził swoje dochodzenie, śmierć Kolumbijczyka w bitwie pod Artois – gdzie Drugi Regiment Piechoty Pierwszego Batalionu Cudzoziemskiego miał misję zdobycia Obras Blancas, wzgórza 140, i utrzymania go – stała się ulubionym tematem rozmów we wszystkich kawiarniach i przy stołach w jadalniach prywatnych domów wyższych klas.

Czy tego właśnie potrzebowali bogotanie, żeby na parę dni albo tygodni zapomnieć o atmosferze klaustrofobii i tłumionej z trudem paranoi wywołanej przez zamach na Rafaela Uribe Uribe? Tak czy owak, śmierć Hernanda de Bengoechei (podobnie jak poprzedzające ją krótkie życie) skupiła na sobie uwagę tłumów, została szczegółowo opisana w nekrologach, uczczona żałobnymi wierszami w gazetach, omówiona w rozmaitych wspomnieniach jego przyjaciół. W „La Patria" Joaquín Achury opisał ból, z jakim zmagała się po śmierci Hernanda jego siostra Elivira, która wychwalała w artykule tych, co oddają życie „nie tylko za ojczyznę, ale i za całą cywilizację". W Londynie jego śmierć odbiła się echem w czasopiśmie „Hispania", redagowanym przez dyplomatę i pisarza Santiaga Pereza Trianę. W Paryżu León-Paul Fargue, dobry przyjaciel młodego bohatera, poświęcał mu płomienne strony i w pośmiertnym hołdzie publikował jego poezje. A mieszkańcy Bogoty dowiadywali się, że Hernando de Bengoechea był wielkim poetą; tak, proszę państwa, mając dwadzieścia sześć lat, zdążył już zostać wielkim poetą i z pewnością odziedziczyłby berło po José Asunción Silvie, gdyby heroiczna śmierć tak szybko nie wydarła go światu.

Marco Tulio Anzola zainteresował się historią żołnierza poety. Przez wszystkie te dni w połowie 1915 roku myślał o nim często, zaczął śledzić to, co o nim publikowano, jak śledzi się powieść w odcinkach. Nie wiedział zbyt dobrze, skąd bierze się to jego egzotyczne zainteresowanie podobne do kolekcjonerskiej pasji; być może zdumiewał go fakt, że takie poruszenie budziła śmierć kogoś daleko stąd, podczas gdy tutaj codziennie umierało tyle osób i nikt się tym nie przejmował, może była to kwestia pokoleniowa, bo Hernando de Bengoechea był zaledwie dwa lata starszy od niego, i Anzola nie mógł wyzbyć się tej absurdalnej myśli, która w jakimś momencie przychodzi nam wszystkim do głowy: To mogłem być ja. W innym życiu, w życiu równoległym, Anzola mógłby być Bengoecheą. Za sprawą drobnej odmiany losu, milimetrowego przesunięcia przyczyn i przypadków, młodzieniec poległy na polach Francji mógłby być nim, Anzolą, a nie Hernandem Bengoecheą. Gdyby ojciec Anzoli był dobrze prosperującym przedsiębiorcą pochodzącym z bogatej rodziny, gdyby studiował w Yale i znalazł możliwość prowadzenia firmy w Paryżu, gdyby zamieszkał tam, jak tylu innych Latynosów pod koniec wieku, być może Anzola urodziłby się w Paryżu, jak urodził się Bengoechea, być może mówiłby równie płynnie po francusku co po hiszpańsku, być może czytałby Flauberta i Baudelaire'a, jak czytał ich Bengoechea, być może pisałby eseje do paryskich hiszpańskojęzycznych gazet – „Révue de l'Amérique Latine", na przykład, gdzie ukazywały się wszystkie artykuły Bengoechei, te o sztuce impresjonistycznej, o rosyjskim balecie, o poezji nikaraguańskiej tworzonej na paryskich bulwarach, o niemieckich operach z fantazyjnymi orkiestrami, w których Firmin Touche grał na saksofonie. Anzola rozmawiał ze świadkami, którzy odsyłali go do innych świadków, spisywał mętne zeznania, które starał się wyjaśniać, spotykał się nadal z ludźmi o szemranej reputacji, którzy opowiadali mu, jak widzieli jednego z nieprzyjaciół generała Uribe w obciążających go okolicznościach, i ciągle myślał o Bengoechei, czytał o nim, współczuł jego rodzicom, którzy być może przeklinali chwilę, kiedy postanowili zostać w Paryżu, potem zastanawiał się, gdzie w Bogocie mieszka reszta rodziny Bengoechei, i współczuł także im.

Mniej więcej w tych dniach, kiedy rozmawiał z dwiema zakonnicami, które przysięgały, że widziały Galarzę i Carvajala obserwujących dom generała Uribe spod budynku nowicjatu w dniach poprzedzających zbrodnię (dostarczając mu tym samym kolejnego dowodu, że zbrodnia nie została zaplanowana dzień przed jej dokonaniem), Anzola dowiedział się, że dla Bengoechei obywatelstwo kolumbijskie było kwestią decyzji; mając dwadzieścia jeden lat, zmuszony do wyboru między swoimi dwiema ojczyznami, wybrał kraj rodziców, języka ojczystego. Gazety opiewały go jako niedościgniony wzór patriotyzmu, a kiedy wyszło na jaw, że był również żarliwym katolikiem, adoracja dziennikarzy sięgnęła zenitu. W „La Unidad" felietonista podpisujący się jako Miguel de Maistre obsypywał gorącymi pochwałami martwego żołnierza, bo przecież niełatwo było zachować wiarę w tym kraju niedowiarków, w tej ateistycznej republice, która wypowiedziała katolikom wojnę. Omawiał szczegółowo francuską ustawę z 1905 roku, ustanawiającą rozdział Kościoła od państwa, i twierdził, że to droga prowadząca wprost do piekła. Odnosił się również do encykliki *Vehementer nos*, w której papież Pius X potępiał to wywrotowe prawo i oskarżał je o naruszanie nadprzyrodzonego ładu. A na koniec pisał: *Także i wśród nas znaleźli się tacy, co próbowali zanegować odwieczną rolę Świętej Matki Kościoła, pogwałcić tradycyjne wartości naszego ludu i jednostronnie zerwać konkordat będący źródłem naszej moralności i strażnikiem naszych sumień, i dlatego Bóg, który nie karze ani kijem, ani sznurem, uczynił z nich żałosny przykład.*

Anzola przeczytał to z pełną trwogi fascynacją. Na przestrzeni kilku zaledwie linijek niejaki Miguel de Maistre zdołał przejść od peanów na cześć zmarłego we Francji żołnierza do taktycznej diatryby przeciwko generałowi zamordowanemu w Bogocie. Tak, z pewnością felieton w „La Unidad" opowiadał o Rafaelu Uribe Uribe, Anzola zaś przeczytał go ponownie, żeby upewnić się, czy nie znajdzie więcej aluzji, jakby nagle śmierć Bengoechei stała się zwykłym pretekstem, żeby mówić o czymś zupełnie innym. A kto to ten Miguel de Maistre? Nie był pierwszym ani ostatnim, który uzasadniał w ten sposób zabójstwo generała, w innych gazetach ukazały się już podobne opinie – na przykład w „El Republicano" – a karykatury Sansona Carrasco pastwiły się nad generałem przez kilka miesięcy przed jego śmiercią, teraz pozwalały sobie od czasu do czasu na ambiwalentny komentarz o sposobach, jakie ma Bóg, żeby pisać prosto w krzywych linijkach. Anzoli cała ta retoryka wydawała się boleśnie znajoma. Kilka tygodni przed śmiercią żołnierza Bengoechei słyszał opowiadanie pucybuta na placu Bolivara, nastolatka o nazwisku Cortés, który chciał porozmawiać o tym, co widział i słyszał 15 października. Kiedy zabójcy zaatakowali generała Uribe,

pucybut czyścił obuwie klientowi na jednym z rogów portyku Kapitolu, naprzeciwko kawiarni Enrique Leytón. Klient,
gruby i niski mężczyzna, o wielkim czerwonym nosie i czarnych kędzierzawych włosach, wstał rozentuzjazmowany.
„Tak trzeba zabijać kanalie", powiedział, przesuwając ręką
w rękawiczce po połach surduta. „Ani kijem, ani sznurem,
ani kulą, trzeba to zrobić toporkiem".

Pucybut Cortés patrzył za nim, jak biegnie w stronę Kapitolu, w gwałtownym pośpiechu zapominając, że wyczysz-
czono mu tylko jeden but.

Nigdy nie dowiedziano się, kim był ten mężczyzna, który
tak bardzo ucieszył się z zabójstwa generała Uribe. Ale nie
miało to znaczenia, takich jak on, pomyślał Anzola, było
w Bogocie więcej; wielu przyklasnęło zbrodni, sądząc, że
zabicie generała Uribe było nie zbrodnią, lecz karą; wielu
podobnych owemu Miguelowi Maistre wybaczało zabójstwo albo je tolerowało w mniej lub bardziej zawoalowany
sposób. Jak samotny musiał być generał Uribe w ostatnich
dniach! Jak bardzo odwróciło się od niego to zakłamane
miasto. Trudno było się dziwić, że bogotanie interesowali
się teraz śmiercią Bengoechei, a nie generała, chociaż może
zjawisko było przelotne, miało potrwać tylko kilka dni. Tak
samo jak zamach przyćmił śmierć na zapalenie płuc doktora Manrique w San Sebastián, teraz kula, która przeszyła
szyję młodemu Kolumbijczykowi pod Artois, przyćmiewała
zabójstwo, które powinno dotknąć wszystkich o wiele bardziej, w które, jak się czasem wydawało, wszyscy byli w jakiś sposób zamieszani. Anzola przypomniał sobie kondukt
pogrzebowy odprowadzający generała Uribe na cmentarz
i myślał, wszyscy to kłamcy, wszyscy hipokryci. Potem czuł,
że jest niesprawiedliwy, gdyż w tłumie szli także inni, tacy,
którzy bronili generała Uribe albo wspierali go, nie mówiąc mu o tym, i, co jeszcze smutniejsze, on też o tym nie

wiedział. Ci, którzy pospieszyli mu z pomocą 15 października, podtrzymując jego ranną głowę, ocierając mu krew swoimi chusteczkami i zachowując je potem jak relikwie; ci, którzy modlili się w sieni jego domu; ci, którzy przez te miesiące skontaktowali się z Anzolą, żeby przekazać informacje i podejrzenia pozwalające mu podążać w stronę światła pośród całego tego błota, kłamstw i przekrętów. Tak, oni też istnieli, i Anzola zawdzięczał im tych niewiele faktów, jakie zdołał dotąd ustalić. Zawdzięczał je takim świadkom jak Mercedes Grau, Lema i Cárdenas, młodziutkiemu pucybutowi, doktorom Zei i Manrique. Przed nimi byli inni świadkowie, których nazwiska zaczął już zapominać, po nich będą jeszcze inni, których nazwiska zapomni w jakiejś odległej przyszłości, kiedy będzie możliwe o tym wszystkim zapomnieć. Były to głosy, głosy, które opowiedziały mu lub dopiero opowiedzą o zamachu na generała Uribe, głosy uprzejme, zainteresowane, niegrzeczne czy oschłe, głosy precyzyjne albo zapominalskie, głosy jak armia maszerująca ulicami Bogoty na spotkanie innej armii; armii zakłamania, wypaczania, tuszowania prawdy.

Jednym z tych głosów, jednym z najważniejszych był Alfredo García, mężczyzna, który widział sześciu elegancko ubranych mężczyzn rozmawiających z Galarzą i Carvajalem w przeddzień zbrodni, który słyszał, jak mordercy zapewniali, że: „Zrobimy to bardzo dobrze" i „Będą panowie z nas zadowoleni". Tomás Silva, szewc, który nakłonił Garcíę do spisania zeznań odrzuconych potem wzgardliwie przez władze, pojawił się pewnego dnia w gabinecie Anzoli. Stało się to w październiku, kiedy rozgrywała się trzecia bitwa pod Artois i wojska niemieckie, austro-węgierskie i bułgarskie łączyły siły, żeby najechać Serbię. Szewc Silva był zmartwiony, ale nie tym, co działo się w Europie. „Chce się sprzedać", powiedział.

„Kto?", zapytał Anzola. „Kto chce sprzedać co?"

„García, świadek. To uczciwy facet, ale biedny. I teraz powiedział mi, że nie może dłużej czekać. Że jeśli prokuratury nie interesuje to, co ma do powiedzenia, może zainteresuje to Pedra Leona Acostę".

„Nie rozumiem", przyznał Anzola.

„Facet jest bankrutem", wyjaśnił Tomás Silva. „Nie starcza mu nawet na jedzenie. Sam dałem mu trochę pieniędzy, żeby nie umarł z głodu, a moi pracownicy naprawili mu buty za darmo. A teraz sądzi, że Pedro León Acosta zapłaci mu za jego zeznania. «Z doktorem Acostą idzie mi lepiej niż podczas śledztwa», powiedział. Tak właśnie, tymi słowami: «idzie mi lepiej». Jest zdesperowany, a desperaci robią takie rzeczy.

„Ale dlaczego Acosta?", zapytał Anzola. „Dlaczego Pedro León Acosta miałby mu zapłacić za to, że powie mu to, co wie?"

„Sam się nad tym zastanawiam", powiedział Tomás Silva. „Ale od roku nie możemy się doprosić, żeby prokurator pozwolił Garcíi złożyć zeznania. Od roku staramy się, żeby uwzględnił w śledztwie oświadczenie, które García napisał w mojej obecności. Do niczego takiego nie doszło, nie mam nawet pojęcia, co się stało z tym oświadczeniem".

„Rozumiem", powiedział Anzola. „Ale dlaczego Acosta?"

Nazwisko generała Pedra Leona Acosty zaczynało przewijać się w śledztwie zbyt często. Dla Anzoli stawało się coraz bardziej oczywiste, że Acosta był w jakiś sposób zamieszany w sprawę. I istniały powody, żeby tak przypuszczać. Czy nie był jednym ze spiskowców, którzy przeżyli zamach na prezydenta Rafaela Reyesa? Miał przeszłość człowieka zdolnego do przemocy, a niełatwo pozbywać się własnej przeszłości, myślał Anzola, przeszłość zawsze towarzyszy, a kto raz próbował zabójstwa, spróbuje go ponownie. Wprawdzie nie było dowodów, ale istniały mocne poszlaki. Acostę widziano z zabójcami nad wodospadem Tequendama, chociaż prokurator nie zrobił nic, żeby pójść tym tropem. A teraz Alfredo García miał podstawy sądzić, że ten człowiek jest gotów zapłacić mu za jego świadectwo. Anzola pomyślał o tym i doszedł do wniosku, że nie, nie zapłaci mu za świadectwo, tylko za milczenie. A potem, jak we śnie, zobaczył Pedra Leona Acostę stojącego przed zakładem stolarskim w nocy 14 października, otoczonego ludźmi podobnymi do niego, wspólnikami lub spiskowcami, i zobaczył, jak pyta zabójców: „W takim razie wszystko jasne?", i zobaczył, jak zabójcy odpowiadają: „Zrobimy to bardzo dobrze", a potem: „Będą panowie z nas zadowoleni".

„Acosta tam był", powiedział Anzola Tomasowi Silvie. „Acosta był jednym z nich".

„Też tak sądzę", odrzekł Tomás Silva.

„I Alfredo García pewnie też".

„Chce, żeby Acosta zapłacił mu za to, że nic nie powie".

„Nie", odparł Anzola. „W i e, że Acosta zapłaci mu za to, że nic nie powie. Pewnie nie byłby to pierwszy raz".

„Myśli pan, że już zaproponowali mu forsę?"

„Myślę, że powinniśmy szybko działać", powiedział Anzola. „Odnajdziemy go, zaprowadzimy do prokuratora Rodrigueza i nie odejdziemy spod drzwi, póki nie spisze jego zeznań".

„A jeśli nie spisze?", zapytał Tomás Silva.

„Musi je spisać", odparł Anzola.

„Ale jeśli ich nie spisze?"

„Najpierw musimy go tam zaprowadzić", powiedział Anzola. „Potem zobaczymy".

Następnego dnia poszli po niego na Szesnastą Ulicę, gdzie García wynajmował całkiem duży pokój. Nie zastali go. Spróbowali szczęścia raz jeszcze, dwa dni później, i znów się nie udało. Prawie po tygodniu, tego samego dnia, kiedy łącza obwieściły, że Zjednoczone Królestwo wypowiedziało wojnę Bułgarii, udali się tam po raz trzeci. Dobijali się do drzwi, nawoływali Alfreda Garcíę, aż patrolujący ulicę policjant zapytał, czy coś się stało. Kiedy tłumaczyli mu, że nic, nie ma żadnego problemu, że po prostu szukają Alfreda Garcíi, wyszła jego sąsiadka (najpierw wychyliła głowę, potem resztę całkiem obfitego ciała) i powiedziała, że może zaświadczyć, że zna pana Garcíę i może również zaświadczyć, że jest nieobecny.

„Co to znaczy nieobecny?", zapytał Anzola.

„Nie widzieliśmy go tu, doktorze", odpowiedziała kobieta. „Od wielu dni się tutaj nie pokazał".

Anzola z całej siły kopnął w drzwi, a kobieta zakryła sobie twarz dłońmi.

Upłynął rok od zbrodni. W salonach wygłaszano przemowy wspominające Rafaela Uribe Uribe, na ulice wyszły procesje ludzi, którzy czasem machali białymi chusteczkami i modlili się po cichu, czasem zaś wznosili buńczuczne okrzyki, obiecując sprawiedliwość albo zemstę. W całym mieście lamentowano nad odejściem generała Uribe, wyrażano tęsknotę za jego obywatelskim przywództwem i moralną siłą, za głęboką prawdą ukrywającą się pod kontrowersyjnymi czasem decyzjami, i skarżono się, że ci inni, jego przeciwnicy, nie potrafili tego dostrzec. Na zielonych balkonach kwitły nowe pelargonie, a na drzwiach wywieszano czarne wstęgi przywiązane do kołatek lub zasuwek.

Anzola wziął udział w jednej z tych manifestacji zbiorowego bólu. Zrobił to z poczucia obowiązku, ale bez przyjemności, przeszedł w grupie setek osób ubranych na czarno z bazyliki na cmentarz Centralny, przemierzając tę samą trasę, co rok wcześniej podczas pogrzebu. Rok, myślał Anzola, a wciąż nie było odpowiedzi na te tysiące pytań, które wszyscy sobie zadawali, które zadawał sam sobie, które zadawał innym. Anzoli zlecono odpowiedzieć na nie, ale ponosił klęskę, a jego klęska była na razie tajemnicą, co czyniło ją jeszcze bardziej poniżającą albo bolesną. Kolejny świadek wyparował. Najpierw zniknęła Rosa Díez, teraz Alfredo García zapadł się pod ziemię. Świadkowie znikali mu sprzed nosa albo ktoś zmuszał ich do zniknięcia, a on nie mógł nic na to poradzić. Anzola poczuł się bezsilny, poczuł się uzurpatorem, poczuł, że to zlecenie go przerosło, że wpakował się w zabawę dla dorosłych, nie będąc na to przygotowany, poczuł, że stawia czoło siłom, których nie kontroluje, co więcej, nie ma nawet pojęcia, co to za siły, poczuł również, że nie walczy z nimi na równych zasadach. I tak z pustymi rękami odwiedzi później rodzinę Uribe, z pustymi rękami obejmie wdowę i przywita się z bratem. „Wciąż nic?", zapyta go Julián Uribe, a on odpowie: „Wciąż nic".

Ogarnął go wstyd, kiedy szedł szeroką aleją na zachód, przedzierając się z trudem i w milczeniu pomiędzy falami ludzi, którzy byli jak kondukt żałobny, tyle że brakowało nieboszczyka, ocierając się o żywe ciała innych sympatyków generała ubolewających nad jego śmiercią, Anzola poczuł, że zawiódł brata generała Uribe i że nie jest godny jego zaufania. Zabolało go to. Zdał sobie sprawę, jak bardzo zależy mu na tym, co pomyśli o nim Julián Uribe, liczył się z jego zdaniem, tak jak liczymy się z opinią ludzi starszych, którzy mogą nas czegoś nauczyć dzięki godności, jaką daje im doświadczenie. Miał ochotę opuścić ten tłum i schować się w domu, cichcem, żeby w samotności jeszcze boleśniej odczuć własną frustrację i zmęczenie. Obcasy żałobników stukały o ziemię, przechodząc z wybrukowanych ulic na bite drogi, wdeptując czasem w brudne kałuże, starając się jednak omijać psie gówna. Anzola z kolei skupiał się na tym, żeby nie nadepnąć nikomu na stopę. Otaczający go ludzie (rękawy ocierające się o rękawy) nie pozwalali mu zobaczyć, gdzie stawia kroki. Uniósł wzrok, ujrzał szare niebo przed pochodem, a dalej na wschód, nad wzgórzami, wielką chmurę podobną do martwego szczura. Domyślił się, że będzie padać.

Pochód zatrzymał się przed mauzoleum. Spoczywały w nim szczątki generała (prócz kawałka jego czaszki, oczywiście, fragmentu jej sklepienia, który Anzola miał w rękach, dotykał i gładził). Ludzie ścieśnili się, żeby przejść przez cmentarną bramę, wypełniali teraz przestrzeń przed grobowcem, tłum falował, pomrukiwania roznosiły się w zimnym powietrzu. Zaczęto wygłaszać przemowy, które Anzola źle słyszał i szybko o nich zapomniał. Mówcy zmieniali się, stali wyprostowani i dla lepszej emfazy gestykulowali jedną ręką, w drugiej trzymając pomięte kartki, tłum przyjmował ich słowa z szacunkiem, od czasu do czasu reagował w sposób stonowany, potem zaczął rozchodzić się w ciszy. Anzola przyglądał się temu. Patrzył na biel kamienia mauzoleum, biel bez smug, która zachowała jeszcze blask rzeczy nowych, i pomyślał, że już niedługo się pobrudzi, jak brudzą się z czasem pomniki na cześć wszystkich umarłych w tym kraju. Wówczas w tłumie rozległ się pomruk i Anzola uniósł głowę, i zobaczył kobietę w tunice, która wchodziła na piedestał mauzoleum i zaczynała machać kolumbijską flagą. Zanim zdążył pomyśleć, że to żałosne albo banalne, zauważył braci Di Domenico stojących w pierwszych rzędach i celujących swoją czarną skrzynką w kobietę w tunice. Jeden z nich (mógł to być Francisco, ale także Vincenzo – Anzola nie znał ich i nie rozróżniał) zbliżał twarz do czarnej skrzynki, kręcąc przy tym korbką prawą ręką, drugi zwracał się do uczestników uroczystości, prosząc, żeby zrobili miejsce, odsuwając ich rękami niczym uprzykrzony motłoch, żeby im nie przeszkadzali, jakby intruzami byli ci, co przyszli opłakiwać generała, a nie on, który zjawił się tu, żeby utrwalić ich lament z pomocą swojej uprzykrzonej niezrozumiałej maszynki.

Tak, pomyślał Anzola, po to przyszli tu właśnie bracia Di Domenico. Zbierali ujęcia, na pewno sfilmowali pochód, i któż może wiedzieć, co jeszcze utrwalili swoim aparatem. Czy miało to coś wspólnego z ogłoszeniem w gazecie? Czy bracia Di Domenico znaleźli autora skłonnego opisać życie generała Uribe? Anzola tego nie wiedział, nie odważył się też podejść do nich, żeby zapytać, jednak obecność Włochów na tej uroczystości, pośród pogrążonego w smutku tłumu, wydała mu się impertynencka i nietaktowna, interesowna i oportunistyczna. Kobieta w tunice przechadzała się po piedestale mauzoleum, wymachując flagą, ale na jej twarzy nie było żadnych emocji, a z jej ust nie popłynęły żadne słowa. Jaką rolę odgrywała? Jaki cel miała obecność tej kobiety ubranej jak aktorka w teatrze? Anzola nie mógł tego zrozumieć w tamtej chwili, ale zrozumie kilka tygodni później, pod koniec listopada, kiedy bracia Di Domenico ogłoszą z wielką pompą projekcję w sali Olympia swojego najnowszego filmu *Tragedia 15 października*.

Wielkie afisze reklamowe rozklejone na murach zapraszały na premierę. Bogotanie byli przyzwyczajeni do tego, że z podobnych papierowych prostokątów spoglądali na nich toreadorzy czy też akrobaci albo błaźni z cyrku, ale widząc na nich wizerunek generała Uribe Uribe, którego wielu znało tylko z poważnych portretów publikowanych w gazetach, uznali je za niemal obrazę świętości. Wdowa po generale odmówiła przyjścia na projekcję, natomiast Julián Uribe nie wahał się wykorzystać nazwiska, żeby zdobyć najlepsze miejsca, obok niego usiedli Urueta i Anzola. Nic podobnego dotąd się nie wydarzyło. Afisze zapowiadały *Wielkie wydarzenie, Premierę obrazów nigdy dotąd niewidzianych na ekranie*, uliczni sprzedawcy gazet krzyczeli o „hołdzie dla wielkiego caudillo zabitego przez kryminalistów i odtworzeniu ostatnich chwil życia przywódcy". Niektórzy widzowie pamiętali, że bracia Di Domenico wyświetlili już kiedyś film o śmierci męża stanu Antonia Ricaurte w San Mateo, ale od tego zdarzenia upłynął niemal wiek, a zabójstwo generała Uribe nadal było świeże i powodowało nieporozumienia, kłótnie i długie dysputy między przyjaciółmi. Sala Olympia wypełniła się po brzegi, chociaż do środka dostała się połowa ludzi, którzy stanęli w kolejce. Trzech funkcjonariuszy policji przybyło, żeby zapanować nad sytuacją w tłumie tych, co nie dostali biletów. Ci z zewnątrz byli sfrustrowani, ci, którzy znaleźli się w środku, nie dawali wiary swojemu szczęściu, ale ani jedni, ani drudzy nie mieli pojęcia, czego się spodziewać. Również bracia Di Domenico, z satysfakcją obserwując wspaniałe widowisko zapełniającej się sali, nie mogli przewidzieć tego, co miało nastąpić.

Film rozpoczynał się wizerunkiem Rafaela Uribe Uribe (jego wysokiego czoła, zakończonych szpiczasto wąsików, nieskazitelnego krawata) otoczonym dwiema gałązkami przypominającymi wieniec laurowy. Rozległy się oklaski, w ciemniejszych kątach sali także nieśmiałe buczenia, gdyż nawet wrogowie Uribe nie zrezygnowali z uczestniczenia w projekcji. Wtedy, zanim widzowie zdążyli się przygotować, na ekranie nagle ukazało się ciało generała otoczone lekarzami przeprowadzającymi ostatnią operację. Anzola nie mógł w to uwierzyć. Coś w tych obrazach wydawało mu się nie na miejscu, jak mebel przestawiony bez zgody właściciela mieszkania, ale nie mógł się zorientować, w czym rzecz, patrzył na lekarzy, kręcących się przy generale ze swoimi narzędziami, które w filmie były białe, a nie błyszczące, i na ciało umierającego Uribe Uribe, nieświadomego, jak daremne i bezowocne okażą się wysiłki, żeby ocalić mu życie. Wówczas Anzola zrozumiał, że te obrazy nie są zapisem rzeczywistości, że zostały sfałszowane, wyreżyserowane jak teatralny spektakl.

Wszystko to było oszustwem. Jak lekarze mogli się zgodzić na podobną farsę? Ale czy ci, co operowali na ekranie, naprawdę byli lekarzami? Sala wypełniła się głosami protestów przeciw temu groteskowemu spektaklowi, odbijającymi się o wyłożone drewnem ściany Olympii. Publiczność sprawiała wrażenie oburzonej niedyskrecją tych obrazów, ale nikt nie wychodził, jakby za sprawą zbiorowej hipnozy widzowie spijali każdy kadr, poczynając od nieudanej operacji, po trumnę wynoszoną z bazyliki, tłumy otaczające zmarłego w dniu pogrzebu, po dorożki z wieńcami szarych kwiatów, zaprzężone w wychudzone konie. Na ekranie sympatycy generała Uribe wygłaszali nieme przemowy, a jego brat Julián aż podskoczył w fotelu, kiedy zobaczył tam siebie przemawiającego podczas uroczystości. Kolejne ujęcia rejestrowały krewnych podchodzących do trumny, żeby pożegnać zmarłego, mężczyzn w czarnych kapeluszach i o smutnych wąsach, rejestrowały otwarte usta niewydające żadnego dźwięku, wystrzelone przez wojsko salwy, które nie rozbrzmiały echem w sali Olympia i były jak efemeryczne białe plamy na szarym ekranie. Ludzie, oburzeni wcześniejszymi scenami z operacji generała, uspokoili się. Anzola natomiast zaniepokoił jeszcze bardziej. Na zaśnieżonym ekranie zobaczył osobę, której obecność go przeraziła; w pierwszych rzędach notabli stał, jak jeden z członków rodziny zamordowanego generała, Pedro León Acosta.

Tak, był tam Acosta, stał z odkrytą głową, w trzyczęściowym czarnym garniturze, ze spojrzeniem wpatrzonym w niebo. Zjawił się w towarzystwie księdza, którego wrogość wobec generała Uribe nigdy nie była tajemnicą; Anzola pamiętał, że ów ksiądz był Hiszpanem, ale nigdy nie udało mu się przypomnieć jego nazwiska. Kamera uchwyciła niewzruszoną twarz Acosty na dwie, trzy krótkie sekundy, ale to wystarczyło, żeby Anzola zobaczył go i rozpoznał. Rozpoznał go również brat generała, bo spojrzał na Anzolę porozumiewawczo i melancholijnie, spojrzeniem pełnym rozczarowania, w którym mniej było poczucia wspólnoty niż mrocznego żalu. Tam, w sali teatralnej, otoczeni przez czujne uszy i uważnie śledzące ich oczy, nie mogli powiedzieć sobie tego, co chcieli: że wiele rzeczy wydarzyło się od tamtego 15 października i że generał Acosta, który odprowadził na cmentarz trumnę jak zwykły żałobnik, rok później stał się jednym z głównych podejrzanych. Anzola zobaczył, że Julián Uribe nachyla się nad Uruetą i szepcze mu coś do ucha. Domyślił się, że mówią o tym samym, o obecności Acosty wśród tych, którzy żegnali generała Uribe, i o tym, jak ten zwykły obraz po upływie roku nabrał nowych znaczeń. Kadry z pogrzebu ustąpiły miejsca tym ukazującym miejsce zbrodni, wschodnią ścianę Kapitolu, chodnik, na który upadł generał, kamienny mur, na którym się oparł. Kamera pokazywała teraz plac Bolivara, z jego parkiem, balustradami i spacerowiczami, którzy patrzyli na siebie (patrzyli na nas, pomyślał Anzola) z ciekawością. Wtedy pojawili się mordercy.

„Niemożliwe", wykrzyknął Julián Uribe nie wiadomo do kogo. A jednak na ekranie zmaterializowało się teraz Panóptico, więzienie, w którym Leovigildo Galarza i Jesús Carvajal oczekiwali na proces, kamera uchwyciła chwile, kiedy rozmawiają ze sobą, śmiejąc się bezgłośnie, choć z zadowoleniem, dyskutują ze współwięźniami, jakby siedzieli w knajpie. Gwizdy raniły uszy Anzoli, a on sam nie gwizdał tylko dlatego, że był zbyt zdumiony i nie dowierzał własnym oczom. Teraz zabójcy zdawali się pozować do kamery, najpierw w swoich przyległych celach, a potem poza nimi, na więziennym dziedzińcu. Najbardziej zdumiewał ich wygląd, obaj byli nienagannie ubrani, jakby czekali na operatorów. Anzola wiedział, że do tej pory unikali w więzieniu dziennikarzy i fotografów; jak braciom Di Domenico udało się ich skłonić do występu przed kamerą? Niektóre ujęcia wydawały się nakręcone bez wiedzy więźniów, ale w innych Galarza i Carvajal patrzyli w obiektyw (ich senne oczy były jak afront), a na jeszcze innych unosili rękę, jakby chcieli uderzyć wyobrażonym toporkiem wyobrażoną ofiarę, jakby stojący za kamerą zapytali ich, jak wyglądał zamach. „To zniewaga", wycedził przez zęby Julián Uribe. „Nie macie wstydu!", krzyczał Urueta, Anzola zaś nie wiedział, czy ma na myśli zabójców, czy filmowców. Jedno jest pewne: Włochom wszystko poszło nie tak. Chcieli przypodobać się bogotańskiej publiczności, relacjonując traumatyczne wydarzenie, ale to, co miało być hołdem, zmieniło się w cios zadany prosto w twarz, a to, co miało być wspomnieniem wielkiego człowieka, zmieniło się w kpinę z jego pamięci.

„Cynicy!", krzyczał Urueta. „Wstydu nie macie!" Z tyłu dobiegały wykrzykiwane o wiele wścieklejszym tonem inne wyzwiska. Anzola odwrócił się, szukając spojrzeniem Włochów, ale nie zauważył ich ponad głowami rozjuszonych widzów, wściekłymi pięściami, którymi im wygrażano. Na ekranie zabójcy uklękli i złożyli ręce, prosząc milcząco o przebaczenie za popełnioną zbrodnię, ale nie widać było u nich skruchy, mieli zaróżowione policzki i wyglądali na beztroskich. W sali znów rozległy się gwizdy. Ktoś rzucił w ekran butem, but odbił się i opadł na deski jak martwy ptak. Anzola, przestraszony rozwojem sytuacji, zaczął rozglądać się za wyjściem, być może z lewej strony, przez ogród. Ekran nagle się zaciemnił, a potem ukazały się na nim obrazy, które Anzola natychmiast rozpoznał; pochodziły z marszu, w którym uczestniczył. Trochę więcej niż miesiąc upłynął od uroczystości ku czci generała w rocznicę jego śmierci i już te zdjęcia znalazły się w filmie, falując magicznie i trochę niezdarnie na ekranie, Anzola zastanawiał się, czy zobaczy siebie. Nie zobaczył, ale rozpoznał mauzoleum, pod które dotarł, i zdziwił się, że rzeczy tak bardzo się zmieniają, kiedy utrwali się je na taśmie; na mauzoleum kobieta w białej tunice, ta sama, którą widział na własne oczy, powiewała przez długie nudne sekundy pozbawioną kolorów flagą Kolumbii. Zrozumiał, że chodzi o alegorię; wolność (a może ojczyznę) stojącą na grobie swojego martwego obrońcy. Pomysł wydał mu się dziecinny, a wykonanie przeciętne, ale nie powiedział o tym nikomu. Wówczas ekran znów się zaciemnił. I tak, w świetlistym chaosie szalonych banieczek i kresek zakończyła się projekcja, a sala Olympii wypełniła się hałasem ludzi zrywających się z krzeseł.

Kiedy Anzola był już na ulicy, wciąż słyszał buczenie. Widzowie otoczyli Juliana Uribe i Carlosa Adolfa Uruetę, żeby wyrazić swoje oburzenie, Anzola zaś wykorzystał zamieszanie, żeby się oddalić i nie musieć rozmawiać o własnych frustracjach. Obszedł ogrody, przeciął ulicę i zaczął iść w stronę domu, żeby pobyć chwilę samemu. Przez moment jeszcze wrzały za jego plecami pomruki tłumu. I wtedy zdał sobie sprawę, że te same osoby idą przed nim od wejścia do sali. Było to czterech mężczyzn ubranych w cienkie poncha i cylindry, rozmawiających z ożywieniem o filmie, który właśnie widzieli. Anzola nie miał ochoty słuchać cudzych rozmów, ale kiedy ich mijał, spojrzał, żeby nie okazać się nieuprzejmym, nie witając się z kimś, kogo mógłby znać, i ogarnęła go panika, kiedy rozpoznał Pedra Leona Acostę, który również wydawał się go rozpoznawać, uniósł dwoma palcami rondo kapelusza i skłonił głowę w geście pozdrowienia, ale postarał się przy tym, żeby jego pozdrowienie było pełne nienawiści, nienawiści, jakiej Anzola nie widział nigdy wcześniej na czyjejkolwiek twarzy, bo była to nienawiść osoby, która ją kontrolowała i pokazywała według własnego widzimisię. Wie, kim jestem, pomyślał Anzola, wie, czego się dowiedziałem i co robię. Pomyślał również, z pewnością, z jaką myśli się o przesądzonym losie, że ten człowiek jest gotów zrobić mu krzywdę, nie zadrży mu ręka ani nie odezwą się wyrzuty sumienia, a poza tym dysponuje niezbędnymi środkami; w ułamku sekundy wyobraził sobie martwe ciała Any Rosy Díez i Alfreda Garcíi na mulistym dnie rzeki Bogota albo bez litości zrzucone z wodospadu Tequendama, i zadał sobie pytanie, czy czeka go to samo.

Anzola przystanął. Pedro León Acosta już zwrócił się znowu do swoich towarzyszy, zdążyli oddalić się kilka metrów, kiedy Anzola usłyszał, jak wybuchają, niczym piekielny chór, gromkim śmiechem. Wówczas zauważył, że Pedro León Acosta ma na sobie lakierowane sztyblety.

Anzola, stojąc bezradnie na środku ulicy jak zgubiony pies, patrzył, jak odchodzą.

Tego popołudnia, dotarłszy do domu, otworzył szuflady w poszukiwaniu gazet z dnia zabójstwa. Przechowywał je, starannie ułożone, dla upamiętnienia chwili, traktował jako zabobonny obrządek, były to również dokumenty czy memoranda zlecenia, którego się podjął, a z czasem po prostu polubił je przeglądać. Pierwszą, którą znalazł, było czterostronicowe wydanie wypuszczone przez „La Republicana" już wieczorem 15 października. Nagłówki zajmowały trzy krzykliwe linijki na połowę strony. Pierwsza: *Generał Uribe Uribe*. Druga: *Zaatakowany tchórzliwie przy wejściu do senatu*. Trzecia: *Zamachowcy aresztowani — społeczeństwo oburzone i pogrążone w bólu*. Potem zaczynał się wstępniak zatytułowany *Nasz protest*, w połowie tekstu zwracała uwagę linijka: *Próba zabójstwa gen. Uribe Uribe*. Jaki prosty wydawał się świat na tej stronie, świat, w którym Uribe Uribe jeszcze nie umarł, gdzie atak był jedynie próbą zamachu, a nie dokonanym zabójstwem, gdzie zamachowcy już zostali ujęci, a całe społeczeństwo było oburzone... Jak różny był ten świat od tego dzisiejszego, z zimnym ciałem zamordowanego generała spoczywającym w grobie, ze sprawcami zbrodni ukrytymi za plotkami i w mroku, i mordercami inkasującymi dolary za występ w filmie braci Di Domenico.

Anzola wyjął notatnik, w którym prowadził zapiski ze śledztwa. Odszukał pierwszą białą stronę i zaczął pisać felieton – czy też artykuł utrzymany w tonie felietonu – o zaniechaniach prokuratora Alejandra Rodrigueza Forera i komendanta głównego policji Salomona Correala. Ale każde jego zdanie było oskarżeniem i Anzola zaczął zdawać sobie sprawę, że nie ma dowodów. W pół drogi stracił entuzjazm i zaczął się bawić układaniem zdań. Wykorzystał formuły używane w trakcie procesu, modyfikując je. *To prawda i mogę to wykazać, że prokurator ukrywa informacje, że nie wziął pod uwagę ważnych danych i przez swoje zaniedbania pozwolił zniknąć kluczowemu świadkowi. To prawda i mogę to wykazać, że my, przyjaciele generała Uribe, naprzykrzaliśmy się władzom do znudzenia, żeby pociągnęli wątki śledztwa mogące doprowadzić do prawdziwych winnych, i zderzyliśmy się z niemożliwym do przebycia murem zatajania prawdy i korupcji*. Nie, to nie była prawda, w rzeczywistości nie mógł tego wykazać. Jego hipotezy były prawdziwe, ale nie mógł tego wykazać, i tak właśnie zaczął pisać. *Wszystko to prawda, ale nie mogę tego udowodnić. Wszystko to prawda, ale nie jestem tego pewien*.

Oparł się mocniej na krześle, potrząsnął piórem – watermanem, które kupił w księgarni Camacho Roldán – i pisał dalej:

To prawda, ale nie mogę tego wykazać, że zabójcy Galarza i Carvajal nie działali sami, ta hipoteza procesowa jest tylko oszustwem, na którego utrzymaniu zależy spiskowcom. To prawda, ale nie mogę tego wykazać, że Pedro León Acosta, ten sam, który próbował zamordować prezydenta Reyesa i któremu zostało to wybaczone, stoi na czele towarzystwa rzemieślników i finansuje je, razem z innymi majętnymi osobami ze środowiska konserwatywnego, a wszyscy oni są zaprzysięgłymi wrogami liberalizmu. To prawda, ale nie mogę tego wykazać, że w tym towarzystwie za pomocą jakiejś loterii wyłoniono tych, którzy mieli spełnić wielkie marzenie konserwatystów – doprowadzić do zniknięcia Rafaela Uribe Uribe. To prawda, ale nie mogę tego dowieść, że w nocy 14 października Alfredo García widział grupę wpływowych osób o poglądach konserwatywnych, rozmawiających z zabójcami w ich zakładzie stolarskim i prawdą jest, ale również nie mogę tego wykazać, że jednym z nich był Pedro León Acosta, który tamtej nocy przesądził z zabójcami nieszczęsny los generała Uribe. To prawda, ale nie mogę tego wykazać – chociaż bardzo bym tego pragnął! – że Pedro León Acosta był obecny na miejscu zbrodni 15 października, ubrany w nowe poncho i lakierowane sztyblety, które panna Grau widziała i zapamiętała, i prawdą jest, choć nie mogę tego wykazać, że po zamachu podszedł do jednego z zabójców i zapytał go: „I co? Zabiłeś go?". To prawda, ale nie mogę tego wykazać, że zabójca odpowiedział mu: „Tak, zabiłem go". To prawda, lecz nie mogę tego wykazać, że w cały ten chaos zamieszane były wysoko postawione osoby, których macki mogą sięgać nawet do prezydenta republiki, milczącego w tej sprawie uparcie jak sfinks. To prawda, prawda jasna jak słońce, że Pedro León Acosta nie działał sam, że generał Toporek nie działa sam, że skorumpowany prokurator nie działa sam. Ale kto pociąga za sznurki? Nie mogę tego wykazać, po tysiąckroć,

nie mogę tego wykazać, spiskowcy mają wielkie szanse po-
stawić na swoim. Bo prawdą jest, i to akurat mogę wykazać,
wykazywać codziennie, nawet wtedy gdy śpię i śnię, że Bóg
o nas zapomniał.

Potem zmiął kartkę w kulę i położył ją na leżących w ko-
minku polanach i poszedł po coś więcej na rozpałkę, żeby
rozpalić, zanim nadejdzie czas na zmówienie nowenny.

Francuzi donosili o ponad ośmiu tysiącach rannych pod Yves
i Armentières. Angielski rząd był w kryzysie za sprawą wojennych zniszczeń. Niemcy dotarli do serca Rosji i przejęli
władzę w Polsce, a Bałkany wymazały z mapy Serbię i otworzyły szlak komunikacyjny z Turcją.

Anzola czytał te wiadomości i czuł, że on także przegry-
wa swoją wojnę, a potem to porównanie wydawało mu się
niegodne i frywolne (chociaż każdy przeżywa cierpienie na
miarę własnego doświadczenia). Ale w gruncie rzeczy miał
rację. Dochodzenie nie zaprowadziło go donikąd, Anzola doszedł do niepodważalnego przekonania, że zabójstwo Rafaela
Uribe Uribe było wynikiem spisku na niespotykaną skalę,
ale jego przekonanie zderzyło się z oczywistym skorumpo-
waniem prokuratora Rodrigueza Forera i nie było sposobu, żeby cokolwiek udowodnić. Cała sytuacja przytłoczy-
ła go. Zaczął wszędzie widzieć nieprzyjaciół. Sala Olympia
odwołała, z polecenia komisji cenzorów, projekcje *Tragedii*
15 października; film został oficjalnie zakazany, niektórzy twierdzili nawet, że władze poleciły go spalić; Anzola
myślał zaś, że stali za tym spiskowcy, to oni sprawili, iż
zniknął ważny dowód przeciw sprawcom zamachu. Ale
kiedy mówił o tym głośno, kiedy dzielił się swoimi pa-
ranojami z publicznością – choćby nawet była to publiczność skromna i prywatna, na którą składali się jego

krewni i znajomi – słyszał zawsze tę samą odpowiedź: „Zwariowałeś".

Albo: „Masz bujną wyobraźnię".

Albo: „Widzisz wszędzie wrogów".

Mówiono mu, że się zmienił, zrobił się bardziej nerwowy, milczący, zamknięty w sobie. Całymi dniami ślęczał nad teczką z papierami dotyczącymi śledztwa w sprawie generała Uribe, studiując je, póki nie rozbolały go oczy albo nie poczuł na szyi ciężaru, jakby niósł śpiące dziecko, znał zeznania świadków niemal na pamięć i ogarnęło go niepokojące wrażenie, że z nimi mieszka. Często odwiedzał Juliana Uribe, żeby z nim porozmawiać – jak czynił to w grudniu podczas świąt – o własnej frustracji i bezsilności. Brat generała stał się dla Anzoli wsparciem i doradcą, kimś, kto wywołuje w nas złudzenie, że jesteśmy chronieni, rozprasza złe nastroje, dodaje otuchy. Ale tym razem Julián Uribe przyjął go z nieodgadnioną miną.

„Pamięta pan Lubina Bonillę?"

Lubín Bonilla, tak, dawny szef wydziału dochodzeniowego w policji. Mężczyzna, któremu powierzono śledztwo jeszcze w dniu zabójstwa generała, a potem, decyzją Salomona Correala, odsunięto go nagle od sprawy, oskarżywszy o rozsiewanie plotek obciążających rząd. Bonilla z kolei utrzymywał zawsze, że został zastąpiony właśnie ze względu na swoją skuteczność, w niewiele dni bowiem dochodzenie zbliżyło się zanadto do kilku nieprzyjemnych prawd. „Spaliłem się jak ćma", powiedział Julianowi Uribe. „Bo za bardzo zbliżyłem się do światła".

„Doskonale go pamiętam", odparł Anzola.

„Generał Bonilla więc podszedł do mnie dzisiaj, kiedy wychodziłem z mszy", powiedział Julián Uribe. „Wydaje mi się, że mógłby pan z nim porozmawiać".

„Generał Bonilla jest w Bogocie? Myślałem, że przenieśli go do Arauki, żeby się go pozbyć".

„Jest tutaj. Nie wiem, czy wrócił już dawno, czy dopiero co. Ale po powrocie nabrał ochoty, żeby opowiedzieć kilka rzeczy, ja zaś zasugerowałem mu, żeby porozmawiał z panem".

„A jak mogę się z nim zobaczyć".

„Powiedział, że zajrzy coś przekąsić w La Gata Golosa", rzekł Julián Uribe. „Pewnie go pan tam zastanie".

Było już po piątej, kiedy Anzola dotarł w aleję La República, ale generał wciąż tam był, siedział sam przy jednym z najdyskretniejszych stolików, oddalonym od okien i wielkiego lustra. Bonilla wydawał się młodszy, niż był w rzeczywistości. Miał małe uszy i czarne włosy tak sztywne, że sprawiały wrażenie namalowanych, a nisko osadzone brwi nadawały jego twarzy, kościom policzkowym, pewnej nieco kanciastej dyscypliny, która Anzoli się spodobała. Sztućce leżały na stole w doskonale symetrycznym układzie. Podczas spotkania z Bonillą czuło się natychmiast coś w rodzaju porządku w jego osobie, na stole, w całym lokalu. „Jak się pan miewa, generale?", zapytał Anzola.

„Jakoś leci", powiedział Bonilla. Uniósł zmęczoną twarz i spojrzał na rozmówcę. „O, cholera. Słyszałem, że jest pan młody, ale nie wiedziałem, że tak bardzo. No, mówią, że młodość nie baczy na niebezpieczeństwa".

„Nie wiedziałem, że pan tu jest", rzekł Anzola. „Nie wysłano pana gdzieś?"

„Wyjechałem ze stolicy na jakiś czas", odparł. „Ale nie dlatego, że ktoś mnie gdzieś wysyłał. Po prostu bałem się, że coś mi zrobią".

Przez ostatnie miesiące Lubín Bonilla przeszedł prawdziwe piekło. Kilka dni po wyjeździe z Bogoty, oglądając się za siebie przez ramię i uważając na każdym rogu, dotarł do San Luis w Cauce, ale nawet na tak głębokiej prowincji poszukiwał go prokurator. Pewnego dnia do urzędu gminy przyszedł telegram nakazujący mu stawienie się w Bogocie w terminie, w jakim pozwoli mu na to odległość. „Ten nakaz jest nielegalny", powiedział Bonilla do sołtysa. „Nie jestem przestępcą. Jeśli prokurator chce moich zeznań, musi poprosić pana, żeby je pan spisał". Trzy dni później dowiedział się, że nowy telegram nakazywał aresztowanie go.

„Chcieli pana zamknąć?", zapytał Anzola.

„Z nakazu gubernatora", wyjaśnił Bonilla. „Wchodzącego w życie w trybie natychmiastowym".

„I co pan zrobił?"

Ukrył się, nie miał innego wyjścia. Opuścił miejscowość w środku nocy, nie wziął ze sobą lekarstw na swoją chorobę. Później kolega pomógł mu je odzyskać, niestety nie wszystkie, uciekłszy się do podstępów i sztuczek. Bonilla nigdy wcześniej nie żył jak zbieg, ale tam w górach został do tego zmuszony, podczas gdy jego przyjaciele próbowali dowiedzieć się, o jakie przestępstwo się go oskarża i jakie konsekwencje może mieć jego ewentualne oddanie się w ręce władz, spędził wiele nocy pod gołym niebem, chowając się przed deszczem pod drzewami, odpoczywając na kamieniach, jedząc i pijąc dzięki innym, którzy mieli odwagę mu pomóc, i tylko od czasu do czasu śpiąc w wynajętym na kilka godzin łóżku, bez strachu, że obudzi go jakieś drapieżne zwierzę. Pewnej nocy o mało nie został ujęty przez jeden z plutonów, które wysyłał Puno Buenaventura, szef policji słynny ze swych bezlitosnych metod; ocaliło go szczekanie psów, nie miał jednak czasu, żeby wziąć swoją jedyną kołdrę. Bosy, prawie nagi, musiał żebrać u wieśniaków o jedzenie. Przez góry dotarł do Ibagué. Generał Toporek oferował nagrodę w wysokości trzystu tysięcy pesos dla tego, kto go schwyta i odda w ręce policji. I wtedy nabrał pewności, chcieli go uwięzić nie za żadne przestępstwo, ale po to, żeby pewnego dnia znaleźć go w celi zabitego przez umierającego z głodu płatnego mordercę.

Dlatego wrócił do Bogoty. Dowiedział się, że Anzola prowadzi prywatne śledztwo dla rodziny generała Uribe. Czy to prawda?

„Na zlecenie don Juliana", odparł Anzola.

„Dobrze", powiedział Bonilla. „A rozmawiał pan z Eduardem de Toro?"

„Z Eduardem de Toro?"

„Tym, który wówczas prowadził Szkołę Detektywów. Był z Salomonem Correalem, kiedy nadeszła wiadomość o zamachu".

„A pana z nim nie było?"

„Ja przyszedłem później", powiedział Bonilla. „Ale potem dowiedziałem się różnych rzeczy. A właściwie on mi o nich powiedział".

„Jakich rzeczy?"

„O celach, na przykład. Galarzę i Carvajala zamknięto w oddzielnych celach, żeby nie mogli się porozumiewać, to oczywiste. Ale Salomón Correal, kiedy tylko mógł, przeniósł ich do innych cel. Umieścił ich po sąsiedzku, oddzielonych jedynie cienką ścianką. To tak, jakby udzielił im pisemnego pozwolenia na to, żeby się komunikowali i uzgodnili wspólną wersję swoich kłamstw. A zabójcy skorzystali z tego, panie Anzola, nie byli głupi. Za każdym razem, kiedy któryś z nich wchodził na przesłuchanie, miało się wrażenie, że nauczyli się na pamięć zadanych lekcji. A ja wzywałem ich w kółko, zadawałem często te same pytania. Pierwsze popołudnie było wyczerpujące. Wszyscy byliśmy naprawdę zmęczeni. W powietrzu unosiło się wielkie zdenerwowanie, było to nie do zniesienia. Galarza i Carvajal też byli zdenerwowani, chociaż pozwalano im na wszystko. Prosili o wyjście do łazienki niemal co godzinę i strażnicy pozwalali, żeby szli tam razem. Chodzili razem sikać, za przeproszeniem! Drzwi do cel były otwarte, także drzwi wychodzące na dziedziniec. Mogliby uciec, gdyby tylko chcieli. A przy tym wszystkim byli zdenerwowani, jakby nie mogli znieść tego wypytywania. I pod koniec pierwszego dnia, po szczególnie ciężkim przesłuchaniu Carvajal wpadł w szał. Kiedy odprowadzali go z powrotem do celi, powiedział: «Jeśli będziecie mnie nadal tak traktować, sypnę was». Powiedział to głośno, żeby wszyscy dobrze usłyszeli".

Drugiego dnia przesłuchań do uszu Lubina Bonilli doszła plotka, że kilku dobrze ubranych mężczyzn w eleganckich butach i starannie uczesanych widziano w zakładzie stolarskim Galarzy kilka dni przed zbrodnią. Podobno mieli tam spotkania towarzystwa rzemieślników i jakiś funkcjonariusz policji pilnował wejścia, wpuszczał jednych do środka, zabraniał wchodzić drugim. Bonilla postarał się sprawdzić, czy w tych plotkach było coś z prawdy, bo taki agent, o ile naprawdę istniał, mógłby udzielić policjantom ważnych informacji. Poszedł do Salomona Correala, bo tylko komendant główny policji mógł wydać zgodę, żeby udzielono Bonilli odpowiednich informacji o nazwiskach i numerach identyfikacyjnych wszystkich agentów, którzy służyli w tym okręgu w noce poprzedzające 15 października. „Odesłali mnie z kwitkiem", powiedział Bonilla. „Że po co mi to, że to do niczego nie doprowadzi". Ale Bonilla się uparł. „To było w piątek po południu, tak mi się wydaje. W sobotę z samego rana powiedzieli mi, że zostałem odsunięty od śledztwa".

„Nadepnął im pan na odcisk, badając kwestię tych zebrań", stwierdził Anzola.

„Chyba tak", odrzekł Bonilla. „Wysoko postawione osoby spotykające się w nocy z rzemieślnikami… Takie rzeczy nie dzieją się zwykle w Bogocie, a jeśli się dzieją, to nie bez przyczyny".

„I nigdy się pan nie dowiedział, kto uczestniczył w tych zebraniach?"

„Nie. Ale dowiedziałem się, że generał Pedro León Acosta spotykał się z zabójcami poza Bogotą".

„Nad wodospadem Tequendama", powiedział Anzola. „To było 14 czerwca. Tak, mnie też udało się to ustalić".

„Ja mam na myśli inną wycieczkę. Cztery albo pięć dni przed zbrodnią".

„Też widziano go z zabójcami?"

„W hotelu Bogotacito. Pojechałem tam, żeby to potwierdzić i udało mi się. Potem świadkowie wycofali się z zeznań".

Okazało się, że generał Lubín Bonilla prowadził śledztwo na własną rękę, mimo że oficjalnie został od niego odsunięty. Nie bez racji Correal się przestraszył, pomyślał Anzola, Bonilla należał do tych detektywów, którzy są nimi z temperamentu, a nie tylko z zawodu, p s y g o ń c z e, tak ich teraz nazywano. Na zewnątrz zapadał zmrok, Anzola napotkał wzrokiem czarnego motyla, który przysiadł w kącie sufitu, dokładnie nad ich głowami. A może był tam od samego początku.

„I co ma wspólnego z tym wszystkim Eduardo de Toro?", zapytał Anzola.

„Ach, tak", przypomniał sobie Bonilla. „Pan de Toro".

Kilkanaście dni po zabójstwie, mniej więcej dwa tygodnie, Bonilla spotkał go przed Komendą Główną. „Niech pan absolutnie tam nie wchodzi", powiedział mu de Toro. „Jest pan w tym budynku persona non grata". Zaczynało kropić, więc Bonilla zapytał Toro, czy może zaprosić go na kieliszeczek czegoś mocniejszego i zadać kilka pytań. Chciał tylko uzyskać pewne informacje na temat dnia zbrodni. Chwilę później siedzieli już obaj w El Oso Blanco.

„Tak jak ja i pan siedzimy sobie tutaj", powiedział Bonilla. „Ja wyjąłem notes i ołówek i przygotowywałem się do zadania mu pytań, które zanotowałem. Nie zdążyłem jednak zadać nawet jednego".

Eduardo de Toro poradził mu, żeby nie zwracał na siebie uwagi Correala, żeby nie działał przeciw niemu, żeby przestał prowadzić swoje nielegalne dochodzenia. „Nie jest nielegalne", upierał się Bonilla. „Nieważne, co pan o tym sądzi", odparł Toro. „Facet ma pana na oku". A potem, pozornie bez związku, opowiedział mu o wizytach, jakie w komendzie złożył ostatnio ojciec Berestain. Rufino Berestain, jeden z najbardziej wpływowych jezuitów w mieście, kapelan policji, więc nie było nic dziwnego, powiedział Bonilla, w jego wizytach od czasu do czasu. „Ale to nie dzieje się od czasu do czasu", zaoponował Toro. „Mam wrażenie, że ojciec Berestain spędza więcej czasu w komendzie niż w swojej własnej parafii. Przychodzi, rozmawia z Correalem, czasem zamyka się z nim i rozmawia przez całą godzinę. Ja jestem dobrym katolikiem", powiedział Toro, „ale ojca Berestaina nigdy nie lubiłem. A po tym wszystkim, co się stało, lubię go jeszcze mniej". 15 października od godzin porannych Toro widział jezuitę w budynku komendy. Krążył po nim, chodził po korytarzach górnego piętra, zadawał pytania, których nikt zbyt dobrze nie rozumiał, ale ewidentnie miały na celu zdobycie informacji o tym, co działo się na ulicach.

„Albo o tym, co jeszcze się nie działo", powiedział Bonilla.

Po zbrodni zachowanie ojca Berestaina zirytowało wiele osób. Kraj pogrążył się w żałobie, miasto opłakiwało śmierć Rafaela Uribe Uribe, a w mieście poszczególne jednostki, takie jak Eduardo de Toro, które były jego zwolennikami, czuły dla niego podziw albo po prostu potępiały ten barbarzyński akt. A jednak ojciec Berestain postawił na swoim, zdołał sprawić, że odbyły się ćwiczenia duchowe, które zaplanował kilka dni wcześniej.

„Byłem na nich", powiedział Eduardo de Toro. „Zostałem zmuszony, podobnie jak wszyscy funkcjonariusze policji, do uczestnictwa w ćwiczeniach duchowych ojca Rufina".

Przez kilka dni spotykali się agenci i detektywi z jezuickimi duchownymi w Casa de Cajigas. Był to dawny zakład rymarski przy Dziewiętnastej Ulicy, obecnie stanowiący własność Towarzystwa Jezusowego i przez nie zarządzany, pełniący funkcję miejsca odosobnienia i domu gościnnego. W tamten weekend ów dom, w którym przebywało zazwyczaj wielu gości, pękał w szwach. Podczas kazania kończącego wydarzenie, stojąc przed śmietanką bogotańskiej policji i dwa kroki od komendanta głównego Salomona Correala, Rufino Berestain poprosił agentów, żeby wspomnieli świętej pamięci brata Ezequiela Morena Díaza, biskupa Pasto, którego Bóg wezwał przed swoje oblicze ponad osiem lat temu. Wspomniał, jakby mimochodem, o generale Uribe Uribe, zamordowanym kilka dni wcześniej, i powiedział, że wydawało mu się ważniejsze wspomnieć świętej pamięci sługę Bożego osiem lat po śmierci, niż kultywować pogańską pamięć o wrogu Kościoła, chociaż jego ciało dopiero niedawno spoczęło pod ziemią. Ezequiel Moreno, powiedział ojciec Berestain, co zostało po tym bogobojnym człowieku, który przybył tu ze swojej matki ojczyzny, żeby przywieźć nam dobrą nowinę nakłaniającą do oporu przeciw ateistycznemu liberalizmowi? Został jego przekaz, moje dzieci, i to dziedzictwo powinniście ponieść w świat. Powinniście je chronić, powinniście go bronić. Teraz, kiedy wiara w ojczyźnie podupada w wyniku ataków przyjaciół Szatana, należy wspominać świętych takich jak brat Ezequiel, którzy opuścili nasz padół łez tak samo, jak przez niego przeszli, z niezłomną odwagą prawdziwych pasterzy dusz. Osiem lat, aż osiem lat upłynęło od jego śmierci, a jego słowa z *Ostatnich dyspozycji* wciąż pozostają żywe i pozostaną takie na zawsze. Czy światli funkcjonariusze naszej policji znają ostatnie dyspozycje brata Ezequiela? Streszczały się one w jednej prostej prawdzie, niestety zapomnianej: liberalizm jest grzechem,

wrogiem Chrystusa i upadkiem narodów. Wiecie, o co poprosił ów święty mąż? Żeby powiesić to zdanie w sali, w której odbędzie się czuwanie przy jego zmarłym ciele, a także
w świątyni podczas uroczystości pogrzebowych. To ustanowił
w swoim testamencie, a może zamiast testamentu: prośbę
o plakat z tą oto odwieczną prawdą. *Liberalizm jest grzechem.*

Kiedy ćwiczenia duchowe dobiegły końca, a ich uczestnicy nie zaczęli jeszcze rozchodzić się do domów, Habacuc
Arias, jeden z agentów, obecny na chodniku przed Kapito-
lem w dniu zabójstwa, odważył się poprosić, żeby pomod-
lono się również za duszę generała Uribe. Być może nie było
go na kazaniu, być może jego własna ignorancja nie pozwalała mu zrozumieć, o co prosi, w każdym razie o to właśnie
poprosił. Rufino Berestain wstał i na jego zastygłej w gnie-
wie twarzy pokazały się nowe cienie. Obrzucił agenta lodowatym spojrzeniem jasnych oczu, jakiego nikt wcześniej nie
widział i jakiego Eduardo de Toro miał nie zapomnieć do
końca swoich dni. I wówczas wypalił:

„Ten potwór zapewne gnije teraz w piekle".

VII

KIM ONI SĄ?

Następnego dnia po spotkaniu z Lubinem Bonillą, idąc przez miasto, Anzola poczuł na piersi ucisk notesu w skórzanej okładce, który Bonilla, skończywszy swoją opowieść, położył na obrusie. „Są tu nazwiska, adresy i mniej więcej czytelne notatki", powiedział. „Będzie to dla mnie zaszczyt, jeśli się panu do czegoś przydadzą". Pokazał mu dwa albo trzy nazwiska osób, z którymi powinien natychmiast się skontaktować, żeby spisać ich zeznania. Jedną z nich był Francisco Soto, którego dane Bonilla podkreślił dwoma zdecydowanymi kreskami.

Francisco Soto mieszkał w dużym piętrowym domu z balkonem i pelargoniami przysłaniającymi balustrady. Był to dom osoby majętnej. Służąca otworzyła drzwi i poprowadziła Anzolę do salonu, na lewo od wewnętrznego patia, obstawionego glinianymi doniczkami, w głębi którego bawił się bosy chłopiec, rzucając monetami o ścianę korytarza. Francisco Soto przywitał się z Anzolą, nie kryjąc zdziwienia, był wprawdzie młodym mężczyzną, ale zdążył już się przyzwyczaić do tego, że odwiedzający zapowiadali swoje wizyty. Wrócił właśnie z długiej podróży w interesach, powiedział, wyczerpującej podróży wiodącej z Caracas do Hawany, a z Hawany do Nowego Jorku, i kiedy znalazł się w Bogocie, dołożył starań, żeby gazety nie wspominały o jego przybyciu. Wielu z grona jego przyjaciół wciąż nie miało pojęcia, że już jest w mieście. Jak dowiedział się o tym pan Anzola?

„Od generała Lubina Bonilli", odparł Anzola. „To on powiedział mi o panu".

„Ach, generał Bonilla", rzekł Soto. „Jest sprytny jak lis".

„Wiem, że spotkaliście się panowie ponad rok temu, po zabójstwie generała Uribe".

„Mniej więcej dwa tygodnie później", powiedział Soto. „Ja zajrzałem do kancelarii Alberta Sicarda, adwokata. Zaczęliśmy rozmawiać o jego Szkole Detektywów, tej, którą miał zamiar wówczas założyć. Przedstawiłem mu się, znał moje nazwisko. Wyjął notes i powiedział, że od jakiegoś czasu chciał ze mną porozmawiać".

„O zabójstwie generała?"

„Słyszał, że mam pewne informacje", wyjaśnił Soto. „Nie wiedziałem, jak się o tym dowiedział, nie wiem tego do tej pory. Generał Bonilla to prawdziwy pies gończy. Założył w końcu tę szkołę?"

„Tak", powiedział Anzola. „Co to były za informacje? Czy coś związanego z jezuitami?"

Soto przymknął oczy. „Skąd pan wie?" Ale nie dał Anzoli czasu na odpowiedź. „Tak, o to chodziło. Powiedziałem mu, że to ktoś inny widział coś, co widziałem ja. Albo że znałem kogoś, kto to widział, ale nie powiedziałem mu, że to byłem ja. Nie chciałem pakować się w kłopoty. On zaproponował, żebyśmy spotkali się za kilka dni w innym miejscu, gdzie nie zobaczy nas policja". Zawiesił głos. „Ale nigdy do tego nie doszło, bo nie przyszedł po mnie, a parę dni później wyjechałem w podróż".

„I tak do dziś".

„Tak", odparł Francisco Soto. „Nie rozmawiałem o tym z nikim albo prawie z nikim. Nie wiem, skąd pan się dowiedział".

„A co takiego pan widział?"

W nocy 13 lutego, dwa dni przed zabójstwem generała Uribe, Francisco Soto szedł Dziewiątą Ulicą w towarzystwie swojego przyjaciela Carlosa Enrique Duarte. Ze względu na późną porę ulica była pusta. Przeszli pod balkonem budynku nowicjatu i Francisco Soto wskazał dom na przeciwnym rogu. „Tutaj mieszka generał Uribe", powiedział do przyjaciela. Przyjaciel nic nie odpowiedział. Szli dalej w kierunku Kapitolu, ale zanim dotarli na róg Siódmej Alei, zobaczyli dwie osoby, jedną w pilśniowym kapeluszu, a drugą w słomkowym, wychodzące przez małe drzwiczki.

„Budynek San Bartolomé ma takie drzwiczki wychodzące na Dziewiątą Ulicę, coś w rodzaju tylnego wyjścia", wyjaśnił Anzoli Soto. „I stamtąd wyszli. Tego w pilśniowym kapeluszu rozpoznałem natychmiast, był to Leovigildo Galarza. Drugiej osoby nie mogłem zobaczyć wyraźnie, ale była wyższa i lepiej ubrana".

Galarzę poznał w barze El Meeting mniej więcej w 1909 roku, jego przyjaciel Carlos Enrique Duarte również go znał, bo kilka miesięcy wcześniej Galarza robił jakieś prace stolarskie dla jego matki. Obaj zdziwili się, widząc go tak późno w nocy, w towarzystwie mężczyzny z innej klasy społecznej, wychodzącego ze szkoły jezuitów tylnym wyjściem. Ale nie rozmawiali o tym, póki w gazetach nie opublikowano zdjęcia Galarzy. „Galarza zabił generała Uribe", powiedział Duarte do Francisca Sota w piątek tamtego tygodnia. „To był on", powtarzał, „to był on".

Nie udali się od razu na policję. W dniu pogrzebu Soto i Duarte szli w pogrążonym w żałobie tłumie odprowadzić generała Uribe do bazyliki na cmentarzu Centralnym i uświadomili sobie wówczas powagę tego, co zaszło, a patrząc z daleka na księży kroczących obok rodziny ofiary, zaczęli rozmawiać o tym, że być może jezuici wiedzieli wcześniej o zamachu. Dla nikogo nie było tajemnicą, że żywili do generała niechęć, czemu chętnie dawali wyraz w swoich kazaniach, Francisco Soto obserwował – jak wszyscy bogotanie – zapalczywą kampanię szkalującą generała, którą jezuici rozpętali w „La Unidad" i „Sansón Carrasco", swoich dwóch ulubionych tubach propagandowych (Francisco Soto mówił: w swoich dwóch najemnych gazetach), a to, że widzieli jednego z zabójców, jak wychodzi z budynku San Bartolomé, wydało im się czymś więcej niż zbiegiem okoliczności. Razem z przyjacielem Duarte przypomnieli też sobie, że ojciec Rufino Berestain, najważniejszy jezuita w Bogocie, a także najbardziej niezłomny, jest kapelanem policji („Rasputinem policji", powiedział Francisco Soto. Duarte nie zaśmiał się z żartu). I tam, idąc w kondukcie pogrzebowym, postanowili, że lepiej będzie milczeć, bo zbrodnia, która ma coś wspólnego z policją i jezuitami, to zbrodnia, od której lepiej trzymać się z daleka. Mieli sobie pogratulować tej decyzji, bo w weekend zaczęła krążyć plotka, że policja aresztuje ludzi chcących złożyć zeznania. Potem mieli zobaczyć to na własne oczy; znajomi, co do których reputacji nie mieli najmniejszych wątpliwości, musieli spędzać kilka godzin albo całą noc w więzieniu, jak zwykli przestępcy, tylko dlatego że zdecydowali się opowiedzieć, co widzieli.

„Biedacy, nie mieli pojęcia, że niektóre rzeczy należy zachować dla siebie", powiedział Francisco Soto. „Zwłaszcza w takich czasach".

„Ale teraz już można o tym mówić", odrzekł Anzola. „Teraz wręcz trzeba o tym mówić. Jeśli ludzie tacy jak pan będą milczeć, ci, którzy to zrobili, pozostaną bezkarni".

„A pan ich odwiedził?"

„Kogo?"

„Zabójców. Był pan w El Panóptico?"

Fransisco Soto był. W grudniu ubiegłego roku, po przyjeździe z długiej podróży służbowej, pomyślał, że nigdy nie zwiedził budynku, gdzie siedział jego ojciec. „Pański ojciec był więźniem w El Panóptico?", zapytał Anzola. Tak, powiedział Soto, to było po zakończeniu ostatniej wojny. Don Teófilo Soto był zaprzysięgłym liberałem, przegranym w tej niesławnej wojnie, i podzielił los tysięcy innych przegranych, którzy zapełnili kolumbijskie więzienia. Don Teófilo karmił syna wojennymi historiami, kiedy ten był dzieckiem, i były to historie heroizmu; a w miarę jak Francisco dorastał, zmieniły się w historię o bólu i porażce, i zawiedzionych marzeniach.

„I uświadomiłem sobie, że jako dorosły nigdy nie odwiedziłem tego więzienia", powiedział. „Pomyślałem więc, że powinienem to zrobić".

Przyjechał do El Panóptico pewnego słonecznego poranka. Na dziedzińcu osadzeni szukali światła słonecznego. Soto przeszedł się, rozglądając na prawo i lewo, wypytując strażników, znosząc odór moczu i zepsutego jedzenia. Zauważył, że od wojny wszystko się zmieniło, ale nie zdołałby powiedzieć, co właściwie uległo zmianie. Może, pomyślał, to on sam się zmienił, bo kiedy odwiedzał tu ojca, był dzieckiem, a teraz jest już mężczyzną i więzienne przestrzenie, korytarze i mury, cele widziane z zewnątrz, nie wydają się tak ogromne. Miejsce robiło teraz mniej przytłaczające wrażenie niż wówczas; oczywiście wtedy było to również miejsce strachu i niepokoju, bo nikt nie wyjaśnił dziecku, że jego ojciec nie umrze za kratami, że nie jest świadkiem jego ostatnich dni. Przechadzał się więc Francisco Soto po tym smutnym miejscu, jakby zwiedzał muzeum, kiedy rozpoznał siedzących w swojej celi zabójców generała Uribe.

„Zobaczyłem Galarzę i Carvajala", powiedział.

Galarza go poznał. Wyciągnął do niego rękę na powitanie, ale nie wstał, nie patrzył mu w oczy, lecz na krawat i guziki kamizelki. „Jak się pan miewa, panie Soto?" On podszedł do zabójców i nie schylając się, zapytał, jak się mają oni, czy są dobrze traktowani, czy się nudzą.

„Sam pan widzi, doktorze", powiedział Galarza. „Pakują nas w swoje sprawy, a potem nikt nie chce nawet na nas spojrzeć".

Zanim rok dobiegł końca, tajemniczy Alfredo García, ów zaginiony świadek, napisał list z Barranquilli na wybrzeżu karaibskim, oświadczając, że przenosi się do Kostaryki. Anzola i inni ze zdziwieniem komentowali, że inicjałem jego drugiego nazwiska jest A, bo nie podpisywał się tak nigdy wcześniej, ale nie zastanawiali się nad tym dłużej, gdyż i tak ten uciekinier nie mógł się im na nic przydać. Ale w lutym gazeta „Etcétera" z Medellín opublikowała dziwny list. Podpisał go sam Alfredo García, ale inicjał drugiego nazwiska zmienił się. „García B.", przeczytał Anzola, a na jego czole ukazała się zmarszczka, jakby w tekście doszukał się jakiejś niegrzeczności czy obelgi. W dodatku list wysłano z Bogoty, co wskazywało na to, że Alfredo García nie wyjechał ostatecznie do Kostaryki. Czyżby zmienił plany? Czy to możliwe, że po cichu wrócił do Bogoty? A może cała ta podróż była farsą, żeby zdezorientować prowadzących dochodzenie, dowodem na to, że Alfredowi Garcíi zapłacono nie tylko za to, żeby zniknął, ale także za to, żeby zmylił wymiar sprawiedliwości? Sama treść listu była wybuchowa, jego autor oskarżał osoby zamieszane w zamach na Uribe Uribe o podejrzane zachowania i robił to w sposób niepozostawiający cienia wątpliwości. List był niczym wyrok, który wydałby Anzola, gdyby był sędzią. Był jak spełnione marzenie.

Autor zaczynał list od oskarżenia Pedra Leona Acosty: *Widziałem tego człowieka 11 października 1914 w hotelu*

Bogotacito, którego właścicielem jest pan Benjamín Velandia, o wpół do jedenastej rano w towarzystwie Galarzy i Carvajala. Wszyscy trzej zamienili kilka słów, których nie słyszałem, a potem udali się nad wodospad Tequendama. Następnie oskarżał jezuitów. *Trzynastego tego samego miesiąca widziałem na własne oczy, mniej więcej o dziesiątej w nocy, jak Pedro León Acosta w towarzystwie Galarzy i Carvajala wchodzą do budynku San Bartolomé przez tylne drzwi klasztoru od strony Dziewiątej Ulicy.* Wspominał nawet o słynnej wiadomości, którą Ana Rosa Díez chciała pokazać Tomasowi Silvie, zanim zapadła się pod ziemię: *Później dowiedziałem się od pani Rosy, bliskiej przyjaciółki matki Galarzy, że ta ostatnia dostała i przechowywała wiadomość od pewnego zakonnika, którego nazwiska nie mogę na razie ujawnić.* Alfredo García pozwalał sobie nawet na luksus sparafrazowania wiadomości, jakby sam ją widział. *Wspomniana wiadomość była mniej więcej następującej treści: „Wielebny ojciec zaleca Pani, w sposób bardzo stanowczy, żeby pozostała w domu przez jakiś czas, zanim znajdziemy sposób, żeby zorganizować pewne sprawy".* I kończył na generale Toporku: *Również wiem z całą pewnością, że matka Galarzy udała się do Salomona Correala i poprosiła, żeby zatroszczył się jakoś o jej życie i utrzymanie, że syn siedzi w więzieniu, a był jej jedynym żywicielem, i to nie było sprawiedliwie, żeby ona cierpiała za jego winy. Pan Correal odpowiedział, że będzie miał to na uwadze, że poprosi pewne osoby o wypłacanie jej comiesięcznej kwoty, żeby mogła zaspokoić swoje potrzeby.*

Rewelacje opublikowane przez „Etcétera" z Medellín wstrząsnęły bogotańskim śledztwem w posadach. Prokurator zaczął działać sprawniej niż przez półtora roku, które upłynęło od zbrodni. Pedro León Acosta zwrócił się do sądu o ustalenie, kto jest autorem listu; prokurator postanowił wezwać do składania wyjaśnień Pedra Leona Acostę, Galarzę i Carvajala, rozpaczliwie starał się również odszukać Alfreda Garcię, w tym celu zaczął wysyłać komunikaty do wielu miast. Pewnego popołudnia pod koniec lutego gazeta krążyła z rąk do rąk w domu Juliana Uribe Uribe, podczas gdy stygły świeżo upieczone bułeczki, a na czekoladzie ścinał się cienki kożuszek. Byli tam Tomás Silva i Carlos Adolfo Urueta, zaproszeni, żeby uczcić to wydarzenie, jakby chodziło o skazanie prawdziwych zabójców. „Tu jest wszystko", powiedział Tomás Silva. A podekscytowany Julián Uribe krążył wokół stołu w jadalni, mówiąc, że owszem, że w końcu było tam wszystko. Stronę „Etcétera", myślał Anzola, czytano w domu Juliana Uribe, jak czytano by w jakimś domu we Francji wieść o zakończeniu wojny.

On sam z początku podzielał entuzjazm zgromadzonych, ale z godziny na godzinę zaczął odczuwać coraz większe rozczarowanie, którego nikt nie mógł zrozumieć, on sam zaś, choć bardzo się starał, nie potrafił wyjaśnić dlaczego. Coś mu w tym tekście zgrzytało, był zbyt doskonały, zbyt słuszny, zbyt użyteczny, zbyt fortunny. „No właśnie, tu jest wszystko", powiedział. „Wszystko, czego potrzebujemy, wszystko, czego chcieliśmy dowieść. Jest Acosta z mordercami nad wodospadem, Acosta z mordercami wychodzący z San Bartolomé, wiadomość od jezuity, której nikt nie mógł znaleźć półtora roku temu, dowód na to, że Correal pomagał zabójcom w zawoalowany sposób. Tak, jest tu wszystko".

„I co w tym złego?", pytał Silva.

„Nie wiem", odpowiadał Anzola. „Ale takie rzeczy nie dzieją się tak sobie".

„Wszystko dzieje się w jakiś sposób", rzekł Silva.

„Owszem", potwierdził Anzola. „Ale nie tak".

„Zaczynam się panem martwić, mój drogi panie Anzola", powiedział Silva. „Szuka pan wszędzie wrogów do tego stopnia, że nie docenia pan skarbu, który spada z nieba".

„To nie jest żaden skarb".

„Niech pan uważa, tylko tyle panu powiem. Bo jak Pan Jezus zechce pana zbawić w dzień Sądu Ostatecznego, też mu pan nie uwierzy".

Anzola starał się ubrać w słowa swój sceptycyzm. Po zbrodni Alfredo García przebywał ponad rok w Bogocie, czekając bezskutecznie, aż prokurator pozwoli mu złożyć zeznania, przez cały ten czas ani razu nie wspomniał o tym, co rzekomo widział 13 października, mimo tego jak bardzo było to ważne. Nigdy nie wspomniał też o Salomonie Correalu, mimo że wiedział doskonale o podejrzeniach ciążących na komendancie głównym policji, odkąd ten odmówił spisania jego zeznań. Nigdy nie mówił nic na temat wiadomości od jezuity, nigdy nie twierdził też, że zna jej treść, mimo że podzielił się z Anzolą i Silvą swoim zaniepokojeniem z powodu zniknięcia Any Rosy Díez. „Dlaczego?", zapytał Anzola, „Dlaczego nam o tym nie powiedział? Dlaczego przez półtora roku rozmawiał z nami o wszystkim, o tym jednak nie wspominając? Dlaczego mówi o tym teraz, kiedy dotarliśmy do człowieka utrzymującego, że widział Galarzę w towarzystwie tajemniczego mężczyzny wychodzącego z kolegium jezuitów? Dlaczego właśnie w tym momencie, kiedy zaczyna być oczywista zmowa pomiędzy jezuitami a generałem Toporkiem? Dlaczego właśnie teraz zbiera się na odwagę, żeby powiedzieć, że on też to widział, też o tym wiedział? Za sprawą jakiego uśmiechu losu dostajemy w jednym dokumencie to wszystko, czego potrzebowaliśmy, żeby prokurator dotarł wreszcie do prawdy o zabójcach? Czemu García mówi w liście o tym, co sami zdążyliśmy ostatnio odkryć? I czemu zmieniają się jego inicjały? Teraz jego drugie nazwisko zaczyna się od litery B, ale na spisanym oświadczeniu zaczynało się na C, a w liście z Baranquilli na A? Dlaczego?"

„Może to ktoś inny?", zapytał nieśmiało Urueta.

„To nie jest ktoś inny". Anzola poczuł nagle narastającą irytację i mało brakowało, a odezwałby się niegrzecznie lub nawet agresywnie do starszych od siebie. „Nie ma wątpliwości, że to ta sama osoba. Chyba że trzy osoby o takim samym nazwisku są w tę sprawę wmieszane. Chyba że wszystkie trzy wiedzą to samo o śmierci generała Uribe. Nie, nie, sądzę, że to ta sama osoba, i sądzę też, że ta osoba została wynajęta, żeby prowadzić z nami grę. Myślę, że ktoś przekupił Alfreda Garcíę niezłą sumką, żeby wyjechał z Bogoty. A teraz chcą się upewnić, że dobrze wydali pieniądze. Każą mu pisać listy, które nas zdezorientują. Każą mu podpisywać się różnymi inicjałami. Każą mu opisywać w liście wszystko, co obciąża konserwatystów i jezuitów".

„Ale to absurdalne, panie Anzola, niech pan sam siebie posłucha", powiedział Silva. „Po co mieliby to robić? Po co spiskowcy mieliby demaskować samych siebie?"

„Proszę zobaczyć, kto ich oskarża".

„Świadek", powiedział Silva.

„Świadek, który zniknął albo uciekł", rzekł Anzola. „Mężczyzna, który pisze listy do gazety i podpisuje je różnymi inicjałami. Ten dokument nie jest w żaden sposób wiarygodny dla sędziego, bo nie ma osoby, która za nim stoi. Gdzie jest świadek? Nikt tego nie wie. W Baranquilli? W Bogocie? W Medellín? Nie ma twarzy, a świadek bez twarzy nie istnieje. Nie, ten list ma tylko pokrzyżować nam szyki". Julián Uribe uniósł brew. „Jednym pociągnięciem pióra spiskowcy wystawiają wszystkie nasze oskarżenia na pośmiewisko. Udział jezuitów, Salomona Correala, Pedra Leona Acosty, to wszystko stało się teraz tanią plotką. Jakiś niespójny list wysłany przez świadka uciekiniera, który zmienia drugie nazwisko za każdym razem, kiedy podpisuje jakiś dokument, nie wzbudzi zaufania i żaden sędzia przy zdrowych zmysłach nie da temu wiary. Tego właśnie chcą, chcą pozbawić wszystkie nasze oskarżenia wiarygodności, zmienić je w absurdalne plotki jakiegoś zaginionego szaleńca. I chyba udało im się to osiągnąć, to dla mnie jasne. Wygrywają, chociaż rozgrywka jeszcze się nie zaczęła. Chcą panowie wiedzieć, co będzie dalej? Prokurator zacznie gwałtownie poszukiwania świadka, zmieni to w wielki spektakl poszukiwania ukrytej prawdy. Za kilka tygodni, może miesięcy, oświadczy, że go nie znalazł. Że mimo wszystkich swoich wysiłków nie znalazł oskarżyciela, a oskarżenia zostaną uznane za głos szaleńca. Towarzystwo Jezusowe zamieszane w zbrodnię! Absurd. Generał Acosta i komendant główny policji zamieszani w zbrodnię! Absurd. Oczywiście, powiedzą, czego można oczekiwać po anonimowym świadku, który podpisuje się pożyczonym nazwiskiem i nie ma odwagi opuścić swojej nory tchórza. Nie, powiedzą, te oskarżenia to tylko nikczemny wytwór zbyt wybujałej wyobraźni. Nie możemy, powiedzą, brać ich poważnie". Zawiesił głos, a potem powiedział: „To mistrzowskie posunięcie. Gdyby nie było dziełem naszych wrogów, sam wpadłbym w podziw".

Później, kiedy żegnał się z gośćmi, poczuł, że patrzą na niego inaczej. Co widział w ich oczach? Współczucie, nieufność, troskę? Patrzyli na niego, jakby był krewnym, który traci rozum, z tymi zaciśniętymi ustami, przygaszonym spojrzeniem. Wychodząc, Anzola pomyślał, że tego popołudnia coś stracił. Przeszedł dwie czy trzy przecznice, patrząc na cienie żółtego światła na bruku. Myśląc o Alfredzie Garcíi A., Alfredzie Garcíi B., Alfredzie Garcíi C., wspominając mężczyznę, którego poznał w Bogocie, a jego sumienie zostało przekupione przez spiskowców, pomyślał, że stawia czoło potężnej machinie, i dreszcz przebiegł mu po plecach. Czy zdoła przeciwstawić się tym potworom? Zastanawiał się, czy to, co czuje, to strach. Grupka mężczyzn patrzyła na niego, kiedy wszedł na plac Bolivara, i Anzola był przekonany, że rozmawiają o nim. Zaczęli iść w stronę rogu placu i ktoś w grupce wybuchnął śmiechem, który odbił się głuchym i głębokim echem po pustym placu, jak kamień wpadający do stawu. Anzoli przyszedł do głowy pewien pomysł. Kilka minut później był już z powrotem w domu Juliana Uribe, goście siedzieli na tych samych miejscach co wcześniej, napotkał te same co wcześniej smutne spojrzenia.

„Doktorze Uribe, doktorze Urueta", powiedział Anzola, „muszę panów poprosić o przysługę". I zanim odpowiedzieli, dodał: „Chcę się znaleźć w więzieniu".

I tak zaczął pracować w Panóptico. Jego dawne stanowisko urzędnika Robót Publicznych bardzo się przydało, podając je jako pretekst, Uribe i Urueta skorzystali ze swoich znajomości, żeby załatwić Anzoli stanowisko w administracji największego bogotańskiego więzienia. Nikt nie wiedział, jakie były jego funkcje, oprócz tego, że krążył jak bezrobotny po różnych remontach przeprowadzanych w więzieniu; ale nikt o nic nie pytał i przez wiele miesięcy Anzola mógł wchodzić do budynku z zimnego kamienia, gdzie Galarza i Carvajal siedzieli razem z kryminalistami i przestępcami z całego kraju, patrzył na zmęczoną nienawiść na twarzach więźniów, porażkę, od której szarzeje skóra na policzkach, a pod oczami tworzą się cienie. Pensja w Panóptico była znacznie niższa niż inspektora Robót Publicznych, ale Anzola nie miał nic przeciwko temu, żeby przez jakiś czas zacisnąć pasa: liczyło się tylko dochodzenie, które już wówczas było dla niego czymś więcej niż zwykłym zleceniem, a nawet zawodem – stało się jego powołaniem, czymś, co nadawało sens i strukturę jego dniom. Przyglądał się Galarzie i Carvajalowi. Obserwował ich z daleka, starając się, żeby oni go nie widzieli, a po powrocie do domu zapisywał swoje obserwacje. Uświadomił sobie, że jego zachowanie naśladuje, a może powtarza zachowanie zabójców przed zbrodnią; obserwowanie ofiary, satysfakcja z tego, że ofiara nie zdaje sobie z niczego sprawy; zrozumiał albo wydawało mu się, że rozumie, jak napawa się władzą ktoś, kto obserwuje innego człowieka, chcąc wyrządzić mu krzywdę. O czym myślą zabójcy całymi dniami, zastanawiał się, patrząc na nich. Wspominają swoją ofiarę? Śnią o niej? Jak to jest zabić człowieka? Któregoś popołudnia poprosił strażnika, żeby pokazał mu kogoś skazanego za zabójstwo, a potem podszedł do niego, ostrożnie jak ktoś, kto podchodzi do dzikiego zwierzęcia w cyrku.

„Czy śnią się panu pańskie ofiary?", zapytał.

„Tak", odparł morderca. „Ale tylko wtedy, kiedy nie śpię".

Anzola nigdy wcześniej nie słyszał równie trafnej definicji poczucia winy i nie zapytał już o nic więcej. Ale z upływem dni za sprawą tego więźnia poznał innego, a potem jeszcze innego i w rezultacie odbył kilka szczerych rozmów z człowiekiem, który nazywał się Zalamea i zauważył, że Anzola obserwuje celę Galarzy i Carvajala. „Pan jest detektywem?", zapytał. Anzola powiedział, że nie, że jest tu na zlecenie Ministerstwa Robót Publicznych, ale nie może pohamować odruchowego – i może trochę niezdrowego, musiał to przyznać – zainteresowania zabójcami generała Uribe.

„Bo to naprawdę ciekawe, co się z nimi dzieje", powiedział Zalamea.

„Co ma pan na myśli?"

„Robią, co im się żywnie podoba", odparł Zalamea. „Jakby byli na wolności".

Niejaki Zalamea był człowiekiem w miarę wykształconym, to rzucało się w oczy, i dlatego miał odwagę skarżyć się strażnikom więziennym na niesprawiedliwe traktowanie. Znalazł się tutaj, tak przynajmniej twierdził, za długi, ale nigdy nie rozwijał szczegółowo tematu, wyjaśnił za to, że bardzo się zdziwił, widząc, jak Galarza i Carvajal są traktowani w sposób uprzywilejowany, ocierający się wręcz o nielegalność. To Zalamea powiedział Anzoli o listach, które strażnik Pedraza odbierał po kryjomu od zabójców, to Zalamea opowiedział o tym, że jezuicki zakonnik sam odebrał kiedyś zamknięte koperty, które zabójcy wysyłali w świat. „Na pewno był jezuitą?"

„Ojciec Tenorio", odparł Zalamea.

„Rafael Tenorio?"

„Tak", potwierdził Zalamea. „Zna go pan?"

Anzola owszem znał go, chociaż nigdy się nie spotkali. Julián Uribe prosił Anzolę, żeby przyjrzał mu się z powodu podejrzanych okoliczności, podobno ojciec Tenorio był kapelanem wojsk konserwatystów podczas ostatniej wojny i tam poznał żołnierza o nazwisku Carvajal, który zaproponował, że zabije generała Uribe i w ten sposób szybko zakończy wojnę. Po zbrodni, kiedy gazety podały nazwisko Carvajala, ojciec Tenorio opowiedział tę anegdotę niejakiemu Eduardowi Esguerrze, konserwatyście i częstemu bywalcowi jego kaplicy. „Ten sam człowiek", mówił ojciec Tenorio. Ale kilka miesięcy później, kiedy w końcu został przesłuchany przez prokuratora, zmienił swoją wersję wydarzeń. „Kiedy porównuję jego portret i wspomnienia", powiedział, „mogę zapewnić, że to nie ta sama osoba". „I on właśnie odwiedzał zabójców? Jego używali jak prywatnej poczty?"

„Galarza i Carvajal spotykają się z nim w kaplicy, rozmawiają ze sobą jak przyjaciele", powiedział Zalamea. „Widziałem to na własne oczy. Ojciec Tenorio często ich odwiedza. Daje im prezenty. A przynajmniej je dostarcza".

„Jakie prezenty?", zainteresował się Anzola.

„Widziałem paczki", wyjaśnił Zalamea. „Książki, gazety. Nie wiem o niczym więcej".

Zalamea opowiedział też o rozmowie, jaką odbył kiedyś z zabójcami na więziennym dziedzińcu. Kiedy zapytał ich, po co wpakowali się w taką kabałę, jeden z nich, Carvajal albo Galarza, odpowiedział swobodnie: „Gdybyśmy my go nie zabili, zrobiłby to ktoś inny". Byli całkiem pewni, że nie posiedzą w więzieniu dłużej niż cztery lata, chociaż za podobną zbrodnię groziło im dwadzieścia pięć lat. A Zalamea sądził, że zachowywali się tak arogancko, bo czuli się bezkarnie. Pewnego dnia znaleziono w ich celi młotki, dłuta i pilniki, z których pomocą inny skazany próbował ucieczki, inni więźniowie otrzymaliby za to surową karę, wobec nich nie wyciągnięto natomiast żadnych konsekwencji.

„Nic im nie zrobili?"

„Nawet nie zostali upomnieni", odparł Zalamea. „Dlatego mówię, że są jak święte krowy. Zarabiają nawet na życie jako aktorzy filmowi".

Miał na myśli film braci Di Domenico, do którego zabójcy pozowali w więzieniu, przed tymi samymi celami, od początku krążyła plotka, że za swój występ w *Tragedii 15 października* otrzymali wynagrodzenie; teraz Zalamea to potwierdzał.

„Więc zapłacili im?", zapytał Anzola.

„Tak, zapłacili", odpowiedział Zalamea. „Pięćdziesiąt pesos na głowę. Niech pan spojrzy, jak się ubierają, co zamawiają. Już nie wspomnę o tym, co mają w swoich celach".

Przez wiele dni, wiele monotonnych i dłużących się godzin, które upodabniało do siebie oszustwo, Anzola czekał na okazję, żeby wejść do cel zabójców i zobaczyć, co w nich znajdzie. Nie było to jednak łatwe, bo Galarza i Carvajal żyli według innego rytmu niż pozostali skazani; w przeciwieństwie do pozostałych nie musieli uczestniczyć w lekcjach ani wstawać o nieludzkiej porze. Czasem jedli obiad razem, jak to mówili osadzeni, ze społecznością, czyli to samo co inni o tej samej godzinie, ale czasem pozwalano im jeść smaczniejsze posiłki przygotowywane przez ich żony, kiedyś nawet pochwalili się publicznie, że jedzą jak w restauracji, bo donoszono im posiłki do cel. Te przywileje, zauważył Anzola, sprawiły, że zasłużyli sobie na antypatię albo zwykłą zawiść wspólnoty więziennej. Inni osadzeni obserwowali ich z daleka, jak intruzów, zmieniali temat rozmowy, a nawet postawę ciała, kiedy jeden z nich się zbliżał. Anzoli obiło się o uszy, że Galarza i Carvajal pożyczają w więzieniu pieniądze, w dodatku na wysoki procent, że więźniowie w potrzebie sprzedawali im łańcuszki i pierścienie albo butelki *aguardiente*, a oni płacili za nie dobrą cenę, czasem kupowali na zewnątrz jedzenie i sprzedawali je więźniom, którzy nie mieli na to pozwolenia. Zauważył również, że zabójcy generała nie chodzili na mszę o tej porze, co cała reszta, byli specjalnie traktowani przez kapelana Panóptico odprawiającego dla nich osobne nabożeństwa. Anzola wpadł na pomysł. W niedzielę zjawił się w więzieniu wcześnie rano. W południe łysy ksiądz przyszedł po zabójców i zaprowadził ich do kaplicy. Anzola zobaczył dla siebie szansę.

Cele Galarzy i Carvajala nie tylko były większe, były innym rodzajem pomieszczenia. Oddzielała je zwykła ścianka, tak cienka, że pozwalała im rozmawiać ze sobą w nocy. Anzola wybrał tę z lewej, nie wiedząc, do którego z zabójców należała, i przeżył szok. Na podłodze dywanik z cielęcej skóry ocieplał atmosferę. Goła żarówka rysowała przyjemne cienie na obrazie Najświętszego Serca Jezusowego, w głębi z kranu rytmicznie sączyły się krople. Cela z bieżącą wodą i elektrycznym światłem?, pomyślał Anzola. Jacy ludzie czuwali nad mordercami? Dwa symetryczne łóżka były zaścielone, na każdym z nich leżały dwa wełniane pledy, cztery poduszki w poszewkach i jedna poduszka haftowana. W kątach nie było kurzu. Na drewnianym stoliku piętrzyły się chaotycznie książki i papiery w ilości większej, niż się spodziewał, jakby w celi nie przebywali stolarze, którzy zabili generała, a jakiś biedny student. Nie, pomyślał Anzola, nie student, tylko seminarzysta, przy ścianie pod obrazem Maryi Dziewicy z Karmelu, stał obity materiałem klęcznik.

Anzola zobaczył modlitewniki, nowenny do odmawiania w Boże Narodzenie, Biblię w skórzanej okładce, zobaczył ulotki i broszury, zwrócił jego uwagę jeden tytuł: *Tak i nie*. Widział broszurę pierwszy raz, ale wiele razy o niej słyszał, zawsze były to głosy pełne oburzenia. W 1911 roku, lata po tym, jak Ezequiel Moreno stwierdził, że liberalizm jest grzechem, generał Uribe odpowiedział mu błyskotliwą broszurą, pełną retorycznej finezji i precyzyjnie wyłożonych idei – *O tym, jak liberalizm polityczny w Kolumbii nie jest grzechem*. Książeczka wywołała skandal, generał Uribe dowodził, że Partia Liberalna była równie katolicka jak konserwatywna, odnosił się z tym samym szacunkiem do kolumbijskich instytucji rodzinnych i społecznych, a następnie zachęcał kolumbijskich liberałów, żeby stawili czoło nadużyciom kleru, donosili o nich i je potępiali. I nie to było najgorsze, po tym jak kolumbijski Kościół zakazał książki, Uribe zdobył się na największy afront: złożył skargę do Stolicy Apostolskiej. Dla kleru był to ostateczny policzek, a *Tak i nie*, broszura zajmująca szczególne miejsce wśród rzeczy zabójcy, była ich odpowiedzią. Autor ukrywał się pod niemożliwym do rozszyfrowania pseudonimem Ariston Men Hydor. Anzola wyjął notatnik Lubina Bonilli i zanotował na ostatniej stronie nazwę wydawnictwa – Cruzada Católica. Ta sama oficyna, która wydawała gazetę „La Sociedad", ta sama, która ogłosiła generała Uribe niemoralną siłą i ustaliła ponad wszelką wątpliwość, że wojna z 1899 roku była karą Boga wymierzoną w akolitów szatana. Anzola otworzył książeczkę na chybił trafił i przeczytał, że Uribe Uribe jest wrogiem religii, konserwatywnych zasad i ojczyzny. Ale wtedy przestraszył go skazany, który przechodził, wyjąc, obok otwartych drzwi do celi, i Anzola wymknął się z niej czym prędzej, unikając cudzych spojrzeń, nie chcąc napotkać na długim korytarzu oczu morderców.

Następnego ranka, zanim dotarł do symulowanej albo udawanej pracy, Anzola zajrzał do drukarni Cruzada Católica. Chciał kupić egzemplarz *Tak i nie,* chciał też zasięgnąć języka na temat ich autora. Nie udało mu się to, nikt w całej drukarni nie wiedział, kto naprawdę kryje się za tym cudzoziemskim pseudonimem. Niejaki Marco A. Restrepo, jezuicki zakonnik, przyniósł do drukarni manuskrypt, ale prawdę o ich autorze można było znaleźć tylko w księgach rachunkowych. Anzola zapytał, czy może do nich zajrzeć, ale wyjaśniono mu, że są w gestii kurii i powiedziano – w nieco elegantszych słowach – że księża prędzej ucięliby sobie rękę, niż pokazali je człowiekowi o jego reputacji. Mimo wszystko opuścił drukarnię z egzemplarzem pod pachą, co przepełniło go absurdalnym poczuciem małego zwycięstwa.

Przeczytał ją w dzień, podczas spożywanych samotnie posiłków i przerw w pracy, dotarł do końca, co wymagało pewnego samozaparcia, gdyż każdy akapit był szytym grubymi nićmi kłamstwem, zniekształceniem oczywistych prawd i zniewagą, splunięciem, którym pióro Arystona Mena Hydora kalało pamięć Rafaela Uribe, jak wcześniej, za życia generała, kalało jego wizerunek. Jeden z akapitów zaintrygował Anzolę szczególnie. Wspominano w nim z oburzeniem niewybaczalne grzechy Rafaela Uribe Uribe jako senatora Republiki. A cóż to były za grzechy? Wypominano mu, że nie wziął udziału w posiedzeniu, podczas którego dyskutowano oddanie Kolumbii w opiekę Najświętszego Serca Jezusowego, opuścił parlament, kiedy debatowano, czy kraj ma dołączyć do uroczystości katolickiego świata z okazji pięćsetlecia dogmatu o niepokalanym poczęciu. Tak, pomyślał Anzola, za to znienawidzono go na śmierć w tym kraju fanatyków, za to że nie chciał rzeźbić państwowych praw w glinie jego przesądów, za to że nie chciał powierzyć jego niepewnej przyszłości magii jakiejś pokiereszowanej teologii. Znana była anegdotka o tym, jak pewien kongresmen, widząc, że Uribe opuszcza salę obrad, gdy poddawano pod głosowanie przystąpienie do uroczystości, rzucił żarcik, z którego wielu głośno się śmiało.

„Generał jest jak diabeł", powiedział. „Kiedy tylko słyszy o Matce Boskiej, ucieka, gdzie pieprz rośnie".

Wróg religii katolickiej. Winny wojen domowych. Zabójca Kolumbijczyków. Znał te oskarżenia. Anzola słyszał to setki razy, setki razy czytał to na stronach gazet, ale teraz, podczas lektury *Tak i nie* poczuł coś więcej. Było to jak echo, jakiś delikatny posmak i chwilę kosztowało zrozumienie tego osobistego objawienia: głos Aristona Mena Hydora był wyjątkowo podobny do głosu autora, który pod pseudonimem El Campesino atakował wściekle generała Uribe na łamach „El Republicano". Były to felietony, które Anzola czytał i nad którymi od lat bolał; śledził polemiki, które wywoływały; dyskutował z innymi liberałami o ich implikacjach. Również El Campesino winił Uribe za to, że posłał na śmierć tysiące młodych ludzi podczas wojny w 1899 roku; również El Campesino oskarżał Uribe o to, że pragnie zniknięcia Kościoła, zniszczenia rodziny, wyeliminowania własności prywatnej i o to, że chce zaprowadzić w kraju socjalistyczny ateizm. El Campesino uważał też, że Uribe swoimi pismami pragnie wywołać kryzys moralności i pogardę dla wiary, która jest jedyną ostoją prawego życia. Kim był ten człowiek? Jeśli intuicja Anzoli była poprawna, El Campesino i Ariston Men Hydor to jedna i ta sama osoba, dwa różne pseudonimy, ale jeden oszczerca z krwi i kości. Jak to jednak potwierdzić?

Poszedł odwiedzić redakcję „El Republicano". Rozmawiał z redaktorami i z operatorem centralki. Młody reporter z opaską na oku wyszedł mu na spotkanie. „Tutaj nie", powiedział, wziął go pod ramię i poprowadził do wyjścia. Poszli za róg, młody człowiek przedstawił się Luis Zamudio, powiedział, że pracował jako reporter w czasie, kiedy El Campesino pisał swoje artykuły, powiedział, że podziwia i szanuje Anzolę, i życzył, żeby jak najszybciej odkrył prawdę o zabójstwie generała Uribe. Potem zapewnił, że nie wie, kto jest autorem artykułów krytykujących generała.

„Przychodziły do nas maszynopisy", powiedział Zamudio. „Nie powstawały w redakcji".

„Nie pisał ich naczelny?"

„O nie, na pewno nie", powiedział Zamudio. „My plotkowaliśmy, że piszą go jezuici. I nie trzeba być geniuszem, żeby dojść do takiego wniosku

„A kto je przynosił?"

„Czasem ojciec Velasco, przeor franciszkanów. Zamykał się z naczelnym w jego gabinecie. Czasem ojciec Tenorio. Jezuita, nie wiem, czy pan go zna".

„Znam", odparł Anzola. „A pan nie sądzi, że to mógł być on?"

„El Campesino?"

„Tak".

„Tego już nie wiem. Artykuły były napisane na maszynie. Nie sposób ustalić, czyją ręką. Wiem tylko, że nie pisano ich w redakcji". A potem dodał: „Ja się wstydzę, panie Anzola".

„Czego?"

„Tego, że gazeta zeszła na psy. Za to, co zrobili generałowi, tej prostackiej kampanii, którą wszczęli", powiedział Zamudio. Znów znaleźli się przed wejściem do redakcji. „Mogę pana o coś zapytać?"

„Tak".

„Czemu tak bardzo interesuje pana El Campesino? Kampania przeciw generałowi Uribe rozpętała się wszędzie. Czemu właśnie El Campesino?"

Anzola poczuł przypływ koleżeńskiej solidarności, przypomniał sobie, jak to jest komuś ufać, to poczucie wydało mu się kuszące (wzruszające, a zarazem budzące nostalgię) i mało brakowało, a wyjaśniłby całą sytuację nieznanemu dziennikarzowi z uszkodzonym okiem. Prawie opowiedział mu o Aristonie Menie Hydorze i *Tak i nie,* prawie powiedział mu, że według niego autor broszury i felietonów to jedna i ta sama osoba i że znalazł broszurę w rzeczach osobistych zabójców, w ich prywatnych celach, prawie mu wytłumaczył, że jego zdaniem zabójcy otrzymali te broszury od osób, które zleciły zbrodnię, że dały im je, żeby wzmocnić ich morale, podsycić ich nienawiść przeciwko generałowi Uribe, złagodzić ich poczucie winy, sprawić, żeby nie wydali mocodawców. Anzola uroił sobie, że odkrycie tej ukrytej tożsamości rzuci nowe światło na winnych zbrodni i dlatego wtedy, na wąskim chodniku, prawie opowiedział o tym reporterowi. Ale w porę się rozmyślił. Ten cały Zamudio potem wciąż będzie pracował w „El Republicano", prawda? Kto wie, jakie sekretne intencje przyświecały jego gadatliwości? Jakie niewidzialne sznurki sprawiły, że wyszedł z nim na przechadzkę? Czy Anzola mógł być pewien, że tej misji nie powierzył mu Salomón Correal albo prokurator Rodríguez Forero?

Rozejrzał się, żeby sprawdzić, czy nikt ich nie śledzi. Pożegnał się z reporterem i poszedł swoją drogą.

Pod koniec maja stało się to, co Anzola przewidział, czytając tajemniczy list do gazety „Etcétera". Prokurator Alejandro Rodríguez Forero z wielkim zaangażowaniem kazał szukać wszędzie świadka Alfreda Garcíę, który przedstawił w swoim liście wszystkie te przerażające oskarżenia. Napisał do Baranquilli, skąd nadszedł pierwszy list, kierując zapytanie w trybie pilnym, ale zapomniał o podstawowej sprawie, nie załączył rysopisu Garcíi, więc prośby nie sposób było spełnić. Burmistrz Baranquilli odpowiedział prośbą o rysopis poszukiwanej osoby, ale chociaż takie informacje były w aktach, nie doczekał się odpowiedzi. Prokuratura wysłała wówczas okólny telegram do burmistrzów republiki: *Proszę o sprawdzenie i zawiadomienie przez telegraf, czy w zarządzanym przez Państwa obwodzie zamieszkuje Alfredo García A.* Nikt tego nie potwierdził. Kiedy Anzola dowiedział się o treści telegramu, skierował się natychmiast do domu Juliana Uribe. „Dlaczego García A?", zapytał brata generała. „Dlaczego nie García B, dlaczego nie García C, skoro prokuratura doskonale wiedziała o zamieszaniu z inicjałami? Teraz wiemy, że zbrodniarze poprosili świadka, żeby podpisał się na trzy różne sposoby, chcieli, żeby go szukano i nie znaleziono, chcieli pozorować wysiłki, nie ryzykując, że te wysiłki przyniosą efekt. Miałem rację. Miałem rację, a wy mi nie wierzyliście". Julián Uribe musiał przyznać, że tak jest.

Rano 28 maja Anzola był w Panóptico, kiedy jeden ze strażników więziennych – miał na nazwisko Pedraza i podobno był pionkiem Salomona Correala, pomagał zabójcom robić interesy na zewnątrz – podszedł do niego, żeby powiedzieć, że ktoś na niego czeka przed budynkiem. Anzola wyszedł na ulicę, wciąż mokrą po ostatnim deszczu, i zobaczył sylwetkę Tomasa Silvy, który przyniósł najnowszy numer „El Tiempo"; opublikowano w nim wezwanie prokuratora. Rozłożył ją, wygładził strony dłonią, przeczytał: *Alejandro Rodríguez Forero, prokurator w sprawie zabójstwa generała Uribe Uribe, wzywa do stawienia się autora listu...*

Nie musiał czytać dalej. Anzola zrozumiał natychmiast: prokurator wzywał publicznie świadka, żeby zeznał wszystko, co wie o zbrodni, deklarował, że zapewni mu wszystkie gwarancje procesowe, ale w wypadku niestawiennictwa zostanie uznany za poplecznika.

Anzola przeszedł kilka kroków, usiadł na ławce przy alejce, pod drzewami o zakurzonych liściach. Patrzył na przejeżdżające samochody, które robiły wiele hałasu, patrzył na panie w kapeluszach na tylnych siedzeniach wozów, patrzył na konia, który robił kupę, idąc na północ, w stronę Barro Colorado. „Już po wszystkim, udało im się", powiedział. „To czarodzieje, mój drogi panie Silva, nic przeciwko nim nie wskóram; jego nieobecność została opłacona i możemy być jej pewni. Niech pan mi powie jedno: ile trzeba zapłacić człowiekowi, żeby zniknął, nie zabijając go? Ile trzeba zapłacić, żeby zmienić go w autora absurdalnych listów, a potem w widmo, a potem w fikcję, a potem w narzędzie mające ośmieszyć całe dochodzenie? Tym właśnie stał się teraz Alfredo García, naszym wymysłem mającym splamić dobre imię możnych tego kraju. Wszystkie jego oskarżenia, wszystko, co napisał w liście, zmieniło się w tej chwili i na zawsze w urojenia poplecznika. Po tym manewrze bez znaczenia staje się obecność Pedra Leona Acosty nad wodospadem Tequendama. Bez znaczenia staje się to, że zabójcy wyszli z budynku jezuitów. Nic na to nie poradzę. Ani ja, ani nikt inny. Robi mi się niedobrze, ale co ja mogę? Jak mam walczyć z siłą tak wielką, siłą zdolną sprawić, że Ana Rosa Díez zapada się pod ziemię, że Alfredo García pisze o rzeczach, o których nie ma pojęcia, a potem zmienia prawdę w kłamstwo, zmienia to, co było, w coś, co się nie wydarzyło. Myślałem, że tylko Bóg jest zdolny do podobnych cudów, ale okazuje się, że nie, że oni też mają taką moc. Tak, niedobrze mi się robi, to właśnie czuję. I co mogę na to poradzić? Chyba tylko zwymiotować, panie Silva. Zwymiotować wszystko, co mam w środku, i starać się, żeby moje wymioty nikogo nie obryzgały".

O świadku Alfredzie Garcíi nikt więcej nie wspomniał; zniknął nie tylko z akt procesowych, ale również z tego świata. Od czasu do czasu Anzoli zdarzało się o nim myśleć, zastanawiać się, gdzie jest, czy w Baranquilli, w Kostaryce, czy Mieście Meksyk, a może leży zakopany dwa metry pod ziemią z raną po maczecie na szyi albo po dwóch kulach wystrzelonych w potylicę. Pod koniec września zaczęła krążyć plotka, że prokurator Alejandro Rodríguez Forero skończył zbierać zeznania i prowadzić dochodzenie i niektórzy – niemający powodu kłamać – twierdzili, że zaczął pisać akt oskarżenia. Anzola usłyszał te plotki i pomyślał tylko: Zeznań Alfreda Garcíi nie będzie w akcie oskarżenia. Udało im się sprawić, że go nie będzie. Udało im się. Zbliżała się druga rocznica zbrodni i Anzola uświadomił sobie, że dawno nie odwiedzał t e g o   m i e j s c a. (Przyzwyczaił się nazywać to właśnie tak, „tym miejscem", w swoich monologach, w swoich rojeniach i snach). Zrobił to pewnego ranka. Szedł niby gdzie indziej, ale pozwolił sobie zboczyć na chwilę z drogi. Omijając Kapitol od tyłu, żeby dotrzeć na plac Bolivara, musiał z konieczności przejść przez fragment chodnika, gdzie policjant i przypadkowy przechodzień zatrzymali razem Leovigilda Galarzę, rekwirując mu zakrwawiony toporek. „Nie użyłem tego", powiedział Galarza później, „bo nigdy nie byłem zabójcą". Anzolę przeszedł dreszcz, jak gdyby właśnie zerwał się podmuch zimnego wiatru, który rozkłada na łopatki obcokrajowców, bo na chwilę całe miasto zamieniło się w   t o   m i e j s c e, a każda ulica i każda ściana w świadka i scenerię zabójstwa generała Uribe Uribe.

Anzola skręcił za róg. Wciąż jeszcze dzieliło go od chodnika dwadzieścia kroków, kiedy zauważył w znajomym pejzażu pewien nowy obiekt; kiedy się do niego zbliżał, nie odrywając od niego wzroku, zobaczył, że to tablica: nowa marmurowa tablica, którą ktoś zawiesił tu w ostatnich miesiącach, żeby bogotanie nie zapomnieli nigdy o tragedii. Przeczytał napis:

Tu, w tym żałobnym miejscu, dnia 15 października 1914 roku dwaj nikczemni złoczyńcy zamordowali zdradziecko ciosami toporków znamienitego męża stanu, doktora i generała Rafaela Uribe Uribe, ukochanego syna Kolumbii, dumę Ameryki Łacińskiej.

Kto powiesił tę tablicę? Dla kogo? Oczywiście nie dla tych obojętnych przechodniów, którzy przechodzili obok, nawet na nią nie spoglądając. *Dwaj nikczemni złoczyńcy*, czytał Anzola i nagle poczuł się oszukany. Nie, nie było ich dwóch, było ich o wiele więcej; w tym punkcie tablica była wspólniczką spiskowców. Poza tym słowo żałobne było kłamstwem, słowa *zamordowali zdradziecko* – górnolotne, słowo *toporki* nieprecyzyjne, a słowo *ukochany* – hipokryzją. Tak, pomyślał Anzola, cała ta tablica była jednym wielkim marmurowym oszustwem, powieszonym najpewniej na zlecenie wrogów generała tak wprawnych w sztuce zniekształcania rzeczywistości, wskazywaniu fałszywych tropów, zamiataniu pod dywan w pełnym świetle dnia. Wyryte w kamieniu, czyż nie tak mówiło się o prawdach ostatecznych, o czymś, co miało pozostać pewne do końca dni? Tablica ta, pod pozorem niewinnego upamiętnienia, była w rzeczywistości tryumfem spiskowców, narzuceniem tej wersji rzeczywistości, w której dwaj podpici stolarze zabijają generała, bo rząd nie zapewnił im zatrudnienia. Tablica stanowiła krok na drodze do nieodwołalnego uniewinnienia najważniejszych wilków z watahy; Anzola wyobraził sobie wówczas absurdalną scenę, że ktoś unosi tablicę, a pod nią, na murze, znajdują się nazwiska Salomona Correala i Pedra Leona Acosty, i Rufina Berestaina. Wtedy doznał olśnienia; marmurowa tablica zapowiadała w czterdziestu trzech słowach to, co – używając ich o wiele więcej – napisze prokurator w akcie oskarżenia, była jak zaorana ziemia po to, żeby zasiać w niej potem nasiona kłamstwa. Znów wyjął notatnik Lubina Bonilli i przepisał czterdzieści trzy słowa, i z każdą literą myślał o tym, że nie musi nawet czytać aktu oskarżenia, bo już wie, co w nim znajdzie. Znajdzie w nim sformułowania: *duma Ameryki Łacińskiej, znamienity mąż stanu* i, co najważniejsze, *zamordowany przez dwóch nikczemnych złoczyńców.*

Dwóch samotnych wilków. Dwóch zabójców pozbawionych wspólników.

Akt oskarżenia, dokument wykazujący na mocy prawa, kto stanie przed sądem za zabójstwo generała Uribe, opublikowano w listopadzie w Wydawnictwie Narodowym. Była to oprawna w skórę książka licząca trzysta trzydzieści stron drobnym drukiem, pełna specjalistycznych prawniczych terminów, ale ludzie połykali ją niczym bestsellerową powieść. „Już wyszła, już wyszła", słyszało się nawoływania ulicznych sprzedawców gazet, chociaż oni sami nie sprzedawali książki. Po południu tego samego dnia Julián Uribe zwołał pilne spotkanie, ale nie w swoim domu, tylko pod numerem 111 przy Dziewiątej Ulicy, w domu generała, w którym mieszkała jego żona, w którym jego gabinet i biblioteka znajdowały się w stanie, w jakim je zostawił, a jego duch był obecny na tysiąc rozmaitych sposobów: na schodach, po których zniesiono trumnę, w przestronnym salonie, gdzie odbyło się czuwanie przy zmarłym, w oknach, przez które, w dniu jego śmierci, wdarł się rozpaczliwy lament jego zwolenników. W gabinecie generała na Anzolę czekali Julián Uribe i Carlos Adolfo Urueta, obaj na stojąco, obaj przytłoczeni smutkiem lub oburzeniem.

„Już pan wie?", zapytał Urueta, gdy tylko zobaczył Anzolę.

Anzola zdobył swój egzemplarz w siedzibie „El Liberal" i otworzył od razu na spisie treści. Znalazł „Wnioski", znalazł „Orzeczenie o dalszym postępowaniu" i ze ściśniętym sercem stwierdził, że potwierdziły się wszystkie jego obawy. Po wniosku o otwarcie przewodu sądowego przeciwko Jesusowi Carvajalowi i Leovigildowi Galarzie prokurator uznawał, że brak dowodów odpowiedzialności innych osób. Anzola przeczytał listę niewinnych, wszystkich tych osób, których wymiar sprawiedliwości nie zamierza ścigać. Otwierał ją Aurelino Cancino, ów pracownik spółki francusko-belgijskiej, który z dwutygodniowym wyprzedzeniem przewidział zabójstwo generała Uribe, jednak jego zdolności prorocze nigdy nie zainteresowały prowadzących dochodzenie. Przeczytał powoli i uważnie prawie pięćdziesiąt nazwisk na liście, a na końcu znalazł jedyne, które naprawdę go interesowało: Pedro León Acosta zajmował ostatnie miejsce w tym inwentarzu infamii. Jakby ze mnie kpili, pomyślał Anzola, gdyż nazwisko Acosty stanowiło obsceniczny pomost pomiędzy tym a następnym akapitem, w którym stwierdzano ponad wszelką wątpliwość, że Salomón Correal jest niewinny. A teraz, w domu generała, jego brat patrzył na niego smutnymi zapadłymi oczyma, a Carlos Adolfo Urueta pytał: „Już pan widział?".

„Widziałem", odparł Anzola.

„Acosta, niewinny", powiedział Urueta, wymachując książką jak kaznodzieja. „Correal, niewinny".

„O jezuitach nie wspomniano słowem", dodał Julián Uribe.

„Ani słowem", potwierdził Urueta. „Jakby nie istnieli. Jakby pan nie ustalił tego, co pan ustalił. Oczywiście jeśli to nie jest tylko wytworem pańskiej wyobraźni".

„Nie zmyśliłem tego", zapewnił Anzola. „Wiem, że jezuici odwiedzają zabójców. Wiem, że zabójcy byli w kolegium San Bartolomé. Wiem, że jezuici spotykali się z Correalem. Wiem, że pewien pamflecista, ukrywający się pod pseudonimem Ariston Men Hydor, to ten sam autor, który podpisywał się jako El Campesino pod okropnymi artykułami wymierzonymi w generała Uribe.

„A kim jest ten człowiek?"

„Nie wiem", przyznał Anzola.

„Prawda?", zapytał Julián Uribe. „Ma pan poszlaki, panie Anzola, tylko i wyłącznie poszlaki. Gdzieś przewija się Acosta, gdzieś Correal, jeszcze gdzie indziej ksiądz Berestain. Chcę panu wierzyć, panie Anzola, ale sędzia nie zechce, bo to, co pan ustalił, nie spodoba się nikomu. Z tym aktem oskarżenia kończy się nasz czas. Prawo jest prawem, tylko wymienieni oskarżeni staną przed sądem. Ci, którzy nie znaleźli się w akcie oskarżenia, jakby nie istnieli. Wie pan o tym tak samo dobrze jak ja, prawda?"

„Owszem".

„Proces rozpocznie się pewnie za rok. Mamy rok na to, żeby udowodnić prokuratorowi, że akt oskarżenia jest jednym wielkim kłamstwem. Mamy rok na to, żeby dowieść, że w tej książce się myli. A dokładniej rzecz ujmując, to pan ma na to rok, panie Anzola. Ma pan rok na to, żeby nas nie zawieść i nie zawieść pamięci po moim zmarłym bracie. Ma pan rok, żeby nam udowodnić, że nie pomyliliśmy się, powierzając panu to delikatne dochodzenie. Wiele spraw wchodzi tu w grę, panie Anzola, to coś o wiele ważniejszego niż sprawiedliwość i kazus mojego brata. Jeśli to, co pan mówi, jest prawdą i istnieje spisek, przyszłość tego kraju zależy od tego, czy spiskowcy postawią na swoim. Ten, co zabija bezkarnie, zabije ponownie. Ten, który to zorganizował, znów to powtórzy. Co pan zrobi, żeby temu zapobiec?"

Anzola przez chwilę milczał.

„Proszę mi powiedzieć, panie Anzola", ciągnął Julián Uribe. „Co pan zrobi, żeby przekonać sędziego o tym, że ta książka jest zniekształceniem prawdy, a raczej, że prawda leży gdzie indziej i to my ją odkryliśmy".

„Ja też napiszę", odpowiedział Anzola. Wymówił te słowa z taką pewnością, że w tamtej chwili doznał złudzenia, iż podjął decyzję dawno temu. „Opowiem o wszystkim. A potem niech niebo rozpadnie się na kawałki".

Pierwszy z jego artykułów ukazał się pięć dni później.

Nikczemne zabójstwo generała Uribe Uribe, szacownego lidera liberałów będącego moralnym kompasem Republiki, pozostanie bezkarne, chociaż jeszcze nie rozpoczął się proces oskarżonych. Do tego właśnie wniosku doprowadziła nas lektura nieszczęsnego aktu oskarżenia doktora Alejandra Rodrigueza Forera, którego mieliśmy za człowieka prawego o nieskazitelnej moralności, a przynajmniej uważaliśmy za bardziej starannego i rygorystycznego. Jego dokument jest jednak smutnym dowodem na to, jak wielką władzę mają nad całym społeczeństwem ci, którzy do tej zbrodni podżegali, a wciąż pozostają w cieniu; skoro mogą chcieć śmierci osobistości tak sławnej jak generał Uribe i osiągnąć swój cel, skoro mogą w biały dzień zorganizować tak tchórzliwy i zdradziecki zamach, jakiego ofiarą padł nasz mąż stanu 15 października 1914 roku, musimy pogodzić się z faktem, że nikt z nas nie może czuć się bezpieczny, gdyż ludzie mający władzę decydują potajemnie, kto przeżyje, a kto umrze w tym opuszczonym przez Boga kraju.

Akt oskarżenia jest dokumentem doskonałym, ale nie przez skrupulatność dowodzenia ani dążenie do sprawiedliwości, lecz dlatego, że ujawnia niezwykły wprost talent do zatajania prawdy i ukrywania prawdziwych sprawców wspomnianej zbrodni. Zła wola prokuratora wydawała się od samego początku aż nazbyt oczywista, dlatego brat ofiary Julián Uribe uznał za konieczne – kierując się podejrzliwością, która bywa dobrym doradcą – powierzyć nam równoległe dochodzenie. Wówczas uznaliśmy to zlecenie za zaszczyt, zaszczyt, który przypadł nam w udziale ze względu na to, że znaliśmy i ceniliśmy dzieło generała Uribe, rozpaczaliśmy po jego śmierci, nie wyobrażaliśmy sobie wtedy, że będziemy musieli stawić czoło temu splotowi zmów, fałszerstw, amoralności i kłamstw. Przez długie miesiące nie szczędziliśmy czasu ani sił, żeby opinia publiczna poznała prawdę o tym, co się wydarzyło, na przekór ciemnym interesom tych, którzy wypaczyli fakty i przeszkadzali w dochodzeniu; dziś ze stron tego odważnego dziennika ośmielamy się podnieść oskarżycielski palec, podobnie jak zrobił to słynny Emil Zola w niedawnych i równie ciężkich czasach, i powiedzieć: Oskarżamy.

Oskarżamy generała Salomona Correala, Komendanta Głównego Policji, o przekroczenie uprawnień, jakiego dopuścił się, przejmując śledztwo w sprawie zabójstwa generała Uribe, zarzucamy mu też, że mijał się z prawdą, twierdząc, iż nastąpiło to na osobistą prośbę prezydenta Republiki. Oskarżamy generała Salomona Correala o prześladowanie i szykanowanie śledczych takich jak generał Lubín Bonilla, sądzących naiwnie, że ich powinnością jest znalezienie zabójców Rafaela Uribe Uribe, a nie roztaczanie nad nimi zasłony dymnej. Oskarżamy generała Correala o to, że odmawiał przyjęcia dowodów obciążających inne osoby poza fizycznymi sprawcami zbrodni oraz o to, że razem z prokuratorem nie dopuścił, by pewien ważny świadek mógł złożyć zeznania. Oskarżamy generała Correala o ukrywanie dowodów, na przykład wtedy gdy otrzymał plik papierów znalezionych w domu zabójców i na oczach swoich podwładnych schował je do kieszeni, a potem zastąpił innymi, pozostawiając potomności pytanie, jakie informacje zawierały owe – od tamtej chwili zaginione – dokumenty. Oskarżamy go o to, że pozwolił zabójcom komunikować się po aresztowaniu; oskarżamy go o to, że dawał im znaki, kiedy powinni milczeć, a kiedy odpowiadać na pytania zadawane przez śledczych; oskarżamy go o to, że za jego zgodą cele zabójców w Panóptico dzieliła tylko cienka ścianka, mogli zatem uzgodnić swoje kłamstwa i strategie; oskarżamy go o zapewnienie każdemu z zabójców osobistych służących, którzy gotują dla nich to, o co poproszą, ścielą im rano łóżka, a wynoszą nieczystości wieczorem, kupują dla każdego z nich niezwykłe ilości jedzenia na pobliskim targu, według niektórych więźniów, sześć funtów mięsa i tłuszczu. Oskarżamy go, na koniec, o wykorzystywanie swojej władzy, która jest niemała, do zapewnienia zabójcom warunków, jakich żaden inny kolumbijski więzień nie ma prawa oczekiwać. Dlaczego? Bo tylko ci zabójcy mogą wydać prawdziwych winnych śmierci generała Uribe, bo tylko ci zabójcy znają prawdę, która jest cenniejsza niż złoto.

Postępowanie generała Correala wzbudzi wiele podejrzeń u każdego, kto chłodnym okiem przyjrzy się jego poczynaniom, u każdego ciekawego umysłu ponad wszystko łaknącego prawdy. Nie jest to wszakże przypadek prokuratora Rodrigueza Forera, będącego wspólnikiem generała od samego początku śledztwa; jego postawa nie przystoi niezależnemu urzędnikowi, przypomina raczej postawę niewolnika ślepo posłusznego swoim panom. I tak Rodríguez Forero odmówił sprawdzenia prawdziwości zeznań wielu świadków twierdzących, że widzieli generała Pedra Leona Acostę w towarzystwie zabójców nad wodospadem Tequendama, odmówił choćby rozważenia możliwości, że to *Pedro León Acosta był człowiekiem, którego widziano z zabójcami w przeddzień zbrodni przed drzwiami zakładu stolarskiego. Odmówił – jednym słowem – zbadania możliwego współudziału Pedra Leona Acosty, mimo że tysiące poszlak wskazywały na to, że był zamieszany w zbrodnię. Prokurator, mimo zgodnych zeznań dziesiątek świadków, wybrał słowo podejrzanego, który oświadczył, że w dniach poprzedzających zamach nawet nie było go w Bogocie. Czytelnicy „La Patria" pamiętają zapewne, gdyż jest to fakt powszechnie znany, że generał Pedro León Acosta jest tym samym człowiekiem, który pewnego niesławnego dnia próbował zabić prezydenta republiki generała Rafaela Reyesa. To jego słowa przedkłada prokurator nad słowo innych? Co mówi nam to o prokuratorze Rodriguezie Forero, rzekomym reprezentancie interesów społeczeństwa, który daje wiarę słowom puczysty, a lekceważy zeznania obywateli pozbawionych kryminalnej przeszłości?*

Dzisiaj tylko umyślna krótkowzroczność albo zła wola pozwalają zaprzeczyć oczywistej prawdzie, że generał Pedro León Acosta ponosi znacznie większą odpowiedzialność za zabójstwo, niż wynika to z aktu oskarżenia. Tylko korupcja i nieudolność pozwalają bez zażenowania twierdzić, że Komendant Główny Policji jest wolny od podejrzeń i niewinny zaniedbaniom. I tylko ignorancja albo całkowita amnezja mogą przejść do porządku dziennego nad tym, że te dwie okrutne osoby mają ze sobą coś wspólnego, próbowały kiedyś zamordować prezydenta republiki. Salomón Correal, torturując leciwego doktora Manuela Marię Sanclemente; Pedro León Acosta, dokonując tchórzliwego zamachu na generała Rafaela Reyesa. Czy potrzeba jeszcze dodatkowych dowodów na to, że są wspólnikami i mają podobne cele?

Ale trójkąt zła, który bezkarnie zmiótł z mapy liberalnego caudilla, ma jeszcze trzeci wierzchołek. Jest nim, drodzy czytelnicy „La Patrii", uczciwi Kolumbijczycy, Towarzystwo Jezusowe. Skandal, zakrzykniesz czytelniku? Świętokradztwo! Nie, to po prostu kwestia odwagi, żeby napisać czarno na białym o pewnych bolesnych dla wszystkich prawdach, które jednak nie wszyscy chcą przyjąć do wiadomości.

Odsyłam wprost do dowodów. Kim byli ludzie, którzy rozmawiali za zamkniętymi drzwiami z Komendantem Głównym Policji? To jezuici, reprezentowani przez ojca Rufina Berestaina. Kto wykorzystał ambonę podczas ćwiczeń duchowych, żeby obrazić i skalać pamięć zamordowanego generała zaledwie tydzień po tym tragicznym dniu; kim są ci, którzy życzyli sobie, by jego dusza zgniła w piekle? Znów jezuici, znów w osobie Baska Berestaina, zadeklarowanego karlisty, makiawelicznego Rasputina policji. Skąd wychodzili zabójcy w nocy 13 października 1914 roku według świadectw, które zdołaliśmy zebrać? Z kolegium jezuitów mającego tyle drzwi na Dziewiątą Ulicę. Kto odwiedza zabójców w Panóptico i spędza z nimi czas, kto przywozi im książki, które oczerniają i zniesławiają generała Uribe, bez wątpienia po to, żeby podtrzymać ich morale i przekonać, że ta potworna zbrodnia nie kłóci się z katolicką wiarą, co więcej, zostanie przez nią usprawiedliwiona? Jezuici. Jezuici. Jezuici.

Rzucając te trudne oskarżenia z trybuny wolnej prasy, nie mamy na celu wydawania wyroków karnych, tym zajmie się nasz wymiar sprawiedliwości. Zadowolimy się doniesieniem o błędach i lukach w akcie oskarżenia, który wydaje się zredagowany po to, żeby ukryć prawdę, a nie ją ujawnić. Akt oskarżenia doktora Rodrigueza Forera stawia tezę, że nie było więcej osób zamieszanych w zamach

na generała Uribe Uribe poza zabójcami, którzy przy-
znali się do winy i czekają na proces, ale zdrowy rozsą-
dek i staranne dochodzenie sugerują szerszy wachlarz spi-
skowców i winnych, w tym prominentnych postaci naszego
społeczeństwa. W kolejnych dniach, jeśli Bóg nam na to
pozwoli, a łamy tej heroicznej gazety zechcą nas ugościć,
napiszemy o wszystkim, co zdołaliśmy ustalić podczas na-
szego własnego śledztwa, nieskażonego poszukiwaniem
sensacji ani żądzą zemsty. Poszukujemy tylko odpowie-
dzi na nasze uzasadnione pytania. Czy lud Kolumbii
nie ma prawa poznać wszystkich przekłamań, spisków
i matactw? Nie powinien poznać prawdy o tych, którzy
kierują jego losem? Kim są prawdziwi sprawcy zabójstwa
generała Uribe Uribe?
    Kim oni są?

Kiedy Mario Tulio Anzola przeczytał na stronach „La Patrii"
swój własny artykuł, pomyślał, że teraz to prawda – nie ma
już odwrotu. W następnych miesiącach nierzadko wysyłał
do gazety rezultaty swojego dochodzenia, a może raczej spisywał w sposób czytelny coś, co chaotycznie zamieszkiwało
przepastny świat jego notatek i dokumentów, i wiedział, że
pisze coś więcej niż tylko serię oburzonych felietonów, była
to zapowiedź przyszłej książki: książki, która miała być odważną odpowiedzią Anzoli na akt oskarżenia, dowodem na
to, że Julián Uribe nie pomylił się, zlecając mu to zadanie;
książki, która miała być – tak właśnie – jego wersją *J'acusse*.
Nie pisał tych artykułów pod pseudonimem, jak czynili to
wcześniej El Campesino albo Ariston Man Hydor ze swymi
pełnymi oszczerstw diatrybami przeciwko generałowi Uribe,
ale podpisywał je swoim imieniem i nazwiskiem, wielkimi dumnymi literami, i schlebiało mu, że przypadkowi

czytelnicy zaczepiali go na ulicy (w parku Los Mártires, na przykład, albo w kawiarni La Golosa) i chwalili za odwagę. Rozeszła się plotka, że te skandalizujące artykuły złożą się na książkę, a w oczach i w głosach tych niewielu czytelników był szacunek, a czasem nawet podziw. Anzola nigdy wcześniej nie poznał, czym jest próżność, przerażająca próżność bycia odważnym.

Wtedy mniej więcej zaczął dostrzegać podejrzane osoby na rogach ulic. Wszystko zaczęło się pewnego ranka, kiedy wyjrzał przez okno, żeby sprawdzić, czy nie pada, i zamiast deszczu ujrzał dwóch mężczyzn, którzy wydawali się obserwować jego dom. Zobaczył ich znowu – przynajmniej pomyślał, że to ci sami, ale potem nie mógł tego potwierdzić, nawet gdyby zależało od tego jego życie – kiedy wychodził ze swojego gabinetu w piątek wieczorem. Nikomu o tym nie powiedział, zwłaszcza Julianowi Uribe, nie chciał być kimś, kto tchórzliwie ogląda się za siebie. Generał Uribe, myślał, nie oglądał się za siebie tamtego dnia, nie był takim człowiekiem. Czy Anzola miał prawo ulegać lękom, którymi wielki generał gardził?

Napisał jednak do Szefa Kancelarii Premiera. Przypomniał mu o jego odpowiedzialności za dbanie o prawa obywateli i gwarancje osobiste, napisał o swoim zainteresowaniu wyjaśnieniem sprawy zabójstwa generała Uribe, wspomniał, że jako część tego zadania *jak najbardziej zgodnego z prawem* zaczął publikować w dzienniku „La Patria" serię felietonów wytykających błędy osób odpowiedzialnych za oficjalne śledztwo. Od tamtej pory, wyjaśniał w swoim liście, stał się ofiarą *zakamuflowanego, ale nie mniej przez to niebezpiecznego prześladowania przez nieznanych osobników* i prosił pana ministra o wsparcie ze strony agentów lub inspektorów, w celu ich ujęcia. *Nie chcę przez to powiedzieć, że ja, niżej podpisany, proszę o policyjną ochronę*, pisał

Anzola, *chcę tylko móc liczyć na pomoc władz, kiedy sytuacja się powtórzy.*

Miesiąc później otrzymał odpowiedź. Nie była to odmowa, tylko splunięcie w twarz: *Jeśli tylko powtórzy się to, o czym wspomina nasz kronikarz, policja udzieli mu stosownej pomocy.* Anzola zobaczył w tym pogardliwym sarkazmie znak rozpoznawczy Salomona Correala. Tymczasem „Sansón Carrasco" opublikował barokową karykaturę ukazującą dwa stronnictwa tej wojny: z jednej strony stał Anzola, z dzikim wyrazem twarzy, orlim nosem i wielkimi zębami, przedstawiono całą jego sylwetkę obok rozmytych postaci generała Uribe i śmierci z kosą; z drugiej stał Salomón Correal trzymający spokojnie krzyż. Podpis głosił: *Tchórze atakują w grupie.* Karykatura ukazała się w poniedziałek, następnego dnia Anzola poszedł na konferencję zwolenników Marca Fidela Suareza, gramatyka z siwą brodą, od dawna członka-korespondenta Królewskiej Akademii Hiszpańskiej, którego zaczęto wymieniać jako możliwego kandydata Partii Konserwatywnej w przyszłorocznych wyborach prezydenckich. Spotkanie miało miejsce w parku Independencia, zmęczone drzewa i niskie okoliczne domy nie chroniły nikogo przed wiatrem wiejącym od strony wschodnich wzgórz. I kiedy Anzola znalazł się pośród anonimowego tłumu, czekając, aż pierwszy mówca wejdzie na trybuny, ktoś go rozpoznał.

„To pan jest tym ateistą", powiedział stojący niedaleko mężczyzna w czarnym poncho.

I zanim Anzola zdążył zareagować, zrobiło się zamieszanie. „Ateista!", krzyczały usta, których nie widział. Anzola próbował się bronić. „Jestem katolikiem!", odpowiedział bez sensu. „Chodzę do kościoła". Za groźnymi twarzami, za złotymi zębami błyszczącymi w pełnych obelg ustach korony drzew zaczęły się poruszać. Przypomniał sobie, co spotkało generała

Uribe niedługo przed jego śmiercią; w parku takim jak ten, może nawet w tym samym, podczas wystąpienia Ricarda Tirada albo Fabia Lozana rozwścieczony tłum zaczął wznosić wymierzone w niego okrzyki, okrążył go i prawie rzucił się nań z pięściami, na szczęście jego towarzysze otworzyli czarny parasol i używając go jako tarczy, niemal wynieśli generała na rękach. Anzola pomyślał o generale Uribe, pomyślał o nienawiści, o tym, jak łatwa jest nienawiść, i pomyślał, że każdy człowiek nieustannie ma powody, żeby zabić innego. I wtedy zaczęło padać. Uwagę agresywnych mężczyzn zaabsorbował teraz deszcz, jakby byli dziećmi albo dzikimi zwierzętami, Anzola zaś zrobił kilka długich kroków i znalazł się na przyległym do parku chodniku. Przestali się nim interesować, iskra zbiorowej nienawiści zgasła tak szybko, jak się zatliła. Kilka minut później szedł już do domu, zmęczony i zdenerwowany, z szeroko otwartymi oczami i lekko drżącymi rękami.

Mniej więcej wtedy napisał do Ignacia Piñeresa, Dyrektora Generalnego Służby Więziennej, z prośbą, żeby zarządził i przeprowadził przeszukanie w celach morderców. Czy będą tam dowody, cenne tropy, obciążające ich dokumenty, które pozwolą mu podtrzymać swoje oskarżenia? Anzola uważał, że to możliwe, zwłaszcza po tym, co zobaczył podczas swojej sekretnej misji w Panóptico, ale żeby się o tym przekonać, musiał przeprowadzić przeszukanie zgodnie z przepisami prawa, a jednocześnie w taki sposób, żeby nikt nie uprzedził zabójców. Nie musiał Piñeresa długo namawiać; 14 marca około wpół do dziesiątej rano razem dotarli do Panóptico. Towarzyszył im Dyrektor Okręgowy Służby Więziennej, młody mężczyzna o nazwisku Rueda, który mówił i poruszał się tak, jakby coś utkwiło mu między pośladkami i do którego wysokiego głosu Anzola musiał się przez długą chwilę przyzwyczajać. Piñeres za to od początku przypadł mu do gustu. Był uprzejmy, starał się spełniać prośby Anzoli. Kiedy stanęli przed celami Galarzy i Carvajala, postanowił od początku pokazać swoją władzę, wyręczając w tym Anzolę; poinformował zabójców spoglądających na niego podejrzliwie ze swoich pryczy o tym, co zamierzają zrobić, i poprosił ich tonem stanowczym, acz uprzejmym, żeby zaczekali na korytarzu. Galarza wyszedł pierwszy, boso, i Anzola zobaczył jego nieowłosione stopy i brudne paznokcie, i lewy paluch, fioletowy, jakby Galarza się uderzył; Carvajal wyszedł trochę później, omiatając spojrzeniem pomieszczenie, jakby chciał sprawdzić, czy nic podejrzanego albo obciążającego go nie zostało na wierzchu. Zabójcy oparli się o ścianę korytarza, nie patrzyli na siebie. Z ich twarzy, z ich bladych i cienkich warg, których szczurze wąsiki nie dały rady osłonić, wyczytać można było wrogość, a jednocześnie spokój, jakby to wszystko nie miało z nimi nic wspólnego. Galarza, wbijając skośne oczy w krawat Anzoli, zapytał:

„To jaśniepan tutaj pracował, prawda?"

„Tak", potwierdził Anzola.

„I nie wyrzucili pana?"

„Nie, nie wyrzucili", odparł Anzola. „Przenieśli mnie. Dostałem awans. Nie wyrzucili mnie".

„A nam powiedziano, że pana wyrzucili".

„Kto?"

„Ludzie".

„To nieprawda. Dostałem awans. Nikt mnie nie wyrzucił".

Galarza powiedział: „Aha".

I wtedy zaczęło się przeszukanie. Przez trzy i pół godziny urzędnicy przetrząsnęli dwa przyległe pomieszczenia: rozglądali się, dotykali, rozdzielali, a potem zapisywali wszystko w notatniku podobnym do tego, jakiego użył kiedyś Alfredo García, żeby spisać swoje bezużyteczne zeznania. W celi

Carvajala, do której weszli najpierw, znaleźli trzyczęścio-wy dzianinowy garnitur w dobrym stanie, nowe spodnie i nieznoszoną marynarkę, trzy koszule szyte za granicą oraz paczkę kalesonów i podkoszulków w dobrym gatunku. Znaleźli dziesięć łokci sznurka, zwiniętą siatkę, piłę i trzy igły. Znaleźli pudełko czekoladek i rogalików, portfel z pieniędzmi i breloczek bez kluczy, i mnóstwo listów i książek, które Anzola zaczął przeglądać, podczas gdy Piñeras i Rueda krążyli z jednego przestronnego pomieszczenia do drugiego pod beznamiętnym spojrzeniem zabójców. W celi Galarzy znaleźli wełniane koce, trzy pary prawie nowych butów, trzyczęściowy garnitur z zielonego sukna w doskonałym stanie, cztery pary spodni, dwa tyrolskie kapelusze, pół tuzina nowiutkich kołnierzyków, pudełko krawatów i paczkę kalesonów dobrej jakości. Przejrzawszy tę garderobę, Piñeres streścił sytuację w siedmiu słowach.

„Ci nieszczęśnicy ubierają się lepiej niż ja".

Tymczasem Anzola kartkował książki i zeszyty zabójców, jakby pragnął znaleźć w nich jakąś objawioną prawdę, i notował swoje spostrzeżenia w notatniku Lubina Bonilli. Kiedy skończył, dochodziła pierwsza, ale zamiast zwrócić się do morderców, przeszedł przez dziedziniec i zwrócił się do strażnika słowami, które mogły być pytaniem, zabrzmiały jednak jak oskarżenie:

„Uprzedziliście ich, że przyjdziemy".

„Nie, jaśniepanie", powiedział łamiącym się głosem. „Wczoraj w nocy przyszedł generał, ja nic nie zrobiłem".

Pytany strażnik nazywał się Carlos Riaño. Od niego dowiedzieli się, że ubiegłej nocy, chwilę przed dwunastą, Salomón Correal przyjechał do Panóptico z jednym ze swoich zaufanych ludzi, oficerem Guillermem Gambą. Naczelnik Panóptico osobiście zaprowadził go do cel morderców, a potem zostawił go z nimi sam na sam. Spotkanie trwało mniej więcej pół godziny, ale ani strażnik Riaño, ani więźniowie, ani naczelnik nie wiedzieli, o czym rozmawiano.

„A kto uprzedził Correala?", zapytał Anzola. „Wiedzieliśmy o tym tylko wy i my. A my tego nie zrobiliśmy".

„Generał wszędzie ma swoje oczy i uszy, jaśniepanie", powiedział Riaño. „Zwłaszcza jeśli ma to jakiś związek z Carvajalem i Galarzą. Nic nie dzieje się w tym więzieniu bez jego wiedzy. Za każdym razem, kiedy tych dwóch łapie się za łby, zjawia się generał albo ojciec Tenorio. Przysięgam, jakby widzieli wszystko, co dzieje się w Panóptico".

Galarza i Carvajal, opowiedział wówczas, od wielu miesięcy zachowywali się jak niedobrane małżeństwo. Tylko interwencje Correala albo księdza sprawiały, że się pogodzili. Ostatni incydent miał miejsce kilka dni wcześniej: Riaño był w swoim pomieszczeniu, sąsiadującym z celami zabójców, grał w szachy z kolegami, a właściwie obserwował partię innych na drewnianej szachownicy. Wtedy rozległy się pierwsze krzyki. Carvajal wyrzucał Galarzie, że to przez niego obaj się tu znaleźli, że wszystko to przez zadawanie się z tymi ludźmi, że on nie rozumie, jak w ogóle mógł go posłuchać, chociaż wcześniej wiodło im się tak dobrze. A Galarza zaczął go wyzywać. „Zamknij się, skurwielu jeden", krzyczał. „Jak tylko coś chlapniesz, poderżnę ci gardło". Carvajal odpowiedział wrzaskami obrażonej żony, że wcale się go nie boi, ale oczywiste było, że jest dokładnie odwrotnie. Wtedy Galarza poszedł po swoją brzytwę i na oczach wszystkich schował ją do kieszeni spodni. Carvajal pobiegł schronić się w klozecie.

„I Correal dowiedział się o tym wszystkim?"

„Nie wiem, czy się dowiedział, ale następnego dnia zjawił się ojciec Tenorio, zabrał ich do kaplicy i zamknął za sobą drzwi. Tak jak zawsze. A potem wyszli z tej kaplicy jak gdyby nigdy nic", powiedział Riaño. I dodał: „Widać słusznie powiadają, że spowiedź pozwala zdjąć z duszy największy ciężar".

„Tak powiadają", rzekł Anzola. I zapytał: „Zabrali coś? Correal i jego podwładni, zabrali coś z cel?".

„Niczego nie widziałem", oznajmił Riaño.

Anzola zasugerował kilka rzeczy Dyrektorowi Generalnemu Służby Więziennej: przede wszystkim odebranie zabójcom sznurów i narzędzi pozwalających im się zranić, a także zranić innych albo spróbować ucieczki, zarekwirowanie tyrolskich kapeluszy, których mogliby użyć, żeby się przebrać, gdyby ktoś pozwolił im wyjść na zewnątrz. Wszystko to zostało zrobione. Po powrocie do domu Anzola czuł się zadowolony, a jednocześnie zmartwiony, na własne oczy przekonał się, że jest tak, jak twierdzili świadkowie; generał Toporek i jezuici zmienili się praktycznie w ojców chrzestnych albo protektorów zabójców. Tak bardzo bali się tego, co mogli powiedzieć? *Spowiedź pozwala zdjąć z duszy największy ciężar*, powiedział strażnik Riaño, Anzola myślał zaś, że nie, ulgę przyniosła zabójcom nie spowiedź, ale obietnice ich przełożonych. Ta wizyta odbyła się z tego samego powodu, dla którego dotarły do cel broszury z inwektywami pod adresem generała Uribe i ulotki nazywające go wrogiem Boga i kościoła. Anzola zanotował: *Wzmocnić morale zabójców*. A potem: *Uspokoić ich sumienia*. Zanotował też: *Zapewnić ich, że nie pójdą do piekła.*

Kilka dni po przeszukaniu zabójcy dostali paczkę od kapelana Panóptico. Otworzyli ją, znaleźli dwie pary nowych butów i bieliznę. Carvajal wybrał buty z żółtej skóry, Galarza z białego płótna żaglowego, podzielili się też nowymi podkoszulkami i kalesonami w romby. To wszystko opowiedział strażnik Riaño. Opowiedział też, że pewnego popołudnia widział, jak zabójcy wracają do swoich cel, każdy z nich niósł w ręku nowy dzianinowy garnitur. Nie wiedział, skąd wracają ani kto ich odwiedził, ale Galarza wrzucił swój pakunek ubrań do kufra, nawet na niego nie patrząc, jakby wcale go nie potrzebował, za to Carvajal rozłożył swoje nowe ubrania i przyglądał im się przez chwilę, unosząc wyżej, żeby móc je dokładniej obejrzeć, wtedy jednak zdał sobie sprawę, że go Riaño obserwuje, więc włożył je do kufra i zatrzasnął wieko mocno i bezczelnie. Anzola wysłuchał świadectwa i wyczuł w tych słowach taką dawkę zawiści i złości, niekłamaną pogardę wobec osadzonych, którzy żyli lepiej niż ich strażnicy, że doznał pewnego nieprzyjemnego olśnienia. Pomyślał, że wystarczyłoby zaledwie kilka monet, żeby Galarza i Carvajal zginęli pewnej pięknej nocy, żeby poderżnięto im gardła podczas snu i żeby się wykrwawili na swoje miękkie haftowane poduszki.

Kilka dni temu razem z Dyrektorem Generalnym Służby Więziennej udaliśmy się do Panóptico celem przeprowadzenia niezapowiedzianej rewizji w celach Jesusa Carvajala i Leovigilda Galarzy. Ku naszemu największemu zdumieniu dowiedzieliśmy się, że generał Salomón Correal, Komendant Główny Policji, jakimś tajemniczym sposobem dowiedział się o naszej wizycie i osobiście odwiedził zabójców około północy poprzedniego dnia, uprzedzając nasze odwiedziny. Czytelnicy „La Patrii" zastanawiają się pewnie, co miał do roboty Komendant Główny Policji w tak późnych godzinach nocnych w celach morderców generała Rafaela Uribe Uribe, którzy przyznali się do winy. Nie trzeba być Sherlockiem Holmesem, by się domyślać, że intencje osoby otrzymującej informacje od szpiegów i działającej w sekrecie, pod osłoną nocy, nie mogą być czyste.

Ale teraz zostawmy na boku oskarżenia – aczkolwiek mamy ich wiele i to bardzo poważnych – jakie moglibyśmy rzucić w twarz człowiekowi, którego lud w swojej mądrości przezywa generałem Toporkiem. Chcielibyśmy natomiast przedstawić czytelnikom kilka odkryć, którymi obdarował nas los podczas wspomnianej wizyty, a czytelnicy sami przypiszą im znaczenie wedle oceny własnych sumień. Pierwszym jest notatnik należący do Jesusa Carvajala, z którego ktoś wyrwał siedem kartek przed naszą wizytą, żebyśmy nie mogli poznać ich zawartości. Ale ręce wspólników nie mogły wyrwać wszystkich stron, na których znaleźliśmy wiele cennych informacji. Widzieliśmy na przykład następujący wpis z dnia pierwszego lipca 1916 roku: „Kupiłem od José Garcíi Lozana wypełniony wełną materac za czterysta pięćdziesiąt pesos (450)". Nawet osoba obdarzona najbardziej tępym umysłem zapyta się pewnie, jak więzień może dysponować tak pokaźną sumą. W słynnym już niestety akcie oskarżenia czytamy, że w chwili popełnienia zbrodni Galarza i Carvajal byli tak biedni, że musieli zastawić ręczną wiertarkę za pięćdziesiąt pesos. Teraz, według tego, co przeczytaliśmy, wydają setki pesos na ubrania i inne zbytki, co więcej, mają jeszcze gotówkę, żeby pożyczać współwięźniom na procent. Cóż za tajemnicza odmiana losu! Ale nie wydało się to godne uwagi prokuratorowi Rodriguezowi.

Przyjrzyjmy się teraz temu, co stało się przez te lata z ludźmi otaczającymi zabójców. Matka Galarzy wiele razy odwiedziła Komendanta Głównego Policji, według zeznań świadków, których prokurator nie chciał wziąć pod uwagę, wyraziła swoje zaniepokojenie tym, że jej syn, jedyny żywiciel i opiekun, znalazł się w więzieniu, a generał Correal poprosił, żeby się nie martwiła, i zapewnił, że będzie dostawać pieniądze od osób trzecich. María Arrubla, konkubina Galarzy, nie żyje już – jak wcześniej – w biedzie, co więcej sama zatrudnia służbę i urządza przyjęcia dla sąsiadów. María Arrubla przez jakiś czas przebywała w więzieniu Buen Pastor, w czasie gdy ważyły się losy jej sytuacji prawnej, cieszyła się przywilejami

jak nikt inny, powierzono jej nadzór nad innymi więź-
niarkami, codziennie przynoszono litr mleka i menażkę
z jedzeniem, do których nikt inny nie miał prawa. Jedna ze świadkiń zeznała: „Wiem, że przed zabójstwem
generała Uribe Uribe María Arrubla ubierała się biednie,
w sukienki z drukowanej bawełny i łapcie na słomianej
podeszwie, potem zaś widziano ją w trzewikach, jedwab-
nych chustach i spódnicach z sukna, podobno też używa
dwóch nazwisk". Czy ta sytuacja wywołała jakiekolwiek
wzburzenie prokuratora? Nie zaskoczymy nikogo, mówiąc,
że nie zrobiono w tej kwestii zupełnie nic.

Krewnych Carvajala spotkało podobne szczęście.
We wspomnianym wyżej zeszycie znaleźliśmy następujący wpis: „19 maja Alejandro z Bogoty pojechał do Tolimy".
Mowa tu o Alejandrze Carvajalu, bracie Jesúsa, również
obecnym na miejscu zbrodni – dziwny zbieg okoliczności,
ale prokurator jakoś nie chciał go zbadać – który uchronił
Jesusa przed możliwą furią tłumu. Poczyniliśmy pewne
ustalenia, których prokurator nie uznał za stosowne po-
czynić, i odkryliśmy, że brat zabójcy, wcześniej skrajnie
biedny, jest teraz zamożnym kupcem w Ibagué i przyjął
nazwisko Alejandro Barbosa. Niech czytelnicy ocenią, czy
nie ma czegoś wysoce podejrzanego w tak nagłej odmianie
losu, a jeśli ktoś zmienia nazwisko, bez wątpienia chce
coś ukryć i zatuszować.

Mimo wszystko prokurator w swoim akcie oskarżenia odrzuca hipotezę, że zabójstwo Rafaela Uribe Uribe
mogło mieć motyw finansowy. Zeznania świadków krą-
żą wokół tego tematu od początku śledztwa, ale prokurator poczynił nadludzkie wysiłki, żeby ich nie zauważyć.
Dlaczego? Ponieważ jeśli uznałby, że motywem działania zabójców był zysk, musiałby ipso facto zbadać, skąd
pochodziły pieniądze, i zastanowić się, kim są ci, którzy

płacą. Żeby ułożyć swoją bajeczkę o zbrodni, prokurator musiał zignorować każdy ślad prowadzący gdzie indziej, teraz wiemy, że nie chodzi tu o zwykłe zaniedbanie, ale o niezaprzeczalną wolę ukrycia rzeczywistych sprawców: niewidzialne ręce, które zleciły i opłaciły – pieniędzmi splamionymi krwią – zabójstwo człowieka i rozdarły na pół historię narodu. A my pytamy w dalszym ciągu: Kim są te czarne ręce?

Kim oni są?

W połowie lipca Julián Uribe posłał po Anzolę. „Mam jeszcze jedno zeznanie", powiedział, „ale nie jest takie jak inne. Jeśli to nie przekona sędziego, to już nic go nie przekona".

Anzola siedział teraz w salonie Juliana Uribe, jak tyle razy w ciągu ostatnich lat; bywało, że czuł się tu jak w oazie spokoju, podczas gdy za oknami pogrążony w wojnie kraj walił się w gruzy, a czasem uważał się za spiskowca, który z tego sekretnego miejsca stawia czoło innemu spiskowi, zbrodniczemu spiskowi możnych. Na zewnątrz zaczął padać drobny deszczyk, a powiewy wiatru rozbijały krople o szyby z rżniętego szkła. Na krześle, najbliżej okna wychodzącego na ulicę, siedział Julián Uribe z grubym cygarem, którego rozżarzony koniec kreślił w powietrzu rozmaite figury, naprzeciwko Anzoli przycupnęli na aksamitnych poduszkach plecionych krzeseł Adela Garavito i jej ojciec. Generał Elías Garavito był mężczyzną o długiej siwej brodzie i wygolonym podbródku, jak to było niegdyś w modzie. Ów były członek Gwardii Kolumbijskiej poznał i podziwiał generała Uribe. To on przemówił pierwszy.

„Opowiedz, córeczko", wyszeptał. „Opowiedz mu, co wiemy".

Córka była nieśmiałą i religijną czterdziestolatką, całkowicie pozbawioną zmysłowości, nosiła długie czarne spódnice i chodziła na msze o wiele częściej, niż chciałby tego jej ojciec liberał. Bardzo długo zwlekała, zanim odważyła się spojrzeć Anzoli w oczy, ale i tak, rzucając tylko ukradkowe spojrzenia, mówiąc bardziej do dywanu niż do swojego rozmówcy, opowiedziała mu rzeczy, które ktoś o wiele bardziej światowy, energiczny i odważny zmilczałby ze strachu.

Jej opowieść rozegrała się 15 października 1914 roku.

„W dniu zbrodni", powiedział Anzola.

„Dla mnie", powiedziała panna Adela, „to dzień Świętej Teresy od Jezusa".

Po mszy o dziewiątej w Kaplicy Maríi del Sagrario panna Adela wracała do domu Dziewiątą Ulicą, kiedy nagle wydało się jej, że widzi Salomona Correala. Wpuszczał on innego oficera policji do sieni domu, który wydawał się opuszczony. Panna Adela postąpiła kilka kroków naprzód i upewniła się, że rzeczywiście to Correal – znała go dobrze, drugi mężczyzna zaś miał szpadę i mundur, ale nie potrafiła go zidentyfikować. Nie widziała go nigdy wcześniej.

„Byli w domu obok?", zapytał Anzola. „Obok tego, w którym mieszkał generał Uribe?"

„Tak, potwierdziła panna Adela. „Stamtąd dali znak innym".

„Komu?", zapytał Anzola.

Z sieni domu, do którego wpuścił towarzyszącego mu policjanta, Correal wychylił się, spojrzał na skrzyżowanie z Dziewiątą Ulicą i komuś pomachał. Na rogu, kilka kroków od domu generała Uribe, stało dwóch mężczyzn w ponchach i słomkowych kapeluszach. Nawet z daleka panna Adela widziała, że sytuacja jest niezwykła, mężczyźni na rogu wydawali się zdenerwowani, spoglądali po sobie, jakby zastanawiali się, co zrobić. Próbując jednocześnie przyjrzeć się tej podejrzanej scenie i nie wyjść przy tym na impertynencką lub ciekawską, panna Adela szła dalej ulicą, dopóki nie minęła rzemieślników. I wtedy zauważyła, że niosą coś pod ponchami.

„Obaj?", zapytał Anzola. „Jest pani pewna?"

„Moja córka nigdy nie kłamie ani nie koloryzuje", wtrącił generał Garavito.

„Nie to chciałem powiedzieć", zapewnił Anzola. „Pytałem tylko, czy jest pewna".

„Jak tego, że istnieje Bóg", powiedziała Adela Garavito. „Obaj mieli ręce schowane pod ponchami i poruszali czymś. Obaj coś chowali".

„Toporki", powiedział Anzola.

„Tego już nie wiem", odparła panna Adela. „Ale na kilometr widać było, że są zdenerwowani".

Potem minęła panią Etelvinę Posse, która, mimo że były dobrymi znajomymi, nie zatrzymała się nawet, żeby się przywitać. „Chyba mnie nie poznała", powiedziała Adela Garavito. Doña Etelvina nigdy nie wydawała się jej sympatyczna, mówiono o niej, że jest wielką przyjaciółką Correala, w przeciwieństwie do jej męża, który szczerze nienawidzi Komendanta Głównego Policji; mówiono też, że Correal zwerbował ją jako tajniaczkę, wcielił do armii obywateli donoszących na innych obywateli. Adela Garavito odwróciła się dyskretnie i zobaczyła, że doña Etelvina rozmawia z generałem Correalem. Nie zdołała usłyszeć, co mówią, bo skręciła za róg, ale kiedy dotarła do domu, pół przecznicy na południe, opowiedziała ojcu o wszystkim, co widziała.

Po południu gruchnęła wieść, że generał Uribe został zaatakowany toporkami przez dwóch rzemieślników. Generał Garavito wybiegł na ulicę oszalały ze zmartwienia, chciał dowiedzieć się czegoś więcej, dotarł do domu generała Uribe, ale w tłumie zgromadzonych w sieni ludzi nie znalazł krewnych generała. Zamienił kilka słów ze znajomymi liberałami, ale wszyscy byli tak samo zdezorientowani, intuicja podpowiedziała mu, żeby wracał do domu, bo w takich chwilach, kiedy wydaje się, że świat się kończy, najlepiej być z rodziną.

Wszedł do pokoju córki bez pukania, nie obchodziło go, że zobaczy w jej oczach łzy. Nie musiał tłumaczyć, co ma na myśli, kiedy odsunął poduszki, usiadł na jej łóżku i powiedział:

„Nie powtarzaj nikomu tego, co opowiedziałaś mi dziś rano. Mogą nas nawet otruć".

Posłuchała. Kilka dni później spotkała znów donę Etelvinę Posse, ale tym razem ona zatrzymała się, żeby chwilkę porozmawiać, a potem pokazała gazetę, którą miała w ręku, otwartą na stronie ze zdjęciem zabójców, Galarzy i Carvajala.

„Poznaję ich", powiedziała Adela Garavito. „Stali tutaj, na rogu, w dniu, kiedy go zabili".

Jej słowa zaskoczyły donę Etelvinę. „Jakby zrozumiała nagle, że pomyliła się co do mnie", mówiła Adela Garavito. „Jakby sądziła, że jestem po jej stronie, po stronie tych, którzy cieszą się ze śmierci generała Uribe. Nie pomyślała, że mogłabym uważać inaczej. Wyraz twarzy zupełnie jej się zmienił".

„Stali gdzie?", zapytała doña Etelvina.

„Tu, na rogu, przed domem generała", odparła Adela. „A generał Correal dawał im znaki z domu sąsiadów. Wydało mi się to dziwne".

„Salomona nie było tu tego dnia", powiedziała wtedy.

„Oczywiście, że był", upierała się Adela Garavito. „Widziałam go na własne oczy".

„Ja nic nie widziałam", stwierdziła doña Etelvina.

„I nie był sam", dodała Adela. „Ktoś był z nim, dawali znaki mordercom".

Nie patrząc na nią, Etelvina wręczyła jej gazetę.

„Masz, ja już przeczytałam", powiedziała i poszła dalej. Na pożegnanie rzuciła jeszcze: „Przepraszam".

„Komu jeszcze opowiadaliście o tym?", zapytał Julián Uribe.

„Nikomu więcej", powiedział generał Garavito. „Krążyły plotki, że policja znęca się nad tymi, którzy próbują złożyć zeznania. Że im grożono, że ich zastraszano. Słyszałem o wielu takich, którzy poszli opowiedzieć o tym, co widzieli, i spędzali dwie albo trzy noce w areszcie. Kazałem więc Adelicie milczeć, a ona mnie posłuchała.

Julián Uribe wstał i przeszedł kilka kroków w kierunku środka salonu. W półmroku szóstej wieczorem jego sylwetka jakby się wydłużyła.

„Ale złożą państwo zeznania?"

Adela Garavito spojrzała na ojca i zobaczyła w jego twarzy coś, czego Anzola nie zdołał dostrzec.

„Jeśli to czemuś posłuży", odpowiedziała.

„To będzie bardzo ważne", zapewnił Anzola. Potem zwrócił się do ojca, nie do córki, mimo że chciał się odnieść do tego, co ona powiedziała. „Ja zorganizuję wszystko, panie generale. Pojutrze przyjdzie do państwa sędzia i spisze zeznania panienki. I pańskie też, o ile nie ma pan nic przeciwko temu".

„Nie mam", zapewnił generał. „Ale już powiedziałem, co miałem powiedzieć".

„Ale nie w obecności sędziego", zauważył Anzola.

„Na jedno wychodzi", powiedział generał. „Słowo dżentelmena to słowo dżentelmena, w obecności świadków czy bez nich".

„Gdyby tylko to było takie proste", westchnął Anzola.

Anzola wyszedł z domu Juliana Uribe w stanie egzaltacji, jakiej nie czuł od wielu dni. Wiedział, że ten optymizm potrwa najwyżej kilka godzin, ale pozwolił sobie na te krótkie chwile, będące jak antidotum przeciwko przygnębieniu. Zapadał zmrok, ale nie wszystkie uliczne światła już się paliły. Domowe lampy odbijały się za to w kałużach i na bruku wciąż mokrym po deszczu. Zerwał się wiatr. Anzola poczuł, jak włosy mierzwią mu się na głowie, musiał skrzyżować ramiona, żeby wiatr nie rozwiał mu pół płaszcza, nie mógł przecież ryzykować zapalenia płuc w tak ważnym momencie.

Inni musieli czuć to samo nieprzyjemne zimno, bo wszyscy schronili się w domach wcześniej niż zwykle, a kroki Anzoli rozbrzmiewały na bruku jak kroki intruza w korytarzu pustego domostwa. O tym właśnie myślał, kiedy zdał sobie sprawę, że nie jest na ulicy sam.

Oglądając się przez ramię, ujrzał dwóch mężczyzn w ponchach. Czy to była tylko jego wyobraźnia, czy poncha powiewały tak, jakby mężczyźni coś pod nimi ukrywali? Przyspieszył, jego kroki odbijały się echem od bielonych murów. Skręcił za róg, zdając sobie sprawę, że stawia długie kroki – prawie susy – żeby zwiększyć dystans od mężczyzn w ponchach tak, by oni tego nie zauważyli. Mężczyźni też skręcili, Anzola znów się odwrócił i znów zobaczył, że coś porusza się pod ich ponchami, do końca życia miał się zastanawiać, czy naprawdę widział to, co widział; jedno z ponch uniosło się jak dryfująca manta, odsłaniając na krótki moment metalowe ostrze, które rozbłysło srebrzyście w ulicznym świetle. Wówczas, czując, że znalazł się w niebezpieczeństwie, jeszcze przyspieszył, a odgłos jego kroków przypominał przyspieszone bicie jego serca. Poczuł, że po klatce piersiowej spływa mu pot. Dostrzegł gdzieś w głębi nocy światło rozlewające się na kostkę brukową, poszedł ku niemu i ujrzał spelunkę pełną ludzi. Wchodząc, obrzucił szybkim spojrzeniem ulicę, ale nie zobaczył już na niej nikogo, ani mężczyzn w ponchach, ani nikogo innego. Anzola poczuł, jak zalewa go fala gorąca, gorąca cudzych oddechów. W uszach mu pulsowało. Może dlatego nie od razu odpowiedział na pytanie:

„Czego się jaśniepan napije?"

Pewnego ranka, zanim wyszedł na ulicę, znalazł pod drzwiami kopertę. Był to wycinek z gazety „Gil Blas" z poprzedniego dnia; Anzola wcześniej go nie widział, nie tylko dlatego że spędzał czas w trudnym towarzystwie trzech tysięcy stron akt, ale też dlatego, że „Gil Blas" wydawał mu się nieodpowiedzialny i niegodny zaufania: podobnie sądzili jego ideologiczni wrogowie. Fragmentu nie wycięto nożyczkami, ale wyrwano ręcznie, w jednym z rogów brakowało liter, ale nie nie umożliwiało to lektury. Był to list, list więźnia Panóptico skierowany do naczelnego gazety, w którym więzień ów oświadczał publicznie, że był torturowany przez policjantów Salomona Correala. Nazywał się Valentín González, Anzola nie wiedział o nim nic poza tym, co przeczytał w gazecie „Gil Blas". Trafił do Panóptico oskarżony o kradzież monstrancji z kościoła Nieves. Anzola pamiętał sprawę: monstrancja zniknęła stamtąd pewnego lipcowego dnia w ubiegłym roku, tydzień później, po zatrzymaniu, a potem uwolnieniu pewnego hiszpańskiego obywatela, prezbitera i śpiewaka operowego, policja znalazła w ciemnym kącie kościoła, pod posągiem Świętego Alojzego, część łupu. Była tam stopa monstrancji, pozostałości po hostii, niedopałki papierosów i ślady butów – niepodważalne świadectwo bytności złodziei. Policja aresztowała sześć osób i oznajmiła, że sprawa kradzieży zostanie rozwiązana, a społeczeństwo może spać spokojnie. Podobnie jak wielu innych Anzola zastanawiał się wtedy, jak to się stało, że wszystkie ważne ślady wciąż były w kościele osiem dni po kradzieży, jakby przez ten cały czas nikt nie pozamiatał tam nawet podłóg. Teraz sprawa znów przelotnie wracała.

Przez dziewięć dni, pisał oskarżony Valentín González, *trzymano mnie w karcerze, nie dostawałem nic do jedzenia, nawet chleba, nie miałem też żadnego wierzchniego okrycia; wyciągano mnie z tego potwornego miejsca tylko nad ranem, pomiędzy pierwszą a trzecią, i prowadzono do gabinetu przy pierwszym dziedzińcu – drżałem z zimna i umierałem z głodu – a tam, w gabinecie, torturowano mnie, związując kciuki i okładając po całym ciele karabinami.* Po sesji tortur komisarz odpowiedzialny za przesłuchania, Manuel Basto, kazał odprowadzać go do celi, gdzie okazywało się, że agenci pod jego nieobecność zdążyli wylać tam mocz i inne nieczystości. Pewnego dnia, skrajnie zmarznięty i wycieńczony głodem, Valentín González poprosił strażników, żeby wreszcie go zabili.

To nie byłoby zabawne, odpowiedzieli. *Trzeba to robić powoli.* I temu właśnie poświęcali się całymi dniami. Valentín Gonzáles opowiadał o okrucieństwie tajnych agentów, którzy często wyciągali go z celi, wiązali mu ręce, sypali wióry w oczy i bili tak mocno w twarz, że chwiał się na nogach, podczas kiedy śmiechy pozostałych funkcjonariuszy odbijały się echem na dziedzińcu. Po wielu dniach takich praktyk przenieśli go do celi, gdzie przez dwa dni nikt się nie zjawił. Teraz, opowiadał, miał poranione od tortur palce, a więzienna wilgoć sprawiała, że cierpi na nieznośne bóle reumatyczne. *Nalegałem nieustannie, niestety bezowocnie, żeby wezwano do mnie lekarza*, pisał w swoim liście. *Pan Basto uznał jednak, że lepiej, by nikt nie dowiedział się o mojej sytuacji.* Kończył, mówiąc, że każdy może przyjechać do Panóptico, żeby potwierdzić prawdziwość tych oskarżeń; jest skłonny pokazać każdemu chętnemu swoje blizny na palcach. Nie twierdził, że nie jest winny kradzieży monstrancji, zauważył Anzola. To go nie interesowało; chciał tylko, żeby świat zewnętrzny dowiedział się o jego cierpieniach.

Anzola skończył wycinek, a potem przeczytał go ponownie. Najpierw pomyślał, że nie wszystko jeszcze stracone, skoro zdarzają się takie rzeczy, że anonimowi obywatele, przyzwoici ludzie, zadają sobie trud i poświęcają swój czas, żeby pozbierać i dostarczyć mu potrzebne dowody, żeby pokazać opinii publicznej prawdziwą twarz policji, żeby zedrzeć maskę z Salomona Correala. Gdyby to samo zrobili wszyscy będący po jego stronie, wszyscy, którzy podobnie jak on szukali prawdy o zbrodni! Gdyby tylko spiskowcy poczuli presję zbiorowego oburzenia! Och tak, jak bardzo był wdzięczny temu anonimowemu cieniowi, że zostawił mu tę kopertę, być może narażając się na wielkie niebezpieczeństwa, ukrywając się przed tajnymi agentami... To właśnie myślał Anzola, kiedy znów wziął kopertę do ręki, żeby poszukać jakiegoś śladu mogącego naprowadzić go na tożsamość dobroczyńcy, ale w zamian znalazł kawałek pożółkłej kartki, której wcześniej nie widział. Przeczytał krótką wiadomość i poczuł, że padł ofiarą na pozór dziecinnego dowcipu, ale nie takiego zwykłego, lecz psikusa, którego autor ma w ręku maczetę i płynną ciemność w oczach.

Doktorze Anzola, niech pan tylko spojrzy, co może pana spotkać, jeśli nie przestanie pan wtykać nosa w nie swoje sprawy.

Potem miał zdać sobie sprawę, że w tamtej chwili wydarzyło się o wiele więcej, niż mu się zdawało. Najpierw poczuł strach, potem, czego nie przewidział, przestraszył się swojego strachu. A jeśli się podda? Jeśli da się pokonać groźbom, perspektywie fizycznego bólu albo gwałtownej śmierci? Co zostanie wówczas z tych lat wysiłku, narażania innych i samego siebie, poszukiwania mętnej idei prawdy i sprawiedliwości w bagnie spisków? Wszystko zmieniło się tak drastycznie od tej nocy w 1914 roku, kiedy Julián Uribe i Carlos Adolfo Urueta odwiedzili go, żeby poprosić o przysługę. Świat był wcześniej o wiele prostszy, i to nie tylko dla niego; w przypadku generała Uribe pisemne pogróżki poprzedziły rzeczywisty zamach, który odebrał mu życie. Można było o tym myśleć na dwa sposoby, z jednej strony głupcem jest ten, kto, znając z pierwszej ręki konsekwencje swojego postępowania, nadal upiera się, żeby go nie zmieniać; z drugiej ugięcie się pod naciskami byłoby zhańbieniem pamięci po zabitym generale. Położył na biurku wycinek z gazety „Gil

Blas", żeby później zrobić z niego notatkę. Chociaż sobie tego nie uświadamiał, w tej prostej czynności kryła się już decyzja, że się nie wycofa. Kilka tygodni później przypadkowe spotkanie przeważyło szalę.

Anzola poszedł na konferencję o wojnie w Europie, zorganizowaną przez grupę pod nazwą Przyjaciele Ententy, która odbywała się w sali Olympia i przyszło na nią trzysta osób. Przez dwie długie godziny słuchał o tym, co dzieje się w Europie teraz, kiedy upłynęły już trzy lata od początku wojny; jej piekło pochłonęło silne kraje, a pięć milionów zabitych stanowiło całe amputowane pokolenie. Usłyszał o francuskich ambasadorach w Stanach Zjednoczonych, o nowych bitwach pod Ypres, o całych milach okopów, które zdobyli Niemcy na granicy z Belgią, i usłyszał, jak hiszpański obywatel opowiada o tym, że liberałowie ogromnie się starają, żeby Hiszpania również przystąpiła do wojny i nie żałowała później, że nie włączyła się do walki z barbarią. Nie pamiętał, od kogo się dowiedział, że w pierwszych rzędach siedzieli krewni żołnierza Hernanda de Bengoechei; a może nie było konieczne, żeby ktokolwiek o tym mu mówił, bo kolejny wykładowca patrzył na nich z katedry, wychwalając pod niebiosa odwagę żołnierza i znakomitą jakość jego wierszy, pozwolił sobie nawet na zacytowanie fragmentu, którego Anzola nie zrozumiał dobrze, ale było w nich słowo o g n i e i było słowo a s t r a l n y. Wtedy na sali rozległy się owacje; w pierwszym rzędzie dwie osoby wstały, a w ich ślady poszedł cały teatr, Anzola zaś zorientował się, że jest wzruszony.

Kiedy konferencja dobiegła końca, ruszył do przodu, pod prąd publiczności, która kierowała się do wyjścia. Miał ochotę poznać bliskich Bengoechei, uścisnąć ich dłonie, usłyszeć, jak brzmią ich głosy, i nie rozczarował się wcale, kiedy okazało się, że nie przyszła cała rodzina, a jedynie Elvira, siostra żołnierza, w towarzystwie Diega Suareza Costy i przyzwoitki. Súarez był podobno wielkim kolumbijskim przyjacielem żołnierza; Anzola nie zrozumiał, czy przebywa w Bogocie przejazdem, czy też tu mieszka, gdyż jego uwaga skupiła się na Elvirze. Była młodą kobietą o dużych oczach, z szeroką wstążką na głowie, a na szyi miała wisiorek z francuską flagą. „Chciałbym móc poznać pani brata", powiedział Anzola, kiedy ich sobie przedstawiono. Wziął ją za rękę, uniósł, jakby podnosił z ziemi chusteczkę, do zamkniętych ust, nie dotykając ich. „Marco Tulio Anzola", dodał.

„Ach tak", powiedziała. „To pan pisze te rzeczy, którymi tak się martwimy".

„Bardzo panią przepraszam", zaczął. „Ja nie…"

„Mój brat z pewnością też chciałby pana poznać", przerwała Elvira. „Tak przynajmniej mówi się w mojej rodzinie".

Rozmawiają o mnie, pomyślał Anzola. A także: chciałby mnie poznać. Przypominał sobie ten krótki dialog podczas kolejnych miesięcy, kiedy wkładał wszystkie siły i poświęcał cały swój czas na ostateczną redakcję książki. Czasem uznawał słowa młodej Elviry za obronę własnej osoby, czasem traktował je jako zobowiązanie. Zdarzało się, kiedy pisał jakiś akapit oskarżający Salomona Correala albo Pedra Leona Acostę, że myślał, iż w jego wieku Hernando de Bengoechea już nie żył, ale dwadzieścia sześć lat wystarczyło mu, żeby zostawić po sobie strony dziś publicznie wychwalane i umrzeć heroiczną śmiercią w obronie wiecznych wartości. A on sam, myślał Anzola, czego dokonał przez te swoje dwadzieścia sześć lat, które miał niedługo skończyć? Czy książka, którą właśnie pisał, niebędąca tomikiem wierszy, tylko pospolitą prozą, książka pisana jedynie z zamiarem oskarżenia zbrodniczego spisku, bez żadnych ozdobników poza precyzją przepisów prawa i poślednią retoryką zdrowego rozsądku, czy mogła sprowadzić na niego śmierć? Czy Anzola kopał sobie grób, akapit za akapitem, artykuł za artykułem, świadectwo za kolejnym gęstym świadectwem? Na każdej odręcznie zapisanej stronie, w każdej linijce, którą Anzola wypełniał swoim pochyłym charakterem pisma, wybuchały jakieś wywrotowe rewelacje albo oskarżenia będące jak bomba czy też torpeda. Tak, pomyślał Anzola, tak właśnie jest; ten manuskrypt to jak okręt podwodny, a pewne akapity to torpedy wycelowane w kolumbijski transatlantyk władzy, gotowe rozerwać burtę poniżej linii zanurzenia, żeby wszystko zatonęło w morskiej toni i nigdy już nie wypłynęło.

Chcąc sprawdzić siłę rażenia tego, co pisał, publikował kolejne felietony w „La Patrii"; tym razem nie były one materiałem, który dopiero miał się zmienić w książkę, ale całymi fragmentami ostatecznej wersji manuskryptu. Wybierał strony, żeby pokazać je ludziom, których miał w pobliżu, czasem prosił jakiegoś świadka, żeby potwierdził swoją wersję wydarzeń, czasem konsultował z lepszymi od siebie ekspertami – bardziej uczonymi karnistami, lepszymi specjalistami od postępowania procesowego – słabszą lub niemożliwą do utrzymania interpretację przepisów prawa. Któregoś dnia, tylko po to, żeby zobaczyć, co się stanie, zaniósł do rady Cundinamarki cały rozdział poświęcony korupcji prokuratora Alejandra Rodrigueza Forera. Rada miała w zwyczaju przedstawiać trzech kandydatów na prokuratora, spośród których wybierano w końcu jednego. Wystarczyło im przeczytać stronnice Anzoli, żeby odebrać poparcie Rodriguezowi, Anzola żałował tylko, że na zewnątrz, w świecie zwykłych ludzi, nie dzieje się to samo. W artykule prasowym Rodríguez Forero oświadczył, że rodzina generała Uribe jest oburzona działalnością pana Anzoli, którego uważa za nieuleczalnego mitomana, i że nie zgadza się z kierunkiem, jaki obrało jego śledztwo. A kiedy Anzola poszedł w odwiedziny do Juliana Uribe, żeby z nim o tym porozmawiać, zobaczył zawstydzoną twarz brata generała, który nie miał odwagi spojrzeć mu w twarz, przekazując wiadomość:

„Rodzina właśnie wyznaczyła pełnomocnika procesowego", powiedział. „Chciałem tylko zaznaczyć, że ja nie mam z tym nic wspólnego".

„Kto to jest?"

„Pedro Alejo Rodríguez", powiedział Julián Uribe. „I tak, ja też tego nie rozumiem".

Stało się coś niewyobrażalnego. Pedro Alejo Rodríguez, młody adwokat, był synem Alejandra Rodrigueza Forera. Powołanie go na pełnomocnika rodziny Uribe w procesie przeciwko zabójcom generała to coś więcej niż niezręczne posunięcie; było to samobójstwo w całym tego słowa znaczeniu. Ale tę właśnie wiadomość przekazał mu brat generała, któremu ewidentnie nie uśmiechało się bycie posłańcem; Pedro Alejo Rodríguez oficjalnie został adwokatem rodziny ofiary, mimo że był synem jednego ze spiskowców, a przynajmniej człowieka, który zrobił wszystko, co w jego mocy, żeby spiskowców chronić. Nie, niemożliwe, żeby Julián Uribe wpadł w tak prostacką pułapkę. Anzola złapał się za głowę, ale godność nie pozwoliła mu powiedzieć tego, co naprawdę myślał.

„A więc to prawda", powiedział tylko. „Już mi nie ufacie".

„Nie mam właściwie pojęcia, jak to się stało, mój drogi panie Anzola", tłumaczył się Uribe. „Tak postanowiła doña Tulia, to jest pewne. Nie wiem, co biedaczce naopowiadali".

„Wdowy nie powinny nigdy o niczym decydować", odparł Anzola.

„Proszę uważać, drogi przyjacielu", obruszył się Uribe. „Ta wdowa to moja szwagierka. I należy się jej szacunek".

„Z całym szacunkiem, ta wdowa zrujnowała wszystko", powiedział Anzola. „A co sądzą dzieci?"

„Nie wiem".

„A doktor Urueta? On zlecił mi tę sprawę, podobnie jak pan. Ma prawo…"

„Doktor Urueta jest w Waszyngtonie".

„Jak to? Co tam robi?"

„Wysłano go na placówkę", powiedział Uribe. „I pojechał, nie miał wyjścia".

„Wszystko jedno. Nawet pełnomocny minister może się z tym wszystkim nie zgadzać".

Julián Uribe zaczynał tracić cierpliwość. „Jak już mówiłem, jestem tak samo zaskoczony jak pan. Z drugiej strony nie znamy przecież młodego Rodrigueza. Może nie musimy spodziewać się najgorszego".

„Oczywiście, że musimy, doktorze Uribe, naprawdę musimy", upierał się Anzola. „Musimy się spodziewać czegoś znacznie gorszego od najgorszego".

Wiadomość przygnębiła go tak bardzo, że zamknął się w domu na trzy tygodnie, żeby skończyć książkę, nie chciał bowiem, by rozczarowanie i zawód odwiodły go od jej pisania. Niewiele brakowało, a rzuciłby wszystko, po co miał ryzykować swoją reputację, a może nawet i życie, dla przedsięwzięcia, które nie spotkało się nie tyle z podziwem, co nawet ze zwykłą solidarnością ze strony rodziny generała Uribe? A jednak pisał dalej, jego rytm dobowy rozchwiał się, spał długo, a potem pisał do późna w nocy, w złym świetle, nie zważając na to, że pieką go oczy. Miał pod ręką trzy tysiące stron akt sprawy, a także akt oskarżenia z jego trzystoma trzydziestoma stronami kłamstw i nadużyć. Nie czuł już oburzenia, nie pamiętał, dlaczego tamtej odległej nocy przyjął zlecenie, kiedy pisał – pewnej wrześniowej nocy – słowo „Wnioski", które na papierze wydało mu się dłuższe niż zazwyczaj. A pod nim:

1. W zabójstwie liberalnego przywódcy Rafaela Uribe Uribe Leovigildo Galarza i Jesús Carvajal uznani mogą być tylko i wyłącznie za bezpośrednich sprawców zbrodni.

2. *Zabójstwo wielkiego patrioty zostało zaplanowane przez grupę karlistowskich konserwatystów, której ofiarami padli wcześniej prezydent Republiki, doktor Manuel María Sanclemente oraz prezydent Republiki generał Rafael Reyes, i która zapewne będzie kontynuować swoją serię zbrodni przeciwko każdemu, kto ze względu na pełnione wysokie stanowisko spróbuje pchnąć kraj w stronę demokracji.*

3. *Duszą tego przerażającego i mrocznego spisku jest tak zwane Towarzystwo Jezusowe.*

Potem napisał słowo KONIEC, sześć wielkich oddzielnych liter tak grubych, że stalówka jego watermana zaczęła rozdzierać papier. Pomyślał, że nie warto w ogóle proponować druku Narodowej Drukarni, która nie podjęłaby się zlecenia nawet na prośbę samego papieża. Zdecydował więc, że jak tylko będzie mógł, zaniesie książkę do drukarni Tipografía Gómez i zapłaci za publikację z własnej kieszeni. Położył się do łóżka, ale ekscytacja nie dawała mu zasnąć. Następnego dnia z pierwszymi światłem brzasku wziął czystą kartkę i zapisał na niej tytuł:

Kim oni są?

Włożył wszystko do skórzanej teczki i wyszedł na miasto, które właśnie budziło się ze snu. Było zimno, wiatr szczypał go w twarz. Anzola odetchnął głęboko, powietrze sparzyło go w nozdrza i wycisnęło z oka łzę. Wypełnił zlecenie otrzymane trzy lata wcześniej od rodziny Uribe, która teraz odwróciła się od niego, wskazywał oskarżycielskim palcem wszystkich potężnych w tym kraju i nikt nie potrafił zagwarantować, że go nie skrzywdzą. Wciąż jeszcze mógł zmienić zdanie, skręcić na następnym rogu i pójść gdzie indziej, wycofać się, napić gorącej czekolady i zapomnieć o wszystkim, wrócić do poprzedniego życia, życia w spokoju. Ale szedł dalej, zastanawiając się, co widzą mijający go ludzie. Samotnego mężczyznę, jeszcze niezupełnie pokonanego, młodego, ale już pozbawionego złudzeń, powłóczącego nogami. Czy widać było z zewnątrz fatalną decyzję, z którą zmagał się w myślach? A gdyby ktoś mógł ją zobaczyć, czy spróbowałby go od niej odwieść? Nie udałoby mu się, o nie. Musiał wytrwać, musiał iść naprzód, i tak pewnego dnia będzie mógł powiedzieć, że dotrzymał słowa danego Julianowi Uribe, napisał książkę, opowiedział o wszystkim, a teraz tylko pozostało mu usiąść i czekać, aż niebo runie mu na głowę.

Zatrzymał się na skrzyżowaniu, żeby przepuścić przejeżdżającego forda. Młoda kobieta w kapeluszu uniosła głowę, a jej spojrzenie przeszło na wskroś przez Anzolę, jakby był niewidzialny.

VIII

PROCES

Marco Tulio Anzola opublikował swoją wywrotową książkę, nie wiedząc, że dziewięćdziesiąt siedem lat później, w małym i ciemnym mieszkanku, w mieście, które o nim zapomniało, dwaj czytelnicy spotkają się, żeby rozmawiać o jej autorze, jakby wciąż jeszcze żył, i o opisanych w niej zdarzeniach, jakby działy się całkiem niedawno, co więcej, będą rozmawiać z książką w ręku. Nie miałem pojęcia, czy od początku Carballo zamierzał mi ją pokazać, bo relacja między nimi – przedmiotem a czytelnikiem – była bardziej intymna niż wszystko, co kiedykolwiek widziałem, a może nawet kiedykolwiek czułem. Nie wiedziałem też, czy w jego głowie pojawiły się jakieś lęki czy wahania, kiedy dawał mi ją do rąk, czy też robił to dlatego, że uważał mnie za godnego zaufania. Rozmawialiśmy o Anzoli, o misji, którą powierzyli mu Julián Uribe i Carlos Adolfo Urueta; zapytałem Carballa, jak zdołał ustalić to, co mi opowiedział, gdzie mogłem znaleźć wszystkie te informacje. Zamiast odpowiedzi wstał i poszedł do swojej sypialni, a nie do biblioteki, było oczywiste, że zaglądał do książki niedawno. Podał mi ją obiema rękami.

„Tylko że trzeba ją przeczytać dwadzieścia razy", powiedział. „Inaczej nie sposób wycisnąć z niej wszystkich tajemnic".

„Dwadzieścia razy?"

„Albo trzydzieści, czterdzieści", odparł Carballo. „To nie jest zwykła książka. Trzeba sobie na nią zasłużyć".

Tom pachniał starością, był oprawny w skórę, miał na grzbiecie tłoczone litery. *Zabójstwo generała Rafaela Uribe Uribe,* przeczytałem na pierwszej stronie, pod tym napisem widniał podpis Carlosa Carballa, pod podpisem tytuł, który bardziej niż tytułem wydawał się wyznaniem paranoicznej obsesji: *Kim oni są?.* Tytułowi brakowało otwierającego odwróconego znaku zapytania, tego znaku interpunkcyjnego, który istnieje jedynie w języku hiszpańskim od owego odległego dnia w XVIII wieku, kiedy Akademia Królewska uczyniła go obowiązkowym, z drugiej strony po końcowym zamykającym znaku zapytania znajdował się rysunek ręki wypełniony czarnym tuszem: c z a r n a   r ę k a, pomyślałem, której palec wskazujący coś p o k a z u j e.

„To jest oskarżenie o spisek?", zapytałem. „Prawdę mówiąc, ten cały Anzola nie był zbyt subtelny".

Carballowi mój komentarz nie wydał się zabawny. „Ta książka była we wszystkich bogotańskich biblioteczkach", powiedział oschłym tonem. „Wszyscy ją kupili; jedni, żeby położyć ją na ołtarzyku, inni, żeby spalić ją na stosie. Ale w tysiąc dziewięćset siedemnastym roku wszyscy w jakimś momencie mieli książkę w ręku. Ciekawe, kiedy panu uda się napisać coś podobnego".

„Równie sensacyjnego?", zapytałem.

„Równie wartościowego", odpowiedział. „Napisanego w szlachetnym celu". A potem: „Chociaż to słowo nic nie znaczy dla pańskiego pokolenia".

Postanowiłem zignorować atak. „A jaki to ma być cel, jeśli można wiedzieć?"

„Nie, nie można wiedzieć", odparł Carballo, „zanim nie będzie pan miał w głowie pewnych informacji. Musi pan

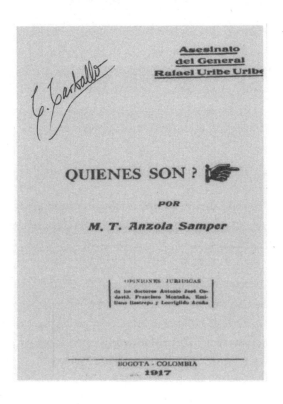

najpierw przeczytać tę książkę i dobrze ją zrozumieć. Więcej, poczuć się w niej jak ryba w wodzie. Nie mówię, że ma pan ją przeczytać dwadzieścia razy jak ja. Ale owszem, minimum cztery czy pięć. A dokładnie tyle, ile potrzeba panu, żeby ją dobrze zrozumieć".

Otworzyłem *Kim oni są?* i zacząłem przewracać strony, nawet nie starając się ukryć znudzenia. Prawie trzysta stron drobnym drukiem. Przeczytałem: *Dla nas, mających szczęście zaliczać się do grona przyjaciół generała Uribe Uribe i żywiących najszczerszą sympatię dla tak szacownego męża stanu, wielce satysfakcjonującym jest ożywienie jak najserdeczniejsze pamięci po nim.* Było tam wszystko, czym się brzydzę, pompatyczność, górnolotność, afektowana liczba mnoga, tak uwielbiana przez Kolumbijczyków, a przeze mnie znienawidzona bardziej niż najgorsze grzechy ludzkiego gatunku. Starym zwyczajem rzuciłem okiem na ostatnią stronę, gdzie czytelnicy notują zwykle swoje wrażenia, ale znalazłem tylko datę 1945, ślad po jednym z wielu czytelników, jakich może mieć książka w ciągu prawie stuletniego cyklu życiowego.

„Chce pan, żebym przeczytał tę książkę cztery albo pięć razy", powiedziałem.

„Musi ją pan dobrze zrozumieć", wyjaśnił Carballo. „W przeciwnym wypadku nie uda się kontynuować naszego przedsięwzięcia".

„Wobec tego możliwe, że ja nie będę chciał kontynuować", powiedziałem. „Nie mam na to czasu, panie Carlosie. To pańska obsesja, nie moja".

Carballo siedział z rozłożonymi nogami, łokciami na kolanach i splecionymi dłońmi, i mógłbym przysiąc, że słyszałem, jak wzdycha. „To również pańska obsesja".

„Nie, nie moja".

„Owszem, panie Vásquez", upierał się. „Niech pan mi uwierzy, że tak jest".

Pamiętam, że zawiesił w tamtej chwili spojrzenie na ścianie w głębi, na portrecie Borgesa albo jeszcze dalej, na ciemnym oknie zasłoniętym białą koronkową firanką, i powiedział: „Niech pan chwileczkę zaczeka, zaraz wracam". Potem zniknął za drugimi drzwiami, nie tymi prowadzącymi do jego sypialni, i pamiętam, że spędził tam sporo czasu, więcej niż potrzeba, żeby znaleźć przedmiot, który jest nam drogi i dlatego wiemy doskonale, gdzie go schowaliśmy. Zacząłem już nawet rozważać możliwości, że Carballo pożałował tego wszystkiego: że zaprosił mnie do domu, że zaakceptował mnie znów w swoim życiu, żebym napisał książkę, której ja – chociaż o tym nie mógł wiedzieć – nie miałem

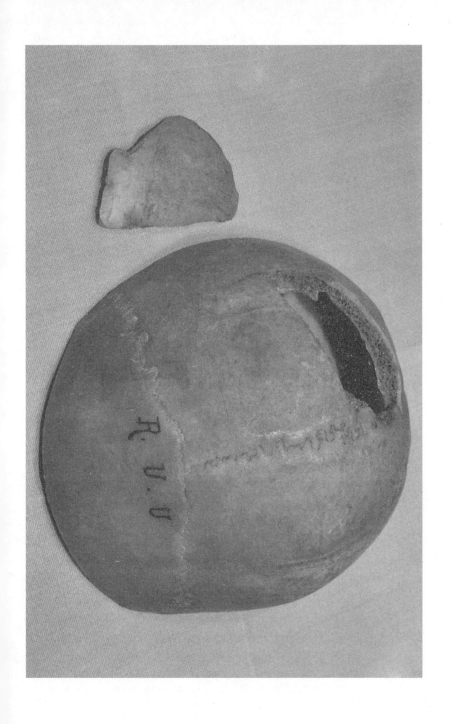

nigdy napisać, i wyobraziłem sobie, jak wymyśla mało prawdopodobne wymówki, żeby nie pokazać mi tego, co chciał mi pokazać. Ale kiedy wrócił, miał w rękach pomarańczową chustę, którą arbitralnie skojarzyłem z jego jaskrawymi fularami. W chuście krył się przedmiot o nieregularnych zagadkowych kształtach (a może to nieprzewidywalne fałdy chusty nie pozwalały mi odgadnąć precyzyjnego kształtu przedmiotu). Carballo usiadł na zielonej kanapie, zaczął rozkładać chustę, rozwiązując supeł za supłem, a mnie kosztowało chwilę domyślenie się, że to, co widzę w intensywnym świetle, było kością, ludzką kością, a właściwie górnym fragmentem czaszki. „Oto ona", powiedział. Czaszka, czysta i lśniąca w świetle padającym z sufitu jak deszcz, była złamana, kawałek został odłupany. Ale moją uwagę zwróciły natychmiast trzy ciemne litery, które wydawały się wypalone na kości czołowej: R.U.U.

Nie pamiętam, czy zareagowałem z nieufnością, czy sprawiło mi trudność zrozumienie, co mam przed sobą, nie pamiętam też, co powiedziałem, o ile cokolwiek w ogóle, kiedy Carballo pokazywał mi ten przedmiot z dumą, ale również ze swobodą, a jednocześnie z wyraźnym przejęciem, dotykając go i pozwalając mi go dotykać, jakby nie chodziło o coś niepowtarzalnego, jedynego w swoim rodzaju, jakby jego uszkodzenie (gdyby spadł, gdyby o coś uderzył) nie stanowiło niemożliwej do naprawienia straty dla świata. Kiedy przyjmowałem do wiadomości, że mam do czynienia z cudem, mogłem myśleć tylko o tym, że właśnie przez tę, niegdyś żywą, część niegdyś żywego ciała uciekło życie, a kiedy Carballo wyjął odłamany fragment kości i podał mi go drżącymi rękoma, żebym potrzymał i zbliżył do światła, i przyjrzał mu się z dołu i z góry, jakby chodziło o kamień szlachetny, tylko jedna myśl powstała w mojej głowie: Tędy umarł Rafael Uribe Uribe.

A Carballo jakby odgadując moje myśli (i w dziwnej atmosferze mieszkania, pod widmowym światłem neonowej żarówki nie mogłem całkowicie tego wykluczyć), powiedział:

„Tędy uleciało życie, przez ten otwór. Nie do wiary, prawda? Powinien pan być dumny, panie Vásquez", zażartował zaraz potem, „bo widziało to niewiele osób na świecie. A większość z nich już nie żyje. Na przykład osoba, która mi to zostawiła".

„Doktor Luis Ángel Benavides".

„Niech spoczywa w pokoju".

„Zostawił to panu?"

„Mistrz używał jej podczas zajęć. Ja byłem nie tylko jego studentem, byłem w ostatnich latach jego zaufanym człowiekiem, dotrzymywałem mu towarzystwa. Wspierałem go, poza tym znam się na tych rzeczach. Wiem, jak z nich skorzystać. Potrafię zrobić z nich użytek. Dlatego zostawił ją mnie. Nie powinno to pana dziwić".

„Co ma pan na myśli, mówiąc te rzeczy?", zapytałem.

„Co pan ma na myśli, mówiąc skorzystać, panie Carlosie? Czy doktor Benavides zostawił panu coś jeszcze?" A potem: „Jak coś takiego znalazło się w rękach doktora? Jak trafiło do niego, skoro nie było go nawet na świecie, kiedy zabito generała Uribe?"

Widziałem, że się zastanawia, prawie usłyszałem pracujące w jego głowie mechanizmy kalkulujące ryzyko, szacujące, jak daleko sięga moja lojalność, starające się wyczytać z mojej twarzy, co zrobię, a czego nie zrobię z poszczególnymi informacjami.

„Do wszystkiego dojdziemy, w swoim czasie", powiedział w końcu, „z takiego zapału rodzi się później zmęczenie. A zachłanność kończy się tak, że zostajemy z pustymi rękami".

„Ale ja po prostu tego nie pojmuję. To jest prawdziwy cud, panie Carlosie, proszę mnie źle nie zrozumieć. To, że mam to w ręce, mogę dotknąć... Jestem panu ogromnie wdzięczny. Ale co to ma wspólnego z naszym projektem?"

„Naprawdę jest pan wdzięczny?", zapytał.

„Oczywiście", powiedziałem.

Było to może najbardziej autentyczne słowo, jakie wypowiedziałem dotychczas. Naprawdę tak było, mając w ręku te szczątki, wodząc żywymi palcami po kościach czaszki, znów poczułem to, czego nie czułem od tego wieczoru w 2005 roku, kiedy zobaczyłem w domu Benavidesa krąg Gaitana, tym razem jednak bezpośredni kontakt z relikwią wzbogaciło moje własne doświadczenie, doświadczenie dziewięciu lat, które upłynęły od tego czasu. I dlatego wówczas, siedząc w salonie, za którego oknami zaczął wstawać dzień, trzymając nieśmiało w dłoniach fragment czaszki generała Uribe, czułem, że życie przywiodło mnie tutaj niemożliwymi do zbadania ścieżkami; ale poczułem równocześnie, że coś mi umyka, jakbym stał zbyt blisko obrazu i nie mógł zobaczyć, co naprawdę się na nim dzieje.

„Dobrze, to zmienia postać rzeczy", powiedziałem. „Wezmę książkę, przeczytam jak najszybciej i wrócę, żebyśmy mogli porozmawiać".

„To niemożliwe", odparł Carballo. „Ta książka nie opuści mojego mieszkania".

„W takim razie jak to zrobimy? Mam przyjeżdżać tu, żeby ją czytać, jak do publicznej biblioteki?".

„To wcale nie takie absurdalne", wyjaśnił Carballo. „Wracam do domu codziennie o piątej nad ranem. Spotkamy się tutaj, pan będzie czytał, podczas gdy ja będę spał, a potem będziemy rozmawiać. Przykro mi, ale to jedyny sposób. Bo jak mówiłem, książka nie opuści mojego mieszkania".

Już miałem protestować, ale zdrowy rozsądek odezwał się w porę, ten mężczyzna proponował mi, sądząc, że mnie do tego przymusza, a ja zgodzę się niechętnie, spędzanie długich godzin w jego mieszkaniu, samotnie i nie będąc przez niego obserwowanym, kiedy on będzie spał. Proponował mi możliwość bezkarnego przetrząśnięcia każdego kąta w poszukiwaniu zaginionego kręgu. Głupotą byłoby odmówić.

„Zaczniemy jutro?", zapytałem.

„Jeśli da pan radę", odparł Carballo.

„Dam radę", zapewniłem. „Ale mam pewną wątpliwość".

„Jaką?"

„Co w głowie generała Uribe zastępuje tę kość? Bo raport z sekcji mówi, że została zrekonstruowana".

„To, że została zrekonstruowana, nie znaczy wcale, że kość trafiła na swoje miejsce", wyjaśnił Carballo. „Dowiedziałem się tego od mistrza Benavidesa. Na przykład taki bank kości. Kiedy wyjmuje się kości zmarłego do banku, rekonstruuje się zwłoki, używając kijów od szczotki i pakuł. Kiedy lata temu zacząłem spędzać więcej czasu z mistrzem, dowiedziałem się wielu rzeczy, o których wcześniej nie miałem pojęcia. Na przykład tego, że w salach operacyjnych są lodówki, w których przechowuje się sklepienia czaszek. Podobne do tych, owszem. Pacjentowi z urazem mózgowia na przykład często wycina się fragment czaszki, żeby w razie obrzęku mózgu nie umarł. Czasami, z różnych powodów, nie można go przechowywać w lodówce. Wtedy przechowuje się ten fragment czaszki w jamie brzusznej, tam tkanka jest chroniona i unika się infekcji. Pacjentowi można wyciąć kawałek czaszki, a jego głowa wciąż zachowa kształt, bo jest jeszcze kolejna warstwa. Można wyciąć kawałek kości i zostawić tylko skórę. Wyobrażam sobie, że tak właśnie zrobiono w przypadku generała Uribe, zanim pochowano go na cmentarzu Centralnym.

Kiedy wróciłem do domu, zasłoniłem żaluzje w sypialni (żony ani córek nie było, tym lepiej, nie czułem się na siłach, nie miałem na tyle jasnego umysłu, żeby w tej chwili tłumaczyć im, co mi się przydarzyło) i nagle poczułem całe skumulowane zmęczenie nieprzespanej nocy. Włożyłem sobie do uszu niebieskie zatyczki, których używam przy pisaniu, i poszedłem do łóżka. Zdążyłem się nawet przestraszyć, że mimo zmęczenia nie zmrużę oka, tak bardzo byłem podekscytowany. Ale już kilka sekund później zasnąłem tak głęboko, jak nie zdarzyło mi się zasnąć w ciągu dnia od czasów nastoletniości, zapadłem w sen, który nie bardzo różnił się od znieczulenia; miejsce, gdzie traci się poczucie czasu i przestrzeni, n i e m i e j s c e, gdzie nie jesteśmy nawet kimś, kto wie, że śni, a dopiero po przebudzeniu rozumiemy, jak bardzo nasze ciało domagało się odpoczynku. Sen bez snów, z którego początkowo trudno nam się przebudzić, czujemy dezorientację, czujemy samotność, czujemy też melancholię, a otwierając oczy, chcemy zastać przy nas kogoś, kto nas przytuli i pocałunkiem przypomni, gdzie jesteśmy, jakie życie wiedziemy, jakie szczęście mamy, że właśnie takie, a nie inne jest życie, które przypadło nam w udziale.

Tej nocy zadzwoniłem do doktora Benavidesa. Kiedy opowiedziałem mu, co widziałem w domu Carballa, w słuchawce zapadła cisza.

„Sklepienie czaszki", powiedział w końcu Benavides. „To on ją ma".

„Wiedział pan o jej istnieniu?"

I znowu cisza. W głębi oprócz trzasków telefonu słyszałem szczęk sztućców i talerzy. Benavides jadł z rodziną obiad, domyśliłem się, a ja mu przerwałem. Nie wydawał się tym przejmować.

„Ojciec przynosił ją wielokrotnie do domu. Byłem wtedy mały, miałem może siedem, osiem lat. Pokazywał mi ten fragment czaszki, wyjaśniał różne rzeczy. Pozwalał mi brać go do ręki, oglądać ze wszystkich stron, obracać. A teraz ma ją Carballo?"

„Tak. Przykro mi", powiedziałem, nie bardzo wiedząc dlaczego.

„Są na niej litery, prawda? Inicjały na kości czołowej?"

„Tak", potwierdziłem. „Inicjały R.U.U. rzeczywiście tam są".

„Doskonale je pamiętam", powiedział Benavides. Nie słyszałem już hałasów, pewnie zamknął się w jakimś pokoju, z dala od rodzinnej jadalni. „Litery fascynowały mnie, wydawało mi się fantastyczne, że znalazły się na czole. Mojego ojca bardzo to śmieszyło. Powtarzał: «Wszyscy mamy takie litery». A ja spędziłem długie godziny w łazience przed lustrem – na drewnianym stołku, żeby znaleźć się bliżej światła – odgarniałem włosy jedną ręką, a drugą dotykałem czoła, żeby wyczuć inicjały. F.B. Szukałem ich opuszką palca, przesuwałem ją po czole, szukając F i B, i znów, i raz jeszcze. Potem szedłem na skargę. Mówiłem: «Tato, nie mogę ich znaleźć». On dotykał mojego czoła, a raczej głaskał mnie po nim, i mówił: «Ależ są tutaj, ja je czuję». A potem sam dotykał swojego czoła i malowało się na nim skupienie, głębokie skupienie, i mówił «O, moje są tutaj. L.A.B. Sprawdź, czy możesz je poczuć». Ja dotykałem i też nic nie czułem, to było bardzo frustrujące. Wydaje mi się, że go widzę, jak robi tę skupioną minę, kiedy go dotykam, a on pozwala się dotykać swojemu małemu synkowi. Ja też pozwalałem się tak dotykać swoim dzieciom. Chyba wie pan, o czym mówię, Vásquez".

Nigdy nie słyszałem w jego głosie tak wielkiej nostalgii. Wydawało mi się, że posmutniał, bo jego czysty zazwyczaj głos zrobił się jakby wilgotny, ale miałem też wrażenie, że byłoby impertynenckie i bezużyteczne pytać go o to; gdybym nawet miał rację, Benavides nigdy by się do tego nie przyznał. Ale to, co powiedziałem mu o fragmencie czaszki generała Uribe, obudziło uśpione wspomnienia, a razem z nimi emocje. Wspomnienia z dzieciństwa są najpotężniejsze może dlatego, że w tym czasie wszystko jest rozdarciem i wstrząsem, każde nowe odkrycie zmusza nas do odnalezienia się na nowo w znanym świecie, każdy dowód czułości przepełnia nam ciało; dziecko żyje z nerwami na wierzchu, pozbawione filtrów i tarcz, i mechanizmów obronnych, stawia czoło, jak umie, wszystkiemu, z czym przyjdzie mu się zmagać. Tak, chciałem powiedzieć doktorowi Benavidesowi, wiem, o czym pan mówi, ja też pozwalałem dotykać skroni moim córkom, dłoniom moich córek, ich długim palcom, które odziedziczyły po mnie. Chociaż nie miały w swoich rękach szczątków żadnego człowieka zamordowanego w tym kraju, który też odziedziczą. Jest ich wielu, to prawda, i bez wątpienia przez lata ich życia przybędzie jeszcze więcej; można sobie nawet wyobrazić, że pewnego dnia los zgotuje im to, co zgotował mnie, niecodzienny przywilej wzięcia do ręki ruin człowieka.

„Tak", powiedziałem. „Wiem, o czym pan mówi".

„Prawda?", zapytał Benavides.

I ja przytaknąłem: „Tak".

W słuchawce znów zapadła cisza. Benavides przerwał ją, mówiąc: „Proszę, niech mi pan ją przyniesie".

„Dobrze", powiedziałem.

„Ta czaszka też jest moja, podobnie jak kręg, podobnie jak zdjęcie rentgenowskie".

„Ale przecież mówił pan zupełnie co innego, panie Francisco. Że te rzeczy nie są pańskie, że należą do wszystkich, że podaruje je pan muzeum. Chyba nie zmienił pan zdania?"

„Niech pan przyniesie mi to wszystko, proszę. Obieca mi pan?"

„To nie takie proste", odrzekłem. „Ale obiecuję, że spróbuję".

„Obieca mi pan, Vásquez".

„Tak, panie Francisco. Obiecuję".

„Mam nadzieję, że pan dotrzyma słowa", powiedział Benavides. I nagle zrobił się poważny, bardzo poważny. „Proszę pana, ludzkie szczątki nie są od tego, żeby ktoś je przekładał z miejsca na miejsce. Ludzkie szczątki to potężna broń, można je wykorzystać w sposób, o jakim ani pan, ani ja nie mamy pojęcia. Nie możemy pozwolić, żeby znalazły się w nieodpowiednich rękach".

Zapewniłem go, że oczywiście, że go rozumiem. A potem nie powiedziałem już nic więcej.

Kolejne trzy dni, trzy dni postawione na głowie, płynęły tym samym, choć niecodziennym rytmem. Wstawałem o czwartej nad ranem, wychodziłem z domu o wpół do piątej i docierałem na Osiemnastą Ulicę około piątej albo parę minut przed piątą – o tej godzinie moje nieprzyjazne miasto wydaje się ciut przyjemniejsze, bo niewielki ruch samochodowy wywołuje wrażenie, że rządzą w nim istoty ludzkie – Carballo już na mnie czekał, pijąc wodnistą kawę, mimo że za kilka minut zamierzał położyć się spać. Zostawiał mnie sam na sam z książką Marca Tulia Anzoli, a ja czytałem ją tak, jak czytam, kiedy pracuję nad własnymi powieściami, mając z boku otwarty czarny notes, a na nim cienki automatyczny ołówek. Robiłem notatki, porządkowałem chronologię, walcząc z chaosem książki, i powoli spomiędzy chronologii i notatek wyłaniał się profil oburzonego autora, tego śmiałego młodzieńca, który rzucił wyzwanie najpotężniejszym ludziom w kraju. Anzola wzbudzał we mnie naraz fascynację i nieufność, nie sposób było kwestionować jego odwagi, z drugiej strony wydawało mi się oczywiste, że nie wszystkie oskarżenia rzucane w książce miały rzeczywiste podstawy, żaden obdarzony zdrowym rozsądkiem czytelnik nie mógł na przykład dopatrzyć się w *Kim oni są?* winy jezuitów, odpowiedzialności za to, co im zarzucano (wspomniany Berestain na przykład był człowiekiem nietolerancyjnym i antypatycznym, ale nic w książce Anzoli nie dowodziło tego, że jest mordercą). Około południa rozlegał się pomruk w rurach i po chwili Carballo wynurzał się ze swojej sypialni, gotowy zacząć dzień, zawsze w białych skarpetkach, czasem miał też chustkę przewiązaną na szyi. Opowiadał mi o rzeczach, których nie było w książce Anzoli; pokazywał inne dokumenty. I w ten oto sposób dowiedziałem się, co wydarzyło się po publikacji *Kim oni są?*, a właściwie powinienem powiedzieć z a   s p r a w ą tej publikacji.

Książka ujrzała światło dzienne w listopadzie 1917 roku. Odpowiedzi wrogów Anzoli nie kazały długo na siebie czekać i w wielu wypadkach były ostrzejsze, niż on sam, nawet w chwilach największego przygnębienia, mógł przypuszczać. Równocześnie Anzola zaczął uświadamiać sobie, że wielu z atakujących go nawet nie przeczytało książki. Byli to po prostu płatni mordercy słowa pisanego, nasłani przez potężne osobistości, żeby ośmieszyć jego książkę i jego osobę, chociaż czasami działali też we własnym imieniu, smutne postacie napędzane przez zawiść i resentyment. Na przykład w „El Nuevo Tiempo" jeden z tych autorów przyznawał bez krzty zażenowania: *Nie musimy kalać sobie wzroku zawartością tej książki, żeby wiedzieć, iż jest ona owocem bujnej wyobraźni i wychowania pozbawionego wartości moralnych*; napisał to felietonista ukrywający się pod pseudonimem Aramis. Konserwatyści nazywali Anzolę anarchistą, zabójcą etyki i dobrze opłacanym oszczercą, paladynem niemoralności, a nawet posłańcem diabła. Anzolę pocieszała myśl, że podobne zarzuty stawiano kiedyś generałowi Uribe; zdarzało mu się, że nie mógł w nocy zasnąć, rozmyślając, jak generał zareagowałby na taki afront, skrajnie niesprawiedliwy i bolesny. *Są tacy, co tylko udają chrześcijan*, napisał w „La Sociedad" ktoś podpisujący się jako Miguel de Maistre, *i oni wzięli na siebie zadanie splamienia dobrego imienia Świętej Matki Kościoła, w niemoralnych paszkwilach atakują przedstawicieli Boga wśród nas, a czyniąc to, atakują każdego prawego mężczyznę, każdą skromną kobietę, każde niewinne dziecko. Tymi stronicami, które siały niezgodę i doprowadziły do bratobójczych wojen domowych, owi posłańcy zła chcą nawrócić naszą ojczyznę na ateistyczny socjalizm. Ale w końcu okaże się, że my, Boży wojownicy, jesteśmy liczniejsi, niż sądzą, a jeśli będzie to konieczne, obronimy wiarę błogosławioną siłą naszej broni.*

Przez kolejne tygodnie Anzola musiał znosić to, że pewien bogotański pisarz nazwał jego książkę „czysto fikcyjną powieścią kryminalną", a jego „detektywem skłonnym do przesady", musiał też znosić szepty za plecami, kiedy, dajmy na to, wchodził do kawiarni; pewnego dnia zrezygnował z wysłuchania wykładu Luisa Lopeza de Mesy w cyklu „Kultury", chociaż bardzo go interesował, tylko dlatego, żeby nie znaleźć się wśród nieprzewidywalnej publiczności. Na początku grudnia zorganizowano manifestację robotników na placu Bolivara, Anzola wrócił do domu okrężną drogą, gdyż wciąż miał w pamięci to, co spotkało go na innym placu podczas innej manifestacji. Nigdy nie czuł się taki samotny. Miał wrażenie, że wszyscy o nim rozmawiają, ale zauważał, że wszyscy unikają jego wzroku. W Boże Narodzenie dostał paczuszkę od Juliana Uribe; otworzywszy ją, znalazł pudełko czekoladek Equitativa i kartkę z napisem *Wesołych Świąt*, to był pierwszy sygnał świadczący o tym, że rodzina nie wykluczyła go ze swojego życia. Pozwalał dniom płynąć, chodził z domu do biura, z biura do domu, inspekcjonował roboty prowadzone na rozległej mapie miasta. Pomiędzy świętami a Nowym Rokiem musiał przyjrzeć się pracom remontowym mostu na rzeczce San Francisco. Wyjaśniono mu, że kilka dni wcześniej z mostu spadła kobieta i rozbiła sobie twarz o płaskie kamienie. Anzola słuchał tych wyjaśnień, ale niezbyt uważnie i bez cienia współczucia, bo myślał o ostatnim kłamstwie, jakie napisano o nim w prasie, o ostatnim razie, gdy artykuł napluł na niego farbą drukarską. Tym właśnie zajmował się w pierwszych tygodniach 1918 roku, obserwował, co się dzieje, prawdziwą kampanię oszczerstw mającą sprawić, żeby Anzola nie dożył ustalonej daty rozpoczęcia procesu.

Przynajmniej ja tak go sobie wyobrażałem. Kiedy powiedziałem o tym Carballowi, zgodził się ze mną, tak, zapewne tak było. „To prawda, że część miasta wypowiedziała mu wojnę i była to najpotężniejsza część", stwierdził. „Ani pan, ani ja nie możemy sobie wyobrazić, przez co przeszedł ten chłopak". Carballo mówił o nim „chłopak", jak gdyby był to jego syn albo syn znajomego, a za każdym razem, kiedy to robił, przypominałem sobie o wieku Anzoli; w chwili gdy ukazała się książka, miał dwadzieścia sześć lat albo dopiero miał je skończyć. W listopadzie, kiedy miałem dwadzieścia sześć lat, sprowadzałem się do Barcelony, zdążyłem wydać dwie powieści, które najpierw wywołały we mnie poczucie dezorientacji, a potem porażki, i przygotowywałem się na to, żeby zacząć od nowa, zacząć nowe życie w nowym kraju, spróbować po raz drugi zostać pisarzem. Anzola natomiast nie tylko opublikował książkę, która sprawiła, że stał się najbardziej niewygodnym człowiekiem w kraju, gdzie niewygodni ludzie doświadczają najrozmaitszych prześladowań, ale także że przygotowywał się do bycia świadkiem w najsłynniejszym procesie najnowszej historii. Zbrodnia stulecia, tak nazywało ją wielu, chociaż stulecie dopiero się rozpoczęło i miało przynieść jeszcze wielu kandydatów do tego wątpliwie zaszczytnego miana. O zabójstwie Gaitana będzie się mówić to samo, ale również, wiele lat później, o zamachu na Larę Bonillę i Luisa Carlosa Galana. W tej kategorii mój kraj okazał się bardzo płodny.

„Zbrodnia stulecia", roześmiał się Carballo przy jakiejś okazji. „Nie mieli pojęcia, co ich czeka".

Proces sądowy Leovigilda Galarzy i Jesusa Carvajala oskarżonych o zabójstwo Rafaela Uribe Uribe zaczął się w maju 1918 roku. Poprzedziły go oskarżenia Anzoli, który nie zadowolił się publikacją *Kim oni są?*, ale również zawiadomił o zamiarze powołania dodatkowych trzydziestu sześciu świadków i ujawnienia, jak donosiła prasa, nieznanych szczegółów dotyczących zamachu na generała Uribe. Adwokat oskarżycieli Pedro Alejo Rodríguez wystąpił o to, żeby zeznania owych świadków uznać za nieważne i zabronić Anzoli jakiegokolwiek udziału w rozprawie.

„Pedro Alejo Rodríguez", powiedziałem. „Syn prokuratora prowadzącego postępowanie przygotowawcze. Syn nieprzyjaciela, dokładnie rzecz ujmując".

„No właśnie", przytaknął Carballo. „Zażądał, żeby Anzola nie uczestniczył w procesie, nawet jako świadek. I sędzia przychylił się do tej prośby".

Anzola jednak się nie przestraszył. Wyznaczonego dnia wyszedł z domu w południe i skierował do Salón de Grados, sali, której sława była tak wielka i dawna, że nikt nie dziwił się, iż morderców generała sądzono w tym samym miejscu, w którym cztery lata wcześniej czuwano przy jego trumnie. Miał pod pachą plik przewiązanych papierów i przez całą drogę żałował, że nie spakował ich do walizeczki. Przeszedł wiele przecznic w mżawce, która nie moczyła ubrania, czując z każdym lękliwym krokiem, jak ciężko powłóczy butami po bruku, ale uważał, że niestawienie się tam byłoby równoznaczne z klęską, kapitulacją. Zanim dotarł do Szóstej

Alei, usłyszał na ulicach ludzki gwar przypominający roje trzmieli z ciepłych regionów kraju. Anzola ruszył Dziesiątą Ulicą: minął okno, przez które Simón Bolívar uciekł swoim prześladowcom – mężczyznom, którzy zabili jednego z jego strażników, a potem zastali pustą sypialnię i wciąż ciepłe łóżko – i szedł dalej ze wzrokiem wbitym w ziemię, żeby się nie potknąć, dopóki nie skończył się mur. Przystanął. Pomiędzy dokumentami niesionymi pod pachą znajdował się egzemplarz *Kim oni są?*. Anzola zaczął się zastanawiać, czy wzięcie go ze sobą nie było błędem. Westchnął głęboko, szybko się przeżegnał i pocałował paznokieć prawego kciuka. Kiedy skręcił za róg, poczuł, że wychodzi na arenę, staje naprzeciwko dzikich bestii, a wrota się za nim zamykają.

„To on!", zakrzyknął ktoś. „To ten od książki".

Anzola czuł na sobie spojrzenia tłumu tak, jakby były jednym spojrzeniem, jednookim potworem, który go zauważył. „Niech stąd idzie!", krzyczał wściekły tłum. „Niech sobie stąd idzie!", „Niech odejdzie!" Inne głosy rozległy się z drugiej strony, bliżej Dziewiątej Ulicy, jakby krzyczały z balkonu zakonnic: „Niech wejdzie! Niech wejdzie!" Anzola utorował sobie drogę przez tłum, wytrzymując spojrzenia ludzi, żeby nie wyczuli jego niepokoju, i dotarł do otoczonych aurą świętości grubych drewnianych drzwi z kołatkami z kutego żelaza. Jeden z dwóch policjantów stojących pod herbem wyrytym w kamieniu zastąpił mu drogę:

„Zabronione!", powiedział.

„Dlaczego?", zapytał Anzola.

„Z nakazu sędziego".

Wówczas Anzola odchrząknął i powiedział policjantowi głośno, żeby wszyscy usłyszeli.

„W środku są ci, których nie powinno tam być".

Tłum zaczął krzyczeć. „Oszczerca! Bezbożnik!" Spod balkonu zakonnic inni prosili, żeby go wpuszczono, i robili to tak wojowniczym tonem, że Anzola przestraszył się, iż dojdzie do bójki. Wysiłek tych głosów pozbawionych twarzy okazał się jednak bezowocny, bo policja miała wyraźne rozkazy. Anzoli nie udało się wejść do środka.

„Ale następnego dnia", dodał Carballo, „miał więcej szczęścia".

„A co się zmieniło?", zapytałem.

„Wszystko i nic", odrzekł Carballo. Zamyślił się na chwilę. „Był pan tam kiedyś? Wszedł pan kiedyś tam, gdzie znajdował się Salón de Grados?"

„Nigdy", przyznałem.

„W takim razie proponuję panu spacer", powiedział. „Nikt nic powiedział, że mamy cały czas siedzieć w domu".

Wyszliśmy na ulicę i ruszyli Piątą Aleją na południe. Zapytałem znów Carballa, co się zmieniło, co sprawiło, że Anzoli pozwolono wejść na rozprawę dzień po tym, jak mu tego zabroniono.

„Prasa", odparł Carballo. „Wszystkie gazety zaprotestowały przeciwko wyłączeniu Anzoli. Zaprotestowały «El Tiempo», ale także «El Liberal» i również «El Republicano». Wszystkie gazety stanęły w obronie autora *Kim oni są?* i jego prawa do powołania swoich trzydziestu sześciu świadków. A ludzie przyłączyli się do protestu. Wybuchł taki skandal, że sędzia Garzón, wbrew wszelkim przewidywaniom, musiał zmienić zdanie. Nie wiem, może pomyślał, że sprawa może wymknąć się spod kontroli, jeśli będzie się upierał". Przecięliśmy aleję Jimeneza, minęliśmy salon bilardowy Aventino, gdzie zmarnowałem tyle godzin, a kiedy doszliśmy do ściany na Czternastej Ulicy, gdzie pewnego popołudnia 1996 roku zamordowany został Ricardo Laverde, skręciliśmy w prawo i udaliśmy się dalej na południe Szóstą Aleją. „Następnego dnia Anzola wrócił do Salón de Grados. Gazety relacjonowały każdy kolejny dzień procesu, publikowały stenogramy przesłuchań, a potem dyskutowały o nich, dlatego dość szczegółowo wiemy, co się działo w sali rozpraw. Jedna z gazet pisała o Anzoli; opowiadała, jak dociera na miejsce z przewiązanym plikiem papierów pod pachą: książek, zeszytów, luźnych kartek. Nie mam ich teraz przy sobie, ale zdarzało mi się przynosić to wszystko, żeby wejść tu, przyjrzeć się scenie i spróbować zobaczyć to samo, co widział wtedy mój chłopak".

M ó j c h ł o p a k, powiedział Carballo. Docieraliśmy właśnie na róg Dziesiątej Ulicy, gdzie zaczyna się kamienne gmaszysko, w którym sto lat temu mieścił się Salón de Grados, i dopiero wtedy doznałem pewnego olśnienia – choć powinienem był go doznać o wiele wcześniej – dotyczącego intensywnej relacji między Carballem a Anzolą, a może raczej głębokiej więzi, jaką odczuwał Carballo z tamtym tropicielem spiskowców. M ó j c h ł o p a k. Spojrzałem na niego ukradkiem, kiedy szliśmy gęsiego po wąskich schodach. Pewnie wierzy nawet w reinkarnację, pomyślałem złośliwie, a potem zawstydziłem się tej myśli. Dotarliśmy wówczas do imponującego łuku z rzeźbionego kamienia i do drewnianych wrót, przeszliśmy przez ciemną sień na skąpany w świetle dziedziniec pełen krzewów różanych i z kamienną fontanną pośrodku, i pomyślałem, że w tej chwili, spacerując korytarzem pomiędzy dostojnymi kolumnami, Carballo czuł, a może tylko pragnął poczuć to samo, co swego czasu czuł Anzola; na przykład wchodząc do tej przestronnej nawy o wysokich sufitach, gdzie odbywały się przesłuchania; na przykład słysząc hałas, który usłyszał za barierkami, podobny do hałasu rzeczy wibrujących podczas trzęsienia ziemi.

„Więc to było tutaj?", zapytałem.

„To było tutaj", potwierdził Carballo.

W tej obszernej sali na drewnianych ławkach mieściły się setki widzów. Pomieszczenie nazywano Salón de Grados, bo

służyło wcześniej za Audytorium Maximum, to w nim roz-
dawano dyplomy działającego tu niegdyś uniwersytetu. Carballo opowiedział mi o zdjęciach, które ukazały się w prasie
w tamtych dniach. Stojąc w drzwiach zimnego ogrodu, wyjaśnił mi, gdzie usiadł Anzola, powiedział mi też, że w głębi,
na solidnym tronie, osłonięty ciemnym baldachimem, siedział Julio C. Garzón, drugi sędzia najwyższy Bogoty. Towarzyszyli mu sędziowie przysięgli, nad głowami całej czwórki
wisiał drewniany krzyż z Chrystusem wielkim jak pięciolet-
nie dziecko. Przed nimi, przy innym biurku, za barykadą
papierów wysoką na cztery piędzi, siedział sekretarz sądowy.
W dniu, kiedy Anzola dostał się do środka po raz pierwszy,
żeby złożyć zeznanie, dowiedział się, że Pedro León Acosta
pobił się na pięści i kijem z obywatelem, który oskarżył go
o udział w zbrodni. Bijatyka była tak agresywna, że agent
policji musiał rozdzielić ich siłą, i zapewne spędziłby noc
w komisariacie, gdyby policjant nie zdał sobie w porę sprawy, z kim ma do czynienia.

„Wyobrażam sobie, że Anzola pomyślał: Moja książka to
sprawiła. Wyobrażam sobie, jak unosi wzrok i patrzy, jak go
wyzywają albo jak biją mu brawo, i myśli, że wszystko stało
się dzięki jego książce. Na pewno wiemy, że zobaczył prokuratora Rodrigueza Forero, który uczestniczył w procesie
jako zwykły obserwator. Najprawdopodobniej siedział tutaj,
za barierkami. Przygotował akt oskarżenia, który opublikował, ale potem zastąpił go inny prokurator. Poza tym jego
syn był adwokatem rodziny Uribe, więc i tak on nie mógłby
brać udziału w procesie. Musiałby się wykluczyć".

„A gdzie siedzieli zabójcy?"

„Proszę spojrzeć, o tam".

Spojrzałem, gdzie pokazywał Carballo. Galarza i Carvajal siedzieli pod boczną ścianą, na ławce bez oparcia, otoczeni agentami. Z niewielkim zainteresowaniem przyglądali

się wszystkiemu, co się działo, a z ich twarzy można było wyczytać, że mało z tego rozumieją. Obaj mieli na szyjach przewiązane chusty tak obszerne, że za każdym razem, kiedy pochylali głowy, nie było widać ich twarzy. Galarza był łysy, jakby niedawno się ogolił, a Carvajal miał wodniste spojrzenie kogoś bardzo zmęczonego. Od czasu do czasu obracał się w kierunku zegara na gołej ścianie, żeby sprawdzić, która jest godzina. Jeden z dziennikarzy zanotował, że jego mowa ciała nie wskazuje na to, by był zmęczony, sprawiał raczej wrażenie znudzonego.

Kiedy tylko sędzia ogłosił rozpoczęcie rozprawy, adwokat rodziny Uribe poprosił o głos. Pedro Alejo Rodríguez miał zbyt wysokie czoło i głębokie zakola – mimo że skończył zaledwie trzydzieści lat – i oczy o ciężkich powiekach, które wydawały się ciągle uśpione, a jego wysoki głos zawsze brzmiał jak skarga rozpieszczonego dziecka. Pokazał palcem Galarzę i Carvajala i powiedział:

„Oto zabójcy. Nie będziemy tu rozmawiać o nikim innym, oskarżać nikogo innego".

Publiczność zaczęła gwizdać, dłonie uderzały o drewniane barierki i ławy.

„Proszę o ciszę!", powiedział sędzia.

„Ława przysięgłych zebrała się tutaj, żeby orzec o winie Galarzy i Carvajala", ciągnął Rodríguez. „Wymiaru sprawiedliwości nie powinien obchodzić nikt inny. Do tego się wszyscy przygotowywaliśmy, ale wtedy na sali rozpraw zjawił się ten człowiek".

Pokazał Anzolę. Na górnej trybunie rozległy się pomruki. „Niech sobie stąd pójdzie!", krzyczano gdzieś w oddali.

„Proszę o ciszę!", powtórzył sędzia.

„Ten człowiek", powiedział Rodríguez, „stawił się na rozprawie i zażądał, żeby pozwolono mu zeznawać. Nie tylko jemu, ale jeszcze trzydziestu sześciu innym świadkom.

Ale pan Anzola nie jest pierwszym z brzegu świadkiem, jest autorem pamfletu, który obwinia o zbrodnię także inne osoby, poza Galarzą i Carvajalem. Wysoki sądzie, bardzo prawdopodobne, że przyszedł tutaj rzucać te same oskarżenia. W porządku, wysłuchajmy świadków, zgodnie z przepisami prawa. Ich zeznania doprowadzą nas do jednego z dwóch wniosków: albo nowe dowody są w świetle prawa niepodważalne, albo są po prostu nieuzasadnionymi podejrzeniami, których nie powinniśmy brać pod uwagę, bo prowadzą donikąd. Jeśli zaś o nas chodzi, będziemy wykonawcami woli rodziny generała". Sięgnął po jedną ze swoich teczek i wyjął z niej kartkę. „Oto list", powiedział, „który przysłał nam z Waszyngtonu doktor Carlos Adolfo Urueta, zięć generała. Czytamy w nim: *Doskonale zdaje Pan sobie sprawę, czego pragnęliśmy podczas procesu. Żeby wyjaśniono wszystko, co da się wyjaśnić, ale unikając bezsensownych skandali, a przede wszystkim tego, żeby nazwisko generała zostało wykorzystane jako narzędzie zniesławiania kogokolwiek*. I tego, wysoki sądzie, będę się trzymać jako oskarżyciel".

„Rozumiem", powiedział sędzia. Zadzwonił dzwoneczkiem, którego Anzola wcześniej nie widział. „Proszę świadka o zabranie głosu".

„Anzola wstał i podszedł do mównicy", mówił Carballo, pokazując palcem. „O tędy. Dziennikarze opisują, że miał ze sobą mnóstwo papierów. Część wypadła mu z ręki, musiał je pozbierać. Na pewno był zdenerwowany. Na sali znaleźli się jego wrogowie: Alejandro Rodríguez Forero i Pedro León Acosta".

„Acosta przyszedł?"

„Tak, zajął miejsce w pierwszym rzędzie", odparł Carballo. „Nie było natomiast Salomona Correala".

„Dlaczego?"

„Nie musiał", powiedział Carballo. „Przysłał swoich szpiegów. W gruncie rzeczy wszyscy agenci byli szpiegami Correala".

„Panie Anzola", odezwał się sędzia. „Czy przysięga pan na Boga odpowiadać prawdę na każde zadane pytanie, według swojej najlepszej wiedzy, mając świadomość, że za składanie fałszywych zeznań grozi panu kara pozbawienia wolności?"

„Przysięgam", odparł Anzola. „Ale uprzedzam, że nie jestem oratorem. Dlatego proszę publiczność o cierpliwość i wybaczenie mi błędów. Byłem bezpośrednim świadkiem niektórych faktów, inne znam tylko ze słyszenia".

„Proszę zwrócić uwagę na te słowa", wtrącił Rodríguez.

„Proszę zwrócić uwagę na wszystko, co powiem", odparł Anzola. „Bo niczego potem nie odwołam".

„Fakty", powiedział prokurator. „Interesują nas fakty".

„Właśnie do tego zmierzam", odparł Anzola. „Pragnę wykazać, że były prokurator pan Alejandro Rodríguez Forero okaleczył akta, żeby przeforsować hipotezę o tym, że Galarza i Carvajal działali sami. Proszę prywatnego oskarżyciela Pedra Aleja Rodrigueza, żeby wziął do ręki akt oskarżenia. I proponuję byłemu prokuratorowi, skoro już tu z nami jest, żeby otworzył swój egzemplarz i poczytał z nami. Żeby się pan nie nudził".

Na widowni rozległy się śmiechy.

„Dowody, panie Anzola", powiedział prokurator.

„Zamierzam przekonać sąd, że prokurator Rodríguez Forero sfałszował akt oskarżenia".

„Taki zarzut wymaga dowodów, panie Anzola", odparł syn Rodrigueza. „Proszę przedstawić je w tej chwili".

„Z wielką przyjemnością", powiedział Anzola. „Panie sekretarzu, proszę o otwarcie akt na stronie tysiąc dwieście czternastej. Panie mecenasie, proszę otworzyć akt oskarżenia zredagowany przez pańskiego ojca na stronie dwieście siedemdziesiątej. Chodzi o spotkanie, które odbyło się w zakładzie stolarskim zabójcy Galarzy piętnaście dni przez zbrodnią. Straż przed zakładem trzymał jeden z funkcjonariuszy Salomona Correala. Spotkanie było niezwykle ważne i należałoby ustalić, kto brał w nim udział. W aktach sprawy czytamy: *Piętnaście dni przed zbrodnią...* Tymczasem pan Rodríguez Forero podaje w akcie oskarżenia: *Kilka dni przed zbrodnią...* Nie mamy tu już dokładnie piętnastu dni, ale nieprecyzyjną datę. A ja się pytam, od kiedy prokurator woli mgliste wzmianki od precyzji? I ja, wysoki sądzie, odpowiadam: od wtedy, gdy precyzja mogłaby napytać biedy pewnym osobom i próbuje uniknąć tego za wszelką cenę. To właśnie nazywam fałszerstwem".

Anzola oczekiwał oklasków i oklaski się rozległy.

„Ależ nie!", powiedział Rodríguez. „Fałszować to ukrywać coś, co znajduje się w aktach sprawy albo zmienić to w złych zamiarach. Tutaj znajdujemy jedynie uogólnienie. Prokurator może, streszczając akta, zastąpić jedne słowa innymi".

„Naprawdę może?", zapytał Anzola sarkastycznym tonem.

„Oczywiście. Poza tym prokurator niczego nie sfałszował, bo cytowane wyrażenie nie znajduje się w cudzysłowie".

„Nie tylko o to chodzi", upierał się Anzola. „Jest wiele innych przekłamań".

„Niech pan zacytuje je wszystkie".

„Niejaki Alejandrino Robayo był również tej nocy w zakładzie stolarskim zabójcy. W aktach Robayo opowiada o osobach, które mu towarzyszyły, i wymienia nazwisko Celestina Castilla. Ale proszę przeczytać akt oskarżenia, panie sekretarzu, proszę go tylko przeczytać, nazwisko osoby towarzyszącej znika, w zamian czytamy: *Znajomy, który mi wówczas towarzyszył...* Nazwisko Castilla zostało wymazane. Dlaczego? Bo to człowiek Salomona Correala!"

Rodríguez zaczął machać rękami. „Panie sekretarzu", poprosił, „mógłby pan wyjaśnić, czy ten ustęp ujęto w cudzysłów?"

Sekretarz odparł: „Nie widzę cudzysłowu".

„W takim razie nie mamy do czynienia z fałszerstwem", ocenił Rodríguez.

Anzola odwrócił się do publiczności: „Ja mówię o mijaniu się z prawdą, a on opowiada o cudzysłowach!"

Publiczność wstała z miejsc. Wrzaski były ogłuszające, ale pośród głosów, które go oskarżały, pośród otwartych paszczy swoich nieprzyjaciół usłyszał kogoś, kto woła jego nazwisko i mówi: „Spokojnie! Jest tutaj lud gotowy stanąć w pańskiej obronie". Słowa te sprawiły, że Anzola poczuł się silniejszy. Podniósł głos.

„Oświadczam", powiedział, „że prokurator Rodríguez Forero próbuje coś ukryć".

Obserwatorzy rozprawy stali teraz z pięściami w górze, z otwartych ust płynęły okrzyki. Do Anzoli dotarło, że z łatwością może wzniecić bunt, właśnie tutaj, właśnie w tym momencie, i pierwszy raz zrozumiał, co czuł generał Uribe, wygłaszając swoje przemówienia – władzę nad tłumem i przerażającą możliwość jej wykorzystania. Szefowie policji zajęli miejsca przy barierkach, żeby pilnować porządku, co zostało odczytane jako groźba przez tych, którzy bronili Anzoli. „Niech zaatakują! Niech użyją broni, a zobaczą, do czego zdolny jest lud". Sędzia próbował przekrzyczeć tumult, stukanie dłoni o drewniane ławki. „Spokój!", krzyczał. Z rogu rozległ się okrzyk: „Śmierć zabójcom!", „Śmierć zdrajcy Acoście!", krzyknął ktoś z innej strony. A sędzia dzwonił metalowym dzwoneczkiem i krzyczał: „Odraczam rozprawę! Odraczam rozprawę".

„I rozprawa została odroczona", opowiadał Carballo. „Może sobie pan wyobrazić panującą tam atmosferę. I to, co zdarzyło się pierwszego dnia, kiedy Anzola zeznawał, powtórzyło się podczas kolejnych przesłuchań. Krzyki. Protesty. Brawa. Rzędy ławek podzielone między wrogością a poparciem, atmosfera rewolucji, która w każdej chwili może wybuchnąć… A Anzola wciąż zeznawał. A kiedy zaczął powoływać swoich świadków, sytuacja wcale się nie poprawiła".

„On powoływał swoich świadków? Przecież nie wolno tego robić podczas rozpraw, panie Carlosie".

„Tak, wiem", przyznał Carballo. „Pan też jest prawnikiem, zupełnie o tym zapomniałem. Ale było to wówczas dopuszczalne, za zgodą sędziego. Mam gdzieś zapisany numer ustawy i ustęp, który pozwalał sędziemu prowadzić przesłuchania tak, jak mu się podobało. Nie wiem, czy wciąż tak jest, ale wtedy to było możliwe. Anzola zaś nie był pierwszym z brzegu świadkiem; napisał książkę, przyprowadził swoich trzydziestu sześciu świadków, a w dodatku miał po swojej stronie prasę, tak się przynajmniej wydawało. Pozwolono mu więc ich powołać i rozmawiać z nimi, właściwie ich przesłuchać, chociaż nie był pełnomocnikiem żadnej ze stron. Zdarzyło się coś wyjątkowego, ale cała rozprawa była wyjątkowa, chodziło o to, żeby nie dopuścić do wybuchu zamieszek. Anzola powołał więc dwóch strażników z Panóptico, którzy opowiedzieli o uprzywilejowanych warunkach, w jakich więziono Galarzę i Carvajala, a także opisali relację zabójców z Salomonem Correalem. Jeden z nich zeznał, że któregoś dnia, kiedy zajmował się rewidowaniem odwiedzających, przyszła do Galarzy żona. W pewnej chwili, gdy sądzili, że nie patrzy, dała mu kartkę. On schował ją w bucie. Kiedy sobie poszła, strażnik kazał Galarzie tę kartkę pokazać.

„I co było na niej napisane?", zapytał sędzia.

„Treść była następująca", odparł świadek. *Rozmawiałem z doktorem, który powiedział mi, że na ulicy wszystko w porządku. Ale pamiętajcie, że nie tylko wy jesteście odpowiedzialni. Nie bądźcie tak głupi, żeby płacić sami za zbrodnie, kiedy to nie tylko wasza wina.*

„Publiczność krzyczała przy takich rewelacjach, a przybywało ich każdego dnia", opowiadał Carballo. „Anzola przesłuchiwał kolejnych świadków, którzy mówili to samo, co opowiedzieli mu wcześniej, kiedy pisał książkę. Ale szybko zorientował się, że będzie potrzebne o wiele więcej niż strony *Kim oni są?*, żeby przekonać ławę przysięgłych".

Adela Garavito zeznała, że widziała Salomona Correala niedaleko od domu generała Uribe Uribe rano w dniu zbrodni; natychmiast agent policji Adolfo Cuéllar, sekretarz Correala, zeznał, że generał był przez całe rano w komendzie, a rozemocjonowana publiczność zaczęła głośno bić brawo. Ana Beltrán, która oświadczyła, że jest matką córki Carvajala, opowiedziała o spotkaniu w zakładzie stolarskim Galarzy, i zapewniła, że mówiono o zabójstwie Uribe Uribe; zaraz potem sędzia zmusił ją do przyznania się, że ma drugą córkę z innym mężczyzną, a widzowie zaczęli się z niej wyśmiewać i jakby za dotknięciem czarodziejskiej różdżki jej słowa straciły wiarygodność. Świadek o nazwisku Villar, więzień Panóptico, zeznał, że Anzola zaproponował mu wynagrodzenie, jeśli zgodzi się zeznawać zgodnie z jego prośbą, powiedział nawet, że to samo miało miejsce w przypadku wszystkich innych świadków powołanych przez Anzolę – zostali kupieni. „Jestem tego prawie pewien", powiedział, „ale nie mogę tego udowodnić". I nie musiał, publiczność w ławach zaczęła krzyczeć, że wszystko to farsa. Villar obrzucał go oszczerstwami, ale to Anzolę uznano za oszczercę.

„Najgorsze", ciągnął Carballo, „że na nic się to nie zdało. Trzech członków składu sędziowskiego miało tylko jeden obowiązek: osądzić Galarzę i Carvajala. Prawo było jasne, sądziło się tylko oskarżonych wymienionych w akcie oskarżenia. Nikogo poza tym. Sędziowie nie mogli podejmować żadnych decyzji dotyczących osób, które oskarżano w książce, do tego potrzebny byłby kolejny proces. To, co działo się w Salón de

Grados, było tylko sądem przed opinią publiczną i Anzola doskonale zdawał sobie z tego sprawę, zdążył się z tym pogodzić. Miał jedno zadanie, pokazać, że Correal, Acosta i jezuici ponosili odpowiedzialność za tę zbrodnię, a potem pozwolić, żeby opinia publiczna zajęła się resztą. Nie mógł zrobić nic więcej. Mimo to wytrwał. I zaczął płacić za to wysoką cenę".

„Co chce pan przez to powiedzieć?"

„Niech pan ze mną pójdzie, Vásquez". I Carballo poprowadził mnie korytarzem biegnącym wokół starego klasztoru. Z dziedzińca dobiegał nieustający szmer fontanny, między nami a fontanną rosły krzewy róż; miejsce rodem z baśni, w którym, jak w wielu innych baśniowych miejscach, zdarzyły się prawdziwe koszmary. Dotarliśmy przed drzwi. „To był pokój świadków podczas rozprawy", powiedział Carballo. „Tu spotkali się, zanim wezwano ich na przesłuchanie, żeby nikt nie mógł wcześniej z nimi rozmawiać. Wie pan, co się tutaj stało?" Było to pytanie retoryczne, ja nie miałem oczywiście pojęcia, a on miał mi oczywiście to wyjaśnić. „Wydarzyło się coś, co z początku wydawało się tylko skandalem, ale dla Anzoli miało później straszliwe konsekwencje. To był szósty albo siódmy dzień rozprawy, nie pamiętam dokładnie. Wszystko jedno, ważne, że Anzola zjawił się w Salón de Grados wcześniej niż zwykle, bo chciał porozmawiać z kilkoma osobami obserwującymi proces, dziennikarzami, sympatykami jego sprawy, kapitanem, który nie był świadkiem, a mógłby nim zostać. Ale szef pilnujących porządku agentów nie pozwolił mu na to".

„To zarządzenie sędziego", wyjaśnił.

„Niewiarygodne", rzekł Anzola. „Nie mogę porozmawiać z ludźmi?"

„Sędzia zarządził, że ma pan czekać w pokoju świadków", oznajmił policjant. „Proszę pójść za mną, panie Anzola, zaprowadzę pana".

„Nie", odparł Anzola, „będziecie musieli zabrać mnie siłą". Ku zdumieniu obecnych policjant chwycił go za ramię i zaczął ciągnąć. Anzola wsunął stopy między barierki. Podczas przepychanki upadł na podłogę, agenci podnieśli go i zaczęli popychać, on zaś krzycząc pytał, czy nie ma tu żadnego liberała, który stanąłby w jego obronie. „Ograniczają moją wolność, bo chcę udowodnić winę Correala!", krzyczał. Policjanci przyparli go do muru, zrewidowali i znaleźli rewolwer. Anzola został zamknięty w pokoju dla świadków, nieopodal sieni, agenci zaś zanieśli rewolwer sędziemu. Później miał się dowiedzieć, że oskarżyli go o to, iż wyciągnął rewolwer i chciał do nich strzelać. Kiedy sędzia go wezwał, Anzola oskarżył policjantów o znieważenie go i pobicie, poruszył też inną sprawę, powiedział, że agenci policji, którzy odważyli się zeznawać przeciwko Correalowi, byli szykanowani przez własnych kolegów.

„To nawet nie szykany", krzyczał Anzola, „to prawdziwe represje".

„Anzola przyniósł list jednego z tych prześladowanych agentów", opowiadał Carballo. „Próbował go przeczytać, ale sędzia mu zabronił, mówiąc, że nie jest prokuratorem, lecz świadkiem. Wtedy, zanim policjanci zdołali temu zapobiec, Anzola podszedł do dziennikarzy, wręczył im list i poprosił, żeby go opublikowali. Były prokurator Rodríguez Forero wstał, żeby zaprotestować, a ludzie zaczęli krzyczeć wraz z nim. «Próbują założyć nam knebel!», odparł Anzola i prawie nie usłyszał swoich własnych słów. Sędzia nakazał opróżnić salę. Policjanci spełnili polecenie, nagle wydawało się, że ich przybyło, ale publiczność opierała się tak stanowczo, że wyjęli broń. Zaczęli bić zgromadzonych kolbami, w gazetach możemy przeczytać, że w tamtej chwili pośród wrzasków rozległ się głos: «Wyprowadzają nas, bo nareszcie coś się wyjaśnia». Anzola musiał być tego samego zdania, bo tego popołudnia miał przyprowadzić bardzo ważnego świadka. Pomyślał pewnie: dowiedzieli się, moi wrogowie dowiedzieli się o tym, dlatego próbują mnie unieszkodliwić, dlatego sędzia zawiesza rozprawę. Tak się jednak nie stało, rozprawa została wznowiona piętnaście minut później, tyle czasu wystarczyło, żeby uspokoić nastroje i zażegnać niebezpieczeństwo katastrofy. Tak to wyglądało, mogło się skończyć połamanymi kośćmi i rozbitymi głowami. Ale minęło piętnaście minut i przesłuchania zaczęły się od nowa. Anzola, świadek Anzola, wezwał na świadka kolejną osobę. Był to młody robotnik w brązowej marynarce i czarnej chusteczce w butonierce. Nazywał się Francisco Sánchez, ale jego nazwisko nie ma większego znaczenia. Ważne jest to, o co go zapytano: czy Emilio Beltrán zaproponował mu zabicie generała Uribe".

„Emilio Beltrán", powiedziałem. „Coś mi to mówi, ale nie pamiętam, kto to był".

„Tak, wspomina się o nim w *Kim oni są?*. Ale kiedy Anzola wydawał książkę, nie wiedział jeszcze tego, co teraz".

Emilio Beltrán był towarzyszem nocnych wypadów Carvajala. Widywano ich często w barach z chichą, przeważnie pijanych, albo jak grali w pokera w El Molino Rojo. Przez kilka miesięcy Beltrán wynajmował pokój u Carvajala, tak źle szły mu interesy, ale kiedy przyszło do składania zeznań, zaprzeczył wszystkiemu; nie znał Carvajala, nigdy u niego nie mieszkał, nie spotykał się z nim, nie był w zakładzie stolarskim Galarzy rano w dniu zbrodni.

„To prawda", powiedział Francisco Sánchez. „Byłem przyjacielem Emilia Beltrana, przestałem się z nim zadawać, kiedy zaproponował mi, żebym pomógł mu zabić generała Uribe".

„Kiedy to było?", zapytał sędzia.

„Nie pamiętam dokładnej daty. Ale pamiętam, co mi powiedział, że jeśli weźmiemy w tym udział, nasz los się odmieni".

„Dlaczego nie zawiadomił pan władz?"

„Nie chciałem donosić na przyjaciela. Poradziłem mu jednak, żeby dał sobie spokój. Powiedziałem, że nie jestem zwolennikiem Uribe, ale nie będę się w to pakował i on też nie powinien. Zapytałem, co powiedziałaby na to jego matka".

„A jak pan sądzi, dlaczego zaproponował to właśnie panu?"

„Bo wiedział, że nie popieram generała Uribe, tak myślę. Pewnego dnia zaprosił mnie do swojego warsztatu i powiedział: «Sytuacja jest bardzo kiepska. Jesteśmy wszyscy spłukani, a to wina generała Uribe. Pomóż mi się go pozbyć i zobaczysz»".

„Wspomniał o kimś jeszcze, kto był w zmowie?"

„Zrozumiałem, że jest ich więcej, bo opowiadał o tym bardzo pewnie. Ale nie wymienił nikogo konkretnego".

„Zaproponował panu pieniądze?"

„Nie, ale zrozumiałem, że mi zapłacą. Widziałem, że jego sytuacja finansowa zmieniła się po zamachu. Znacznie się poprawiła. Wcześniej był stolarzem, teraz jest bogatym człowiekiem".

Wtedy wtrącił się Anzola. „To prawda", powiedział. „Beltrán ma teraz własne mieszkanie, jest właścicielem stolarni. Jak do tego doszło? Tego pan prokurator, ojciec obecnego tu mecenasa, nigdy nie chciał zbadać".

Pedro Alejo Rodríguez uniósł ręce do nieba. „Nie pora teraz…"

„Wysoki sądzie, wnoszę o przesłuchanie pana Emilia Beltrana".

„Beltrán był niezwykle elegancki", powiedział Carballo. „Nawet redaktor «El Tiempo» zdziwił się, że stolarza stać na tak wytworny garnitur i kapelusz".

„Widać było, że jest zdenerwowany. Sędzia spytał Sancheza, czy podtrzymuje wszystko, co zeznał przeciwko swojemu przyjacielowi Beltranowi".

„Tak", odparł Sánchez. „Podtrzymuję".

„To nieprawda", powiedział Beltrán.

„Proszę sobie przypomnieć", nie ustępował Sánchez. „Powiedział mi pan o tym, kiedy byłem u pana w domu po drewno".

„Nie pamiętam".

„Człowieku, przypomnij sobie", upierał się Sánchez, który nagle zaczął mówić mu na ty. „Tego dnia, kiedy byłem u ciebie w domu przy moście San Juanito".

„Czy świadek był u pana w domu?", zapytał sędzia.

„Dwa albo trzy razy", odparł Beltrán.

„No więc powiedz prawdę, przestań zaprzczać. Przypomnij sobie, jak namawiałeś mnie do zabicia generała Uribe".

„Nie pamiętam nic takiego", powiedział Beltrán. „To oszczerstwo, przy którym ten pan od dawna się upiera".

„Panie Beltrán, czy to prawda, że pracował pan w zakładzie stolarskim Galarzy?", zapytał Anzola.

„Tak".

„I wtedy był pan w złej sytuacji?"

„Tak, proszę pana. W złej sytuacji".

„A teraz?"

„Teraz jestem w jeszcze gorszej".

„Ale to bardzo dziwne, że wtedy nie miał pan pieniędzy, a teraz jest pan właścicielem domu".

Beltrán milczał. Anzola zapytał go wtedy o to, co się wydarzyło 15 października. Przesłuchanie było godzinną torturą, Beltrán odpowiadał monosylabami, a monosylaby te przeważnie miały świadczyć o jego amnezji. Nic konkretnego nie udało się z niego wycisnąć; było to długie wypytywanie o godziny przyjścia i wyjścia zabójców, o ostrzone toporki, o naprawę uszkodzonych rękojeści, o uwagi wymieniane podczas ostrzenia toporków, o miejsce, gdzie zabójcy jedli obiad, i o ręczną wiertarkę, którą zastawili.

„A jednak coś udało się ustalić", powiedział Carballo.

„Nie rozumiem", zdziwiłem się.

„Nie widzi pan?", zapytał Carballo. „Przecież to jasne jak słońce, Anzola miał przed sobą i przesłuchiwał trzeciego zabójcę".

„Tego od kastetu?", zapytałem.

„Oczywiście", odparł Carballo. „Tego, który miał użyć trzeciego toporka, znalezionego później przez przypadek. Zamiast niego użył kastetu. A teraz go przesłuchiwano".

„Ale czy Anzola zdołał to udowodnić?"

„Nie. Ale zdołał osiągnąć coś niemal równie wspaniałego".

Pod koniec przesłuchania poczuł, że ma wystarczająco dużo poszlak, by utrzymywać przed obserwatorami procesu, iż współudział Emilia Beltrana został udowodniony. „Był bliskim znajomym Galarzy i Carvajala", powiedział. „Mieszkał z nimi, wygłaszał pogróżki wobec generała Uribe, a nawet zaproponował innemu znajomemu uczestnictwo w zabójstwie generała". I podsumował: „Ten człowiek powinien zostać aresztowany. Żeby kogoś aresztować, wystarczy dowód rzeczowy i poważne poszlaki. W naszym przypadku mamy dowód rzeczowy i całą serię poważnych poszlak przeciwko Beltranowi". Anzola zwrócił się wówczas do obrońcy zabójców. „Nie sądzi pan, mecenasie, że Beltrán powinien zostać aresztowany? Innymi słowy: dlaczego pańscy klienci siedzą w areszcie, a ten człowiek przebywa na wolności? Nie sądzi pan, że Beltrán powinien znaleźć się w tej samej sytuacji, co Galarza i Carvajal?" Publiczność za barierkami zaczęła bić brawo, kiedy adwokat przyznał, że tak. I wtedy Anzola uniósł wzrok, jakby zwracał się do wysokich sufitów i drewnianych belek, i powiedział tonem zwycięzcy:

„Ze względu na powyższe ustaliliśmy, że istnieje jeszcze trzecia osoba, która powinna zasiąść na ławie oskarżonych. To obala w całości akt oskarżenia".

„Publiczność wybuchła jak na wiejskim festynie", ciągnął Carballo. „Niech pan sobie tylko wyobrazi, Vásquez, co tu się stało: Anzola wykazał właśnie, że akt oskarżenia ma wady prawne. Znalazł się w pół drogi do zwycięstwa. Dotąd prawdziwi sprawcy byli bezpieczni, gdyż w akcie oskarżenia uznano ich za niewinnych i w związku z tym nie stanęli przed sądem. Ale jeśli akt oskarżenia nie był wcale godny zaufania, na jakiej podstawie opierała się ich bezkarność? Mówiąc inaczej: Acosta i Correal osłonili się tarczą aktu oskarżenia. Anzola jednak wytrącił im tę tarczę z rąk. Teraz mogło wydarzyć się wszystko. Zaczął się starać z całych sił, żeby się wydarzyło. Był taki podniecony, mój chłopak był taki podniecony. I wie pan co? Myślę, że właśnie dlatego w końcu spieprzył sprawę. Bo wydawało mu się, że ma już wszystko w garści. Coś jednak nie wyszło i stracił kontrolę. Muszę przyznać, że pewnie popełniłbym ten sam błąd".

Upadek Anzoli wyglądał następująco.

Po zwycięstwie w kwestii aktu oskarżenia Anzola poczuł, że ma wolną drogę, by wystąpić przeciwko tym, których podejrzewał w swojej książce o współudział w zbrodni, czyli Pedrowi Leonowi Acoście, Salomonowi Correalowi i jezuitom. Postanowił zacząć od Acosty, gdyż publikacja książki *Kim oni są?* zaowocowała pewnym interesującym spotkaniem. W lutym, według ustaleń Carballa, pewien Włoch nazwiskiem Veronesi podszedł do Anzoli, żeby powiedzieć mu trzy rzeczy, po pierwsze, że przeczytał jego książkę, po drugie, że jest tylko gościem szlachetnego narodu kolumbijskiego i nie chce się wtrącać w nie swoje sprawy; po trzecie, że nie przeszkadza mu to słyszeć różnych rzeczy, jakie niektóre osoby opowiadają o zabójstwie generała Uribe. Jedna z tych osób pracowała dla niego. Nazywała się Dolores

Vásquez i widziała coś ważnego. Być może pan Anzola również uzna to za ważne.

Dolores Vásquez była staruszką owiniętą w ciemny szal, miała cienki głos i spokojny temperament, należała do tych kobiet, które zdają się podchodzić z dystansem do świata i obserwować z rezygnacją ze swojego krzesła ludzką niedolę. Od wielu lat pracowała dorywczo dla Veronesiego i mieszkała niedaleko Puerto Colombia, chicheríi, w której spotkali się zabójcy w przeddzień zbrodni. Możemy przypuszczać, że Anzola bardzo cieszył się z tego, że ją spotkał. Na długo przed publikacją swojej książki podejrzewał, że zabójcy spotykali się często w tej chicheríi i że inne osoby dołączały do nich, żeby rozmawiać o śmierci generała Uribe, ale nie udało mu się zebrać zeznań potwierdzających te przypuszczenia. Dolores Vásquez opowiedziała mu o eleganckich mężczyznach spotykających się z zabójcami w Puerto Colombia, często bywał wśród nich człowiek w cylindrze, który tuż przed zbrodnią zjawił się tam, szukając Galarzy. Anzola, zdaje się, zapytał, czy był to Pedro León Acosta, a ona odparła, że nie wie, jak wygląda generał. Anzola zdobył jego stary wizerunek z czasów zamachu na Rafaela Reyesa i zabrał go pewnego dnia do sklepu Veronesiego, ona spojrzała na pożółkły wycinek i powiedziała, że nie jest pewna, ale być może poznałaby generała, gdyby zobaczyła go na własne oczy. Anzola postanowił zorganizować to spotkanie i to w Salón de Grados.

Ale tego dnia, kiedy Dolores Vásquez miała rozpoznać Pedra Leona Acostę, coś się wydarzyło. Według bogotańskiej prasy Anzola czekał, by pozwolono mu wejść na salę rozpraw, kiedy podszedł do niego mężczyzna w rękawiczkach i z laską. „Gratuluję", powiedział pogardliwym tonem. „Zbiera pan już pierwsze owoce swojej pracy". Okazało się, że właśnie zmarła matka Pedra Leona Acosty. Ludzie obwiniali o to

Anzolę, ale nie to było najważniejsze; najważniejsze było to, że sędzia rozpoczął rozprawę od odczytania telegramu, który Acosta wysłał do bliskiego przyjaciela:

Jedynie moja najukochańsza umierająca matka, która pożegnała się z nami na zawsze dziś o 10 rano, pogrążając nas w żałobie, może usprawiedliwić to, iż nie dopełniam publicznych obowiązków. Przekaż to, proszę, sędziemu, chociaż nawet to nie usprawiedliwia mojej nieobecności.

Acosty więc nie było wśród obserwatorów, kiedy powołano na świadka Doloroes Vásquez. Frustracja Anzoli musiała być potworna. Nigdzie nie zachowało się świadectwo jego emocji, ale mogę sobie wyobrazić oczekiwania, z jakimi zjawił się w Salón de Grados, sądził może, że ów dzień to początek końca winnych – ich ostateczne i niepodważalne zdemaskowanie – i że wymiar sprawiedliwości tego kraju będzie musiał stawić czoło – podobnie jak zrobił to on sam – potężnym osobistościom; myślał, że tamten dzień będzie wreszcie zwieńczeniem czterech lat wysiłków i trudów, i poświęceń, a los, który zazwyczaj nie uznaje swoich długów, zwróci mu, co jest mu winien za to, że stracił tyle czasu i w zamian stał się pariasem w swoim własnym mieście. Okazało się, że los tego nie chciał. A może, pomyślał zapewne Anzola, jego wrogowie nie chcieli.

(Tak przynajmniej sądził Carballo, informacja wyciekła, rozeszła się wieść, że Dolores Vásquez ma zeznawać, rozeszła się wieść o tym, kim ona jest i co może powiedzieć, więc lalkarze tego świata pociągnęli za swoje sznurki, żeby Pedro León Acosta nie stawił się na rozprawie. Trochę zawstydzony – bo to on miał wszystkie dokumenty i to on przeprowadził własne dochodzenie – powiedziałem mu, że nikt nie finguje śmierci własnej matki, żeby nie stawić się na rozprawę podczas tak głośnego procesu. „Ci ludzie byli zdolni do o wiele gorszych rzeczy", odrzekł Carballo).

Frustrację Anzoli spotęgowało jeszcze to, że Dolores Vásquez okazała się doskonałym świadkiem, potrafiła uwieść publiczność i wytrącić przeciwnikom argumenty z rąk. Opowiedziała, że w miesiącach poprzedzających zabójstwo pracowała co noc w sklepie pana Veronesiego przy Dziewiątej Ulicy na wysokości mostu Núñez. Mieszkała wówczas w zaułku przylegającym do chicheríi Puerto Colombia, trzy domy dalej pokój wynajmował Jesús Carvajal. Pierwszego października w nocy, mniej więcej o jedenastej, skończyła sprzątanie sklepu pana Veronesiego, zamknęła i poszła do domu. Przed drzwiami spotkała sąsiada, a kiedy oboje czekali, aż ktoś im otworzy, Dolores Vásquez zobaczyła mężczyznę w eleganckim trenczu i cylindrze, który nadszedł szybkim krokiem i zaczął pukać do Carvajala. Towarzyszył mu chłopak niosący pod pachą bezkształtny pakunek. Carvajal otworzył drzwi i dwóch mężczyzn, ten w cylindrze i jego asystent, weszli pospiesznie do środka.

„Poznała pani mężczyznę w cylindrze?"

„Nie, proszę pana".

„A mogłaby pani go zidentyfikować, gdyby go pani zobaczyła?"

„Myślę, że tak, proszę pana".

„Dobrze. Przejdźmy do następnego punktu. Znała pani Carvajala?"

„Tak, proszę pana", odparła kobieta. „Znałam go z widzenia, bo bywał w Puerto Colombia".

„Co zrobiła pani tej nocy?"

„Opowiedziałam sąsiadowi o tym, co zobaczyłam, a on podszedł do mieszkania Carvajala. Po chwili powiedział mi, że dobiega stamtąd wiele głosów".

„Czyli zebrało się tam co najmniej kilka osób".

„Tak, proszę pana. Według mojego sąsiada odbywało się tam duże zebranie".

„A o czym rozmawiano na tym zebraniu?"

„Tego już mi sąsiad nie powiedział. Nie udało mu się usłyszeć, o czym rozmawiają, ale to byli ważni ludzie. Ja się nawet zdziwiłam, że ważni ludzie przychodzą do domu zwykłego rzemieślnika tuż przed północą, co więcej, zakradają się po cichu".

„Wysoki sądzie", wtrącił się prokurator, „proszę, by świadek powstrzymał się od interpretacji".

„Świadek opisuje sytuację, która wydawała się podejrzana", odpowiedział Anzola. „Ma do tego pełne prawo".

„Niech świadek kontynuuje", powiedział sędzia.

„Gdzie była pani w noc przed zabójstwem generała Uribe?"

„Pyta pan o czternastego października?"

„Tak, czternastego października w godzinach nocnych".

„Pracowałam w sklepie pana Veronesiego".

„I co pani tam widziała?"

„Widziałam grupę piętnastu rzemieślników, którzy przyszli się czegoś napić. Nie wzbudzili naszego zaufania. A kiedy jeden z nich zobaczył, że nie chcemy ich obsłużyć, wyjął z kieszeni zwitek banknotów i powiedział: «Zobaczcie, mam pieniądze, zapłacę za wszystko. Proszę nam podać to, co zamówiliśmy». Zwróciłam na niego uwagę, bo wydało mi się dziwne, że rzemieślnik ma tyle pieniędzy. I kiedy wszyscy jego towarzysze wyszli, poprosiłam policjanta stojącego na rogu, żeby przypilnował, by go nie okradli, bo wszyscy widzieli, że ma przy sobie tę forsę. Policjant wyszedł z nim, a po chwili wrócił i powiedział: «Odprowadziłem go do stolarni. Niech się pani nie martwi, już nikt go nie okradnie»".

„Proszę powtórzyć. Gdzie go odprowadził?"

„Do stolarni".

„A co się stało następnego dnia?"

„Następnego dnia zamordowano generała Uribe. A trzy albo cztery dni później zobaczyłam w gazetach zdjęcie zabójców i ze zdziwieniem stwierdziłam, że jednym z nich jest Carvajal. A jego towarzyszem był ten sam mężczyzna, którego widziałam w sklepie, ten, co miał tyle forsy".

Gazety, które ukazały się nazajutrz – a zwłaszcza „El Tiempo" publikujący najbardziej szczegółowe kroniki i transkrypcje – były zgodne, że Anzola wygrywa drobne potyczki. Patrząc na tamte zdarzenia ze stuletniego dystansu, uważam, że wszystko, co stało się potem, jest najlepszym dowodem na to, iż jego wrogowie byli tego samego zdania. Następnego dnia (w piątek) Anzola wszedł na salę rozpraw i zauważył, że publiczność się zmieniła. Ławy Salón de Grados, w których podczas ostatnich rozpraw siedzieli zarówno zwolennicy, jak i wrogowie Anzoli, ławy, w których wcześniej rozlegały się zarówno oklaski, jak i buczenia, z dnia na dzień zostały zajęte przez ludzi nazywanych przez prasę a n t y a n z o l i s t a m i. Byli to wyłącznie mężczyźni, wszyscy zdolni do ogłuszających gwizdów, potrafiący natychmiast unieść w górę pięści z miną wyrażającą dziką pogardę, wszyscy zdolni w prostym geście wyciągnąć oskarżycielski palec w stronę Anzoli i opluć go jakimś niezrozumiałym wyzwiskiem, wypełnić salę niespotykaną wręcz nienawiścią. Byli przebranymi agentami. Łączyła ich jedna ukryta cecha – trzy czwarte publiczności należało do tajnej policji generała Correala. Opanowali salę: onieśmielali, przerażali, rozpraszali uwagę.

Zeznawać miał Luis Rendón. To zeznanie miało być podobne do wielu innych składanych wówczas, świadectwo więźnia Panóptico o uprzywilejowanym traktowaniu Galarzy i Carvajala przez policję. Rendón, mężczyzna o skośnych oczach, zastał swoją kochankę z innym mężczyzną, zabił go, a ją zaatakował podczas śledztwa, w trakcie konfrontacji, która nie mogła skończyć się gorzej. Za te przestępstwa skazano go na osiemnaście lat, ale zachowywał się tak, jakby dostał dożywocie, był skłonny do wybuchów i nie dbał o higienę, niejeden raz kończył w karcerze za niemoralne zachowanie i obrazę władz. I tego człowieka wybrał Anzola, żeby udowodnić przed ławą przysięgłych skorumpowanie generała Correala.

Po serii nudnawych pytań adwokat Carvajala zapytał Rendona o jadłospis oskarżonych. Rendón zaczął opowiadać o mięsie i smalcu przynoszonym im z zewnątrz, o świecach, które dostawali, żeby móc oświetlać własną celę w nocy tak długo, jak zechcą; o pieniądzach, które Galarza i Carvajal dawali innym więźniom z rozmaitych powodów, nie zawsze jasnych. Potem powiedział, że Galarza i Carvajal zachowują się w więzieniu poprawnie, ale prawie nigdy nie opuszczają swoich cel, poza tym na rozkaz dyrekcji wszyscy, którzy się im narażą, ponoszą surowe kary. „Są pod ochroną", powiedział Rendón.

Wówczas, starając się pozbawić zeznanie wiarygodności, sekretarz odczytał wyrok za zabójstwo. Ktoś z tylnych rzędów krzyknął:

„Niech Anzola go wybroni!"

Była to oczywista kpina, aluzja do więźniów, których Anzola powoływał ostatnio na świadków. On argumentował, jak umiał, starając się nie odpowiadać na prowokację.

„Nie o to chodzi, proszę państwa", powiedział. „Nie będę bronił świadków, na których ciążą mniej lub bardziej poważne zarzuty. Czy to, że świadek popełnił sto przestępstw, ma jakieś znaczenie, skoro mówi prawdę? Sądzą państwo, że mogę powołać na świadków zbrodni uknutej w chicheríi Puerto Colombia członków korpusu dyplomatycznego? Mam przyprowadzić ministrów, żeby opowiedzieli, co dzieje się w Panóptico? Nie, kiedy będziemy mówić o momencie zbrodni, wtedy, owszem, przyprowadzę obecnych tam ministrów. Na razie pozostaje mi motłoch. I przyprowadzę nawet dziwki ze speluny, jeśli uznam, że dzięki nim poznam prawdę".

Jego zwolennicy zaczęli nieśmiało bić brawo.

„Anzola, proszę wyświadczyć mi przysługę i oszczędzić sobie oratorskich popisów".

I wtedy to się stało. Teraz, kiedy to piszę, zastanawiam się, co mogło strzelić do głowi Marcowi Tuliowi Anzoli, że powiedział to, co powiedział, jakiego figla musiały mu spłatać emocje, że stracił kontrolę nad własną retoryką.

„Muszę wrócić do wszystkich pobocznych wątków, jakie wypłynęły podczas rozprawy", powiedział, „żeby publiczność mogła zrozumieć ich konsekwencje. Muszę udowodnić, że Pedro León Acosta był cztery razy nad wodospadem Tequendama, a nie dwukrotnie, jak zeznał na tej sali. Muszę skupić się na mężczyźnie w cylindrze, który szukał Galarzy w Puerto Colombia. Bo muszę państwu powiedzieć, że mam już konkretne dane na temat jego tożsamości".

Kiedy tylko wypowiedział te słowa, zrozumiał, że nie powinien był tego robić. Tak przynajmniej uważam, to niemożliwe, żeby tak nie pomyślał, niemożliwe, żeby nie zdawał sobie sprawy, że właśnie skłamał, nie miał bowiem żadnych konkretnych informacji dotyczących mężczyzny w cylindrze. Wyobrażam sobie, że nagle coś przestawiło mu się w głowie; przez tyle lat pracował nad zeznaniami świadków, tyle lat spędził na ustalaniu zdarzeń poprzedzających zbrodnię i na pisaniu o nich książki, że w końcu zaufał ślepo intuicji, a intuicja, odkąd Dolores Vásquez wspomniała o mężczyźnie w cylindrze, podsunęła mu myśl o Pedrze Leonie Acoście. Kto to mógł być, jeśli nie on?, pomyślał zapewne Anzola. Był magicznie, przesądnie przekonany, że mężczyzna w cylindrze szukający Galarzy w Puerto Colombia była to ta sama osoba, którą zaginiony świadek Alfredo García zobaczył przed drzwiami zakładu stolarskiego Galarzy, jak również ta sama, którą w dniu zamachu widziała Mercedes Grau w spodniach w prążki i lakierowanych sztybletach, kiedy pytał jednego z morderców: „I co, zabiłeś go?". Ale ta pewność niepoparta dowodami miała go słono kosztować. W każdym razie wpadł w pułapkę, co gorsza sam ją na siebie zastawił.

„Nazwisko!", krzyczały rozjuszone głosy zza barierek. „Chcemy znać nazwisko!"

Inni dołączyli do oburzonego chóru: „Niech poda nazwisko, skoro je zna!"

„Nakazuje się panu Anzoli", powiedział sędzia, „żeby w ciągu trzech dni sprecyzował postawione zarzuty".

„Wysoki sądzie", odparł Anzola, „proszę o opróżnienie sali".

„Proszę publiczność o zachowanie spokoju", powiedział adwokat Murillo. „Żeby sędzia nie stracił cierpliwości".

Anzola, tak przynajmniej sądzę, pomyślał w tamtej chwili, że nie może dalej milczeć, jego milczenie będzie dowodem porażki. Potrzebował zasłony dymnej, czegoś, co odwróciłoby uwagę, więc zrobił to, co potrafił najlepiej – zaczął protestować. Skarżył się, że cały ten proces został pomyślany po to, żeby nie pozwolić mu dowieść swoich racji. Skarżył się, że korzystnych dla niego przesłuchań nie pozwolono mu dokończyć; pozwalano mu przesłuchiwać świadków tylko wtedy, kiedy chciał sędzia; teraz próbowano go zmusić, żeby odkrył karty – publicznie ujawnił tożsamość, którą lepiej utrzymać w tajemnicy, i tym samym pozbył się jedynej przewagi, jaką udało mu się zyskać. Z kolei sędzia odmówił wezwania na rozprawę Salomona Correala, żeby podczas konfrontacji podważył to, co świadkowie zeznali przeciwko niemu. „Dlaczego?", zapytał Anzola. A potem odpowiadał sam sobie: „Bo to mogłoby zaszkodzić Komendantowi Głównemu Policji".

Ale jego strategia nie wypaliła. Syn Rodrigueza Forera, który do tej pory siedział cicho na swoim krześle, teraz zabrał głos.

„Wysoki sądzie", powiedział, „oskarżenie prywatne domaga się, żeby pan Anzola podał nazwisko rzeczonego mężczyzny w cylindrze, i prosi, by dostał taki nakaz".

„Niech dostanie nakaz!", krzyczano na widowni.

„Nikt mnie do tego nie zmusi", powiedział Anzola. „Dopóki nie skończę prowadzonego dochodzenia, za nic nie podam nazwiska. Nie odbierzecie mi dowodów po to, żeby przyprowadzać tu opłaconych policjantów, którzy je podważą. Niedoczekanie!"

„Precz!", rozległ się jakiś głos z sali.

„Panie Anzola", odezwał prokurator, „ma pan obowiązek nas szanować. Nie może pan obrażać nas podobnymi zarzutami".

„Jest pan świadkiem", wtrącił adwokat Carvajala. „Jako świadek musi pan podać nazwisko, jeśli rzeczywiście pan je zna. W przeciwnym wypadku postawi się panu zarzut o utajnianie prawdy".

„Wszyscy poznacie nazwisko", odparł Anzola „tego dnia, kiedy przedstawię dowody przed sądem".

„Jeśli nie chce pan zrobić tego publicznie, może pan zdradzić je tylko sędziemu".

„Nikomu go nie zdradzę i nikt mnie do tego nie zmusi".

Na widowni zapanował tak wielki harmider, tak wielka wrogość wśród jej członków, że sędzia zarządził dziesięciominutową przerwę. Anzola nie opuścił sali; dziedziniec z fontanną i korytarze o ceglanych ścianach aż roiły się od mężczyzn, którzy nie zawahaliby się ani sekundy, mogąc zrobić mu krzywdę. Niewykluczone, że wśród obserwatorów procesu znaleźli się mężczyźni w ponchach, którzy, jak opowiedział w *Kim oni są?*, chodzili za nim po ulicach, żeby go nastraszyć. O kim myślał w tamtej chwili? Możliwe, że jak w kadrach z kinematografu ujrzał całą drogę, jaka pozostała mu jeszcze do przebycia w tej upartej misji. Brakowało, by Pedro León Acosta stawił się, żeby zostać zidentyfikowany; brakowało zeznań pozwalających wprowadzić na scenę sprawę jezuitów. Brakowało wielu stron jego książki, wielu z trzydziestu sześciu zwerbowanych przez niego świadków.

I wtedy wyszedł sędzia. Ku zaskoczeniu wszystkich nawet nie zajął miejsca. Zadzwonił swoim dzwoneczkiem, poczekał, aż zapadnie cisza, przeżegnał się powoli, patrząc na krucyfiks.

„To wszystko, co się tu dziś zdarzyło, to kpina", powiedział. „A że nie mogę pozwolić, żeby pan Anzola kpił sobie ze wszystkich, postanowiłem wyznaczyć mu termin. Daję mu cztery dni, do przyszłego wtorku, żeby przedstawił wszystkich pozostałych świadków, by wysłuchać brakujących zeznań. Po tym terminie nie dopuścimy go więcej do głosu".

„Panie sędzio, nie może pan tego zrobić", zaprotestował Anzola.

„Oczywiście, że mogę", odparł sędzia.

„Przemawiam tutaj za sprawą pańskiego postanowienia. Może nie wiem zbyt wiele o prawie, ale wiem, że postanowienia sądu są w procesie prawem. Dlatego nie może pan, panie sędzio, decydować, kiedy wolno mi mówić, a kiedy nie".

„Pan zabiera głos podczas rozprawy tylko dlatego, że ja mam wyłączne prawo do prowadzenia tej debaty", odparł sędzia. „A kiedy uznam za stosowne, mogę w jednej chwili nakazać panu, żeby się zamknął".

„Niech się zamknie!", krzyczała publiczność.

„Nie przeszkadzają mi te krzyki", powiedział Anzola. „Jutro opublikuję w gazecie listę tych, co robią całe to zamieszanie. To urzędnicy państwowi i funkcjonariusze policji, którzy porzucili swoje stanowiska pracy, żeby przyjść tutaj i mnie obrażać, robią to na rozkaz Correala".

„Niech pan z łaski swojej skupi się na zarzutach, które pan postawił", powiedział sędzia Garzón. „I ostrzegam, że jeśli nie będzie pan odnosił się do mnie z szacunkiem, ukarzę pana grzywną".

„Najpierw wyjaśnijmy sprawę terminu, który wysoki sąd mi wyznaczył".

„Nie, proszę pana. Proszę postawić zarzuty. Potem ja wezwę świadków mogących je potwierdzić".

„Mam bardzo poważne dowody przeciw osobistościom, których nikt nawet nie podejrzewa", powiedział Anzola. „Ale nie ujawnię tutaj ich nazwisk, żeby powołał pan fałszywych świadków, którzy te zarzuty obalą. Mogę ujawnić swoje dowody sędziemu, który nie będzie stronniczy. Te przeciwko Emiliowi Beltranowi, przeciwko mężczyźnie w cylindrze i pozostałym winnym".

„Komediant!", krzyczano z ław.

Prokurator zażądał od Anzoli, znów w imieniu ludu, imienia i nazwiska wielokrotnie wspomnianego mężczyzny w cylindrze.

„Jeśli go pan nie poda", powiedział, „wystąpię do sędziego, żeby ukarał pana grzywną".

Sędzia się tego nie spodziewał.

„Pod karą grzywny dziesięciu złotych peso", powiedział, „nakazuję panu ujawnić nazwisko mężczyzny w cylindrze, który według pana jest zamieszany w zabójstwo generała Uribe".

„Jeśli nie chcę go podać", odparł Anzola, „to z winy was wszystkich". Musiał podnieść głos, żeby było go słychać wśród pokrzykiwań, wyzwisk, dłoni uderzających o barierki, i uświadomił sobie, że traci kontrolę nad publicznością. „Nie mogę podać nazwiska, bo nie ufam, że dowody przeciw temu człowiekowi zostaną zbadane. Jeśli chodzi o grzywnę, to zapłacę z przyjemnością. Ale najpierw chcę, żeby kraj się dowiedział, kto chroni prawdziwych zabójców generała Uribe. Wysoki sądzie, proszę o postanowienie pozwalające mi złożyć zeznania przed bezstronnym sędzią i wtedy naprawdę przedstawię swoje dowody!"

Był to desperacki gest. Ja o tym wiem, ale nie jestem pewien, czy on o tym wiedział. Bo komu miał opowiedzieć to wszystko, czego nie mógł zeznać podczas procesu? Wtedy wstał prokurator. Powiedział, że zarzuty Anzoli były niezwykle poważne, że Anzola oskarżał wiele osób o skrytobójstwo i nikt nigdy nie przeszkadzał mu mówić tego, co chciał. I to była prawda. Powiedział, że trzeba zażądać od niego stanowczo, żeby przedstawił wszystkie dowody: uchylając się od tego, Anzola pokaże, że nie chodzi mu wcale o szukanie prawdy, lecz o utrudnianie procesu. Powiedział, że pan Anzola nie sformułował dotąd ani jednego konkretnego zarzutu. I to również nie ulegało najmniejszej wątpliwości. Powiedział, że Anzola stawił się tu jako obrońca sprawiedliwości, a tymczasem uprawia farsę. A publiczność krzyczała, obrażała go, zaczęła nawet mu grozić; tak bardzo podobało się jej słowo farsa, ilekroć rzucano mu je w twarz podczas rozprawy. I wszystko, co mówił prokurator, było prawdą. Czy Anzola zastanawiał się, czy mają rację? Zwątpił w swoje ustalenia?

„Jeśli Anzola nie przedstawi dowodów", powiedział prokurator, „sędzia ma obowiązek wykluczyć go z tej rozprawy. Jeśli ich nie przedstawi, nie będzie mógł utrzymywać, że nie pozwolono mu mówić, a tym bardziej że w tym procesie uczestniczą ludzie, którzy chcą ukryć prawdę".

Kroniki opisują, że sędzia zwrócił się wówczas do trzech przysięgłych i mówiąc, zakrył sobie dłonią usta, a przysięgli zasłaniali sobie usta, odpowiadając. Usiadł na fotelu i oznajmił:

„W porozumieniu z ławą przysięgłych postanowiłem poddać pana, panie Anzola, przesłuchaniu. Prosimy, żeby sformułował pan konkretnie wszystkie zarzuty wobec osób, które uznaje pan za zamieszane w zabójstwo generała Uribe. Prosimy również o podanie ich nazwisk".

„Nie mogę", odparł Anzola.

„Prosimy o podanie nazwisk osób, które według pańskiej wiedzy ponoszą odpowiedzialność za zabójstwo".

„Nie mogę", powtórzył Anzola.

„Pytam ostatni raz: poda pan te nazwiska czy nie?"

„Nie mogę ich podać", odpowiedział Anzola.

„Rozumiem. W takim razie pańska obecność tutaj jest bezużyteczna. Pański udział w rozprawie dobiegł końca. Odbieram panu prawo głosu".

Publiczność zachowała się jak na ulicznej demonstracji, miało się takie samo wrażenie tłumionej przemocy, zapalonego lontu. Podobna demonstracja czekała na Anzolę na zewnątrz, na chodniku Szóstej Alei, i tłum był tak rozjuszony, że dziennikarz Joaquín Achury zastąpił Anzoli drogę i próbował go przekonać, żeby nie wychodził. „Niech pan chwilę poczeka", powiedział podobno, „niech pan zaczeka, aż sobie pójdą. Niech pan na siebie uważa". Ale Anzola go nie posłuchał. Kiedy przeszedł przez drewniane drzwi, usłyszał lawinę pogróżek: że go zabiją, że jest skurwysynem i z nim skończą. Ty draniu, krzyczeli z rogów ulic; skurwysynu, wyzywali, inni nazywali go zdrajcą, a jeszcze inni oskarżali o zabójstwo, kradzież i łapówkarstwo. Spuścił głowę, żeby ludzie go nie opluli; otaczał go szpaler policji i tylko dlatego rozjuszony tłum nie rzucił się i nie rozszarpał go na miejscu. Czyjaś ręka uniosła się pomiędzy agentami i wymierzyła mu cios między łopatki, inna zrzuciła kapelusz, z pewnością, gdyby pięść trafiła w twarz, zrobiłaby mu krzywdę. Pomiędzy agresorami znaleźli się ludzie, którzy jeszcze tydzień wcześniej wiwatowali na jego cześć: czy Anzola ich rozpoznał? I tak oto, w asyście policji, znalazłszy się w samym sercu tego wybuchu przemocy, nie mogąc się zdecydować, dokąd skierować kroki, dotarł do placu Bolivara. Achury dostrzegł z daleka samochód, który nagle pojawił się znikąd, i otwierające się drzwi; Anzola wsiadł do wozu tak szybko, jakby go do niego wepchnięto, a potem usłyszał głos, który rozkazywał:

„Niech pan go zawiezie do domu. I za nic na świecie nie zatrzymuje się po drodze".

Tego, co stało się później, nie widział żaden świadek. Możemy to tylko wydedukować na podstawie kolejnej wiadomości na temat Anzoli, o jego aresztowaniu i uwięzieniu. Musiało to stać się niedługo po jego wyjściu z sali rozpraw, gdyż następny poranek zastał go już w policyjnej celi; możemy przypuszczać, że samochód, który według rozkazu miał go zawieźć do domu, w rzeczywistości zawiózł go do Komendy Głównej. Wyobrażam sobie Anzolę w sekundach poprzedzających jego aresztowanie, wyobrażam sobie, jak myśli, że wróci do siebie, schroni się w łóżku, otuli się wełnianymi pledami i nagle zauważa, że wcale nie znalazł się przed domem, lecz przed budynkiem Komendy Głównej Policji. Dwóch agentów podchodzi do niego, zatrzymuje go, ciągnie do środka. Trzeci, którego twarzy Anzola nigdy nie zobaczy, oświadcza mu, że jest aresztowany.

„Pod jakimi zarzutami?", krzyczy Anzola, próbując stawiać opór. „Co mi zarzucacie?"

„Nieposłuszeństwo wobec władzy", mówi nieuprzejmy głos. „I próbę użycia broni wobec wysokiego rangą funkcjonariusza policji".

Tak to mogło się odbyć. Ale przewinienia, za które go zatrzymano, miały już ponad tydzień, związane były z incydentem, który wydarzył się w Salón de Grados, kiedy szef policyjnej ochrony musiał użyć siły, żeby zaprowadzić go do sali dla świadków. Jedynym poszkodowanym podczas tego incydentu był sam Anzola, który upadł na podłogę, a potem był szarpany i popychany. A teraz zarzucano mu to i, co było jeszcze bardziej absurdalne, oskarżano o próbę użycia rewolweru, chociaż szef policyjnej ochrony skonfiskował mu go podczas rewizji. To była zemsta; zemsta całej policji, każdego z agentów zniesławionego przez jego świadków. To była sprawka Correala, tak, Salomona Correala, który tłumaczył mu właśnie, że z policją w tym kraju się nie zadziera.

Nie wiem, ile dni spędził Anzola w więzieniu, bo nigdzie nie pozostał po tym ślad, wiem jednak, że rozprawa toczyła się dalej bez niego w Salón de Grados, gdzie teraz był trędowatym, a jego nazwisko okryło się hańbą. Nie wiem, czy któryś z pilnujących go funkcjonariuszy wyświadczył mu przysługę i opowiedział, co dzieje się w sali sądowej, ani czy ktoś go odwiedził – na przykład Julián Uribe – i przyniósł świeżą prasę, jakąś jałmużnę informacji. Jeśli mógł przeczytać gazety, dowiedział się, co myślano o nim za murami więzienia, w tamtym świecie na zewnątrz, gdzie próbował przywrócić choć odrobinę sprawiedliwości (być może niezbyt zręcznie, owszem, być może wierząc, że potrafi dowieść w praktyce przekonań, co do których był w głębi duszy całkiem pewny). W rozprawie pod tytułem *Wrażenia* redaktor „El Tiempo" napisał kilka akapitów, które były jak stłuczone lustro; Anzola mógł się w nim przejrzeć podczas swoich dni uwięzienia, czując się odbitym, a jednocześnie zdeformowanym i niekompletnym, podczas gdy mroczne bezimienne siły decydowały – powoli i bez pośpiechu – co zrobić z jego życiem.

Pan Anzola przestał bywać obecny na procesie zabójców generała Uribe Uribe. Przez trzynaście dni był głównym bohaterem tej budzącej sensacje rozprawy; trzynaście sesji zostało poświęconych przesłuchaniu powołanych przez niego świadków i konfrontacjom, których się domagał, i na

tym skończył się udział w procesie tego aktywnego mło-
dzieńca, niejako na jego własną prośbę, gdyż odmówił
sprecyzowania zarzutów i oskarżenia konkretnych osób.
Przedstawił się sądowi jako ten, który przyniesie praw-
dę i światło, a wycofał się spowity cieniem, odmawia-
jąc ujawnienia nazwisk (ponoć mu znanych) osób od-
powiedzialnych za zbrodnię, odmawiając postawienia
koszmarnych zarzutów, jakie wszyscy spodziewaliśmy się
usłyszeć z jego ust. Po tej odmowie obecność Anzoli na
rozprawach straciła rację bytu, a on sam nie miał tam
już nic do roboty.

Zobaczmy go, spróbujmy go zobaczyć. Rano, bardzo
wcześnie, budzi go poirytowany agent, zapewne zmęczony nocną wartą. Wyprowadza go do ubikacji – pozwala mu
wejść tam samemu – i czeka po drugiej stronie uchylonych
drzwi, gdyż popsuła się zasuwka, Anzola musi robić akro-
bacje, żeby ukucnąć nad cuchnącym otworem, nie tracąc
równowagi. Na szczęście wskutek skąpych posiłków i obrzydzenia rozregulowały się mu nawyki przewodu pokarmo-
wego i może wytrzymać trzy dni bez załatwiania swoich
potrzeb. Czasem pozwalają mu umyć ręce, ale nie zawsze.
Jego ubranie zaczyna cuchnąć moczem i kwaśnym potem
i już zaczyna przyzwyczajać się do własnego odoru, kiedy
zjawia się ten sam agent, który go aresztował, wręcza paczkę owiniętą w przewiązany sznurem papier i mówi: „Może
być pan wdzięczny swoim przyjaciołom". To zmiana czys-
tych ubrań. Nikt nie chce mu zdradzić, kto ją przyniósł,
Anzola przykłada ją do twarzy i oddycha głęboko, nigdy nie
czuł tak wielkiej przyjemności, pocierając o skórę świeżo
wyprasowaną tkaninę. Kiedy się przebiera, wykrochmalony
kołnierzyk uwiera go w szyję przez cały dzień. Wcale mu
to nie przeszkadza. Wieczorem czuje bolesne obtarcia, ale

uświadamia sobie, że skoncentrowanie się na tej banalnej niewygodzie pomaga mu nie myśleć zbyt dużo o własnym żałosnym położeniu.

Przez trzynaście dni intensywnego udziału w rozprawach pan Anzola nie zdołał niczego udowodnić, jego świadkowie wzbudzili podejrzenia co do pewnych faktów, wyolbrzymili pewne szczegóły i przyczynili się do zdementowania tak niemożliwych do utrzymania legend jak ta związana z generałem Pedrem Leonem Acostą, który, być może, w całym tym procesie jedynie odpokutował swój udział w zamachu 10 lutego, bo chyba tylko z tego względu próbowano mu zarzucić współudział w zbrodni, chociaż nie można udowodnić, że ponosi za nią choćby najlżejszą, pośrednią winę. Najważniejsi świadkowie, ci, co widzieli Correala w towarzystwie innego wysokiego rangą policjanta rozmawiającego z zabójcami trzy godziny przed zamachem, w świetle dnia i w dodatku przed domem słynnej ofiary, i udzielającego im wskazówek, nie mają innych wad poza tym, że mówią rzeczy po prostu zupełnie nieprawdopodobne, gdyż ich zeznania wskazywałyby nie tylko na współudział generała Correala w zbrodni, ale w dodatku na jego tak monstrualną głupotę, tak całkowity brak zapobiegawczości, że trudno w nie uwierzyć już nie tylko w przypadku Komendanta Głównego Policji, ale nawet w przypadku najbardziej naiwnego analfabety. Można bowiem założyć z całą pewnością, że gdyby generał Correal miał jakikolwiek udział w tej przeraźliwej zbrodni, w żadnym wypadku nie pokazywałby się publicznie w towarzystwie zabójców w dniu zamachu przed domem ofiary. To jasne i oczywiste.

Po kilku dniach – trzech?, czterech? – przenoszą Anzolę do Panóptico. Nie można powiedzieć, by dyrekcji więzienia brakowało poczucia humoru; jego cela znajduje się kilka drzwi dalej od tych zajmowanych wcześniej przez Galarzę i Carvajala, którzy teraz, w oczekiwaniu na wyrok, zostali przeniesieni gdzie indziej. Parę razy pozwalają mu pójść samemu do kaplicy, żeby się pomodlić. Anzola przymyka drewniane drzwi i klęka na zimnej kamiennej posadzce, w półmroku jego usta próbują zmówić *Ojcze Nasz*, ale nagle przerywa, gdyż przypomina sobie, że to samo robili zabójcy z jezuickimi zakonnikami. Tak, z tymi, którzy przychodzili do nich z wizytą, prosili ich o spokój i polecali lektury; tymi, którzy nie zostawili po sobie śladu prócz kilku artykułów napisanych pod pseudonimem i mnóstwa plotek; ktoś powiedział, że usłyszał coś, co powiedział ktoś inny. Pozostali w cieniu, ci księża wyszli obronną ręką ze spisku przeciw generałowi Uribe... Ale kim oni są? Anzola nie widział nawet ich twarzy, nie rozpoznałby ich na ulicy. W nocy jest zimno, Anzola owija się w swój pled i podkula kolana, niezmiernie trudno mu zasnąć, może dlatego że spędza całe dnie bezczynnie, czytając gazety, starym zwyczajem robiąc bezużyteczne już notatki, komentując to, co według prasy dzieje się w Salón de Grados. Nazywają go kłamcą, nielojalnym oszczercą, a publiczność bije brawo, szczęśliwa, że się go pozbyła, tak, szczęśliwa, że go wyrzucono. Anzola tymczasem spaceruje po dziedzińcu o tej samej porze co reszta więźniów, dostaje te same posiłki co reszta więźniów i chodzi do toalety w tych samych godzinach. Od czasu do czasu przygląda się pracom remontowym, które nadzorował na fikcyjnym stanowisku; od czasu do czasu rozmawia z innymi osadzonymi. Jeden z nich, mężczyzna o nazwisku Zalamea, ten sam, który udzielił mu szczodrych informacji na temat zabójców i ich przywilejów, podchodzi do niego pewnego dnia i przemawia jak do dziecka: „Ach, mój drogi przyjacielu, tylko panu mogło przyjść coś takiego do głowy", mówi. „Tylko panu".

A co z nowymi winowajcami? Ich nazwiska nie wypłynęły nigdzie w sposób przejrzysty. Niezwykle łatwo jest sugerować, wszystko jedno w jakiej sprawie, luźne i niejasne powiązania; duch ludu jest bardzo płodną glebą i chętnie przyjmuje tego rodzaju ziarno, łatwo rozpalić w nim podejrzenie, nawet najbardziej absurdalne z nich płonie z cudowną szybkością; nie tego jednak oczekiwaliśmy od pana Anzoli, lecz dowodów i konkretnych oskarżeń, ale na te niestety kraj czeka dalej. Słuchając pana Anzoli, mieliśmy wrażenie, że on sam w głębi duszy, gdyby naprawdę zdobył się na szczerość, musiałby przyznać, że wie na pewno mniej więcej tyle, co sędzia, prokurator i licznie zgromadzona publiczność. Dlatego tylko na kilka godzin znalazł się w obywatelskiej świadomości; jego pojawienie się jako odważnego oskarżyciela, oddanego sprawie, zdecydowanego, nieustraszonego, uwiodło wielu i przykuło uwagę wszystkich, ale jego upadek był nieunikniony, gdyż piedestał, na który się wspiął, zbudowany był jedynie na domysłach, a na skutek debat piedestał ów runął. Niepokojąca intensywność pierwszych rozpraw ustąpiła miejsca zabawnej farsie ostatnich, a ludzie, którzy z początku czuli nad głowami wywołujący dreszcze oddech Nemezis, pod koniec śmiali się lub ziewali.

Kiedy Anzola wychodzi na wolność – po serii prawniczych manewrów autorstwa Juliana Uribe żądającego odpłaty za dawne przysługi – udaje się natychmiast do domu i bierze gorącą kąpiel, tak długą, że jego służąca musi zostawić dwa dodatkowe dzbany pod drzwiami łazienki. Potem zauważa ze zdziwieniem, że zwrócono mu walizeczkę, która leży porzucona obok krzesła do pracy, jak wierny pies. Leży tam przez jakiś czas, Anzola nie ma ochoty umieścić jej gdzie indziej ani posegregować jej zawartości; walizeczka jest przypomnieniem klęski, archiwum straconych lat. Spędza kilka dni, zamknięty w domu, jako więzień nienawiści bogotan, nie wygląda nawet przez okno na wybrukowaną ulicę, boi się bowiem zobaczyć pokazujący go palec, pełne pogardy spojrzenie. Próbuje się zmusić do powrotu do życia; podczas pierwszego wyjścia, niedługo zanim dotrze do apteki, gdzie zamierza kupić różowe pastylki na nerwy, zauważa pannę Adelę Garavito. Unosi kapelusz na powitanie i chce do niej podejść, ale ona go powstrzymuje. „To przez pana wyszliśmy na kłamców", mówi, w jej tonie czuć obrzydzenie, które teraz nieco się uspokoiło i zmieniło w zwykły żal i poczucie krzywdy. „Proszę pani, ja…", próbuje się usprawiedliwić Anzola, ale ona ucina. „Niech pan nie pojawia się u nas w domu", mówi, „mój tata pana zastrzeli". Przyspiesza kroku, jak gdyby Anzola był trędowaty, i znika za rogiem. A Marco Tulio Anzola nie ma już sił, żeby wejść do apteki.

A tymczasem w Salón de Grados wygłaszane są kolejne mowy, niekończące się perory, które ukazują się potem w gazetach, zajmując szesnaście szpalt małą czcionką; mówcy wydają się mieć jeden ukryty cel – obrzucić błotem zniewag Marca Tulia Anzolę. W mowach prokuratora i obrońców zabójców Anzola jest fanatycznym liberałem cierpiącym na niemożliwą do stłumienia żądzę zemsty lub pieniaczem spragnionym ulotnej chwały, w każdym razie na pewno jest nieodpowiedzialny, czyha na cudze reputacje, jest piromanem dopuszczonym przed ołtarze ojczyzny i gwałcicielem uświęconych wartości takich jak prawda, sprawiedliwość i honor. Bogota zmienia się na tydzień w stos ułożony po to, by spłonął na nim Anzola, nieprzyjaciel wszystkich. W mowach – którymi pełnomocnicy jednej i drugiej strony podsumowują proces – nazywa się go tchórzem, prostackim giermkiem zadającym cios w plecy, oportunistą, którego małość czyni go niewidzialnym dla ludzi honoru. Raz albo dwa razy podczas nieprzespanych nocy (albo kiedy szczeka-nie psa wybudza go z czujnego i pełnego koszmarów snu) zaczyna się zastanawiać, jak mu się ostatnio coraz częściej zdarza, czy aby nie mają racji.

Teraz ci, którzy pojawiają się w książce, starają się od niej zdystansować, a nawet wymazać swoje zeznania. Najświeższy przykład tych prób korekty ma miejsce podczas ostatniej rozprawy. Gazety donoszą, że detektyw Eduardo de Toro, który opowiedział Anzoli o wizytach Rufina Berestaina w gabinecie Salomona Correala i o tym, co działo się podczas ćwiczeń duchowych w Cajigas, wysłał adwokatowi Galarzy zeszyt z wrażeniami z tamtych dni 1914 roku. Adwokat Galarzy przeczytał te zapiski na głos, i tak oto publiczność poznała w końcu opinię detektywa de Toro o całej tej sprawie: „Doszedłem do wniosku, że zabójcy popełnili zbrodnię, wzajemnie się do niej zachęcając, pod wpływem nienawiści, którą robotnicy darzyli generała Uribe, i że nie było innych sprawców tej zbrodni".

Kiedy skończyły się przesłuchania w Salón de Grados, sekretarz sądowy zwrócił się do trzech sędziów przysięgłych, którzy wyprostowali się na swoich siedzeniach, i przeczytał im kwestionariusz składający się z dwóch pytań: „Czy oskarżony Leovigildo Galarza jest winny umyślnego zabójstwa dokonanego z premedytacją generała Rafaela Uribe Uribe za pomocą ciężkiego i ostrego narzędzia? (zdarzenie miało miejsce na Siódmej Alei tego miasta, na wysokości dziesiątej przecznicy, 15 października 1914 roku). Czy oskarżony Leovigildo Galarza jest winny popełnienia przestępstwa opisanego w powyższym pytaniu, w takich okolicznościach lub jakiejś ich części: 1. Śledząc uprzednio ofiarę? 2. Postępując zdradliwie i podstępnie, mając pewność, że zaskoczy ofiarę nieprzygotowaną na atak i bezbronną?" Potem przeczytał jeszcze raz to samo, zmieniając imię i nazwisko Leovigilda

Galarzy na Jesúsa Carvajala. Ława przysięgłych jednogłośnie odpowiedziała tak. Tak na wszystkie pytania. Tak w przypadku obu zabójców.

Dwudziestego piątego czerwca 1918 roku w godzinach popołudniowych sędzia Garzón odczytał wyrok na Jesusa Carvajala i Leovigilda Galarzę. Za zabójstwo generała Rafaela Uribe Uribe skazano ich na dwadzieścia lat więzienia, pozbawienie praw obywatelskich i grzywnę w wysokości osiemdziesięciu tysięcy złotych pesos powiększoną o koszty procesowe. W sali rozległy się oklaski, wiwaty dla prokuratora, okrzyki życzące śmierci Anzoli i jego książce. W komentarzu do wyroku pewien dziennikarz napisał, używając słów sędziego:

Niniejsze orzeczenie nie zadowoli tych, którzy chcieli wykorzystać zbrodnię do postawienia twardych zarzutów swoim politycznym przeciwnikom. Nie zadowoli tych, którzy chcieli dać ujście namiętnościom członków własnej partii, żerując na bólu całego narodu. Wyrok ten zadowoli natomiast rzeczywistych patriotów, niektórzy bowiem, plamiąc krwią wielkiego człowieka partyjne sztandary, zagrozili jednocześnie, że dyshonor splami flagę naszego kraju. Ten wyrok, Kolumbijczycy, przywraca wam honor, ofiarowuje cenny dar sprawiedliwości, uwalnia was od niepewnej przeszłości i daje w prezencie pokojową przyszłość.

IX

KSZTAŁT RUIN

Nie wiem, kiedy zacząłem sobie zdawać sprawę z tego, że przeszłość mojego kraju jest dla mnie niezrozumiała i ciemna jak prawdziwa kraina mroków, ani nie mogę sobie przypomnieć dokładnego momentu, kiedy wszystko to, co uważałem za pewne i przewidywalne – miejsce, gdzie dorastałem, mówię jego językiem i znam zwyczaje, a historii uczyłem się w szkole i na studiach, teraźniejszość zaś przyzwyczaiłem się interpretować i udawać, że ją rozumiem – zaczęło zmieniać się w miejsce cieni, z którego wyskakują przerażające stwory, gdy tylko na chwilę stracimy czujność. Z czasem zacząłem myśleć, że to prawdziwy powód, dla którego pisarze piszą o miejscach ze swojego dzieciństwa, dorastania, a nawet wczesnej młodości; pisarz nie opowiada bowiem o czymś, co zna i rozumie, a jeszcze mniej opowiada d l a t e g o, że coś zna i rozumie, ale właśnie z tej przyczyny, że uświadamia sobie, iż jego wiedza i zrozumienie były fałszem, fatamorganą, iluzją, i dlatego jego książki nie są, nigdy nie będą niczym więcej niż tylko dopracowanymi dowodami dezorientacji, rozbudowanymi i wielokształtnymi deklaracjami zdumienia. To wszystko, co uważałem za tak oczywiste, myśli wtedy, okazuje się teraz pełne pułapek i ukrytych intencji niczym zdradzający nas przyjaciel. Na to odkrycie, zawsze nieprzyjemne, a często prawdziwie bolesne, pisarz odpowiada tak, jak umie – książką. W ten sposób próbuje złagodzić swoją konfuzję, zmniejszyć odległość między tym, o czym nie ma pojęcia, a tym, czego można się dowiedzieć, a przede wszystkim dać wyraz swojej głębokiej niezgodzie na tę nieprzewidywalną rzeczywistość. *Kiedy mamy dysputę z innymi, tworzymy retorykę*, mówił Yeats. *Kiedy mamy dysputę z sobą samym, tworzymy poezję*. A co się dzieje, gdy obie dysputy dzieją się równocześnie, kiedy kłótnia ze światem jest odbiciem i przeobrażeniem potyczki, którą podskórnie acz nieustannie toczymy sami ze sobą? Wówczas pisze się książkę, taką jak ja piszę teraz, ślepo ufając, że będzie ona coś znaczyć także dla innych.

Możliwe, że te myśli chodziły mi po głowie tamtego dnia, dnia objawień. Luty dobiegał końca, przyszedłem do domu Carballa w porze obiadowej, kiedy ten nocny ptak powinien już być – według moich kalkulacji – po porannym prysznicu, ubrany i gotowy do rozpoczęcia swojej postawionej na głowie doby. I nie myliłem się, zastałem go ubranego, ale bez tej staranności, z jaką zwykle dobierał swój strój i dodatki, miał na sobie rozpiętą szarą bluzę, wygodną i pamiętającą lepsze czasy. Wyglądał, jakby właśnie miał iść pobiegać, jak jeden z tych staruszków, u których rozpoznano stan przedzawałowy, a oni dostają spóźnionej obsesji na punkcie ćwiczeń, ale nigdy nie czują się swobodnie w sportowych ubraniach, sprawiają wrażenie intruzów, oszustów, aktorów przebranych do odgrywanej roli. Takie właśnie wrażenie sprawiał tego dnia Carlos Carballo. Czy to za sprawą jego wyglądu poczułem wiszącą w powietrzu melancholię, czy też odwrotnie, melancholia była odpowiedzialna za to, jak wyglądał? Po raz pierwszy zobaczyłem, że jest rzeczywiście zmęczony; pomyślałem, że praca z pamięcią męczy nas nawet wtedy, gdy zajmujemy się przeszłością, jakiej nie znamy (a kiedy zajmujemy się naszą przeszłością, nie tylko nas męczy, ale i zużywa, jak woda niszcząca kamień). To właśnie pomyślałem na jego widok, że Carvallo jest zmęczony tym ciągłym spoglądaniem, dla mojej informacji i mojego pożytku, w ukrytą przeszłość tego kraju. Kiedy kładłem czarny pusty plecak obok stosu kryminałów i siadałem przy stole jak pilny uczeń, nie przeczuwałem, że czeka nas najbardziej pamiętny dzień, jaki przeżyliśmy razem. Nie przeczuwałem, że tamten 28 lutego spędzę bardzo daleko od roku 2014, że skoczę na główkę prosto w inny dzień innego odległego roku i będę świadkiem przerażającego spektaklu, w którym człowiek wspomina to, co go boli i uwiera, i robi to nie dlatego, że chce, ale dlatego, że nie ma innego wyjścia.

W tamtym momencie zdążyłem już stracić rachubę godzin prześlęczanych nad stronami *Kim oni są?*, na kwestionowaniu jej wniosków, powtarzaniu sobie od czasu do czasu, że wszystko to jest nieprawdą, że w moim mieście takie rzeczy nie mogły się wydarzyć, a najlepszym tego dowodem jest to, że nikt o nich nie wiedział ani o nich nie mówił, te niemądre oskarżenia nie przetrwały próby czasu. Potem myślałem: oskarżenie jest prawdziwe właśnie dlatego, że nie przetrwało, gdyż historia Kolumbii tysiące razy pokazała nam swoje niezwykłe zdolności do ukrywania wersji niewygodnych albo do modyfikowania języka, jakim się o nich opowiada, w taki sposób, że to co przerażające albo nieludzkie zmienia się w coś najnormalniejszego na świecie, pożądanego, a nawet godnego pochwały. A potem znów myślałem, nie przetrwała, nikt o niej nie mówi, utonęła w zapomnieniu i dlatego jest fałszywa, gdyż historia ma swoje zasady, filtruje i przeprowadza selekcję, jak natura eliminuje gatunki, i pozostawia z tyłu wersje, które próbują pogwałcić prawdę, okłamać nas albo oszukać, pozwala przetrwać tylko temu, czego nie zakwestionuje nasz obywatelski sceptycyzm. A potem już sam nie wiedziałem, co myśleć, bo przez cały czas niepokoiło mnie, że Anzola utonął w taki sposób w śmierdzącym szambie kolumbijskiej historii. Człowiek, który przez ponad miesiąc był bohaterem najważniejszych wiadomości, artykuły o nim ukazywały się codziennie na pierwszych stronach gazet, codziennie przedrukowywano jego słowa; człowiek, który przez poprzednie cztery lata podzielił społeczeństwo obietnicą (niektórzy twierdzili, że była to g r o ź b a) prywatnego dochodzenia i napisania książki, znika ze sceny w czerwcu 1918 roku. Od czasu, kiedy trafia do więzienia, media nie poświęcają mu już uwagi. Nie dowiemy się z gazet, co się z nim dzieje, jego nazwisko wymienia się tylko po to, by zmieszać go z błotem, a po wyroku nie wymienia się go już nawet po to. Jedyną rzeczą, którą znalazł Carballo po latach szukania śladu po tym młodym człowieku, jedynym żałosnym ułamkiem informacji, który wpadł mu w ręce, był tajemniczy adres bibliograficzny z Biblioteki Kongresu w Waszyngtonie. Datowany na rok 1947, brzmiał, jak następuje:

SAMPER, MARCO TULIO ANZOLA, 1892, ©New York. *Tajemnice ruletki i jej techniczne pułapki; odkrycia krupiera*, 32 str., ilustr.

Wszystko w tych linijkach wydawało się Carballowi podejrzane i ja się z nim zgadzałem: sposób oznaczenia autora (zaczynający się od pierwszego nazwiska, a nie drugiego), objętość pozycji (krótka ilustrowana broszura) i wreszcie dziwaczna tematyka (nie potrafiłem sobie wyobrazić autora *Kim oni są?* piszącego podręcznik dla hazardzistów). Podczas naszej ostatniej rozmowy przez długą chwilę spekulowaliśmy na temat tego dawnego odkrycia. Zapytałem Carballa, czy nie zainteresował się naprawdę, a mówiąc n a p r a w d ę, miałem na myśli siłę jego obsesji, znalezieniem *Tajemnic ruletki*, zapytałem, czy nie urządził prawdziwego polowania, chociaż odkrycia krupiera nie miały nic wspólnego z Rafaelem Uribe Uribe ani Jorge Eliecerem Gaitanen, ani z polityczną przemocą czy też pełną przemocy polityką naszego smutnego kraju. Mówiąc w skrócie: chociaż nie miało się to do niczego przydać.

„Oczywiście, że tak", odpowiedział. „W swoim czasie szukałem tej przeklętej książki, próbowałem poruszyć niebo i ziemię. Obdzwoniłem wszystkich znajomych bibliofilów, prosiłem o pomoc wszystkie biblioteki specjalizujące się w starych książkach. I oczywiście, nie jestem przecież kretynem, zadzwoniłem do Biblioteki Kongresu. Tam jej nie ma, a przecież podobno jest w niej wszystko, co ukazało się na tym parszywym świecie. Ale to nie znaczy, że mój cały wysiłek poszedł na marne.

„Jak to?"

„Zacząłem się zastanawiać nad miejscem wydania", odparł Carballo. „Nowy Jork. Dlaczego Nowy Jork? Zawsze myślałem, że Anzola zniknął w sposób totalny, zbyt doskonały. Nikt tak nie znika. A może jest tylko jeden sposób, żeby nagle zniknąć z kolumbijskich mediów, mimo że gościło się na pierwszych stronach gazet".

„Wyjechać z Kolumbii".

„Owszem. I ma to sens, prawda? Co pan by zrobił? Gdyby napisał pan taką książkę jak *Kim oni są?*, gdyby uczestniczył pan w najsłynniejszym procesie w historii, a pańska książka i udział w tym procesie zmieniłby pana, w wieku dwudziestu kilku lat, w najbardziej znienawidzonego człowieka w Kolumbii… Pan też by wyjechał, panie Vásquez, i ja też, ja też bym wyjechał. Myślałem o tym dużo, zastanawiałem się, dokąd mógł się udać tak młody człowiek jak Anzola? Gdzieś, gdzie kogoś zna, gdzie miałby jakieś kontakty. Potem przypomniałem sobie, ze Carlos Adolfo Urueta był na placówce dyplomatycznej w Waszyngtonie. Pomyślałem: Stany Zjednoczone. Anzola wyjechał do Stanów. Wciąż wierzę, że tak się właśnie stało".

„Ale nie jest pan pewien?"

„Nie na sto procent", przyznał. „Ale to całkiem logiczne, prawda? A poza tym nie bardzo mnie to obchodzi".

„Jak to pana nie obchodzi?", zapytałem. Kiedy zaczynałem słuchać, jak mówi o zniknięciu Anzoli, czekałem na jakieś odkrycie: teraz mi powie, że wyruszył jego tropem, myślałem, teraz mi powie, że znalazł po nim ślady w Nowym Jorku, jakoś mnie zaskoczy. Nie kryłem zdziwienia. „Jak to nie obchodzi pana, Carlosie? W tym jest historia, nie sądzi pan? Jest luka w historii. Nie chciałby pan jej wypełnić? Nie chciałby się dowiedzieć, co się stało z Anzolą?"

„Chciałbym, ale nie interesuje mnie to. To dwie różne rzeczy".

„Nie interesuje pana?"

„Nie", powiedział Carballo. „Mogę sobie dokładnie wyobrazić tę sytuację: Anzola wyjechał z kraju, jak wyjeżdża z Kolumbii tyle innych osób, kiedy powiedzą jakąś trudną do przyjęcia prawdę. Stał się niewygodny i musiał to zrobić, podobnie jak wielu innych. Jeśli chcielibyśmy sporządzić listę, nie skończylibyśmy nigdy. Anzola to jeden z najstarszych przykładów, nie najstarszy, ale jeden z nich. I już, nie ma co dłużej zawracać tym sobie głowy. Wyobrażam sobie, że tak było, i to mi wystarcza, bo tak naprawdę życie Anzoli zbytnio mnie nie obchodzi. Inaczej: obchodzi mnie jego książka, rozumie pan? Obchodzi mnie, że napisał tę książkę. Żeby odkrył ją jakiś czytelnik. Wtedy zaczynają dziać się różne rzeczy".

Nie mogę powiedzieć, żebym w tamtej chwili zwrócił uwagę na ostatnie zdanie, którego ukrytego znaczenia nie mogłem się domyślić ani przewidzieć w momencie, gdy je usłyszałem. Wziąłem je za komunał, być może, pomyślałem, że Carballo odkrywa cuda spotkania jakiegokolwiek czytelnika z jakąkolwiek książką. Nie sądziłem, że mówiąc to, ma na myśli konkretnego czytelnika i szczególną książkę, nie sądziłem też, że wyobrażone spotkanie miało miejsce w dokładnie określonym miejscu i czasie. Ale tak właśnie było. Zadałem mu niewinne pytanie, raczej kurtuazyjne, a nie wynikające z autentycznej ciekawości.

„Carlosie, nie uważa pan, że wyjazd Anzoli może mieć prostsze wyjaśnienie?"

Carballo przeciągnął ręką po nowej bródce. „Na przykład jakie?", zapytał oschłym tonem.

„Może Anzola nie wyjechał wcale dlatego, że go prześladowano. Być może wyjechał z Kolumbii po prostu dlatego, że poniósł klęskę".

Przymknął oczy, a na jego twarzy pojawił się wyraz pogardy. Nie przejąłem się tym. Powiedziałem, że nie wydaje mi się to niekwestionowalną prawdą, że abstrahując od tego, co rzeczywiście się wydarzyło, abstrahując od wszystkich zarzutów, jakie poczynił w swojej książce, prawdą było, że Marco Tulio Anzola podczas procesu nie zdołał niczego udowodnić. Co najmniej w tym punkcie redaktor „El Tiempo" miał rację. I wtedy Carballo oburzył się jak nigdy dotąd.

„Jak to miał rację?", zapytał i wstał z krzesła. „Jak to Anzola niczego nie udowodnił? Przecież powołał świadków?"

„Niech pan się tak nie wścieka, Carlosie", powiedziałem. „Świadkowie rzeczywiście się stawili, ale niczego nie udowodniono. Książka jest bardzo sugestywna, to prawda, z przyjemnością dałbym się ponieść spiskowej teorii liczącej trzysta stron. Ale ważna jest nie wyłożona w książce teoria, lecz to, co wydarzyło się na rozprawie, a rozprawa okazała się porażką. Totalną porażką, powiedziałbym nawet sromotną klęską. Rozczarowaniem, więcej, zdradą wszystkich wspierających Anzolę. Biedaczyna miał tylko poszlakowe dowody przeciwko osobom, które próbował oskarżyć, Correala widziano tam, Pedra Leona Acostę widziano siam. Nie lubię żadnej z tych postaci, ale to nie oznacza, że dopuściły się przestępstw zarzucanych im w książce Anzoli. W porządku, Acosta próbował wcześniej zabić prezydenta. W porządku, Correal znęcał się nad innym, może nawet go torturował. Ale to niczego nie dowodzi poza ich przeszłością. A co mi pan powie o jezuitach? O jezuitach, których również oskarża się w książce, a na procesie nie mówi się o nich nic, ani słowa. Temat nawet nie wypłynął".

„Bo Anzola nie zdążył!", krzyknął Carballo. „Wykluczyli go z procesu, zanim zdążył poruszyć kwestię odpowiedzialności jezuitów".

„Łatwo powiedzieć. «Tak, są winni, ale udowodnię to później». To nie brzmi poważnie".

„Nie mogę w to uwierzyć", powiedział Carballo, ściszając głos.

„Zdaje się, że ława przysięgłych też nie bardzo uwierzyła".

„A w takim razie co ze spotkaniami Berestaina i Correala? A co z zeznaniami świadków, którzy widzieli zabójców wychodzących z budynku San Bartolomé?"

„Właśnie pozostają tylko spotkaniami i zeznaniami. Anzola nie udowodnił, że to dokądkolwiek prowadzi".

„A co ze słowami Berestaina? Kiedy życzy Uribe, żeby zgnił w piekle? Co z nimi?"

„Ach, Carlosie", powiedziałem. „W tym kraju ludzie życzą innym piekła z przerażającą łatwością. Wszyscy robią to przez cały czas. To nie znaczy nic konkretnego, chyba pan o tym wie?"

Carballo znów usiadł. Jego twarz i postawa (skrzyżowane ramiona, sposób, w jaki zginał kolana) zdradzały poważne rozczarowanie. Powiedziałem, że przykro mi, że to powiedziałem, ale fakty są jasne; książka to jedno, a rozprawa to zupełnie inna kwestia. Wróciłem do sprawy jezuitów, Anzola nie wspomniał o nich nawet raz podczas całej rozprawy, przynajmniej według wersji, którą opowiedział mi Carballo. „A może tak?", zapytałem. „Czy podczas rozprawy przedstawiono jakiś dowód przeciw jezuitom?"

Cichutki głosik odpowiedział:

„Nie".

„W takim razie?"

„W takim razie oni wygrywają".

„Jak to?"

„Robi pan dokładnie to samo, co robił cały kraj przez ostatnie sto lat, panie Vásquez. Skoro Anzola nie osiągnął celu, skoro nie wydano wyroku na oskarżanych przez niego, to mówiono, że wszystkie te zarzuty są jednym wielkim kłamstwem. Pańska prawda jest bardzo uboga, przyjacielu, bo prawda sądów często bardzo się różni od prawdy życia. Twierdzi pan, ze Anzola nie zdołał udowodnić niczego w sądzie i dlatego książka jest kłamstwem. Ale zastanowił się pan, dlaczego tak się stało? Czy nie jest oczywiste, że cały proces został ustawiony tak, żeby Anzola nie mógł przedstawić swoich dowodów? Czy nie jest oczywiste, że uciszono go w sposób niezwykle subtelny, zachowując wszelkie pozory legalności?"

„Ależ Carlosie, przecież pozwolono mu powiedzieć wszystko, co chciał. Co pan rozumie przez uciszono go?"

„Powtarza pan słowa z «El Tiempo», nie wiem, czy jest pan tego świadom".

„Oczywiście, że jestem", odparłem. „I proszę posłuchać: komentator z «El Tiempo» miał świętą rację. Nie wiem, kto to jest, szkoda, że nie podpisał swojego artykułu, bo miał rację. Miał rację, mówiąc, że Anzola nie przedstawił żadnych

dowodów przeciw Correalowi. Miał rację, mówiąc, że wznie-
canie podejrzeń jest bardzo łatwe, ale trzeba je jeszcze udowodnić. Dlaczego Anzola nie powiedział, kim był mężczyzna
w cylindrze? Jeśli to wiedział, dlaczego nie ujawnił nazwiska
wszystkim obecnym? Nie sądzi pan, że nie powiedział tego
dlatego, że sam nie wiedział? Niech pan mi powie, Carlosie, niech pan mi powie szczerze: nie sądzi pan, że Anzola
blefował?"

„Nie blefował", odparł Carlos. „To nie partyjka pokera".

„Nie wyjaśnił nic, jeśli chodzi o jezuickie publikacje. Nie
wyjaśnił kwestii stowarzyszeń, w których rzekomo losuje
się zabicie człowieka. Niech pan mi powie, Carlosie, kim są
niejaki Ariston Men Hydor i niejaki Campesino, atakujący
generała Uribe? Bogota nie była miastem liczącym miliony
mieszkańców, była sporych rozmiarów wioską. Nikt nie mógł
tak skutecznie się ukryć, przynajmniej tak sobie wyobrażam.
Dlaczego w takim razie nie ma żadnych dowodów przeciwko dwóm nieco fanatycznym felietonistom, których jedyną
kryjówką jest pseudonim, dwóm oszczercom, od jakich roi
się dziś na portalach społecznościowych. Odpowiedź brzmi:
bo są tylko szaleńcami, fanatykami i oszczercami. A jeśli
chodzi o te stowarzyszenia, czy to naprawdę się wydarzyło?
Naprawdę istniały finansowane przez bogaczy grupy, w których losowało się zabójców i zlecało im śmierć każdego, kto
okazał się niewygodny? Gdzie Anzola to udowodnił?"

„Oni wygrali", szepnął, a przynajmniej mnie się tak wydawało.

„Nie wiem, kim są oni", powiedziałem. „Ale nie chodzi o to,
czy wygrywają czy nie, chodzi o prawdę, jaką dysponujemy teraz. Nie mamy wystarczająco dużo dowodów, żeby ją zmienić".

Carballo milczał. Postawił stopy na sofie i zwinął się
w kłębek jak przerażony piesek. A potem zaczął mówić,
w tonie jego głosu mieszały się porażka i upór. Mówił, nie

patrząc na mnie, jak gdyby głośno myślał. Ale tak naprawdę nie myślał głośno, przemawiał do mnie, to ja byłem jedynym adresatem jego przemowy.

„Ale są inne prawdy, Vásquez", zaczął. „Są prawdy, o których nie pisze się w gazetach. Są prawdy, które nie są mniej prawdziwe tylko dlatego, że nikt o nich nie wie. Być może wydarzyły się tam, gdzie żaden dziennikarz ani historyk nie mogli dotrzeć. I co mamy z nimi począć? Gdzie możemy im zrobić miejsce, żeby zaistniały? Mamy pozwolić im gnić w niebycie tylko dlatego, że nie przyszły na świat we właściwy sposób albo pozwoliły się pokonać potężniejszym od siebie siłom? Są prawdy delikatne, Vásquez, prawdy wrażliwe jak przedwcześnie urodzone dziecko, prawdy, które nie mogą się obronić w świecie udowodnionych faktów, gazet i książek historycznych. Prawdy, które istnieją, chociaż poległy przed sądem i zagubiły się w ludzkiej pamięci. A może powie pan, że znana nam historia jest jedyną możliwą wersją? Nie, proszę, niech pan nie będzie taki naiwny. To, co nazywa pan historią, nie jest niczym więcej jak zwycięską opowieścią, panie Vásquez. Ktoś sprawił, że wygrała ta opowieść, a nie inna, dlatego dziś w nią wierzymy. Albo inaczej: wierzymy w nią, bo została zapisana, nie zaginęła w nieskończonej przepaści słów, które tylko mówimy, albo jeszcze gorzej: których nie mówimy na głos, lecz tylko o nich myślimy. Zjawia się dziennikarz «El Tiempo», zjawia się historyk XX wieku i opowiadają o czymś na piśmie; może to być zamach na generała Uribe, może to być lądowanie człowieka na Księżycu, może to być, cokolwiek pan zechce: bomba atomowa, wojna domowa w Hiszpanii czy odłączenie się Panamy od Kolumbii. I uważamy to za prawdę, tylko dlatego że w y d a r z y ł a   s i ę   w   m i e j s c u,   g d z i e   m o ż n a b y ł o   o   n i e j   o p o w i e d z i e ć   i   k t o ś   o p o w i e d z i a ł o   n i e j   k o n k r e t n y m i   s ł o w a m i.   I powtarzam panu:

są prawdy, które nie wydarzyły się w takich miejscach, prawdy, których nikt nigdy nie spisał, bo były niewidzialne. Miliony rzeczy wydarzają się w miejscach szczególnych i, znów powtarzam panu, nie są to miejsca dostępne dla historyka czy dziennikarza. Nie są zmyślone, Vásquez, nie są to fikcje, są rzeczywiste, równie rzeczywiste jak rzeczy, o których opowiada się w gazetach. Tyle że nie przetrwały. Ulotniły się, nikt o nich nie opowiedział. I to jest niesprawiedliwe. Nie tylko niesprawiedliwe, ale i smutne".

I wtedy zaczął mówić o swoim ojcu. Zrobił to bez patetycznych gestów i sentymentalizmu, być może z pewną dozą melancholii, ale opowiedział bez potknięć skomplikowaną historię, co znaczyło, że albo powtarzał ją wiele razy, albo całe życie czekał, żeby ją opowiedzieć. Skłaniałem się ku tej drugiej możliwości i rzeczywiście miałem rację.

Poprawiłem kilka drobnostek, w których fenomenalna pamięć Carballa zawiodła albo się mylił, i uzupełniłem jego opowieść o informacje konieczne, żeby lepiej ją zrozumieć i w pełni docenić. Poza tym starałem się pamiętać, że moja rola ogranicza się do roli notariusza, bo bardzo prawdopodobne, że już nigdy w życiu nie usłyszę podobnej historii. Moim zadaniem, jednocześnie arcytrudnym i niezwykle łatwym, jest oddać jej sprawiedliwość, a przynajmniej jej nie zdefraudować.

Historia jest następująca:

César Carballo urodził się w dzielnicy Perseverancia we wschodniej części Bogoty, jedenaście albo dwanaście przecznic od ulicy, gdzie jego syn zamieszka (i opowie mi to wszystko) wiele lat później. W owym roku 1924 jego matka Rosa María Peña była praczką w zamożnych dzielnicach, do których docierało się, schodząc ze wzgórza, przecinając

Siódmą Aleję, a potem tory kolejowe i idąc kilka przecznic na północ; dzielnice te widziała w słoneczne poranki z tarasów swojej ulicy, kiedy rozmawiała z sąsiadkami i pomagała im rozwieszać pranie na sznurach z sizalu, pozostawiających dziurki w delikatniejszych tkaninach. Ojciec Cesara był jedynym szewcem w dzielnicy zamieszkanej w większości przez rzemieślników: mechaników, murarzy i stolarzy. Jako zaledwie nastolatek Banjamín Carballo zaczął uczyć się fachu w warsztacie obuwniczym don Alcidesa Malagona, starca sprawiającego wrażenie, że urodził się razem z miastem i mającego najwyraźniej zamiar umrzeć razem z nim. Kiedy jednak stary Malagón umarł, Benjamín Carballo miał dwadzieścia dwa lata, ciężarną żonę i mnóstwo zdrowego rozsądku, więc przejął warsztat szewski, nie zadając sobie zbędnych pytań. Potem się z tego cieszył, bo z biegiem lat przekonywał się coraz bardziej, że sztuka szycia butów była tym właśnie – sztuką; nie uważał rzeźbienia posągów za zajęcie szlachetniejsze od robienia butów na miarę, wymagającego zbadania nieregularności stopy, odlania gipsowego modelu, który musi być niezwykle dokładny, stworzenia formy – naśladującej cechy żywego modelu, gdyż nie ma dwóch identycznych stóp – a potem suszenia skóry na formach tak, żeby nie straciły precyzyjnie zdjętych wymiarów. Całe życie poświęcił na naukę zawodu i chciał, żeby syn César poszedł w ślady ojca.

I miał powody, żeby tego chcieć, bo César posługiwał się linijką i ekierką jak zawodowiec i w wieku dziesięciu lat potrafił już rysować profesjonalne wykroje. Problemem – problemem dla ojca, który chciał mieć syna jako pomocnika przez osiem godzin dziennie – było to, że w dodatku znakomicie się uczył. Jego szkoła mieściła się w budynku z dziurawym dachem, więc kiedy padał deszcz, nie można było tam prowadzić lekcji, nie dla wszystkich wystarczało zeszytów, podręczniki uważano za towar luksusowy, a mimo to dyrektorka szkoły – kobieta z prawdziwym powołaniem – szybko zauważyła zdolności chłopca. Nauczycielka, która dobrze wiedziała, jak się mają sprawy w dzielnicy, przekonała Rosę Maríę, żeby pozwoliła mu ukończyć szkołę, jeszcze zanim matka Cesara zdążyła pomyśleć, żeby go z niej zabrać, by pomagał rodzinie. Mając dwanaście lat, syn szewca znał na pamięć nie jeden, a wszystkie wiersze Rafaela Pombo, miał dość czasu, żeby się nimi znudzić i pozamieniać niektóre słowa na obsceniczne, w efekcie Mirringa Mirronga chciała, by *wszystkie koty i koteczki pokazały tyłki, ściągając majteczki.* Rosa María posłuchała nauczycielki. César zawsze opowiadał o tym, że jego rodzice bardzo ciężko pracowali, żeby on i jego młodszy brat nie musieli rzucać szkoły. I właśnie tam, w szkolnej sali z klepiskiem zamiast podłogi, César Carballo ujrzał po raz pierwszy Jorge Eliecera Gaitana.

W tamtym okresie Gaitán od kilku zaledwie miesięcy był burmistrzem Bogoty, ale zdążył już objechać całe miasto, oglądając je i samemu się pokazując, dbając o swój wizerunek człowieka z ludu. Miał wówczas trzydzieści trzy lata, niepohamowany apetyt na władzę i życiorys jak z bajki: urodził się w ubogiej rodzinie, jego matka była nauczycielką, a ojciec handlował używanymi książkami, ale już od piętnastu lat wstrząsał światem polityki, wygłaszał oratorskie popisy, których nie widziano na tych szerokościach geograficznych od czasów Rafaela Uribe Uribe. Jako osiemnastolatek wygłosił tak płomienną przemowę wspierającą liberalnego polityka, że wrogowie Gaitana zaczęli do niego strzelać z tłumu; kula przeszła pod gestykulującym ramieniem, a on zachował podziurawioną marynarkę i dał ją potem w prezencie owemu politykowi. W Rzymie, gdzie odbył studia doktoranckie pod kierunkiem Enrica Ferriego, odkrył i zaczął podziwiać techniki, którymi Mussolini hipnotyzował

wielotysięczne tłumy, i nauczył się ich. Gaitán miał wro-
dzony talent do improwizacji, sam zaczął po wirtuozersku
operować pauzami i milczeniem, i znalazł tajemniczą alche-
miczną równowagę pomiędzy językiem ulicy a najbardziej
egzaltowanymi tonacjami. W rezultacie został mówcą zdolnym zmiażdżyć każdego przeciwnika na publicznym placu, bo
kolumbijscy politycy, przekonani o tym, że nie muszą uwo-
dzić swoich słuchaczy, lecz ich onieśmielać, zaczynali swoje
mowy, przywołując Pallas Atenę, Cycerona lub Demostene-
sa, a potem zjawił się Gaitán i zaczynał rzucać swoje drapieżne zdania z precyzją łucznika, i wszystko zaczynało wyglądać
inaczej. Gaitán wpadał w trans, a jego publiczność była gotowa pójść za nim tam, skąd przemawiał. Czasem wydawało
się nieważne co, tylko ważne, że to on mówił. To właśnie czuli
jego słuchacze w przetartych kapeluszach i ubraniach przesiąk-
niętych potem, że był jednym z nich, ale nikt (tym bardziej żaden z nich) nigdy nie przemawiał do nich w ten sposób. Owej
błyskotliwej retoryki użył, inicjując jedną z najtrudniejszych
debat, jaką musiał kiedykolwiek znieść prezydent Kolumbii.
W 1928 roku, po nieudanym strajku wojsko zabiło nieustalo-
ną albo utrzymywaną w tajemnicy liczbę pracowników banan-
owych plantacji na Karaibach. Gaitán zaprotestował przeciw
temu, skądinąd znanemu wszystkim wydarzeniu, ale kiedy to
zrobił, wydawało się, że masakra dopiero co się odbyła, a kraj
usłyszał o niej po raz pierwszy. Później ktoś miał opowiedzieć
o chwili, kiedy mówca, ten Indianin z włosami lśniącymi od
brylantyny, z którego śmiali się kongresmeni z wyższych klas,
poraził całą salę przemową, od której ciarki przechodziły po
plecach, i zakończył swoje słowa niespodziewaną sztuczką;
wyjął i pokazał wszystkim obecnym czaszkę, łysą czaszkę
jednej z ofiar bananowej masakry. Była to czaszka dziecka.
   Siedem lat później agitator, który zdążył zostać burmistrzem, odwiedził szkołę publiczną. Jego wizyta sparaliżowała

całą dzielnicę Perseverancia. Widziano go, jak przybywa na miejsce pieszo, w dwurzędowej marynarce i pilśniowym kapeluszu; z Piątej Alei wspiął się do dzielnicy stromymi uliczkami, szybkim krokiem, nie pocąc się ani nie męcząc, otoczony towarzyszami, którzy szybko rozproszyli się w tłumie ciekawskich i potrzebujących. Słyszano, jak dziękuje nauczycielce za jej pracę, jak przypomina stłoczonej publiczności, że jego matka też była nauczycielką, słyszano, jak mówił, że nie ma na świecie piękniejszego i szlachetniejszego zawodu niż zawód nauczyciela. Słyszeli, jak obiecuje stworzenie stołówek szkolnych, bo dzieci uczą się lepiej, mając pełne żołądki. Słyszano, jak zapytał jednego z uczniów, czemu przychodzi boso na lekcje, słyszeli, jak obiecuje, że obuwie dla uczniów szkół publicznych będzie obowiązkowe i bezpłatne. Wśród słuchaczy tej zaimprowizowanej przemowy znalazł się szewc Benjamín Carballo, który nigdy nie słyszał, żeby polityk mówił o butach, i przez resztę dnia i tygodnia, i miesiąca miał wspominać, jak jego syn César przerwał burmistrzowi i zakrzyknął piskliwym głosem nastolatka przed mutacją: „Mój tata może je zrobić!". Gaitán uśmiechnął się, ale nic nie powiedział. Potem, gdy wizyta dobiegła końca, dostrzegł chłopca przy wyjściu ze szkoły. Prawie na niego nie patrząc, rzucił: „Chłopaczek od szewca". I ruszył przed siebie.

César Carballo twierdził później, że w tym momencie został gaitanistą. Przejrzał się w Gaitanie jak w lustrze; z biegiem lat Gaitán stał się dla niego wzorem, który pragnął naśladować. Jeśli człowiek z Las Cruces, dzielnicy nie tak bardzo różnej od Perseverancii, mógł być kongresmenem i burmistrzem, to czy César nie mógłby podążyć podobną ścieżką, utrzymując dyscyplinę i pilnie się ucząc? César Carballo chciał studiować prawo jak Gaitán, na Uniwersytecie Narodowym jak Gaitán, ale kiedy skończył szkołę, rzeczywistość dała boleśnie o sobie znać; rodzinie brakowało pieniędzy na jego studia. Miał szesnaście lat. W styczniu 1941, niecały rok po tym, jak Gaitán został ministrem edukacji, César Carballo wstał pewnego ranka wcześnie, włożył czystą koszulę i poszedł do siedziby ministerstwa na skrzyżowaniu Szóstej Alei i Dziesiątej Ulicy. Zapytał o Gaitana, powiedziano mu, że go nie ma. Godzinę później znów o niego zapytał, i usłyszał to samo. Rozejrzał się wokół – troje dzieci z matkami, młody chłopak z książkami pod pachą – i zrozumiał, że nie jest jedyną osobą, która pyta o ministra z oczywistym zamiarem poproszenia go o przysługę. I wtedy intuicja podsunęła mu pewien pomysł; obszedł budynek i stanął przed tylnym wejściem, myśląc, że Gaitán wyjdzie właśnie tędy, żeby nie musieć wysłuchiwać próśb tylu ludzi. O pierwszej po południu zobaczył, jak wychodzi, podszedł do niego i powiedział: „Jestem chłopaczkiem od szewca". Wydukał z siebie, że chce studiować na uniwersytecie, potrzebuje stypendium i słyszał, że minister Gaitán mógłby mu pomóc je dostać. Gaitanowi towarzyszyło dwóch dobrze ubranych mężczyzn; César Carballo zobaczył na ich twarzach sarkastyczny uśmiech i pomyślał, że traci czas. „Jestem liberałem", powiedział, nie bardzo wiedząc, jakie to ma znaczenie. Gaitán popatrzył na swoich towarzyszy, spojrzał na niego i powiedział: „To nieważne. Głód nie jest liberalny ani konserwatywny. Pragnienie sukcesu też nie". Spojrzał na zegarek i dodał: „Wróć jutro i zobaczymy, co da się zrobić".

I César wrócił. Gaitán przyjął go w swoim gabinecie, poczęstował czerwonym winem i potraktował jak syna, tak przynajmniej będzie opowiadał César do końca życia. Będzie też opowiadał, że zobaczył dyplom adwokacki z Uniwersytetu Narodowego i wzruszył się, myśląc, że kiedyś też taki dostanie, ale prawdziwe wrażenie zrobiła na nim oprawiona w ramki fotografia, na której dwudziestopięcioletni

Gaitán stoi obok swojego mentora, wielkiego karnisty Enrica Ferriego. Zdjęcie nosiło dedykację skreśloną jego ręką dla ucznia Jorge Gaitana, który napisał w Rzymie wyróżniającą się i podziwianą rozprawę doktorską. César zapytał go o temat pracy, a Gaitán opowiedział mu o niej w trzech zupełnie niezrozumiałych zdaniach. César, zwykły rzemieślnik, który nie miał jeszcze osiemnastu lat, nie mógł oczywiście wiedzieć w tamtej chwili, czym jest premedytacja i w jaki sposób pojęcie to wiązało się z okolicznościami łagodzącymi, ale zdania Gaitana zabrzmiały jak świętokradztwo, a sam fakt, że ten wielki człowiek próbował mu to wszystko wytłumaczyć, złagodził rozczarowanie na wieść o tym, że nie ma stypendiów. Ale César Carballo widział, że Gaitán naprawdę próbował, zadzwonił do swojego sekretarza, zapytał, czy termin składania podań już upłynął, i usłyszał, tak, panie doktorze, już upłynął, i usłyszał, jak minister pyta sekretarza, czy jeśli któryś z ostatnich stypendystów się nie zgłosi, możemy przyznać stypendium temu chłopakowi, i usłyszał, nie, doktorze, nie ma wolnych stypendiów, w tym roku zgłosili się wszyscy. I wtedy Gaitán powiedział: „Sam widzisz, młody człowieku. Bardzo mi przykro. Jeśli przyjdziesz za rok, zanim upłynie termin, osobiście zajmę się tym, żebyś dostał to stypendium".

Ale los sprzysiągł się przeciw Cesarowi Carballowi. Kiedy Gaitán, pięć tygodni po rozmowie z nim, został przedwcześnie odwołany ze stanowiska ministra edukacji, César uznał to tylko za kolejną przeszkodę, miał nadzieję, że uda mu się uzyskać stypendium i tak, z pomocą polityka lub bez niej, że wystąpi o nie w listopadzie i zacznie nowe życie. Stało się jednak inaczej. Pewnego majowego popołudnia, niedługo przed siedemnastymi urodzinami, César zjawił się w warsztacie i znalazł ojca na podłodze, pośród zapisanych kartek i z centymetrem na szyi. Wydawało się, że chwilę wcześniej zdjął miarę z klienta i próbował wyliczyć wymiary formy, klienta już nie było w warsztacie, kiedy dostał ataku serca, w każdym razie wszyscy byli zgodni, że i tak niewiele można było zrobić. César Carballo przejął po ojcu warsztat szewski, musiał też utrzymać młodszego brata. Ten ciężar wymagał poświęcenia całego jego czasu i większej części uwagi. Pomysł studiowania na uniwersytecie okazał się teraz zupełnie nierealny. César Carballo zapomniał o swoich ambicjach, zarchiwizował je w głębokich odmętach świadomości, i poświęcił się formom i podeszwom, i kupowaniu skór u garbarza na Ósmej Ulicy, obok obserwatorium astronomicznego. Tak upłynęło mu kilka następnych lat.

To był smutny los, ale César Carballo nie miał czasu o tym myśleć. Postarał się poza tym nie robić z siebie ofiary. Kiedy tylko mógł zamknąć warsztat o piątej czy szóstej, szedł do kawiarni w alei Jimeneza, czytał gazety i słuchał, jak studenci prawa albo medycyny rozmawiają o polityce, jakby nic innego na świecie się nie liczyło. W tych chwilach czuł, że żyje. Całe dnie spędzał w warsztacie, ale jedną z niewielu zalet tej sytuacji było to, że w wieku niecałych dwudziestu lat cieszył się bezkarnością stanu kawalerskiego. Nikt na niego nie czekał, żadna kobieta nie miała pretensji o późne powroty, o to, że śmierdzi papierosami, że wypił za dużo piwa, na które raz czy dwa razy w miesiącu sobie pozwalał. W knajpach obłapiał kelnerki i nieraz dostał za to w twarz, i mógł godzinami zaglądać przez ramię grającym w domino, i obserwować ich partyjki, o ile tylko był dość ostrożny, by nie przewrócić im kostek, przyglądał się też z daleka znanym pisarzom przesiadującym w El Molino, dowiedział się, że postaci na ścianach to bohaterowie *Don Kichota*, słuchał, jak znani pisarze rozmawiają ze studentami mającymi szeroko otwarte oczy, i uświadomił sobie, że wcale go to nie interesuje. Nie chodzi o to, że nie interesował go *Don Kichot*, ale w ogóle nie interesowały go historie zmyślone ani też wiersze, recytowane często w Café Automático, przy stolikach bohemy pod karykaturą Leona de Greiffa, chociaż nauczył się na pamięć słyszanych tyle razy wersów, i czasem, próbując zaciągnąć do łóżka jakąś dziewczynę, recytował jej strofę, którą powtarzać miał do końca życia:

> *Ta róża zaświadczyć może*
> *– miłość nie miłość, a przecież*
> *Inną nie będzie miłością.*
> *Ta róża zaświadczyć może,*
> *o chwili, gdy stałaś się moją.*

Nie, interesowała go tylko polityka. Z upływem miesięcy zaczął zabierać na te wycieczki przyjaciół z dzielnicy, czasem dołączali starsi od niego, trzydziestoletni rzemieślnicy (mechanicy, murarze, stolarze), którzy chodzili do najpopularniejszych knajp, żeby, jak mówili, zmierzyć krajowi temperaturę.

I tak César Carballo zaczął powoli rozumieć, że jego kraj ma gorączkę. Europejska wojna coraz mocniej dotykała Kolumbię; już nie chodziło o to, że ceny kawy były niskie jak nigdy dotąd, ani o brak materiałów, który ciągnął w dół sektor budowlany, a zarazem zatrudnionych w nim robotników, ale o to, że konserwatyści zaczęli mówić o triumfie faszyzmu i skarżyli się, że popierając Stany Zjednoczone, rząd liberalny obstawia przegranego konia. Wszyscy oni wierzyli, że zwycięstwo Niemców przyniesie krajowi zysk, bo wszyscy byli zwolennikami Franco, z przekonania albo przez zarażenie, a wygrana Osi będzie również wygraną Franco, a wygrana Franco zwycięstwem najbardziej reakcyjnego skrzydła Partii Konserwatywnej. Dla Cesara Carballa i jego przyjaciół z dzielnicy Perseverancia tacy ludzie byli wrogami. To z nimi należało walczyć, bo zwycięstwo Partii Konserwatywnej będzie dla Kolumbii oznaczać nie tylko powrót do mrocznej przeszłości, ale również inwazję europejskich faszyzmów.

Ale wówczas w ubogich dzielnicach Bogoty zaczęły krążyć niczym złośliwa plotka nowe idee. Jorge Eliécer Gaitán podróżował po całym kraju i wygłaszał mowy, których prasa nie relacjonowała, ale przekazywano je z ust do ust jak sekretną ewangelię. Mówił w nich dziwne rzeczy, że głód nie jest ani liberalny, ani konserwatywny, podobnie jak malaria; że istnieje kraj narodowy, należący do ludu, i kraj polityczny, należący do klasy rządzącej; że wspólnym wrogiem odpowiedzialnym za niesprawiedliwości i klęski dotykające kolumbijskich robotników jest wąż o dwóch głowach – jedna nazywa się oligarchia, druga zaś imperializm. W lutym 1944 roku, kiedy Gaitán zebrał swoich najzagorzalszych zwolenników w barze Cecilia i oficjalnie rozpoczął swoją kampanię przed wyborami planowanymi na 1946 rok, César Carballo i jego towarzysze z Perseverancii byli tam, w pierwszych rzędach, spijając słowa caudilla, i obiecywali sobie, że zrobią wszystko, jeśli okaże się to konieczne, poświęcą nawet życie, żeby Gaitán został prezydentem Kolumbii.

Tygodnie zaczęły się teraz kręcić wokół Kulturalnych Piątków. Wtedy Gaitán wygłaszał mowy w Teatrze Miejskim; występował na stojąco, nie mając miejsca, na którym mógłby oprzeć puste ręce, przed kwadratowym mikrofonem transmitującym jego słowa przez radio, wznosił pięść i wypełniał salę elektrycznością, jakiej nikt dotąd nie czuł. César Carballo żył po to, żeby słuchać tych wystąpień; przez cały czas, kiedy nie pracował w warsztacie szewskim, i nie przyuczał do zawodu syna sąsiadów, który zaczął u niego terminować, rozmyślał nad tym, co w miniony piątek powiedział Gaitán w Teatrze Miejskim, i zastanawiał się, co też powie w kolejny. I kiedy nadchodził wyczekiwany dzień, ruszał pieszo w drogę o trzeciej po południu, żeby zapewnić sobie miejsce w środku, a potem czekał cztery godziny w kolejce, aż zaczną wpuszczać. Był to czas skradziony obowiązkom w zakładzie szewskim i matka zaczęła robić mu wyrzuty. „Wiem, że idziesz posłuchać Szefa, synku", mówiła, „Wiem, że to ważne. Ale nie rozumiem, czemu musisz wychodzić tak wcześnie, porzucając wszystko, jakby nasza rodzina nie prowadziła interesu. Jakby w domu nie było radia, synku. Co powiedziałby twój ojciec, gdyby jeszcze żył?" Jak miał wytłumaczyć matce to, co czuł, słuchając Gaitana? Nie potrafił, więc odpowiadał tylko: „Jeśli nie pójdę teraz, nie uda mi się wejść do środka, mamusiu". I mówił prawdę, Teatr Miejski wypełniał się zwolennikami caudilla, zajęte były nie tylko wszystkie miejsca siedzące, ale też korytarze. César nie zamieniłby na nic innego na świecie tajemniczej solidarności, jaka łączyła uczestników, poza tym niedostanie się do środka oznaczać mogło stratę niepowtarzalnego widowiska, jak na przykład tamtym razem, kiedy popsuły się głośniki i Gaitán, gestem zniecierpliwienia i irytacji, odepchnął mikrofon i wygłosił czterdziestominutową przemowę bez nagłośnienia, siłą swoich płuc i niesamowitego gardła, i z tak cudowną dykcją, że nawet nieszczęśnik w ostatnim rzędzie słyszał wszystkie słowa razem i każde z osobna.

To, co działo się po przemówieniach w teatrze, było równie ważne. Kiedy kończyła się chwila magii, towarzysze z Perseverancii wylegali na zatłoczone chodniki Siódmej Alei i szli do knajpek w centrum, żeby porozmawiać o tym, co usłyszeli. Oczywiście nie wszyscy mogli sobie na to pozwolić, niektórzy zaczynali pracę bladym świtem, a wielu innych nie było tak mocno zaangażowanych politycznie. Ale Carballo zawsze tam był, spacerował po ciemnych ulicach, gdzie zimno zaczynało już dawać się we znaki, otoczony młodymi jak on mężczyznami, w których towarzystwie czuł się niezniszczalny. Policja nie czepiała się ich, bo w tamtym czasie większość funkcjonariuszy była liberalna, a wielu z nich w tajemnicy popierało Gaitana, czasem jednak zamieniali kilka słów z jakimś porywczym konserwatystą, a Carballo czuł w takich chwilach przypływ niecodziennej odwagi. Potem wkraczali do kawiarni czy spelunki, jakby zdobywali je szturmem, i wszyscy wiedzieli, głośno tego nie mówiąc, że to nie byłoby możliwe przed caudillem. Gaitán dał im nową dumę, dzięki niemu czuli, że miasto, to, w którym od pokoleń pracowali, należy także do nich. I podczas tych długich nocy nad piwem czy *aguardiente* w El Inca, El Gato Negro, w barze Cecilia czy Colombia, przez kilka godzin wydawało się, że to prawda, że żyją w równoległym, fantasmagorycznym mieście, którego wszyscy są współgospodarzami. Wtedy właśnie César Carballo otrzymał swoją edukację sentymentalną. Teraz, kiedy próbuję odtworzyć tamte dni, nie mogę pominąć tego, co działo się na owych sabatach, nazywanych przeze mnie tertuliami, gdyż tak uparli się je nazywać ich uczestnicy.

Kończyli zawsze te chaotyczne dyskusje – przeciągające się nierzadko do drugiej czy trzeciej w nocy, wśród krzyków, stołów powywracanych przez niezdarnych pijaków – będąc już innymi ludźmi, niż kiedy je zaczynali. W tamtej epoce gaitaniści zaczęli lepiej się organizować, miasto podzielono na dzielnice, dzielnice na strefy, a strefy na komitety. Nocne rozmowy w kawiarniach i barach zaczynano zwykle w towarzystwie osób z komitetu La Perseverancia, a w miarę jak robiło się coraz później, dołączały inne komitety, najczęściej z sąsiednich dzielnic, choć zdarzało się też, że z dalszych okolic; byli to mężczyźni w różnym wieku, dla których, podobnie jak dla Carballa, Kulturalny Piątek nie kończył się w chwili, gdy Szef odchodził od mikrofonu i odjeżdżał swoim samochodem z Teatru Miejskiego. Czasem przysiadali się do nich zagubieni przedstawiciele cyganerii, poeci, powieściopisarze, karykaturzyści, felietoniści „Jornady", autorzy kronik kryminalnych, którzy skończyli właśnie reportaż z jakiegoś krwawego wydarzenia, i towarzyszący im fotografowie, których zmęczone oczy widziały już całe ludzkie zło, jakie można zobaczyć. Przychodzili też studenci, ci z Uniwersytetu Narodowego i z Wolnego Uniwersytetu, i zbuntowani burżuje z Rosario – oni zjawiali się o północy, kiedy skończyli uczyć się w innych kawiarniach prawa albo medycyny, i zmieniali towarzystwo, żeby porozmawiać o Franco i Mussolinim, o Stalinie i Rooseveltcie, o Churchillu i Hitlerze albo odwiedzać burdele, gdzie domagali się zniżek dość oburzających, bo w tych w miejscach już i tak przymierano głodem.

Carballo natychmiast poczuł do nich sympatię, mimo że przedstawiali sobą to, czego mu odmówiono. Patrzył na nich, kiedy się zjawiali, hałaśliwi i zadowoleni, zarażeni politycznym entuzjazmem, przejawiający bliżej nieokreślone pragnienie zmiany świata zza kawiarnianego stolika (w tamtych miejscach będącego rozmiarów znanego im świata), gestykulujących jak opętani i wymieniających się książkami pomiędzy opróżnionymi butelkami. Byli w większości liberałami, bo gaitanowskie komitety bardzo uważały, żeby nie zbliżać się do kawiarni, gdzie gromadzili się ich polityczni przeciwnicy, ale zdarzali się też świeżo upieczeni komuniści, którzy przychodzili z marksistowskimi broszurami kupowanymi na przecenach w bogotańskich księgarniach, a także niewielka grupka trzech czy czterech melancholijnych anarchistów – wszyscy ubrani na czarno, wszyscy wyglądający jak bezpańskie koty – zajmująca zwykle stolik w rogu kawiarni Gran Vía, i siedząca przy nim godzinami, z nikim nie rozmawiając. Carballo wychodził z tych tertulii z głową spuchniętą od idei, z dokumentami, które parzyły go w ręce, a potem notował w księgach rachunkowych warsztatu szewskiego wszystkie zapamiętane tytuły. W tym czasie czytał z furią, książki pożyczone, książki kradzione, książki używane. Czuł dla nich jakąś zabobonną cześć; książki ocaliły Gaitana, może jego też ocalą. Jemu, podobnie jak Gaitanowi, przypadło w udziale życie pełne ograniczeń, oferujące niewielkie możliwości i skromny los. Książki – te książki, które poznawał na tertuliach, a potem czytał dzięki bardziej uprzywilejowanym studentom – były tunelem ucieczki.

W kolejnych latach gaitaniści organizowali się sprawnie jak spiskowcy. Dzielnica Perseverancia zawdzięczała wiele, niekoniecznie o tym wiedząc, entuzjazmowi syna szewca; César Carballo był najaktywniejszym członkiem komitetu. Nocami, kiedy matka już poszła spać, a on skończył zaległe prace, wychodził rozklejać plakaty w swojej dzielnicy, a także w dzielnicach sąsiednich. Czasem zdarzały mu się mniej lub bardziej stanowcze sprzeczki z właścicielami domów, którzy nie chcieli plakatów z Gaitanem na swoich murach ani na ulicznych słupach. César zaczął więc rozklejać je w towarzystwie najbardziej znanych przemytników, zabijaków i byłych skazanych, wtedy protesty ucichły jak za dotknięciem czarodziejskiej różdżki. Ulice Perseverancii wypełniły się afiszami na żółtym papierze, często drukowanymi przez Carballa, zapraszającymi na kolejne przemówienie w Teatrze Miejskim („Przyjdź z rodziną!", zachęcały) albo informującymi o wizycie Szefa w jakiejś konserwatywnej dzielnicy (a ludzie jechali tam, żeby go wspierać, żeby pokazać miejscowym, że Gaitán nigdy nie jest osamotniony). Komitet przybrał dźwięczną nazwę Zakurzeni, biorącą się od pyłu pokrywającego jej członków, kiedy schodzili ze wzgórza do miasta, ale wkrótce dowiedzieli się, że poza dzielnicą nazywano ich Czerwonymi. Zebrania odbywały się za każdym razem w innym domu, członkowie kłócili się o zaszczyt, jakim było przyjmowanie u siebie gaitanistów; w opustoszałych, zimnych i pachnących butanem kuchniach puszczało się w obieg kapelusz, żeby uczestniczy rzucili grosik na jego poplamione potem dno. W tym czasie liberałowie byli podzieleni na zwolenników Gabriela Turbaya, pochodzącego z rodziny, która zawsze miała polityczną władzę, i na zwolenników Szefa. Na jednym z zebrań komitetu to właśnie César Carballo wpadł na pomysł, żeby przejść Siódmą Aleją z drabinami i pompami owadobójczymi napełnionymi kwasem siarkowym, zatrzymując się pod każdym słupem, żeby spryskać luksusowe płócienne afisze kandydata Turbaya. Następnego dnia rano były w strzępkach i widziała to cała Bogota. Akcja zakończyła się spektakularnym sukcesem. César Carballo nie skończył jeszcze dwudziestu dwóch lat, a był już jednym z najbardziej szanowanych członków komitetu. Komitet natomiast rósł w siłę w dzielnicy, a gaitanizm rósł w siłę w Kolumbii. Jednocześnie pod rządami wybranego niedawno prezydenta Ospiny przemoc na wsi stawała się coraz bardziej brutalna.

Aż trudno było uwierzyć we wszystkie pogłoski. Do Bogoty docierały plotki o nadużyciach konserwatywnej policji, która prześladowała i nękała liberałów oraz ich rodziny w sposób, jakiego nie widziano od czasów wojny z 1899 roku. Pewnego dnia nadeszła wiadomość o młodym liberale, poćwiartowanym maczetami na placu w Tunja, tylko dlatego że nie chciał wiwatować na cześć prezydenta, innego zaś dnia o grupie policjantów z Guatavity, która zjawiła się w środku nocy w domu liberałów, zastrzeliła siedmiu członków rodziny i podpaliła meble. Ośmioletni chłopiec zdołał uciec przez kuchenne drzwi, dopadli go na zarośniętym wysoką trawą pastwisku, obcięli mu prawą rękę ciosem maczety i zostawili go tam, żeby się wykrwawił, chłopiec jednak przeżył i opowiedział o tym, co się stało. Podobne ofiary podobnych

barbarzyństw opowiadały podobne historie w każdym zakątku kraju. Rząd nie zdawał się zbytnio tym przejmować, były
to odosobnione przypadki, wyjaśniał, policja odpowiada jedynie na prowokacje. Ale liberałowie w Bogocie, zwłaszcza
zwolennicy Gaitana, owszem, przejmowali się. Carballo ze
swojej strony martwiłby się zapewne jeszcze bardziej, gdyby w tym czasie nie przeżywał własnych rozterek. W pewien
grudniowy piątek, mniej więcej o trzeciej po południu, kiedy zamykał warsztat i wybierał się do Teatru Miejskiego, zauważył, że ktoś na niego czeka. Była to Amalita Ricaurte,
córka don Hernana, mechanika szanowanego i kochanego
przez wszystkich, mającego na prawym ramieniu honoro-
wą bliznę po konserwatywnej maczecie; w jego warsztacie,
garażu znajdującym się na tyłach dawnego Panóptico, odbyły się już cztery zebrania komitetu. Amalita pozdrowiła
Carballa z daleka, jak zalęknione zwierzątko, i ruszyła za
nim, nie pytając go nawet, dokąd idzie. Szła w milczeniu
przez trzy przecznice i dopiero na skrzyżowaniu Siódmej Alei
z 26 Ulicą powiedziała mu, cichym głosem i ze wzrokiem
wbitym w ziemię, że jest w ciąży.

Był to efekt jednorazowej przygody, chwilowego uniesie-
nia, które w tej chwili nabrało realnych kształtów. Amalita,
niewysoka i szczupła kobieta o bardzo dużych oczach i bardzo ciemnych włosach, była trzy lata starsza od Carballa
i zaczynała się bać, że już nikogo nie znajdzie. Chodziła
zwykle na Kulturalne Piątki, nie tyle z powodu zamiłowania do słów Gaitana, ile żeby sprawić przyjemność ojcu;
w ten sposób zbliżyła się do Carballa, powoli, dzięki tajnym
spotkaniom politycznych aktywistów, na których ojciec poznał tego młodego chłopaka o mocnym głosie, dźwigają-
cego na barkach los całej rodziny. Lata później, opowiadając o tym swojemu jedynemu synowi, Amalita nie zawaha
się mówić o miłości od pierwszego wejrzenia, ubierając to

przygodne i ulotne spotkanie w wielkie słowa jak n i e u n i k-
n i o n e i p r z e z n a c z e n i e, niemożliwe okazuje się ustalenie z całą pewnością, jak to wszystko przebiegało, wiemy jedynie, jak chciała to zapamiętać jedyna kobieta, która o tym
opowiedziała. Jakkolwiek było, na początku 1947 roku
Amalita mieszkała już w pokoju Carlosa Carballa, wymioto-
wała rankami w łazience Carballów, spotykała się w kuchni
z jego matką, która przygotowywała jej paskudną chnan-
gę, patrząc na nią spode łba i oskarżając ją o to, że zabrała
jej syna, wkradła się do rodziny, chcąc przejąć zakład po jej
zmarłym mężu. Młodzi wzięli przyspieszony, ale szczęśliwy
ślub w kościele w centrum, potem odbyło się przyjęcie we-
selne z *aguardiente* i *empanadas*. Tej nocy Hernán Ricaurte
objął swojego świeżo upieczonego zięcia i powiedział:
   „Mój wnuk urodzi się w lepszym kraju. Ty i ja postaramy
się o to, żeby mój wnuk urodził się w lepszym kraju".
   Amalita, widząc, jak jej niezbyt trzeźwy mąż potakuje,
uświadomiła sobie, że ona też w to wierzy.
   Miesiące jej ciąży naznaczyły zebrania komitetu Perseverancii, który okazał się najaktywniejszym w całym okręgu,
oraz organizację demonstracji i przemów w Bogocie i okolicach. Zaangażowanie jej ojca i jej męża było nie mniejsze
niż pozostałych członków. I kiedy Szef zaczął mówić o wielkim marszu z pochodniami, spektaklu, który chwyci za serce nawet największych sceptyków, nikogo nie zdziwiło, że
komitet z Perseverancii dostał polecenie – a raczej wyzwanie – żeby je zorganizować. Amalita była wtedy w szóstym
albo siódmym miesiącu. Musiała zmagać się sama ze zmę-
czeniem i trudami ciąży, podczas gdy jej mąż objął kierownictwo nad zbieraniem funduszy, chodził od domu do domu,
prosząc o pieniądze, i zajmował się puszczaniem w obieg kapelusza na zebraniach komitetu, a potem namawiał mieszkańców dzielnicy, żeby uczestniczyli w produkcji pochodni.

César odwiedzał okoliczne warsztaty, żeby kupić tanio pakuły, zaglądał na podwórka, gdzie suszono pranie, i dostawał kije od szczotek i szmaty. Zdobył na kolei olej, a dzieci ulicy znosiły ze śmietników pokrywki mające posłużyć do przymocowania pakuł do drewna. Teoretycznie każdy komitet miał dostarczyć ustaloną liczbę pochodni, które będą potem sprzedawane po dwa pesos, żeby sfinansować ruch. Komitet Cesara Carballa nie tylko dostarczył najwięcej pochodni, ale i wyprodukował tyle, że żaden gaitanista nie musiał kłócić się z innym o swój własny płomień. Don Hernán Ricaurte zrobił mu wielką przyjemność, kiedy objął zięcia i publicznie powiedział banał, który jednak dla niego był jak prawdziwy medal· „Chłopak nam się udał". Tymczasem ani Amalita, ani jej mąż, ani ojciec nie zastanawiali się, w jakiej intencji będą maszerować gaitaniści. Szef poprosił, to wystarczyło.

Nigdy w Bogocie nie widziano nic podobnego. Tamtej lipcowej nocy cała dzielnica zeszła ze wzgórza na San Augustín, gdzie spotkała się z pochodniami przybyłymi z innych dzielnic: San Victorino, Las Cruces, La Concordia i San Diego. O trzeciej po południu na placu nie dało się wetknąć szpilki. Niebo było zachmurzone, ale nie padało, ktoś powiedział, że to najlepszy dowód na to, że Bóg jest gaitanistą. Marsz ruszył przed siebie powoli, po części ze względu na swoją budzącą lęk uroczystą powagę, po części dlatego, że mężczyźni i kobiety nie mogli się poruszać szybciej, nie potrącając się nawzajem. W miarę jak zapadał wieczór, tu i tam zaczęły się zapalać łuczywa, César Carballo miał potem opowiadać o gorącu, które zaczęło być nagle odczuwalne w środku tej bestii. Skręcili w Siódmą Aleję i ruszyli w stronę pałacu, gdy niebo zrobiło się purpurowe, a wzgórza na wschodzie połykała ciemność. Kiedy zapadła noc, miało się wrażenie, że wszystkie światła miasta wstydliwie zgasły. Pochód, jak prosił Gaitán, zmienił się w rzekę ognia. Carballo, idąc obok swoich towarzyszy, ramię w ramię z innymi gaitanistami, pocił się z gorąca, oczy łzawiły mu od dymu pochodni, ale za nic nie opuściłby tego uprzywilejowanego miejsca. Twarze przyjaciół były żółte i jasne, a z dala od maszerujących Bogota była ciemna, horyzont zlewał się z niebem, a w oknach ukazywały się postacie pełne podziwu i strachu, nie zapalając nawet światła w swoich biurach, jakby wstydziły się trochę, że istnieją, a nie idą w marszu, istnieją, a nie są częścią ludu zdolnego dokonać czegoś takiego. Pod koniec pochodu César wysłuchał przemowy Gaitana, ale niewiele z niej zrozumiał, gdyż wzruszenie ostatnich godzin sprawiło, że rozumienie wydawało się zbędne, a może powierzchowne. Gdy wrócił do domu, ubranie miał przesiąknięte dymem, a twarz pokrytą sadzą, ale tak szczęśliwego Amalita nie widziała go nigdy wcześniej ani nie zobaczy później.

Następnego dnia kraj wstał odmieniony. Liberałowie z wyższych klas dołączyli do komunistów, nazywając marsz zorganizowany przez Szefa faszystowskim; nie dowiedzieli się nigdy, że on sam, podczas prywatnych spotkań, przyznawał im rację. Widział wejście Mussoliniego do Rzymu i zainspirował się nim, inspiracja okazała się skuteczna, bo teraz się go bano, wszyscy się go bali, wszyscy widzieli, jaki wpływ ma na swoich zwolenników, i zastanawiali się, do czego zdolny będzie ten człowiek, kiedy droga do władzy stanie przed nim otworem. Potem do uszu Carballa dotarła plotka, że Gaitán w swoim biurze pogratulował zastępcom: „Dobrze, moi kochani faszyści. Komu mam za to podziękować?". I ktoś wymienił Carballa. Plotka nie mówiła nic więcej, tylko to, że ktoś o nim wspomniał. Dla Carballa nic ważniejszego nie zdarzyło się w jego krótkim życiu. Powtarzał Amalicie: „To my to zrobiliśmy. My tego dokonaliśmy".

I zbliżał się do brzucha żony i mówił to samo dziecku, które rosło pod wypukłym pępkiem: „My to zrobiliśmy, zrobiliśmy to dla Szefa i Szef się dowiedział". To wspomnienie młodego męża przemawiającego do jej brzucha z twarzą jaśniejącą tak, jakby miał przed sobą płonącą pochodnię, będzie jej towarzyszyć przez całe życie, a dwadzieścia pięć dni później, kiedy urodzi się ich syn, nazwą go bez wahania Carlos Eliécer, Carlos na cześć dziadka ze strony ojca Amality, który zginął w bitwie pod Peralonso, pod rozkazami generała Herrery, i Eliécer na cześć człowieka, dzięki któremu jego ojciec znalazł swoją misję na ziemi.

Nadeszły straszliwe dni. Wcześniejsze wybryki, na jakie pozwalała sobie rozzuchwalona konserwatywna policja, zmieniły się teraz w przeraźliwy codzienny spektakl: gardła poderżnięte maczetami, zgwałcone kobiety, mogiły kopane na polach, żeby pochować anonimowe ciała. W radiu biskup Santa Rosa de Osos przekonywał chłopów, żeby zostali rycerzami Boga i walczyli z liberalnym ateizmem, a pozostałym biskupom nakazywał pozbyć się czerwonych apostatów. Przemoc dotarła też do miasta, nieśmiała i zdradliwa, czaiła się za rogiem, wyłaniając się czasem, żeby ukazać swoje złowrogie oblicze. Od chwili, gdy Gaitán został jedynym szefem Partii Liberalnej, jej członkowie, zamiast się cieszyć, zaczęli się bać. Pewnemu pucybutowi, który od dziecka pracował w drzwiach tej samej kawiarni, obcięto czerwony krawat nożyczkami krawieckimi, a potem przyłożono nożyczki do szyi, żeby patrzeć, jak się boi. Za ubraną na czerwono dziewczyną prześladowcy szli przez kilka przecznic, wyzywając ją, a potem obmacując, i rozeszli się dopiero, kiedy jakiś agent zauważył, co się dzieje, wyciągnął pistolet i trzykrotnie strzelił w powietrze. Na szosie północnej zaczęto znajdować wiele osób dobitych strzałem miłosierdzia, byli to liberałowie, którzy nie zdążyli uciec z Boyacá. Listy zabitych się wydłużały. Maszynista pracujący na linii Bogota–Tunja wyszedł z domu w niedzielę o dwunastej i został zasztyletowany tylko dlatego, że nie był na mszy. W wioskach Santander opowiadano o księżach ubranych po cywilnemu, wskazujących palcem wrogów Boga, których znajdowano kilka dni później (nierzadko bez głowy) pod drzewami na głównym placu. Liberałowie pisali do Gaitana listy o terrorze, ale nie było o nich wzmianki w gazetach, dla rządu prezydenta Ospiny ci zabici byli niewidzialni. Gaitaniści czekali na wskazówki od lidera, co mają robić, i na początku 1948 roku Gaitán dał im sygnał. Zrobił to, co umiał najlepiej, zmobilizował tłum i do niego przemówił. Tym razem jednak wszystko odbyło się inaczej niż dotychczas.

Potem o tym 7 lutego będzie się opowiadać tonem, jakim opowiada się legendy. Trzeba wyobrazić sobie tę scenę – plac Bolivara pod szarym bogotańskim niebem wypełnił tłum ponad stu tysięcy osób, wciąż jednak słychać było stukot obcasów tych, co docierali z tyłu, kasłanie jakiegoś staruszka, płacz zmęczonego dziecka dochodzący z drugiej strony otwartej przestrzeni. Sto tysięcy osób, jedna piąta wszystkich mieszkańców miasta stawiła się tam na wezwanie lidera. Ale tłum nie wznosił wspierających go okrzyków, nie wołał „wiwat", nie życzył nikomu śmierci, nie wygrażał nikomu zaciśniętymi pięściami, bo Szef poprosił tylko o jedno – o ciszę. Moi ludzie, powiedział, są zabijani w całym kraju jak zwierzęta, ale nie odpowiemy przemocą na przemoc. Damy przykład, tak, zamanifestujemy w ciszy, a nasze pokojowe milczenie będzie silniejsze i bardziej wymowne niż furia wzburzonego ludu. Przyjaciele uważali, że to niemożliwe, że nie da się uciszyć tysięcy ludzi pragnących wykrzyczeć swoją złość, że tłumów nie da się w ten sposób kontrolować. Gaitán, wbrew poradom, wydał taki rozkaz, a kiedy dotarł na miejsce, ten tłum, niemożliwy do skontrolowania, złożony z ubogich, wściekłych i zdenerwowanych ludzi, usłuchał, jakby chodziło o jedno zaczarowane ciało. To właśnie usłyszał César Carballo, który stanął z towarzyszami z Perseverancii na kamiennych schodach katedry. Stamtąd, wyższy o głowę albo dwie od tłumu, widział trybunę, na której Szef miał wygłosić przemówienie swojego życia. Staruszka w słomianych łapciach, odpoczywająca po przytarganiu wiązki chrustu, powiedziała to, pod czym inni pewnie by się podpisali: „Doktor zawarł pakt z diabłem".

Wtedy Gaitán wszedł na trybunę. W niesamowitej ciszy, pozwalającej Carballowi usłyszeć szelest własnego ubrania o ubrania innych, Szef zwrócił się do prezydenta republiki, poprosił go, żeby powstrzymał przemoc, ale tym razem nie uciekał się do efekciarskich chwytów, mówił oszczędnie, z powagą, ale także prostotą, jak przemawia się na pogrzebie przyjaciela. Ludzie, którzy dziś mi towarzyszą, mówił, przybyli z różnych części Kolumbii, jedyną ich intencją jest obrona własnych praw, a ich obecność tutaj może zaświadczyć, jak bardzo są zdyscyplinowani. „Dwie godziny temu zaczęli schodzić się na ten plac, a nie rozległ się ani jeden krzyk", powiedział, „ale podobnie jak w przypadku najgorszych sztormów, ich największa siła tkwi pod powierzchnią". Powiedział też: „Nie słychać braw, jedynie tysiące czarnych flag powiewa na wietrze". I jeszcze: „Ta manifestacja nie zebrała się z błahych powodów, sytuacja jest poważna". I wtedy tym samym spokojnym tonem powiedział coś, co César Carballo zrozumiał dopiero po chwili, i krew stanęła mu lodem w żyłach.

„Mam przed sobą nieprzebrane tłumy słuchające poleceń", powiedział. „Ale te same masy, dziś powstrzymujące się od działania, posłuchają także głosu mówiącego im: Powstańcie w słusznej samoobronie".

César Carballo rozejrzał się w koło, ale nikt nie wydawał się zdziwiony, ani towarzysze z dzielnicy, ani grupka mężczyzn w koszulach zapiętych pod szyję, ale bez krawatów, ani inna grupa stojąca obok, w której rozpoznał fotografa z cienkim wąsikiem, widzianego wcześniej na innej manifestacji, a może na piątkowych tertuliach. S ł u s z n a s a m o o b r o n a, czy dobrze usłyszał? Czy Gaitán groził? Czy była to demonstracja siły dla drugiej połowy kraju, żeby dowiedziała się, do czego zdolny jest ten człowiek? „Panie prezydencie", ciągnął Szef, „ten pogrążony w żałobie tłum, te czarne flagi, to milczenie mas, niemy krzyk serc prosi o bardzo prostą rzecz: żebyście potraktowali nas, nasze matki, nasze żony, nasze dzieci i nasze dobra tak, jak chcecie, żeby traktowano was, waszą matkę, waszą żonę, wasze dzieci i wasze dobra". A ludzie, którzy machali flagami albo patrzyli w wybrukowany plac, wydawali się słyszeć słowa Gaitana, podobnie jak słyszał je Carballo, nikt jednak nie zmarszczył brwi, nikt nie spoglądał się zdziwieniem na stojących obok, żeby upewnić się, czy to prawda, co usłyszał, gdyż nikt nie wydawał się rozumieć tego, co zrozumiał Carballo, że Gaitán stał się właśnie, siłą kilku zdań uśpionego wulkanu, najniebezpieczniejszym człowiekiem w Kolumbii. Tylko jedna osoba podzieliła się swoim sekretnym zmartwieniem, tylko jedna osoba ubrała w słowa to, co myślał Carballo po zakończeniu przemówienia. Lud milczał, bo tak kazał mu Szef, i w ciszy opuścił plac Bolivara, wypływając jego czterema rogami; ale gdy Carballo mijał dom Casa del Florero, dokładnie kiedy przechodził pod jego balkonem – jakby ktoś nagle uchylił tabu – mężczyzna od niego wyższy, z gęstą czarną brodą, podzielił się spostrzeżeniem poczynionym jakby mimochodem, z akcentem, który nie był kolumbijski:

„Ten człowiek właśnie podpisał na siebie wyrok śmierci".

Myśl ta stała się odtąd obsesją Carballa. Dzielnicowe komitety przestały się spotykać, ale jemu udało się przekonać swojego teścia Hernana Ricaurte, który z kolei namówił kilku towarzyszy z Perseverancii, a kilka dni później już wielu działaczy towarzyszyło mu w absurdalnym przedsięwzięciu przekonania Gaitana, żeby na siebie uważał. Ale nie zrobili tego osobiście, umówienie się na spotkanie z Szefem wtedy, w marcu, było zupełnie niemożliwe. Zbliżała się IX Konferencja Państw Amerykańskich, która miała zgromadzić w Bogocie liderów z całego kontynentu, i Gaitán był zbyt zajęty, żeby martwić się urojeniami swoich wyznawców, miał pełne ręce roboty wobec afrontu prezydenta, który wyłączył go z kolumbijskiej delegacji. Jego, jedynego szefa Partii Liberalnej. Gaitaniści byli oburzeni. Nieprawdopodobnie brzmiące uzasadnienie rządu wyjaśniało, że Gaitán jest wprawdzie wytrawnym karnistą, nie zna się jednak na prawie międzynarodowym. Cały kraj wszakże wiedział, że prawda była zupełnie inna – prezydent ugiął się przed żądaniami Laureana Gomeza, lidera Partii Konserwatywnej, który zagroził, że nie weźmie udziału w konferencji, jeśli zaprosi się na nią tego Indianina Gaitana. Laureano Gómez był człowiekiem, który przez długie lata, gdy liberałowie mieli władzę, sugerował konserwatystom „odważną akcję" i „zamach na konkretne osoby", żeby ocalić pogrążony w ruinie kraj. Był sympatykiem Franco, publicznie i jednoznacznie życzącym klęski aliantom. Był wrogiem, a wróg – i było to jasne dla Carballa i jego Zakurzonych z Perseverancii – wygrał tę bitwę. Gaitán jednak wcale się nie bał. Kiedy wreszcie udało mu się przekazać propozycję, że sformują dla niego grupę ochroniarzy, Szef odpowiedział z żelazną logiką, że nikt go nie zabije, gdyż jego morderca musiałby wiedzieć, że zostanie natychmiast zamordowany. „To moje ubezpieczenie na życie", tłumaczył. A jeśli zabójca nie przestraszy się śmierci?, pytali. Jeśli zabójca, jak to się stało w przypadku mordercy Ghandiego, pogodzi się z tym, że musi zginąć? Szef nie słuchał. „Mnie nic takiego nie spotka", powtarzał. Carballo nigdy nie usłyszał tego na własne uszy. Ale przekazał mu to teść, a słowo teścia wystarczyło, żeby go uspokoić.

Mimo przestróg Gaitán prowadził normalne życie. Rano, przed pracą, biegał po parku Nacional i robił to bez żadnego towarzystwa, zdejmował marynarkę i krawat i raz albo dwa razy okrążał park truchtem, a nikt nie mógł zrozumieć, czemu się nie poci jak reszta śmiertelników. Wieczorami wychodził sam bez uprzedzenia, odwiedzał przyjaciół, wybierał się na przejażdżki buickiem, rozmyślał o rzeczach, z których nikomu się nie zwierzał, i wracał późno do domu. Carballo o tym wiedział – wiedział, że Gaitán biegał po parku Nacional, że wybierał się na nocne przejażdżki – bo wiele razy towarzyszył mu bez jego wiedzy, śledząc go z oddali, obserwując, jakby to robił jego zabójca. Zakurzeni postanowili rozpisać dyżury na sekretnych ochroniarzy Szefa. Pewnego ranka Carballo zjawił się w parku Nacional i zobaczył Gaitana, jak parkuje buicka pod zegarem i rusza truchtem ścieżką na dole, Carballo pobiegł równolegle, obserwując go, ścieżką górną. Trudno było jednocześnie dotrzymać Szefowi kroku i obserwować jego szczupłą sylwetkę, biegnąc po kamieniach wielkości pięści i uważając na dziury, w których ktoś niewprawny mógłby złamać sobie kostkę. Gaitán, zbiegając ze wzgórza już pod sam koniec swojej trasy, przyspieszył. Ażeby nie stracić go z oczu, Carballo musiał gwałtownie zmienić kierunek, a kiedy to robił, kopnął kamień, który upadł niedaleko od Gaitana. Carballo, schowawszy się za eukaliptusem, zobaczył, jak Szef przystaje i rozgląda się na wszystkie strony i po raz pierwszy dostrzegł na jego twarzy coś na kształt strachu. W tej króciutkiej chwili zrozumiał, że Gaitán pomyślał, iż ktoś rzucił w niego kamieniem, że to zasadzka, że zaraz nastąpi o d w a ż n a   a k c j a i a t a k   n a   k o n k r e t n ą   o s o b ę. Carballo nie miał wyjścia, wyłonił się ze swojej kryjówki. Na twarzy Gaitana wyraz ulgi szybko ustąpił miejsca irytacji.

„O co tu chodzi?", krzyknął. „Co pan tam robił?"

„Biorę z pana przykład, szefuniu", odparł Carballo.

„Niech pan nie będzie idiotą, Carballo", powiedział wściekły Gaitán. „Gówno nie przykład. Niech pan zdobędzie dla mnie więcej głosów, zamiast uprzykrzać mi życie". Wsiadł do buicka i ruszył na południe. Carballo ucieszył się, że Szef zna i pamięta jego nazwisko, a jednocześnie w jego umyśle zrodziła się nowa myśl: On też sądzi, że chcą go zabić. Szef też zaczął podejrzewać, że ktoś czyha na jego życie.

Oczywiście nie miał na to dowodów. Ale kiedy rozmawiał o swoich niepokojach z towarzyszami z Perseverancii, okazało się, że wielu z nich często myślało, że Szef może zostać zaatakowany, a jeden nawet dostał anonimową notkę napisaną z błędem: *Powiedzcie Gaitanowi, żeby uwarzał na siebie.* Nie byli sami ze swoimi zmartwieniami, w Bogocie paranoja wisiała w powietrzu. Prawdą było, że wszyscy denerwowali się Konferencją Państw Amerykańskich; policja przeczesywała dzielnicę za dzielnicą, zamykając dziwki i żebraków, sprzątając miasto, żeby międzynarodowi delegaci znaleźli je czystym i przyzwoitym, osiągnęli jednak tylko tyle, że mieszkańcom tych dzielnic wydało się widmowe i pełne napięcia – na pograniczu stanu wyjątkowego. Wszystko się zmieniało. Panóptico – więzienie będące wcześniej klasztorem – przekształcono w muzeum, jakby ktoś chciał powiedzieć, że w mieście nie ma złoczyńców, a tylko artyści i filozofowie. A poza spacyfikowanym miastem nadal toczyła się wojna.

Wiadomości o niej docierały rozmaitymi kanałami. Mówiono, że policja w Boyacá podkłada bomby przed drzwiami liberałów, a jednego liberała z Duitamy zaprowadzono na krawędź pobliskiej przepaści i zrzucono. Fantazjowano o tym, że do Bogoty przybyli peroniści z Argentyny, żeby pomóc w obaleniu rządu, inni sądzili z kolei, że przyjechali jankesi i przechadzają się po mieście przebrani za biznesmenów albo dziennikarzy, a tak naprawdę są agentami wywiadu mającymi zażegnać groźbę nadciągającego komunizmu. O tym wszystkim rozmawiano w kawiarniach. Na debatach i konferencjach obecni byli oczywiście César Carballo i don Hernán Ricaurte, teraz już bardziej jak syn i ojciec niż zięć i teść. Można z dużym prawdopodobieństwem przypuszczać, że każdy z nich znajdował w tym drugim coś, czego mu brakowało, bo w tamtych dniach stali się nierozłączni; byli razem w kawiarni Asturias, kiedy grupa lewicowych studentów z Wolnego Uniwersytetu oświadczyła, że Konferencja Państw Amerykańskch jest zawoalowaną próbą narzucenia Kolumbii planu Marshalla; byli razem w kawiarni San Moritz, kiedy inna grupa studentów, tym razem z Uniwersytetu La Salle, ogłosiła, że w Bogocie przebywają *agents provocateurs* na usługach międzynarodowego socjalizmu. Dziwniejsze wydaje się to, że byli razem w nocy 8 kwietnia, kiedy Jorge Eliécer Gaitán wybronił porucznika Cortesa, mężczyznę, który zabił w imię honoru wojska. Około pierwszej w nocy, kiedy Gaitán usłyszał wyrok uniewinniający i wielobarwny tłum – mieszali się w nim wojskowi i rewolucjoniści – wyniósł go na ramionach, César Carballo i Hernán Ricaurte krzyczeli „wiwat!", i bili brawa, aż rozbolały ich ręce, a potem wrócili pieszo do Perseverancii. Pożegnali się bez specjalnych ceregieli. Była to noc zwycięstwa, ale była to też zwyczajna noc. Nie mogli wiedzieć, że następny dzień odmieni ich życie.

Jak miał opowiedzieć później don Hernán Ricaurte, świadek wydarzeń tego dnia – a przynajmniej ich ważnej części – ranek spędził na naprawianiu studebakera w kolorze pudrowego różu i około południa wyruszył, żeby poszukać kogoś, z kim mógłby zjeść obiad. Ruszył na południe Siódmą Aleją kipiącą od radości, na słupach wisiały dumnie flagi państw uczestniczących w konferencji, najczystsze na świecie chodniki aż lśniły. Niebo chmurzyło się, po południu miał spaść deszcz. Na wysokości hotelu Granada Hernán Ricaurte postanowił przeciąć park Santander aż do alei Jimeneza; rzucił okiem na wiadomości zapisane kredą na tablicy „El Espectador", oburzył się tym, co pisano, i tym, czego nie pisano, i postanowił poszukać jakiegoś stolika, żeby zjeść szybki posiłek (był piątek) z innymi gaitanistami i wrócić do warsztatu. Nie musiał nawet rozglądać się za towarzyszami; to oni go znaleźli. Wychodzili ze sklepu żelaznego przy alei Jimeneza, chichocząc jak banda nastolatków; pozdrowili go, nie zwalniając kroku, a wcześniejszy zwyczaj kazał im skierować swe kroki do Café El Inca, gdzie z fantastycznego balkonu rozciągał się widok na Siódmą Aleję.

Don Hernán Ricaurte nie wiedział, że pewien poeta nazwał to miejsce najlepszym zakątkiem na świecie, ale pewnie by się z nim zgodził. Lubił tamten widok, lubił patrzeć na kościół San Francisco, na jego mury z ciemnego kamienia, na Pałac Gubernatora, a przede wszystkim podobał mu się budynek Agustína Nieta, gdzie Szef miał swoją kancelarię adwokacką. Pewnej nocy, kiedy Gaitán wyszedł z kancelarii bardzo późno, towarzysze z Perseverancii umówili się tam, żeby odprowadzić go do samochodu, zwykle zaparkowanego przy parku Santander. Don Hernán Ricaurte, który znał zwyczaje Gaitana lepiej niż swoje własne, pomyślał, że Szef zapewne zaraz wyjdzie na obiad, kto wie, w jakim towarzystwie. Będzie potem wspominał, że w tamtej chwili spojrzał, która jest godzina; była za pięć pierwsza. Zapamiętał, jak jego koledzy zajęli miejsca przy stole; stół był kwadratowy, Gonzalo Castro i Jorge Antonio Higuera usiedli tyłem do okna, naprzeciwko zaś on i César Carballo – bardziej przypominający ojca i syna niż teścia i zięcia – znajdowali się tak blisko balkonu, że tramwaje wydawały się przejeżdżać pod ich stopami. Nie pamiętał natomiast, jakimi rozmowami wypełnili te chwile odpoczynku, które płynęły leniwie, dopóki Carballo, spoglądając na ulicę, nie powiedział spokojnie: „Patrzcie, Szef idzie...". Ale nie dokończył zdania. Ricaurte patrzył, jak zięć szeroko otwiera oczy i wstaje, a ten obraz utkwił mu w pamięci na resztę życia, powracał w snach, Carballo wyciągał rękę, jakby chciał coś chwycić, w tym momencie rozległ się pierwszy strzał.

Ricaurte usłyszał jeszcze dwa strzały, a potem zdołał dostrzec mężczyznę z pistoletem oddającego czwarty strzał. Miał wrażenie, że wszystkie brzmiały jak ładunki wybuchowe, podkładane czasem przez łachmaniarzy na torach tramwajowych, żeby spowodować eksplozję; tym razem to nie były jednak wybuchy, bo Szef upadł na chodnik, a ludzie wokół krzyczeli. „Zabili Gaitana!", wrzasnął ktoś na dole. Kelnerka z El Gato Negro wybiegła na ulicę, głośno lamentując, łapała się za głowę, a potem ocierała łzy fartuchem: „Zabili Gaitancita! Zabili go!". Siedząca przy stole czwórka wybiegła czym prędzej, przepychając się siłą desperacji przez przerażony tłum, i już na dole, na Siódmej Alei, Ricaurte zobaczył policjanta zatrzymującego mężczyznę, który oddawszy strzały, starał się wycofać dyskretnie w stronę alei Jimeneza. Zlustrował go wzrokiem z daleka – źle ubrany, niestarannie ogolony – zauważył też, że zaczyna go otaczać rozjuszony tłum. Szefa tymczasem otaczali przyjaciele; Ricaurte rozpoznał doktora Cruza i doktora Mendozę, którzy krzyczeli, że ranny potrzebuje powietrza, podczas gdy ta sama kelnerka z El Gato Negro schylała się nad nim i podawała szklankę wody. Ludzie, wiedzeni jakimś niekontrolowanym impulsem, podchodzili do Gaitana, żeby go dotknąć; Carballo znalazł się wśród nich, Ricaurte widział, jak ukucnął przy rannym ciele i położył Gaitanowi rękę na ramieniu. Był to ulotny gest, intymny, a zarazem pełen nieśmiałości, a z gardła Gaitana w odpowiedzi wydobył się gulgot ptaszka. Żyje, pomyślał Ricaurte, pomyślał też, że Szef wyzdrowieje. Obiegł wianuszek ludzi i stanął obok zięcia, którego spojrzenie było zniekształcone przez nienawiść, ale też widać było, że wszedł w posiadanie jakiejś przerażającej prawdy. Otworzył dłoń i pokazał Ricaurte coś, co znalazł, kucając przy Gaitanie: to była kula. „Tylko jej nie zgub", przykazał mu teść, „schowaj ją do kieszeni i dobrze jej pilnuj". I wtedy usłyszał z ust Carballa pierwsze dziwne zdanie, jedno z wielu, które powie tego dnia. „Musimy znaleźć tego drugiego". „Jakiego drugiego?", zapytał Ricaurte. „To było ich dwóch?" „Tamten nie strzelał", odparł Carballo, nie patrząc mu w oczy, spoglądając w dal. „Był wyższy, elegancko ubrany i miał prochowiec przewieszony przez ramię. To on dał znak, don Hernanie, widziałem to z góry". Ludzie wylewali się na Siódmą Aleję z El Gato Negro i Colombia, i El Inca, i Asturias, a tramwaje zatrzymały się na torach, ciekawscy, zwabieni krzykami, nadciągali z przyległych ulic, w pewnym momencie było ich tylu, że nikt nie mógł wyjaśnić, jak taksówki torowały sobie drogę w tłumie. Do jednej z nich, czarnej i lśniącej, przeniesiono Gaitana, pośród całego zamieszania, zupełnie sprzecznych ze sobą poleceń, stukotu obcasów biegających tam i z powrotem, wielkich i małych histerii. Ricaurte dojrzał, że wśród podnoszących rannego był Jorge Antonio Higuera, ale potem nie zobaczył już nic więcej. „Do kliniki Central", krzyczeli jedni. Inni: „Poślijcie po doktora Tríasa". Taksówki ruszyły na południe; wielu świadków jakby pod wpływem niezwykłej atmosfery chwili pochyliło się, żeby zmoczyć chusteczki we krwi Gaitana. Ricaurte nie namyślając się, zrobił to samo, podszedł do miejsca, gdzie Szef upadł i zdumiał się na widok rozmiarów kałuży, czarnej plamy na chodniku, krwi ciemnej i błyszczącej, mimo że nie było słońca. Jakiś student zmoczył w niej stronę

„El Tiempo", a kelnerka róg swojego nieskazitelnego fartucha. „Zabili doktora", powtarzała, a jej koleżanka, która już wcześniej się rozpłakała, mówiła, że nie, że nie zabili go, że doktor jest silny.

„Spokojnie, kochana", szlochała. „Zobaczysz, że z tego wyjdzie".

Tymczasem przy wejściu do apteki Granada zrobiło się zamieszanie. Zabójca zdołał się tam schować, a teraz wściekły tłum próbował wyciągnąć go stamtąd siłą. Dziesiątki mężczyzn starały się sforsować metalowe żaluzje na różne sposoby: pucybuci próbowali dźwięcznymi uderzeniami swoich drewnianych skrzynek, podczas gdy tragarze unosili z furią żelazne wózki, używając ich jak taranów. Pozostali napierali na żaluzję, jakby chcieli zerwać ją jednym zdecydowanym ruchem. „Dajcie nam drania", ryknął ktoś w tłumie, „Niech zapłaci za to, co zrobił". Tłum dawał się podjudzać; Ricaurte pomyślał, że minuty człowieka, który strzelał do Gaitana, są policzone, jeśli dostanie się w ręce rozjuszonego tłumu. I właśnie w tej chwili, kiedy wydawało się, że ciżba postawi na swoim, zauważył wśród niej Cesara Carballa, który wyglądał na zaabsorbowanego, jakby coś więcej przykuwało jego uwagę. „Wychodzi, wychodzi!", krzyknął ktoś z tyłu, a ktoś inny: „Zabijcie go!" I wtedy, pośród hałasu metalu i tłuczonego szkła, okrzyków przerażenia, mężczyzna, który zaatakował Gaitana, wyłonił się zza drzwi apteki Granada, wyciągnięty przez innych, wyrwany ze swojej kryjówki. „Nie zabijajcie mnie!", prosił, i Ricaurte miał wrażenie, że się rozpłakał. Z bliska wydawał mu się młodszy niż wcześniej, dwadzieścia trzy, dwadzieścia cztery lata? Jego postać budziła naraz nienawiść i litość (karmelowy garnitur poplamiony olejem albo czymś tłustym jak olej, rozczochrane brudne włosy), ale próbował zabić Szefa, pomyślał Ricaurte, i zasłużył sobie na zemstę ludu. Potwór przemocy wypełnił mu pierś, postąpił kilka kroków w kierunku wleczonego człowieka, ale w pół drogi usłyszał zięcia, który starał się, by go usłyszano pośród wściekłych wrzasków: „Nie zabijajcie go!", mówił. „Jest dla nas więcej wart żywy!" Ale było za późno, żelazny wózek już uderzył zamachowca w głowę, pucybuci walili w niego swoimi skrzynkami, a w powietrzu dudniły odgłosy łamanych kości, ktoś wyjął pióro i dźgał mężczyznę w twarz i szyję. Zamachowiec przestał jęczeć albo był już martwy, albo stracił przytomność za sprawą ciosów i strachu. Ktoś zaproponował, żeby wrzucić go pod tramwaj, i przez chwilę wydawało się, że tak się właśnie stanie. Ktoś inny krzyknął jednak: „Do pałacu!". I hasło chwyciło w oszalałym tłumie, który zaczął wlec ciało na południe. Ricaurte pomyślał o Gaitanie, który o tej godzinie musiał walczyć o życie na szpitalnym łóżku, i podszedł do Carballa. „Chodź, synku, nie mieszaj się w to", powiedział, kładąc mu rękę na ramieniu. „My musimy być z Szefem".

Ale Carballo się opierał. Myślami był gdzie indziej, zachowywał się jak pijany. „Nie widział pan go, don Hernanie?", pytał. „Był tutaj, nie widział go pan?"

„Kogo, synu?"

„Człowieka w drogim garniturze", mówił Carballo. „Eleganckiego faceta".

Za tymi, którzy wlekli ciało zlinczowanego zamachowca, niespodziewanie zaczęły podążać tłumy i Siódmą Aleję zalała wściekła fala zmiatająca wszystko, co spotkała na swojej drodze. Ricaurte mógł się wymknąć przez zaułek Santafé i skręcić w Szóstą Aleję, w kierunku kliniki Central, ale w spojrzeniu zięcia pojawiło się coś w rodzaju niezbitej pewności i po prostu nie mógł z nim nie iść; do pałacu, zanieść ciało zamachowca do pałacu, zostawić je prezydentowi, żeby wiedział, jak odpowiedzą liberałowie. Z daleka słychać było pierwsze wystrzały, ale kto strzelał do kogo? „Zabili Szefa", powtarzał Carballo, i Ricaurte po raz pierwszy usłyszał, jak ktoś wymawia te słowa. „Nie, nie zabili go, Szef jest silny", odpowiadał Ricaurte, ale sam w to nie wierzył, bo widział z bliska rany, krew płynącą Szefowi z ust i jego zamglone, zagubione spojrzenie, wiedział, że z takich głębokości nikt nie zdoła się wymknąć. Ale wtedy Carballo powiedział: „Był elegancko ubrany". A potem: „Wszystko to już się wydarzyło".

Ricaurte nie zrozumiał, o czym mówi, ale César nie powiedział nic więcej, a teść nie nalegał, nie dopytywał się, nie poprosił go, żeby powtórzył. Szli w stronę placu Bolivara, pośród coraz liczniejszego tłumu, w odległości jakichś trzydziestu metrów od ciała zamachowca, widzieli przerażone twarze ludzi na chodnikach i z tej odległości widzieli także, że niektórzy podchodzą, żeby skopać nieżywe ciało, opluć je, krzyknąć coś wulgarnego. Kiedy dotarli do Jedenastej Ulicy, po wschodnim chodniku zeszła lawina krzyków i furii. Na jej czele stał mężczyzna w słomkowym kapeluszu, który, wymachując maczetą, obwieszczał pośród histerycznych szlochów i łkań, że Gaitán, Szef, właśnie umarł.

„Do pałacu!", krzyczeli ludzie idący za nim, którzy przyłączyli się do grupy ciągnącej ciało zamachowca. Ricaurte czuł się tak, jakby wsiadł do oszalałego pociągu. Teraz ten pociąg jak z koszmaru skręcał w plac Bolivara, kierując się do Kapitolu, gdzie o tej żałobnej godzinie obradowali liderzy Konferencji Państw Amerykańskich. Ale tłum wkrótce zawrócił na Siódmą Aleję, jakby przypomniał sobie, że jego celem nie jest zaniesienie na schody martwego ciała mordercy – bo w tej chwili zamachowiec zdążył już stać się mordercą – tylko wejść do pałacu; wejść do pałacu i się zemścić, wejść do pałacu i zrobić prezydentowi Ospinie to samo, co zrobiono zabójcy Jorge Eliecera Gaitana. Ricaurte zauważył, że przy wejściu na plac Bolivara z ciała zabójcy zdarto marynarkę i koszulę, wyglądał teraz jak wąż, który zmienia skórę. Ci, którzy go zlinczowali, pozbierali jego ubrania, jakiś mężczyzna związał razem marynarkę i koszulę, a kiedy dotarli do Dziewiątej Ulicy, ktoś inny zdjął mu spodnie, ciało na Ósmej Ulicy było już tylko w slipach rozdartych o bruk. Z oddali Ricaurte i Carballo obserwowali scenę z przerażeniem: ci z przodu próbowali unieść ciało i przywiązać je jego własnymi ubraniami do ogrodzenia pałacu, jak ukrzyżowanego. Ale nie mieli czasu na litość, bo w tej chwili z drzwi budynku posypał się grad strzałów i rozjuszona masa musiała znów uciekać, schronić się albo przegrupować na placu Bolivara. Nieśmiało zaczął kropić deszcz. Plac wypełniał się uzbrojonymi ludźmi, Bogota z minuty na minutę stawała się miastem ogarniętym wojną.

Na południu w sklepach zaczęły wybuchać pożary, ktoś powiedział nawet, że pałac San Carlos płonie, a w radiu ogłaszali, że budynek redakcji „El Siglo" już się spalił. Ze wszystkich stron napływali nowi mężczyźni gotowi do walki, obrabowawszy wcześniej sklepy żelazne i koszary, i jak się później okazało, mieli przy sobie nie tylko maczety i rury, ale też mausery i strzelby z nabojami gazu łzawiącego, żeby przyłączyć się do rewolucji. Wtedy poszła plotka, że pałacowy batalion wyszedł, żeby odbić Siódmą Aleję, i w ciągu kilku minut zbudowano barykadę pomiędzy ulicami Dziewiątą a Dziesiątą, na wysokości tablic upamiętniających śmierć generała Uribe Uribe. Wynoszono krzesła i biurka i niewielkie szafy z Kapitolu, z którego obradujący uciekli tylnym wyjściem i służbowymi samochodami, a za barykadą utworzyła się pierwsza linia mężczyzn uzbrojonych w broń, która kilka chwil wcześniej należała do policji. Było po drugiej, kiedy na widok zbliżającej się Gwardii Prezydenckiej ludzie za barykadą zaczęli strzelać.

Gwardia odpowiedziała ogniem. Ricaurte zobaczył, jak żołnierze zajmują pozycje, jedno kolano na ziemi, i otwierają ogień. Z tyłu, chroniony przez żywe ciała, zobaczył trzech, a potem czterech mężczyzn padających bez życia na chodnik, ale nie poznał ich; nie byli to gaitaniści z jego dzielnicy. „Wytrzymajcie! Wytrzymajcie!", zakrzyknął jakiś głos z boku barykady. Ale strzały wojska były precyzyjniejsze, a może brak doświadczenia buntowników nazbyt oczywisty, gdyż kolejni mężczyźni padali, ci z tyłu przesuwali się do przodu, uparci i odważni, jakby śmierć nie istniała, Ricaurte odszukał Carballa i zobaczył, jak unosi głowę; coś przykuło jego uwagę.

„Na wieży są ludzie", powiedział.

I była to prawda. Z wieży kolegium San Bartolomé, siedziby jezuitów, wiele postaci strzelało do tłumu. Ale wtedy, rozglądając się dookoła, Carballo i Ricaurte uświadomili sobie, że snajperzy są na wszystkich dachach, kilka sekund później nie dało się już stwierdzić, skąd padają strzały; nie można było również przed nimi się schronić. Wpadli w pułapkę, z południa nadciągała gwardia, na północy wznosiła się wieża San Bartolomé, a z dachów Dziewiątej Ulicy inni snajperzy otwierali ogień bez trwogi i na oślep. Dziwne było to, miał później opowiadać Ricaurte, że nikt nawet nie rozważał możliwości ucieczki, cały tłum, zaślepiony żądzą zemsty, nie ruszał się z miejsca. Ricaurte uświadomił sobie, że nie mają jak się wymknąć. Dokładnie w tej samej sekundzie strzał, który padł nie wiadomo skąd, rozdarł pierś sąsiada z szeregu, mężczyzna upadł na ziemię z głuchym hukiem.

„Na ziemię, synu", krzyknął wówczas Ricaurte.

Ale Carballo nie posłuchał. Potem, opowiadając historię tego dnia córce, a później także wnukowi, don Hernán Ricaurte będzie mówił o tym, jak zmieniła się twarz jego

zięcia, i próbował usilnie – swoimi ubogimi słowami rzemieślnika – opisać bolesne światło, jakie zobaczył w oczach
i na czole Carballa, kiedy usłyszał z jego ust ostatnie z niezrozumiałych zdań:
„Kurwa", powiedział zięć. „Jakby wszystko się powtarzało".
I wtedy z północy spadła na nich seria strzałów, seria od-
dana przez snajperów, i Ricaurte padł na ziemię. Upadł twarzą w dół na ciało zabitego, którego nie zdołał rozpoznać,
jego głowa znalazła lukę pozwalającą mu ukryć się i oddychać. Obok upadł Carballo, Ricaurte poczuł jego obecność
(ciężar na nogach), ale nie zdołał odgadnąć pozycji, w jakiej
leżał. Zamknął oczy. Jego niecodzienna kryjówka pachnia-
ła potem i wilgotnymi ubraniami, świat zdawał się tu cich-
szy i mniej przerażający niż na zewnątrz, gdzie w powietrzu
świstały kule. Musiał tylko wytrzymać, i to właśnie zrobił
Ricaurte – wytrzymał. Nie liczył minut, ale nie upłynęło
wiele czasu, a stał się cud. Zaczęło padać.

Ulewa okazała się godna pory roku, wielkie krople, które
Ricaurte poczuł na karku i plecach, były jak dotknięcie palców kogoś, kto zaczepia nas na ulicy. Pomyślał, że Bóg, Bóg,
w którego już prawie nie wierzył, jest po jego stronie, bo tylko podobny deszcz mógł rozproszyć uczestników tej bitwy.
I, co niewiarygodne, miał rację, w miarę jak ulewa przybierała na sile, strzały cichły, jakby onieśmielone terkotaniem
deszczu o dachy, o okna dzwonnicy, o kamienne schody.
Ricaurte podniósł głowę bardzo powoli, a kiedy wstał, ogar-
nęły go mdłości, zrozumiał jednak, że to jego szansa. Zawołał Carballa, którego ciężar czuł na nogach, ale zięć nie odpowiedział. Ricaurte był sam na stosie trzech ciał. Rozejrzał
się wokół i wtedy go zobaczył, leżał trzy, cztery kroki na
południe, jakby wcześniej poszedł w stronę barykady, nie
twarzą w dół, lecz na plecach, z otwartymi oczami, skąpany
w deszczu i z rozetą krwi na środku klatki piersiowej. Krew

nie była czarna, jak krew Gaitana, gdyż rozcieńczył ją deszcz, była różowa, intensywnie różowa i wydawała się rozlewać po białej koszuli.

„Nawet pan nie wie, ile razy opowiadano mi to wszystko", powiedział Carballo, syn Cesara, wnuk don Hernana Ricaurte. „Nie pamiętam, kiedy usłyszałem o tym po raz pierwszy, to najlepszy dowód na to, że byłem wtedy jeszcze bardzo mały. Nie pamiętam, żebym musiał kiedykolwiek pytać, gdzie jest mój tata ani nic z tych rzeczy; mama chyba zaczęła mi wyjaśniać te sprawy dużo wcześniej, zanim jeszcze zdążyłem postawić sobie to pytanie. Oczywiście tak myślę teraz, bo nie pamiętam ani jednej chwili w życiu, w której nie miałbym świadomości tego, co stało się dziewiątego kwietnia. Tych obrazów, które znam tak dobrze, jakbym widział je na własne oczy. Tych duchów, panie Vásquez, tych duchów, które mi towarzyszą, prześladują mnie, rozmawiają ze mną. Nie wiem, czy pan rozmawia z umarłymi, ja tak. Z czasem do tego przywykłem. Wcześniej rozmawiałem tylko z tatą i czasami, nie będę pana okłamywał, także z Gaitanem. Mówiłem: tata wiedział, że pana zabiją, Szefuniu, czemu nie dał się pan przekonać? W tych rozmowach nazywam Gaitana Szefuniem. Ja, który miałem kilka miesięcy, kiedy go zabili, mówię do niego tak, jak pewnie mówił do niego mój tata. No cóż, są gorsi wariaci, prawda? Są wariaci bardziej niebezpieczni".

Chyba właśnie w tamtej chwili zacząłem rozumieć kilka istotnych spraw (a może spraw, które potem nabiorą wielkiego znaczenia), ale moje zrozumienie było wciąż zbyt powierzchowne, żeby ubrać je w słowa. Sądzę, że właśnie w tej chwili intuicja zaczęła mi podpowiadać kilka rzeczy, pomyślałem na przykład, że Carballo oczekiwał, że napiszę książkę w stylu *Kim oni są?* o zabójstwie Gaitana. Rozmawialiśmy przez długie godziny, czas rozpłynął się albo wydłużył, i nie pomagał fakt, że zasłony w mieszkaniu Carballa, zaciągnięte, jakby nasze spotkanie było sekretne albo nielegalne – jak spotkanie spiskowców – sprawiały, że nie mogłem być pewny, czy jest dzień czy noc. Czy już zapadł zmrok? Czy zmrok zapadł wcześniej, a teraz wstawał już świt? Ile godzin spędziliśmy tutaj, zamknięci w mieszkaniu, małym, ciemnym i wąskim, w towarzystwie duchów z przeszłości?

„Gdzie pochowano pańskiego ojca?", zapytałem.

„A, tak", odpowiedział. „To oczywiście jest częścią tej opowieści. Pan pewnie widział te obrazy, to, co działo się dziewiątego kwietnia mniej więcej od czwartej po południu. Pożary, rabunki, miasto zmienione w ruinę jak po bombardowaniu. Śmierć, panie Vásquez, śmierć rozpanoszyła się na ulicach. Ja zawsze sądziłem, że początkiem tego wszystkiego była grupa ludzi niosąca do pałacu martwe, nie, zlinczowane ciało mordercy. Dorastałem, wiedząc, że był wśród nich mój ojciec. I co mogę na to poradzić, to zmienia mój sposób patrzenia na wszystko. Nie dorastałem, słuchając opowieści o dziewiątym kwietnia, jak słuchałby ich ktoś inny. Dorastałem, słysząc rozmowy o dniu, kiedy zabito mojego tatę. Inaczej rzecz ujmując: o powodach, dla których zostałem sierotą. A potem dowiadywałem się stopniowo, co naprawdę wydarzyło się tego dnia. To dziwne przeżyć całe dzieciństwo, a potem stać się mężczyzną, myśląc, że najważniejszą rzeczą, która miała miejsce dziewiątego kwietnia, jest śmierć ojca, a nie innego pana, którego osoba nic mi nie mówiła, pana będącego politykiem, zabitego jak tylu innych. Dla mnie dziewiąty kwietnia oznaczał śmierć ojca, ojca umierającego na stosie innych zabitych, umierającego jako jeden z wielu, bardzo wielu, którzy o tej godzinie padli już martwi w Bogocie. Do dziecka takie rzeczy docierają bardzo powoli.

Toteż powoli zacząłem rozumieć, że tata nie był jedynym zabitym, że tamtego dnia i w ciągu trzech następnych zginęło w Bogocie trzy tysiące osób, a tata był tylko jedną z nich".

„W każdym razie jedną z pierwszych".

„Tak, ale tylko jedną z wielu. A potem, kiedy dorastałem, zacząłem rozumieć lepiej, jak to wszystko się stało. Zrozumiałem, że tata nie zginąłby, gdyby najpierw nie zginął tamten pan zwany Gaitanem. Zaczęło do mnie docierać, że mojego ojca pochłonęła szczelina po trzęsieniu ziemi, którego epicentrum znajdowało się naprzeciwko budynku Agustína Nieta, na Siódmej Alei przed skrzyżowaniem z aleją Jimeneza, w Bogocie, w Kolumbii. Zacząłem rozumieć. Czasem wydaje mi się, że byłoby lepiej nic nie rozumieć, nic nie wiedzieć, dorastać w kłamstwie, na przykład takim, że tata odszedł pewnego pięknego dnia albo, czy ja wiem, że pojechał na wojnę w Korei. Tak, pewnie tak byłoby lepiej, nie sądzi pan? Myśleć, że tata był bohaterem wojny w Korei, że zaciągnął się do batalionu Kolumbia i zginął w bitwie o Old Baldy na przykład. Tak się nazywa ta bitwa, prawda?"

„Tak", odparłem, „tak się właśnie nazywa".

„No ale stało się inaczej. Opowiedzieli mi wszystko, dziadek i mama. Wszystko o tamtym dniu, wszystko o życiu ojca, wszystko, co panu przed chwilą powiedziałem. Wszystko, co doprowadziło do jego śmierci dziewiątego kwietnia. A także wszystko, co nastąpiło później".

„Po dziewiątym kwietnia?"

„Nie, jeszcze tego samego dnia. Zawsze kiedy o tym mówił, dziadek miał łzy w oczach. Nigdy, nawet kiedy miałem dwadzieścia lat i wydawało się, że staruszek już nic nie pamięta, nie widziałem, żeby mówił o tym bez smutku. Proszę go sobie wyobrazić tam, na placu Bolivara, stojącego nad stosem trupów, w magicznej chwili, kiedy wystrzały ucichły i wydawało się, że świat się nie skończył. A jednak w jakimś sensie się skończył, bo widzi swojego zabitego zięcia. Dziadek go kochał, bardzo go kochał. Popieranie Gaitana to była też sprawa rodzinna, wie pan? Całe rodziny jednoczyły się wokół Gaitana, wokół składanych przez niego obietnic. I mój dziadek znalazł się nagle w sytuacji, kiedy musiał zdecydować, co zrobić z ciałem ukochanego zięcia. A Bogota była miastem w stanie wojny, to oczywiste. Dziadek opowiadał zawsze, że przez chwilę myślał, by poprosić o pomoc policjanta, jakby nadal toczyło się normalne życie, ale potem doszedł do wniosku, że nie, normalne życie zostało zawieszone do odwołania. Podniósł ciało taty, zarzucił je sobie na plecy jak worek ziemniaków i ruszył na północ, chcąc dotrzeć do domu. Dziadek nie był silny, Vásquez, nie był dobrze zbudowany, ale zdołał unieść tatę i przylgnął do ściany katedry, żeby go nie zauważyli. Szedł tak, umierając ze strachu, przez kilka przecznic. Z daleka słychać było strzały, od czasu do czasu jakiś świsnął bliżej. Ale najbardziej zdumiały go witryny; rozbite witryny na Siódmej Alei, zakłady jubilerskie i sklepy pełne ludzi wyciągających wszystko: lodówki, radia, całe stosy ubrań. Zobaczył faceta z maczetą zatrzymującego innego, który niósł radio. Wyrwał mu je i roztrzaskał o chodnik. «Nie przyszliśmy tu po to, żeby kraść! Przyszliśmy pomścić Szefa!» Ale większość była innego zdania i dziadkowi zrobiło się przykro, to, co miało być okazją do wybuchu rewolucji, zmieniło się w święto przestępców. Kradli, bo można było kraść, zabijali, bo można było zabijać, ich samych też zabijano jak popadło. Dziadek podsumowywał to tak: «Zabijali, żeby patrzeć, jak padają».

Tymczasem dziadek myślał tylko o tym, żeby go nie zauważyli, żeby jego obecność nie zwróciła niczyjej uwagi. Dwie, trzy przecznice, z ciałem taty na plecach. Potem cztery. Potem pięć. Szedł, omijając trupy, czasem było ich tyle, że musiał obchodzić je naokoło, bo niosąc taki ciężar, nie mógł przejść nad nimi; ciało taty było tak ciężkie, że dziadek nie mógł unieść nóg tak wysoko, żeby przejść nad zabitymi. Byli to mężczyźni, ale także kobiety, widział też oczywiście kilkoro dzieci. Od czasu do czasu musiał się zatrzymać, żeby odpocząć, opierał ciało taty o ścianę i starał się na nie nie patrzeć. Tak mi zawsze opowiadał, starał się nie patrzeć, wiedział bowiem, że jeśli spojrzy, nie da rady iść dalej. Tymczasem zbuntowana policja nadal strzelała. Rozjuszony tłum wciąż podkładał ogień, szabrował sklepy właścicieli o żydowskich nazwiskach, wszystkie te zakłady jubilerskie przy Siódmej Alei. Kiedy trafił się jakiś sklep żelazny, wyciągano z niego rury, wyrzynarki, młotki, siekiery, wszystko, co mogło się nadać, żeby pomścić Szefa. Kiedy zdarzył się sklep z alkoholem, ludzie tłukli witryny i wychodzili z butelkami albo opróżniali je na miejscu. Ci, którzy wchodzili do magazynu Ley przy Jedenastej Ulicy, wpadali na tych, którzy wychodzili z naręczami ubrań. Dziadek przeszedł obok lokalu, w którym wcześniej jedli obiad, i zobaczył połamane stoły i krzesła; ludzie wychodzili stamtąd uzbrojeni w te kawałki drewna. Ale jego nikt nie zauważał. Jakby był niewidzialny. Wtedy napotkał na drodze czołgi jadące Siódmą Aleją na południe. Ludzie rozstępowali się przed nimi, a potem szli za nimi, myśląc, że to zbuntowani żołnierze jadący do pałacu, żeby obalić prezydenta. Potem okazało się, że dotarłszy do Dziesiątej Ulicy, czołgi zatrzymały się, odwróciły lufy i zaczęły strzelać. Dziadek tego nie widział, dowiedział się o tym później, ale opowiadał o tym tak, jakby sam był świadkiem wystrzałów. Pod koniec już nie wiedział, co widział, a co znał tylko z opowieści. Tak dzieje się z nami wszystkimi, wyobrażam sobie.

W alei Jimeneza uświadomił sobie, że nie da rady iść dalej. Przeniósł ciało taty tylko cztery, pięć przecznic, i opadł z sił. Oparł ciało taty o mur i odpoczął chwilę, a potem zebrał się w sobie, podniósł go znowu i spróbował przejść przez ulicę. Ale wtedy zwrócił uwagę na kobietę, która biegła od strony Pałacu Gubernatora, i w tej samej chwili usłyszał serię wystrzałów, a kobieta padła martwa na chodnik. Dziadek widział to wszystko: widział, jak biegnie, potem jak upada, jakby podcięto jej nogi, a potem inne upadające ciała i głosy wzywające pomocy. Gdyby nie zabito tamtych, zabito by jego, bo strzelali żołnierze, którzy zaczaili się u wylotu zaułka Santafé i strzelali równo do wszystkich, którzy próbowali przejść przez ulicę. Dziadek odczekał długą chwilę przycupnięty za rogiem, ale wojskowi nie przestawali strzelać. Byli tam też snajperzy na dachach. Dziadek pomyślał, że jeśli zdoła przedrzeć się do hotelu Granada, być może pozwolą mu się tam schronić, może pomogą mu wezwać karetkę, żeby zawieźć ciało taty do domu. Jeszcze raz, zupełnie nadludzkim wysiłkiem, podniósł ciało i ruszył w drugą stronę, starając się iść jak najszybciej, i wtedy poczuł pieczenie w kostce, a potem ból, i runął jak długi, i zrozumiał, że wszystko poszło w diabły.

Potem, kiedy nie byłem już dzieckiem, dziadek zaczął robić coś, czego nie robił wcześniej – przepraszał mnie. Przepraszał za to, że nie zdołał zanieść taty do domu, przepraszał, że zostawił go w alei Jimeneza. Niech pan sobie wyobrazi: prosił mnie o wybaczenie, że ze złamaną kostką nie mógł unieść taty pośród strzelaniny, a potem, że nie poszedł po niego następnego dnia. Ale następnego dnia nikt nie mógł wyjść z domu, pewnie pan o tym wie. Wszystkich, którzy łamali przepisy stanu wyjątkowego, zabijano bez litości. Dziadek opowiadał mi, jak zamknęli się w domu i słuchali radia, i jak się wstydził tego, co robili swoi, liberałowie, z rozgłośniami, które udało im się przejąć. Nakłaniali lud, żeby zabijał konserwatystów, informowali z radością o spaleniu kolejnych domostw oligarchów, namawiali do przelewania błękitnej krwi tak samo, jak wcześniej przelewano czerwoną. Nie wiem, czy słuchał pan kiedykolwiek tych audycji, ale włos jeży się od nich na głowie".

„Słuchałem ich", powiedziałem, myślę, że znamy je wszyscy, którzy kiedykolwiek doświadczyli obsesji na punkcie 9 kwietnia. Podżegacze przejęli rozgłośnie radiowe wkrótce po zamachu i rozsiewali z nich swoje wezwania do przemocy skierowane do zranionego, zdezorientowanego ludu, nazbyt skłonnego, by paść w objęcia pocieszenia, jakie przynosi zemsta. „Wojna jest menstruacją ludzkości", powiedział jeden z tych mówców. „My, Kolumbijczycy, przeżyliśmy w pokoju pięćdziesiąt lat. Nie chcemy chyba, żeby uznano nas za jedynych na świecie tchórzy". Te płomienne przemowy namawiały do zabicia prezydenta, do rozbicia go w pył, podawano w nich przepisy na „jasny koktajl Mołotowa" i zachęcano do zdobycia „ogniem i nie szczędząc krwi" rządowych pozycji. Niewykluczone, że właśnie o nich myślał Carballo. Niewykluczone jednak, że miał w pamięci inne przykłady, bo było ich w bród tego dnia, który wydobył ze wszystkich najgorsze instynkty.

„Potem poszedł go poszukać", ciągnął Carballo, „opowiadał mi, jak jedenastego kwietnia, ze złamaną kostką i w ogóle, zabrał ze sobą kilku kolegów z Perseverancii, razem wpakowali się do piekła, jakim było centrum, żeby znaleźć tatę. Ale go nie znalazł. Trupy zaczęto już gromadzić w galeriach w centrum, jeden obok drugiego pomiędzy dwoma ścianami, stworzyły się tunele wydzielające zapach śmierci, a zapach wylewał się na zewnątrz i przepełniał ulice. Ludzie chodzili środkiem tych galerii, starając się nie podeptać cudzych zmarłych i szukając swoich. Dziadek przemierzył je wszystkie, wszystkie, szukając ciała taty. Ale go nie znalazł. Nie znalazł go nigdy na listach zabitych, które sporządzono w następnych dniach. I zawsze miał się obwiniać o to, że tata nie ma grobu, który moglibyśmy odwiedzać".

„Pochowano go w zbiorowej mogile", powiedziałem. „To możliwe, mnie jednak nigdy nie opowiadano o takich grobach. Ani o ciężarówkach pełnych martwych ciał, które wyjeżdżały z centrum do tych mogił, ani o możliwości, że tatę pogrzebano w jednej z nich". Powiedziałem, że to możliwe, ale tak naprawdę nie ma innego wyjścia. „Nie, już wiele lat temu pogodziłem się z myślą, że ojciec spoczął w mogile zbiorowej. Potrzeba grobu to dziwna sprawa. To dziwne, jak bardzo taki grób uspokaja. Ja nigdy nie zaznałem tego spokoju, nigdy nie dowiedziałem się, gdzie spoczywa. A niewiedza na temat tego, gdzie leżą nasi zmarli, oznacza milczące cierpienie, nieustanny ból, który potrafi spieprzyć nam życie. Tak naprawdę spieprzyć nam życie potrafi poczucie, że z naszymi zmarłymi nie dzieje się dokładnie to, co chcielibyśmy, żeby się działo. Jakby śmierć była chwilą, kiedy czujemy, że straciliśmy bezpowrotnie nad czymś kontrolę, bo oczywiście, gdybyśmy mogli uniknąć śmierci ukochanej osoby, zrobilibyśmy to bez wahania. Śmierć pozbawia nas kontroli. A potem chcemy kontrolować w najmniejszych szczegółach to, co dzieje się po śmierci. Pogrzeb, kremacja, nawet pieprzone kwiaty, prawda? Mama nie miała takiej możliwości, to zburzyło jej spokój na zawsze. Dlatego rozumiem tak dobrze to, co zrobiono z ciałem Gaitana. Wie pan, co się stało z ciałem Gaitana?"

„Nie pozwolili pogrzebać go na cmentarzu", odparłem. „Zabrali jego ciało do domu".

Mniej więcej o czwartej nad ranem dziesiątego, po tym, jak pijane bandy dwukrotnie próbowały wedrzeć się siłą do kliniki Central i zabrać jego ciało, odważna wdowa po nim, doña Amparo, posłała po trumnę, żeby go zabrać. Wersji jest kilka, jak w przypadku wszystkiego, co wydarzyło się tego dnia; jedni twierdzą, że chciała tylko chronić jego ciało, które zaledwie kilka godzin po zamachu zdążyło już zmienić się w relikwię, inni twierdzili, że wdowa po Gaitanie nie chciała dać nieprzyjaciołom z rządu okazji do oczyszczenia sumienia organizacją państwowego pogrzebu. Jakkolwiek było, dom Gaitana wypełnił się ludźmi dziesiątego nad ranem, wśród gaitanistów z całego miasta nie zabrakło Zakurzonych z Perseverancii, zmieniających się co sześć godzin, żeby czuwać przy zmarłym Szefie.

„Dziadek był jednym z nich", powiedział Carballo. „Po zakończeniu swojej zmiany wyruszył z powrotem na poszukiwanie ojca. Potem dowiedział się, że Gaitana pochowano na miejscu, w ogrodzie. Co roku, w rocznicę zbrodni, ci z Perseverancii ubierali się elegancko i szli na miejsce pochówku Szefa. Nie pamiętam, kiedy zabrali mnie po raz pierwszy, ale byłem wtedy jeszcze dzieckiem, miałem dziewięć lat, może dziesięć, na pewno nie więcej. Nie, musiałem mieć dziewięć, tak, dziewięć lat. Oczywiście odwiedzaliśmy grób Gaitana zamiast grobu taty. Szliśmy do domu Gaitana, modliliśmy się w ogrodzie i składaliśmy kwiaty, bo nie mogliśmy się pomodlić ani położyć kwiatów na grobie ojca. Ale nawet pan nie wie, jak długo zajęło mi dojście do tego, a przede wszystkim, z jaką naturalnością to robiłem. Nie wydawało mi się dziwne, że odwiedzam grób innego zmarłego, a jednocześnie modlę się za mojego. Tak, wiedziałem, że to nie tata tam leży, ale najpierw modliliśmy się za tatę, a potem za Gaitana. Dziecko robi to, co mu mówią, i przyzwyczaja się do tego, co mu pokażą, prawda? No więc my całą rodziną schodziliśmy ze wzgórza do dzielnicy Gaitana, to był długi spacer, ale uważaliśmy go za część rytuału. Szliśmy pieszo, mama, dziadek i ja, z początku towarzyszyli nam inni gaitaniści, ale z czasem przestali, i zostaliśmy tylko my: rodzina. Podczas tych spacerów oboje opowiadali mi różne rzeczy. Czasami, kiedy mieli pieniądze, kupowali mi lody, a ja szedłem, jedząc je i słuchając opowieści. Zawsze w końcu rozmowa schodziła na dziewiątego kwietnia. W którymś momencie, najczęściej w drodze powrotnej, ale czasem już wtedy, kiedy szliśmy na grób, prosiłem: «Opowiedzcie mi o tym dniu, kiedy tata poszedł do nieba». A oni opowiadali. Opowiadali, tak sobie wyobrażam, to, co uważali, że nadaje się dla dziecka w moim wieku. W miarę jak rosłem, oni dodawali nowe szczegóły, a dziewiąty kwietnia przestał być dniem, kiedy tata poszedł do nieba, a zaczął być dniem, kiedy zabili tatę. Jednego z tych dziewiątych kwietnia dziadek opowiedział mi po raz pierwszy o swojej teorii. Teraz mówię teoria, ale w mojej rodzinie nazywaliśmy to inaczej. Mówiliśmy: to, co myśli dziadek. Tak brzmiało zdanie, którego używaliśmy. «Wiesz, co myśli dziadek…» «Skoro już mowa o tym, co myśli dziadek…» «To, co myśli dziadek, ma związek z …» I nie trzeba było nic dodawać, bo już było jasne, o czym mówimy.

Był rok tysiąc dziewięćset sześćdziesiąty czwarty. Zbliżały się moje szesnaste urodziny, kończyłem szkołę. Byłem najlepszy w klasie, panie Vásquez, i już przekazano mi wiadomość, na którą czekała cała rodzina: dostałem stypendium na Uniwersytecie Narodowym. Miałem studiować prawo, bo rodzina uważała, że tego życzyłby sobie mój ojciec. Co więcej, tata chciałby tego, dlatego że to samo studiował Gaitán. Zacząłem czytać gazety tak zachłannie, jakbym miał umrzeć następnego dnia. Dziadek patrzył na mnie i mówił: «Wykapany tata». Zacząłem się także naprawdę interesować polityką. Dziadek zauważył to, tak się domyślam, bo w przeciwnym razie nie zacząłby w tamtym momencie mówić mi, co myślał. Tamtego dziewiątego kwietnia sześćdziesiątego czwartego roku wracaliśmy do domu pieszo i mniej więcej na wysokości ulicy Caracas wypalił nagle: «Ja myślę, synku, że tata wiedział». Zapytałem: «O czym wiedział?». A on spojrzał na mnie jak na idiotę, takim poniżającym spojrzeniem, jakim obrzucają nas czasem dorośli. «Jak to o czym?», zapytał. «O tym, kto zabił Szefa».

I zaczął opowiadać mi o tym, co zobaczył na twarzy mojego ojca tego dnia, o tych wszystkich dziwnych zdaniach, jakie usłyszał w ciągu kilku minut, o jego reakcji na strzały, która wydała mu się dziwna, samobójcza. Opowiedział mi, że tata widział kogoś jeszcze, wspólnika albo towarzysza zabójcy, który miał płaszcz i był zupełnie od niego inny, elegancko ubrany. Opowiedział mi, że od tamtej chwili, odkąd go zobaczył, tata zaczął zachowywać się dziwnie, zachowywał się dziwnie w Siódmej Alei, kiedy szedł za ciałem Roy Sierry, i był dziwny później, kiedy budowano barykadę. Powtórzył mi wiele razy zdanie, które usłyszał od taty: «Jakby wszystko się powtarzało». Wówczas dziadek nic z tego nie rozumiał. To były ostatnie słowa, jakie usłyszał od ojca, zanim zabił go snajper, ale dziadek nie rozumiał, nie mógł ich zrozumieć w tamtej chwili. I powiedział mi o tym: «W tamtej chwili nie zrozumiałem. Ale stało się to później, choć kosztowało mnie sporo wysiłku. I teraz chcę, syneczku, żebyś ty też zrozumiał».

Kiedy przyszliśmy do domu, pojąłem, że sprawa jest poważna, bo dziadek poprosił mnie, żebym poszedł za nim do pokoju, było to miejsce, do którego zabraniał mi wchodzić. Posadził mnie na łóżku (nigdy mi na to nie pozwalał), a potem uklęknął na ziemi. Podniósł kapę i wyjął spod łóżka drewnianą szufladę, szufladę z jakiegoś zaginionego mebla, z zamkiem, który nie służył do niczego, bo nie było już niczego wokół. W szufladzie pełno było rzeczy: butów, papierów, ale przede wszystkim książek. «Zobacz, synku, zobacz», powiedział. «Książki twojego taty». Pokazał mi ulotkę, była to przemowa wygłoszona przez Gaitana na grobie Rafaela Uribe Uribe. Miał wówczas szesnaście lat, a przemowę napisał na zlecenie Narodowego Centrum Młodzieży. «Zobacz, synku, co potrafił Szef, kiedy był w twoim wieku», mówił dziadek. Potem pokazał mi pracę magisterską Gaitana: *Idee socjalistyczne w Kolumbii*, ale rzekł: «Na to jeszcze przyjdzie czas». A potem położył mi na kolanach książkę. *Kim oni są?* Marca Tulia Anzoli. Na pierwszej stronie widniał podpis ojca, C. Carballo, a na ostatniej data, kiedy ją przeczytał: 30 X 1945. «Tę przeczytaj jak najprędzej, a potem powiesz mi, czy rozumiesz to samo, co rozumiem ja». Tak powiedział dziadek. I chyba nie muszę wyjaśniać, że zrozumiałem to samo, co on. Może nie podczas pierwszej lektury, może nie podczas pierwszej rozmowy z nim, ale zrozumiałem wszystko z czasem. Tego popołudnia sześćdziesiątego czwartego roku, dziewiątego kwietnia, dziadek podarował mi książkę, która należała do ojca; zacząłem ją czytać tylko w jednym celu: chciałem znaleźć w niej, na tych trzystu stronach, wszystko, co mógł przypomnieć sobie tata w tamtej chwili, kiedy zabito Gaitana. Jasne, miałem wtedy szesnaście lat i nie mogłem pojąć zbyt wiele. Ale zrozumiałem, z upływem miesięcy i lat, że w książce Anzoli, grubej brzydkiej książce wydanej w tysiąc dziewięćset siedemnastym roku, znajdę klucze do tego, co myślał ojciec w ostatnich godzinach swojego życia, dziewiątego kwietnia tysiąc dziewięćset czterdziestego ósmego roku. Trudno zaakceptować tę ideę, ale ja wiele nad nią myślałem. Przeczytałem książkę dwa, trzy razy, potem pięć, a potem dziesięć, i z każdą lekturą wypływały na powierzchnię jakieś sceny, jakieś pojedyncze zdania. Przeczytałem książkę, tę przeklętą książkę, i zrozumiałem, zrozumiałem to samo co ojciec kilka minut przed śmiercią. To było tak, jakbym znalazł się w jego głowie, zobaczył świat jego oczyma, jakbym był nim na chwilę, zanim go zastrzelili. I takiej wiedzy nie życzę nikomu. To szczęście i przywilej, oczywiście, ale też ciężar, ciężar, który trudno unieść. To przypadło mi w udziale i na to poświęciłem całe życie, dźwigałem to, co tata zrozumiał w ostatnich minutach swojego życia, potem zrozumiał to mój dziadek, a to zrozumienie potem przekazano mi w spadku".

Wtedy powiedziałem jedyne słowa, jakie mogłem powiedzieć w tamtym momencie i w tamtym miejscu. Miały formę pytania, pytania, którego być może miałem pożałować, ale przemilczenie go byłoby w jakiś sposób tchórzostwem, a może także ślepotą.

„A co to za wiedza, panie Carlosie. Co takiego zrozumiał pański ojciec, a teraz rozumie pan?"

„Że elegancki mężczyzna sprzed apteki Granada jest bardzo podobny do eleganckiego mężczyzny z Dziewiątej Ulicy. Że ten mężczyzna w trzyczęściowym garniturze, o manierach brytyjskiego lorda, jak opisał go García Márquez, nie różnił się tak bardzo od mężczyzny w lakierowanych sztybletach i spodniach w prążki, jak opisała go Mercedes Grau, i nie różni się od mężczyzny, którego zaginiony świadek Alfredo García widział w zakładzie stolarskim zabójcy Galarzy, i nie różni się też od mężczyzny w cylindrze, którego nazwiska nie chciał podać Anzola podczas rozprawy. Że ów elegancki mężczyzna, który podżegał rozjuszony tłum i zdołał sprawić, że zlinczował on Juana Roę Sierrę, nie różni się od tego, który zapytał jednego z morderców Uribe: «I co? Zabiłeś go?». Tata zrozumiał, że ksiądz z tysiąc dziewięćset czternastego, nie różni się od innego księdza, bardzo słynnego, który przed zamachem na Gaitana wzywał do wyeliminowania czerwonych. Tata pojął, że plotki i anonimowe listy, jakie krążyły w Bogocie przed dziewiątym kwietnia, nie różniły się od plotek i anonimowych listów, jakie obiegły Bogotę przed piętnastym października. Zrozumiał, że wszyscy ci ludzie sądzący, że Gaitana nie zabiją, nie różnili się od tych, którzy usłyszeli z czterdziestodniowym wyprzedzeniem zapowiedź morderstwa Uribe. To właśnie zrozumiał, panie

Vásquez, zrozumiał coś okropnego – że zabili ich ci sami ludzie. Oczywiście nie chodzi o tych samych osobników, te same ręce, nie. Mówię o potworze, o nieśmiertelnym potworze, potworze o wielu twarzach i wielu nazwiskach, który tyle razy zabijał i zabije znowu, bo tutaj przez całe stulecia nie zmieniło się nic i nigdy nic się nie zmieni, bo ten nasz smutny kraj jest jak mysz biegnąca w kołowrotku".

Można na dwa sposoby widzieć albo kontemplować to, co nazywamy historią: jedna to wizja przypadkowa, według której historia jest losowym skutkiem niekończącego się łańcucha irracjonalnych aktów, nieprzewidywalnych szczęśliwych trafów i wydarzeń (życie jako nieuchronny chaos, który my, istoty ludzkie, rozpaczliwie próbujemy uporządkować), druga to wizja spiskowa, sceneria pełna cieni, niewidzialnych rąk i szpiegujących oczu, i uszu podsłuchujących w kątach, teatr, gdzie nic nie dzieje się bez przyczyny, nie istnieją przypadki, a tym bardziej zbiegi okoliczności, a powody tego, co zaszło, zostają przemilczane z racji, których nikt nigdy nie pozna. „W polityce nic nie dzieje się przypadkiem" powiedział kiedyś Franklin Delano Roosevelt. „Jeśli się dzieje, to znaczy, że tak właśnie zostało zaplanowane". To zdanie, którego nie znalazłem w żadnym wiarygodnym źródle, uwielbiane jest przez adeptów teorii spiskowych, być może dlatego, że wypowiedział je człowiek, który decydował o tylu rzeczach przez bardzo długi czas (i zostawił tak niewiele miejsca przypadkom i zrządzeniom losu). Ale to, co mówi to zdanie, o ile odważymy się śmiało zajrzeć w to śmierdzące szambo, wystarczy, żeby przestraszyć najodważniejszego, gdyż obala ono jeden z pewników, na jakich opieramy nasze życie – że nieszczęścia, tragedie, ból i cierpienie są nieprzewidywalne i nieuniknione; gdyby jednak ktoś mógł je przewidzieć lub poznać, zrobiłby wszystko, żeby im zapobiec. Idea, że inni wiedzą o tym, że wydarzy się coś złego, i nie robią nic, by temu zapobiec, jest przerażająca, tak obrzydliwa nawet dla nas, którzy straciliśmy niewinność, porzuciliśmy wszelkie złudzenia dotyczące ludzkiej moralności, że uznajemy zwykle tę wizję za zabawę, hobby dla ludzi mających zbyt wiele czasu i naiwnych, strategię wymyśloną po to, żeby lepiej radzić sobie z chaosem historii i faktem, tyle razy udowodnionym, że jesteśmy tylko jej pionkami czy marionetkami. Na teorie spiskowe odpowiadamy dobrze przećwiczonym sceptycyzmem, ze szczyptą ironii, powtarzamy, że nie ma dowodów na spiski, a ich adepci tłumaczą, że podstawowym celem każdego spisku jest ukrycie własnej egzystencji, a to, że ich nie widać, jest najlepszym dowodem ich istnienia.

W tamten piątek, 28 lutego 2014 roku, prawie sto lat po jednej ze zbrodni i prawie sześćdziesiąt sześć po drugiej, ja żyłem w takim właśnie świecie, ironicznym i sceptycznym, świecie rządzonym przez przypadek, chaos, wypadki i zbiegi okoliczności. A Carlos Carballo chciał, żebym opuścił ten świat na chwilę i zamieszkał w całkiem innym, a potem wrócił do mojego i opowiedział o tym, co widziałem. Prosił mnie o to, żeby wizja jego ojca nie zniknęła na zawsze. Przypomniałem sobie jego słowa o prawdach, które nie dzieją się w widocznych miejscach, prawdach rozgrywających się w miejscach niedostępnych dziennikarzowi oraz historykowi, o tych małych, delikatnych prawdach, które toną w zapomnieniu, gdyż odpowiedzialni za opowiadanie historii nigdy ich nie dostrzegają ani nie dowiadują się o ich skromnej egzystencji. I pomyślałem, że pragnieniem Carballa nie jest jedynie ocalić od zapomnienia prawdę, która nigdy się nie narodziła w świecie faktów historycznych, ale również ofiarować swojemu ojcu istnienie, jakiego dotąd był pozbawiony. Może bez nagrobka; nad jego kośćmi nie stanie płyta z jego nazwiskiem, ale będzie miał miejsce, żeby zaistnieć pod tym nazwiskiem i ze swoją pamięcią. Inaczej mówiąc, ze swoim życiem: swoimi czynami i miłościami, i pracami, i entuzjazmami, ze swoimi przodkami i potomkami, swoimi ideami i uczuciami, swoimi projektami i marzeniami, i swoimi planami na przyszłość. Nie, Carballo nie chciał wcale, żebym napisał drugie *Kim oni są?* o zamachu na Gaitana; chciał, żebym zbudował mauzoleum ze słów i żeby zamieszkał w nim jego ojciec, chciał, żeby ostatnie godziny jego ojca zostały opisane tak, jak on je widział, bo w ten sposób jego ojciec zyska nie tylko swoje miejsce na ziemi, ale także odegra pewną rolę w historii.

Zrozumiałem to. Wpadłem na pewien pomysł. I powiedziałem mu:

„Napiszę to, panie Carlosie".

On uniósł głowę, wyprostował się prawie niezauważalnym gestem i zobaczyłam w jego oczach ślady łez. A może był po prostu zmęczony, tak bardzo jak ja po tych dwudziestu czterech godzinach nieprzerwanej rozmowy i trudnych wspomnień. I pewnie nie był już 28 lutego, kiedy to powiedziałem, spędziliśmy w zamknięciu tyle czasu, że z pewnością nastał już marzec.

„Napisze pan?", zapytał.

„Tak. Ale jeśli mam to zrobić, muszę panu zaufać. Muszę wiedzieć, że mówi pan prawdę. Zapytam pana o coś, i zrobię to tylko raz: czy ma pan kręg? Ma pan kręg Gaitana, wyciągnął go pan z szuflady Francisca Benavidesa?"

Milczał.

„Niech mi pan pozwoli, że powiem to inaczej. Muszę zabrać kręg Gaitana i fragment czaszki generała Uribe. Muszę oddać je Benavidesowi, który jest ich prawowitym spadkobiercą. Jeśli mu je zwrócę, napiszę książkę. W przeciwnym wypadku nie napiszę jej. To bardzo proste".

„On nie jest prawowitym spadkobiercą", zaprzeczył Carballo. „Fragment czaszki dostałem od mistrza".

„A kręg? Też pan go dostał?"

„Francisco chce się ich pozbyć", odparł.

„Nie chce się ich pozbyć. Chce, żeby znalazły się w muzeum, żeby ludzie mogli je oglądać. Proszę pomyśleć, panie Carlosie, te kości do niego nie należą, tak jak nie należą do pana, należą do wszystkich, bo przeszłość, której są świadectwem, należy do wszystkich. Chciałbym móc je zobaczyć, kiedy przyjdzie mi na to ochota. Chcę pokazać je moim córkom. Co więcej, chciałbym zabrać je w publiczne miejsce, podejść do witryny i pokazać im te kości, wyjaśnić wszystko, co one opowiadają".

„Ale przecież to dowody", powiedział Carballo. „To świadectwa czegoś, czego nie widzimy, ale być może tam jest. Być może na czaszce jest ślad kastetu. Na kręgu…"

„Pieprzy pan głupoty", przerwałem. „Niech pan nie zawraca mi głowy. Co takiego jest w tym kręgu? Kula drugiego strzelca? Wie pan równie dobrze jak ja, a jeśli pan zapomniał, powtórzę to, co pański mistrz potwierdził podczas drugiej autopsji; nie było drugiego strzelca. W tym kręgu nie ma nic nowego. A jeśli idzie o sławetny kastet, w tym fragmencie czaszki nie pozostawił śladu. Kastet żyje w spekulacjach Anzoli, ale nie w tych kościach. Te kości od bardzo dawna nie są dowodami w sprawie. Nie pokazują niczego. To tylko szczątki, ludzkie ruiny, ruiny wielkich ludzi".

Kiedy wyszedłem na bogotański poranek – poranek sobotni, poranek marcowy – niosłem w czarnym plecaku własność Francisca Benavidesa. Położyłem ją obok siebie w samochodzie, na siedzeniu pasażera, i uświadomiłem sobie, jadąc do domu, w kierunku mojego obecnego życia, z poczuciem niedowierzania, że od czasu do czasu odrywam wzrok od kierownicy i spoglądam na nią, żeby się upewnić, iż to, co stało się wcześniej, nie jest jedynie wytworem mojej chorej wyobraźni. Ruiny wielkich ludzi – wiersz z *Juliusza Cezara* rozpanoszył mi się w głowie (a może powinienem powiedzieć: przybył mi na ratunek), jak już często zdarzało mi się ze starym Willem, którego słowa pomagają mi uporządkować chaotyczne doświadczenia i nadać im kształt. W tej scenie Juliusz Cezar umarł właśnie na Kapitolu, ugodzony dwadzieścia trzy razy sztyletami spiskowców, wykrwawił się pod posągiem Pompejusza i Antoniusz, jego przyjaciel i protegowany, zostaje sam na sam z martwym ciałem. *O, nie przeklinaj mnie, skrwawiony prochu*, mówi Antoniusz, *za miękkość wobec tej bandy rzeźników. Jesteś ruiną największego z ludzi, których nurt czasu wyniósł na ten świat.* Nie mam pojęcia, czy Uribe i Gaitán byli największymi ludźmi swoich czasów, ale ich ruiny towarzyszące mi w drodze powrotnej do domu naprawdę miały w sobie wielkość. Te ludzkie ruiny były memorandum naszych przeszłych błędów i w pewnej chwili były również przepowiedniami. Pamiętałem, na przykład, przemowę jednego z adwokatów z oskarżenia prywatnego w procesie o zabójstwo generała Uribe. Po tym jak wykluczył udział innych osób poza wymienionymi oskarżonymi i nazwał zbrodnię polityczno-anarchistyczną, kończył przemowę słowami: „Na szczęście przypadek generała Uribe Uribe był i powinien pozostać, *Deo volente*, jedyny w Kolumbii". Mylił się, obok mnie leżały dowody rzeczowe tego błędu, ale dla mnie najważniejsza nie była pamięć tych kości, ale wpływ, jaki kontakt z nimi miał na życie ludzi: Carlosa Carballa, Francisca Benavidesa i jego nieżyjącego już ojca. I moje, oczywiście. Także na moje.

Była sobota, uznałem więc, że mogę zjawić się u doktora Benavidesa bez zapowiedzi. Otworzył mi w okularach do czytania i z książką w ręku; ze środka, jakby z głębi domu, płynęły dźwięki smutnej wiolonczeli. Nie musiałem wyjaśniać mu powodu wizyty. Zaprowadził mnie na górę, do pokoju skarbów, gdzie wszystko się zaczęło prawie dziewięć lat temu, i odebrał swoje relikwie. Rozmawialiśmy, opowiedziałem mu o ostatnich godzinach, omijając wiele, streszczając z grubsza to, co odkryłem, gdyż opowiedzenie wszystkiego wydawało mi się brakiem lojalności, zdradzeniem tajemnicy, a może dlatego, że uznałem się za jedynego adresata historii Carballa, opowiedzianej mi tylko po to, by zamieszkała w mojej książce. Powiedziałem Benavidesowi o umowie zawartej z Carballem. W ostatniej chwili, kiedy już się żegnaliśmy i obaj staliśmy w progu, zapytał: „A jak mogę być pewny, że pan wywiąże się z obietnicy? Pan zabiera teraz te rzeczy, a Francisco odda je, jak twierdzicie, podaruje do muzeum albo coś w tym rodzaju. Jak mogę być pewien, że potem pan naprawdę napisze tę książkę?" Zaproponowałem mu wówczas, że przekonam Benavidesa, by podarował je dopiero wtedy, kiedy moja książka, książka Carballa, zostanie wydana, kiedy zaistnieje już w rzeczywistym świecie, wypełniając go historiami, które mi opowiedział, a szczególnie jedną z nich. Powiedziałem o tym Benavidesowi podczas tamtej wizyty, a on się zgodził, ale wyczytałem z jego zachowania, że znajomość z Carlosem Carballem, starym przyjacielem, uczniem jego ojca, popsuła się na zawsze. I poczułem się tak, jakbym to ja stracił dobrego przyjaciela.

Kilka dni później wyjechałem do Belgii, żeby spędzić tam jakiś czas, co planowałem od dawna. Na początku poprzedniego roku, kiedy pisałem jeszcze książkę o wojnie w Korei, pewna belgijska fundacja zaproponowała mi czterotygodniową rezydencję dla pisarzy; w tamtej chwili pomysł zamknięcia się w mieszkaniu w centrum Brukseli, żeby spędzać dni i noce ze swoimi fikcyjnymi bohaterami i ich zmyślonymi losami, nie musząc z nikim się spotykać, z nikim rozmawiać, a nawet odbierać telefonu, wydał mi się niezwykle kuszący, nawet gdybym nie miał w Belgii przyjaciół, których kocham i lubię odwiedzać, kiedy tylko mogę, niektórzy z nich są bowiem w tak zaawansowanym wieku, że z każdą wizytą zastanawiam się, czy jeszcze ich kiedyś zobaczę. Więc bez namysłu zaakceptowałem zaproszenie, które miało mi pozwolić odwiedzić przyjaciół i skoncentrować się na kolejnej książce. Teraz jednak podróż zaczęła mnie przerażać, bo zmieniły się okoliczności; już nie fikcyjne postacie tamtej powieści miały wypełnić mi ten samotny czas, lecz prawdziwa opowieść, która na każdym kroku pokazywała mi, jak mało zrozumiałem dotąd z historii swojego kraju, śmiała mi się w twarz, dawała mi odczuć, jak nikłe są moje narratorskie umiejętności wobec chaosu tego, co wydarzyło się tak dawno temu. To już nie miały być konflikty postaci, których istnienie zależy od mojej woli, lecz moje próby zrozumienia, naprawdę i raz na zawsze, tego, co Carlos Carballo odkrył przede mną podczas wielu spotkań, które teraz nakładały się na siebie w mojej pamięci.

I to właśnie robiłem przez trzydzieści dni i trzydzieści nocy. Mieszkanie na Place du Vieux Marché aux Grains miało gabinet wychodzący na brukowaną ulicę; przy ścianie, pomiędzy dwoma wysokimi oknami, przez które wpadało zimne północne światło, stało biurko (z blatem obitym czarną skórą, szufladami pełnymi zużytych ołówków i kopert z korespondencją poprzednich użytkowników), ale nigdy z niego nie skorzystałem, gdyż wchodząc do mieszkania po raz pierwszy, znalazłem się w salonie, pod którego ścianami ustawiono białe szafy wysokości metra, i następnego dnia ich niemal ciągła powierzchnia pokryła się wszystkimi towarzyszącymi mi w podróży papierami – fotokopiami starych gazet, zdjęciami, książkami i notesami pełnymi zapisków – a stół w jadalni zmienił się w stanowisko pracy. Na wszystkich tych powierzchniach, a także na marmurowym gzymsie zgaszonego kominka dokumenty zmieniały pozycje; powoli w czasie tych dni przedwczesnej wiosny zaczęła powstawać możliwa wersja opowieści Carballa; podczas bezsennych nocy czytałem raz i drugi swoje wściekłe notatki, a zawarte w nich fakty, w połączeniu z moją samotnością i wyczerpaniem, wywoływały u mnie coś w rodzaju paranoi. Kiedy wychodziłem na spacer, patrzyłem na miasto, którego muzea, księgarnie, mury oklejone afiszami pochylały się nad wspomnieniem Grande Guerre, a ja patrzyłem na te obrazy, które widziałem już tysiące razy; te zasieki, żołnierzy w hełmach siedzących w okopach, ubłocone twarze, dziury wyryte w ziemi haubicami. I myślałem, że w odległości dwóch godzin podróży pociągiem zabito Jeana Jaurèsa (czemu nie wsiąść do tego pociągu?) i trzech godzin drogi samochodem zginął żołnierz Hernando de Bengoechea (czemu nie wynająć samochodu?), ale nigdy nie odbyłem tych podróży, spieszyłem się, żeby wrócić na swoją brukowaną ulicę, do swojego mieszkania, bo uświadomiłem sobie, że nie mogę przestać myśleć o kolumbijskich zbrodniach, uświadomiłem sobie również, że nic z tego pochylonego nad wspomnieniami miasta ani możliwych podróży do przeszłości, jakie oferował mi region, nie interesowało mnie tak bardzo, jak wspominanie na piśmie rozmów z człowiekiem, który wierzył w teorie spiskowe. Również inne rzeczy spotkały mnie w tych dniach, o innych rzeczach myślałem i pisałem. Na przykład poznałem mężczyznę, który był w Sarajewie kochankiem pisarki Senki Marnikovic. Ale na te anegdoty nie ma miejsca w tej książce.

Muszę natomiast wspomnieć o tym, co przydarzyło mi się w podróży powrotnej. Miałem przesiadkę w Nowym Jorku, gdyż połączenie było tańsze, a także z innych mniej praktycznych powodów, o których nie czas tu mówić, i zabawiłem w mieście dwa dni, zamiast kilku przewidzianych godzin.

Mogłem spędzić ten czas w księgarniach z używanymi książkami albo w kinie, ale obsesja na punkcie zdarzeń i postaci mojej książki w stanie embrionalnym nie zostawiała mi ani chwili wolności, i poświęciłem jeden poranek na jej nakarmienie; szukałem miejsc, które odwiedził Rafael Uribe Uribe, kiedy przybył do miasta na początku 1901 roku, podczas gdy wojna tysiąca dni była w pełni. Nie miałem szczęścia, moje poszukiwania nie doprowadziły mnie donikąd. Ale wówczas przypomniałem sobie o teorii Carballa, który na podstawie książki *Tajemnice ruletki i jej techniczne pułapki* doszedł do wniosku, że Marco Tulio Anzola uciekł do Stanów Zjednoczonych po procesie i prawdopodobnie mógł liczyć na pomoc i wsparcie Carlosa Adolfa Uruety, zięcia Uribe, będącego wówczas dyplomatą w Waszyngtonie. Jeśli Anzola rzeczywiście przybył w tych latach do Nowego Jorku, pomyślałem, znajdzie się po nim ślad w archiwach Ellis Island, które są otwarte dla zwiedzających. Nuda bywa twórcza; pewnego słonecznego poranka, zanim pojechałem na lotnisko, żeby polecieć do Bogoty, wsiadłem na prom przewożący turystów i innych cieszących się wolnym czasem na wyspę, gdzie przypływali wszyscy imigranci, i zacząłem swoje śledztwo. Nie musiałem poświęcić nawet godziny na poszukiwania: na ekranie komputera zobaczyłem fiszkę potwierdzającą wjazd Anzoli. Jego statek „Brighton" wypłynął z kolumbijskiego portu Santa Marta. Przybył do Nowego Jorku 3 stycznia 1919 roku; wśród towarzyszy podróży znajdował się Carlos Adolfo Urueta. Z fiszki dowiedziałem się również, że miał dwadzieścia osiem lat, kolor oczu – ciemnobrązowy, znaki szczególne – znamię na lewym policzku, poznałem stan cywilny: żonaty. Co robił Anzola w Nowym Jorku? Ile czasu został w Stanach Zjednoczonych? Czemu napisał książkę o hazardzie? Osiem lat po tej książce Gaitán został zamordowany w Bogocie. Czy Anzola dowiedział się o tej zbrodni? Jaką spiskową teorię ukuł lub rozważał wówczas? Zrobiłem kilka zdjęć i poczułem się tak, jakbym zobaczył ducha. Poczułem również, że Anzola nie do końca mnie opuścił. Obsesje na punkcie prawdy nie odchodzą tak łatwo.

Wróciłem do Bogoty na początku kwietnia. I właśnie wtedy, jednej z pierwszych nocy po moim powrocie, trafiłem na nocne wydanie wiadomości i nagranie ukazujące Carballa w chwili aresztowania, wsiadającego do policyjnej furgonetki z miną łotrzyka przyłapanego na gorącym uczynku. Ręce miał skute kajdankami na plecach, ale sprawiał wrażenie spokojnego, głowę skulił w ramionach, ale nie po to, żeby się schować, raczej po to, by nie uderzyć się o karoserię furgonetki. W materiale oskarżano go o próbę kradzieży sukiennego garnituru Jorge Eliecera Gaitana, ale ja wiedziałem, że to nieprawda. Kiedy dziennikarz opisał, co zaszło, kiedy opowiedział, że Carballo rozbił kastetem witrynę, w której znajdował się garnitur Gaitana, kiedy szczegółowo wyjaśnił,

S. S. _____ "BRIGHTON" 3 ~ 1 _____. Passengers sailing from _____ SANTA MARTA.

	3	2	4	5	6	7		8			9	10	*Last perma.
	NAME IN FULL.		Age.			Calling or occupation.		Able to—			Nationality, (Country of which citizen or subject.)	†Race or people.	
	Family name.	Given name.	Yrs.	Mos.	Sex.	Married or single.		Read.	Read what language [or, if exemption claimed, on what ground].	Write.			Country.
	Gonzalez	Luis Carlos	24		M	S	Merchant	Yes	Spanish		Yes	Colombia	Spanish Am.	Col
	Ramirez-Ricaurte	Jorge	28		M	S			Spanish and English		"	"	"	U.S.
	Anzola-Samper	Marco T.	28		M	M			Spanish		"	"	"	Col
	Herrera	Julio E.	25		M	S			"		"	"	"	"

że dozorca muzealny zatrzymał go w chwili, kiedy Carballo kładł rękę na ramieniu marynarki, tylko ja zrozumiałem, że nie chciał wcale go ukraść, ale dotknąć dłonią tego samego sukna, którego dotykał jego ojciec tamtego fatalnego dnia. Relikwie są również tym, pomyślałem przed telewizorem, sposobem na porozumiewanie się z naszymi zmarłymi, i w tym momencie zauważyłem, że żona zasnęła obok mnie i nie mogę z nią o tym porozmawiać. I wtedy wstałem z łóżka, i poszedłem do pokoju moich córek, które też spały, i zamknąłem drzwi, i usiadłem na ich zielonym krześle w ptaszki, i siedziałem tam, w cichych ciemnościach sypialni, patrząc z zazdrością na spokój ich długich ciał, zaskoczony tym, jak bardzo się zmieniły od swojego trudnego przyjścia na świat, bawiąc się wyławianiem ich rytmicznych oddechów wśród hałasów miasta; miasta zaczynającego się za szybą, potrafiącego być równie okrutnym jak nasz chory z nienawiści kraj. To miasto i ten kraj, którego przeszłość odziedziczą, jak odziedziczyłem ją ja: z jej zdrowym rozsądkiem i szaleństwem, z jej trafnymi decyzjami i błędami, z jej niewinnością i jej zbrodniami.

Od autora

Kształt ruin jest utworem fikcyjnym. Postacie, zdarzenia, dokumenty i epizody z rzeczywistości, teraźniejszej czy przeszłej, użyte zostały tutaj w formie zbeletryzowanej, ze swobodą właściwą literackiej wyobraźni. Czytelnik, który zechce szukać w tej książce zbieżności z rzeczywistością, czyni to wyłącznie na własną odpowiedzialność.

Podziękowania

Przez trzy lata, kiedy pisałem tę powieść, wielu z moich krewnych, przyjaciół i znajomych podzieliło się ze mną swoim czasem, przestrzenią, wiedzą i radą, udzieliło mi pomocy w rozwiązaniu jakiegoś problemu, i chcę tu dać wyraz mojej dla nich wdzięczności. Są to: Alfredo Vásquez, Fundacja Passa Porta z Brukseli, Agencja Casanovas&Lynch (Mercedes Casanovas, Nuria Muñoz, Sandra Pareja, Ilse Font i Nathalie Eden), Inés García i Carlos Rovira, Rafael Dezcallar i Karmele Miranda, Javier Cercas, Tatiana de Germán Ribón, Catalina Gómez, Enrique de Hériz, Camilo Hoyos i Instytut Caro i Cuervo, Gabriel Iriarte, Álvaro Jaramillo i Clarita Pérez de Jaramillo, Mario Jursich, Alberto Manguel, Patricia Martínez, Jorge Orlando Melo, Hernán Montoya i Socorro de Montoya, Carolina Reoyo, Elkin Rivera, Ana Roda, Mónica Sarmiento i Alejandro Moreno Sarmiento, Andrés Enrique Sarmiento i Fanny Velandia. Ale największy dług mam wobec Mariany, pierwszej adresatki tych stron, której obecności, widzialnej i niewidzialnej, ta książka (i życie jej autora) zawdzięcza coś, co w tajemniczy sposób przypomina harmonię.

J.G.V.
Bogota, wrzesień 2015

Spis treści